LE GUIDE VERT

JACASS/MICHELIN

Provence

Directeur	David Brabis
Rédactrice en chef	Nadia Bosquès
Rédaction	Stéphanie Vinet
Informations pratiques	Catherine Rossignol, Marie Simonet, Isabelle Foucault
Documentation	Isabelle du Gardin, Eugénia Gallese, Archana Verma
Cartographie	Alain Baldet, Michèle Cana, Laurence Sénéchal
Iconographie	Cécile Koroleff, Stéphane Sauvignier
Secrétariat de rédaction	Pascal Grougon, Danièle Jazeron
Correction	Juliette Dablanc
Mise en page	Didier Hée
Conception graphique	Christiane Beylier
Maquette de couverture	Laurent Muller
Fabrication	Pierre Ballochard, Renaud Leblanc
Marketing	Cécile Petiau, Ana Gonzalez
Ventes	Gilles Maucout (France), Charles Van de Perre (Belgique), Philippe Orain (Espagne, Italie), Jack Haugh (Canada), Stéphane Coiffet (grand export)
Relations publiques	Gonzague de Jarnac
Régie publicitaire	michelin-cartesetguides-btob@fr.michelin.com

Le contenu des pages de publicité insérées dans ce guide n'engage que la responsabilité des annonceurs.

Pour nous contacter	Le Guide Vert Michelin

46, avenue de Breteuil
75324 Paris Cedex 07
☎ 01 45 66 12 34
Fax : 01 45 66 13 75
www.ViaMichelin.fr
LeGuideVert@fr.michelin.com

Parution 2006

Note au lecteur

L'équipe éditoriale a apporté le plus grand soin à la rédaction de ce guide et à sa vérification. Toutefois, les informations pratiques (prix, adresses, conditions de visite, numéros de téléphone, sites et adresses Internet...) doivent être considérées comme des indications du fait de l'évolution constante des données. Il n'est pas totalement exclu que certaines d'entre elles ne soient plus, à la date de parution du guide, tout à fait exactes ou exhaustives. Elles ne sauraient de ce fait engager notre responsabilité.

Ce guide vit pour vous et par vous ; aussi nous vous serions très reconnaissants de nous signaler les omissions ou inexactitudes que vous pourriez constater. N'hésitez pas à nous faire part de vos remarques et suggestions sur le contenu de ce guide. Nous en tiendrons compte dès la prochaine mise à jour.

À la découverte de la Provence

Par une belle journée, allongez-vous à l'ombre sucrée des figuiers, fermez les yeux et laissez-vous transporter par vos sens en éveil. Écoutez : le chant des cigales emplit vos oreilles ; sentez : l'odeur de la lavande évoque des champs mauves à perte de vue ; goûtez : les fruits et légumes regorgent de soleil, l'huile d'olive parfume les plats... Maintenant, rouvrez les yeux : vous êtes en Provence.

Cet aqueduc romain majestueux qu'est le pont du Gard, ce palais des Papes qui accueille des représentations théâtrales à Avignon, ce village des Bories à Gordes, ce musée fondé par Mistral à Arles, ce château en ruine sur un éperon rocheux aux Baux-de-Provence, ces fontaines moussues à Pernes... C'est la Provence des hauts lieux touristiques, très fréquentés en été, et pourtant incontournables pour qui aspire à découvrir l'histoire de la région à travers son patrimoine et ses paysages.

Cette calanque protégée du mistral à Niolon qui attend les baigneurs, cette eau bondissante nommée l'Ardèche qui attire les kayakistes, ces vastes étendues en Camargue qui sont propices à de longues chevauchées, ces petites routes balisées dans le Luberon qui invitent à enfourcher son vélo... C'est la Provence des amateurs d'activités sportives.

Cette ruelle bordée d'hôtels particuliers en pierre dorée à Aix, cette feria aux accents espagnols qui fait battre le cœur de Nîmes, ce troupeau de moutons croisé en chemin, ces exclamations des joueurs de pétanque, cette ribambelle de santons dans un atelier d'Aubagne, cette fraîcheur d'une maison aux volets clos à l'heure de la sieste... C'est la Provence intime faite de petits riens du quotidien rencontrés au hasard d'une journée de vacances et qui vous feront penser : voilà une région où il fait décidément bon vivre.

L'équipe du Guide Vert Michelin
LeGuideVert@fr.michelin.com

Sommaire

Informations pratiques

Invitation au voyage

Arlésienne du 19ᵉ s.

Mabit J.-L. /Museon Arlaten, Arles

Joueur de galoubet,
petite flûte des jours de fête.

Villes et sites

Santons de St-Rémy-de-Provence.

Olives de Nyons.

Cartes et plans

Les cartes routières qu'il vous faut

Comme tout automobiliste prévoyant, munissez-vous de bonnes cartes. Les produits Michelin sont complémentaires : ainsi, chaque ville ou site présenté dans ce guide est accompagné de ses références cartographiques sur les cartes Local. Nous vous proposons de consulter également nos différentes gammes de cartes.

Les **cartes Local**, au 1/150 000 ou au 1/175 000, ont été conçues pour ceux qui aiment prendre le temps de découvrir une zone géographique plus réduite (un ou deux départements) lors de leurs déplacements en voiture. Elles comprennent un index complet des localités et contiennent les plans des préfectures. Pour ce guide, consultez les cartes Local **331**, **332**, **339** et **340**.

L'assemblage de nos cartes est présenté ci-dessous avec les délimitations de leur couverture géographique.

Les **cartes Régional**, au 1/200 000, couvrent le réseau routier secondaire et donnent de nombreuses indications touristiques. Elles sont pratiques lorsqu'on aborde un vaste territoire ou pour relier des villes distantes de plus de cent kilomètres. Elles disposent également d'un index complet des localités et proposent les plans des préfectures. Pour ce guide, utilisez la carte **526** ou **527** (sous forme d'atlas).

Pensez aussi aux **cartes Zoom**, au 1/100 000, n° **113** pour la Provence et n° **114** pour le Pays varois.

Et n'oubliez pas, la **carte de France n° 721** vous offre la vue d'ensemble de la Provence au 1/1 000 000, avec ses grandes voies d'accès, d'où que vous veniez.

Enfin sachez qu'en complément de ces cartes, le site Internet www.ViaMichelin.fr permet le calcul d'itinéraires détaillés avec leur temps de parcours, et offre bien d'autres services. Le minitel **3615 ViaMichelin** vous permet d'obtenir ces mêmes informations ; les **3617** et **3623 Michelin** les délivrent par fax ou imprimante.

L'ensemble de ce guide est par ailleurs riche en cartes et plans, dont voici la liste :

Légende

Monuments et sites

◉ →	Itinéraire décrit, départ de la visite
🏛 ✝	Église
🏛 ✝	Temple
🕍 ◼ 🕌	Synagogue - Mosquée
▬▬	Bâtiment
◼	Statue, petit bâtiment
✝	Calvaire
◎	Fontaine
—●—◼▶	Rempart - Tour - Porte
✕	Château
∴	Ruine
⌣	Barrage
✿	Usine
✩	Fort
⌒	Grotte
⬛	Habitat troglodytique
⍑	Monument mégalithique
▼	Table d'orientation
Ⅶ	Vue
▲	Autre lieu d'intérêt

Signe particulier

⚓	Plage

Sports et loisirs

🏇	Hippodrome
⛸	Patinoire
≋ ▱	Piscine : de plein air, couverte
🎥	Cinéma Multiplex
⛵	Port de plaisance
⛺	Refuge
□-◼-◼-□	Téléphérique, télécabine
□++++□	Funiculaire, voie à crémaillère
🚂	Chemin de fer touristique
◆	Base de loisirs
⛲	Parc d'attractions
⍦	Parc animalier, zoo
✾	Parc floral, arboretum
◔	Parc ornithologique, réserve d'oiseaux
🚶	Promenade à pied
☺	Intéressant pour les enfants

Abréviations

A	Chambre d'agriculture
C	Chambre de commerce
H	Hôtel de ville
J	Palais de justice
M	Musée
P	Préfecture, sous-préfecture
POL.	Police
⚜	Gendarmerie
T	Théâtre
U	Université, grande école

	site	station balnéaire	station de sports d'hiver	station thermale
vaut le voyage	★★★	≜≜≜	✳✳✳	‡‡‡
mérite un détour	★★	≜≜	✳✳	‡‡
intéressant	★	≜	✳	‡

Autres symboles

🛈 Information touristique

═══ Autoroute ou assimilée

❶ ❶ Échangeur : complet ou partiel

↔ Rue piétonne

ɪ════ɪ Rue impraticable, réglementée

▭▭▭ ---- Escalier - Sentier

🚂 🚃 Gare - Gare auto-train

🚌 🚌 Gare routière

—•— Tramway

Ⓜ Métro

P̬ Parking-relais

♿ Facilité d'accès pour les handicapés

✉ Poste restante

☎ Téléphone

✉ Marché couvert

⚔ Caserne

△ Pont mobile

∪ Carrière

✕ Mine

B F Bac passant voitures et passagers

⛴ Transport des voitures et des passagers

⛴ Transport des passagers

③ Sortie de ville identique sur les plans et les cartes Michelin

Bert (R.)... Rue commerçante

AZ B Localisation sur le plan

▶▶ Si vous le pouvez : voyez encore...

Carnet pratique

Catégories de prix :
⊖ À bon compte
⊖⊖ Valeur sûre
⊖⊖⊖ Une petite folie !

20 ch. : Nombre de chambres :
38,57/57,17 € prix de la chambre pour une personne/chambre pour deux personnes

demi-pension Prix par personne, sur la base
ou pension : d'une chambre occupée par
42,62 € deux clients

⊐ 6,85 € Prix du petit déjeuner; lorsqu'il n'est pas indiqué, il est inclus dans le prix de la chambre (en général dans les chambres d'hôte)

120 empl. : Nombre d'emplacements
12,18 € de camping : prix de l'emplacement pour 2 personnes avec voiture

12,18 € déj. Restaurant : prix menu servi
16,74/38,05 € au déjeuner uniquement – prix mini/maxi : menus (servis midi et soir) ou à la carte

rest. Restaurant dans un lieu
16,74/38,05 € d'hébergement, prix mini/maxi : menus (servis midi et soir) ou à la carte

repas 15,22 € Repas type « Table d'hôte »

réserv. Réservation recommandée

⊘ Cartes bancaires non acceptées

P Parking réservé à la clientèle de l'hôtel

Les prix sont indiqués pour la haute saison

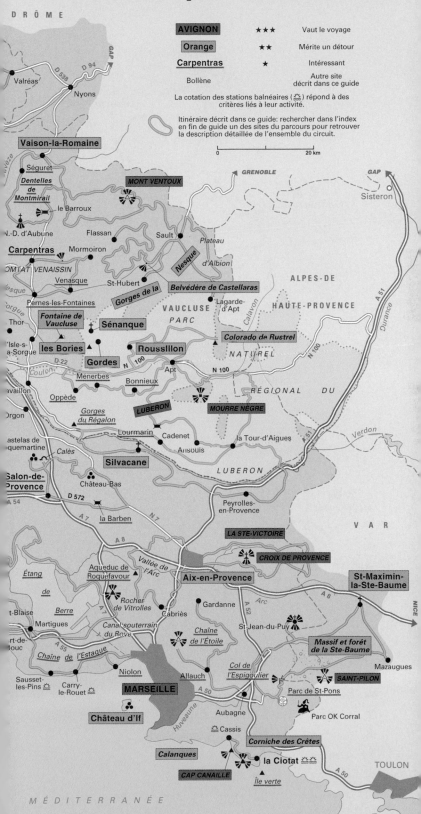

Les plus beaux sites

AVIGNON ★★★ Vaut le voyage

Orange ★★ Mérite un détour

Carpentras ★ Intéressant

Bollène Autre site décrit dans ce guide

La cotation des stations balnéaires (⚓) répond à des critères liés à leur activité.

Itinéraire décrit dans ce guide: rechercher dans l'index en fin de guide un des sites du parcours pour retrouver la description détaillée de l'ensemble du circuit.

0   20 km

DRÔME

Valréas

Nyons

D 538   D 94   GAP

Vaison-la-Romaine

Séguret

Dentelles de Montmirail

le Barroux

N.-D. d'Aubune

Flassan

Sault

MONT VENTOUX

GRENOBLE

GAP

Sisteron

Carpentras

Mormoiron

Plateau d'Albion

ALPES-DE HAUTE-PROVENCE

COMTAT VENAISSIN

Venasque

St-Hubert

Nesque

Gorges de la

Lagarde-d'Apt

A 51

Durance

Pernes-les-Fontaines

Belvédère de Castellaras

VAUCLUSE PARC

Fontaine de Vaucluse

Sénanque

Colorado de Rustrel

Thor

l'Isle-s-la-Sorgue

les Bories

Roussillon

N 100

NATUREL

N 100

Gordes

Apt

N 100

Ménerbes

Bonnieux

RÉGIONAL DU

availlon

Oppède

LUBERON

MOURRE NÈGRE

Orgon

Gorges du Régalon

Lourmarin

Cadenet

la Tour-d'Aigues

Verdon

astelas de quemartine

Calès

Ansouis

LUBERON

Silvacane

Salon-de-Provence

Château-Bas

Peyrolles-en-Provence

A 54

D 572

la Barben

A 7

N 7

VAR

A 8

LA STE-VICTOIRE

Étang de

Aqueduc de Roquefavour

Vallée de l'Arc

CROIX DE PROVENCE

St-Maximin-la-Ste-Baume

NICE

t-Blaise

Berre

Martigues

Rocher de Vitrolles

Cabriès

Aix-en-Provence

Gardanne

Arc

A 52

St-Jean-du-Puy

Massif et forêt de la Ste-Baume

Mazaugues

rt-de-ouc

Chaîne de l'Estaque

Canal souterrain du Rove

Chaîne de l'Étoile

Col de l'Espigoulier

SAINT-PILON

Sausset-les-Pins

Niolon

Allauch

A 50

Parc de St-Pons

Carry-le-Rouet

MARSEILLE

Aubagne

Parc OK Corral

Château d'If

Huveaune

Cassis

Corniche des Crêtes

TOULON

Calanques

la Ciotat

A 50

CAP CANAILLE

Île verte

MÉDITERRANÉE

Circuits de découverte

Pour de plus amples explications, consulter la rubrique du même nom dans la partie "Informations pratiques" en début de guide.

0   20 km

1 Entre Gard et Ardèche

2 La Provence antique

3 Merveilles naturelles du Vaucluse

4 Beaux villages du Luberon

5 La Camargue

6 Montagnes du littoral et de l'arrière-pays marseillais

Les beaux légumes de Provence.

Malburet J./MICHELIN

Malburet J./MICHELIN

Informations pratiques

Où et quand partir

nos conseils de lieux de séjour

D'une façon générale, pendant la période estivale et durant les festivals ou ferias, les places sont rares et chères. Il vous faudra réserver longtemps à l'avance.

PRÈS DE LA CÔTE

Calanques et pays d'Aix – À **Marseille**, vous trouverez à vous loger à des prix variés. De là, vous pourrez rejoindre les calanques. À l'Est, du côté de l'Estaque (en prenant le train bleu), les tarifs ont tendance à grimper. Niolon sera l'occasion pour les plongeurs d'explorer le monde du silence tandis que Carry-le-Rouet, la cité de Fernandel, attirera les partisans des bains de mer. Enfin, pour un séjour en famille, vous choisirez Sausset-les-Pins. À l'Ouest, **Cassis**, connu pour son délicieux vin blanc, compte des hôtels plaisants et abordables. 19 km plus loin, **La Ciotat**, ville de Louis Lumière et patrie de la pétanque, possède un Motel-Camping qui conviendra aux petits budgets. Mais pourquoi ne pas vous éloigner un peu de la côte et préférer une chambre d'hôte à **Aubagne** (à 15mn de Marseille en TER), cité des santons, incontournable à la période de Noël ? À 30 km au Nord de Marseille, par l'autoroute, il fait bon séjourner à **Aix**, ville de Provence dans toute son élégance. Ici, les hôtels ont pris place dans d'anciens bâtiments (prieuré, cloître, immeuble 18e s.). C'est également un point de départ pour se rendre dans le massif de la Ste-Baume, aux alentours duquel vous trouverez quelques petits hôtels.

En Camargue – Le plus simple sera de réserver un hébergement à **Arles** ; les établissements y sont charmants. Si vous désirez résider près de la mer, choisissez un hôtel aux **Stes-Maries-de-la-Mer**. Là, vous pourrez louer un vélo pour arpenter la digue à la mer, alors que les plus courageux feront le tour de l'étang de Vaccarès. Au **Grau-du-Roi**, c'est tout l'un ou tout l'autre : camping au bord de l'eau ou mas camarguais grand confort ! Ici, vous trouverez votre monture pour de longues chevauchées dans la Camargue. Enfin, n'oubliez pas **Aigues-Mortes** : vous prendrez plaisir à vous y promener et vous approvisionner en vin des sables !

DANS LES TERRES

Alpilles et Luberon – Les marcheurs apprécieront les **Alpilles**, paysage tout empreint des senteurs de la garrigue et parsemé de petits villages : Fontvielle et son moulin de Daudet, Maillane où Mistral vit le jour, Graveson et ses jardins. Séjournez dans la cité, si provençale, de **St-Rémy-de-Provence**, avec son vieux centre et sa ceinture de boulevards ombragés de platanes. L'animation aux beaux jours y est permanente, que ce soit dans les arènes ou en ville. À 40 km au Sud-Est, retrouvez Nostradamus en sa bonne ville de **Salon**, célèbre pour sa fontaine moussue : les hébergements (à l'hôtel ou en chambre d'hôte) y sont abordables et agréables. Et les Baux-de-Provence ? Il fait bon y flâner... moins y séjourner car les hôtels affichent des tarifs à la hauteur du site. Et pourquoi pas une incursion dans la proche Montagnette ? Installez-vous alors à **Tarascon**, où les hôtels sont d'un bon rapport qualité-prix, et vous en profiterez pour faire un saut chez sa rivale : Beaucaire.

Moulin de Daudet (Fontvieille).

Sauvignier S./MICHELIN

Si vous cherchez un hôtel afin d'aller découvrir **le Luberon**, vous vous arrêterez à **Cavaillon**, à ses portes. Mais rien ne vaut les chambres d'hôte, qui constituent l'essentiel de l'hébergement dans la région. Certaines sont à des prix très élevés, comme à Gordes, ce qui ne vous empêchera pas d'aller flâner dans ses « calades » et d'aller visiter, non loin, l'abbaye de Sénanque qui aime se parer de lavande. D'autres, heureusement, sont à des tarifs plus raisonnables, comme à la Tour-d'Aigues. C'est à pied, à vélo ou à cheval, que vous sillonnerez le Luberon, vous arrêtant à Roussillon, pour son ocre et son sentier tracé dans les anciennes carrières ; à Ménerbes, que rendit célèbre l'écrivain anglais Peter Mayle ; à Bonnieux où vous ferez quelques pas dans la forêt de cèdres ; à Oppède, où le minéral et le végétal semblent ne faire qu'un ; à Lacoste, tout frémissant encore des frasques du divin marquis de Sade ; ou encore, plus au Sud, à Lourmarin, après un détour par les falaises de Buoux, idéales pour les varappeurs.

De Nîmes aux gorges de l'Ardèche – **Nîmes** offre un grand choix d'établissements. À **Uzès** se sera plus limité mais vous pourrez y menez la vie de château, si vous avez l'intention de vous accorder une « petite folie » ! Le plus vieux duché de France est une ville à explorer avant de descendre les gorges du Gardon. En canoë ? À pied par le GR ? En voiture ? C'est une question de goût ! Les baignades pourront alterner avec des promenades : au passage, on ne manquera pas de découvrir le célèbre **pont du Gard**. Une visite à St-Quentin-la-Poterie vous permettra de découvrir les étals des nombreux potiers installés dans le village. Remontant par le Nord, en direction de la **vallée de la Cèze** puis des gorges, quelques chambres d'hôte vous accueilleront plus chaleureusement que les petits hôtels. Pour une halte dans les **gorges de l'Ardèche**, vous contenterez du camping à Vallon-Pont-d'Arc.

De la terre des papes au Géant de Provence – De la chambre d'hôte au cloître réaménagé par Jean Nouvel, en passant par le simple hôtel..., voilà ce que vous propose **Avignon**. Sachez que le tout reste cher, cependant la cité des Papes est si belle... Comme les cardinaux, vous aimerez faire retraite, sur l'autre rive du Rhône, non pas à la chartreuse (qui accueille seulement les écrivains en résidence !) mais simplement dans la petite ville de Villeneuve-lès-Avignon. Une incursion vers le Nord ? Ce sera dans le vignoble de Châteauneuf-du-Pape, où s'élabore un fameux côtes-du-rhône, puis à **Orange** (à 30mn d'Avignon en TER). Vous pourrez faire une halte dans cette ville cependant, pour séjourner, préférez les chambres d'hôte à prix moyen à une petite trentaine de kilomètres au Nord-Est, à **Vaison-la-Romaine**, où les vestiges

Fontaine à Pernes.

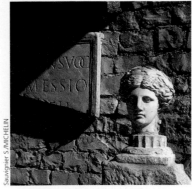

Vestiges romains à Vaison.

archéologiques retiendront votre attention (ne négligez pas pour autant la ville médiévale).

De là, vous ferez un saut à Nyons, à 16 km au Nord, pour ses fameuses olives, avant de rejoindre **Sault**, capitale de la lavande (mais aussi du miel et du nougat), base idéale pour un séjour « vert ». De multiples excursions seront réalisables : à l'assaut du mont Ventoux (en hiver, pensez à emporter vos skis !), sur le plateau d'Albion percé de nombreux gouffres, dans les gorges de la Nesque ou vers les dentelles de Montmirail que ponctuent de superbes villages peu connus : Gigondas, qui élabore un côtes-du-rhône réputé, ou Beaumes-de-Venise, qui produit un muscat. Attardez-vous à **Carpentras**, ville aussi sympathique qu'animée, en particulier lors des Estivales d'août. Dans ses environs, ne manquez pas le village perché de Venasque, qui ouvre sur le Luberon, ou bien Pernes, la ville aux 36 fontaines, ou encore Isle-sur-la-Sorgue avec ses roues à aubes.

nos propositions d'itinéraires

Pour visualiser ces circuits, reportez-vous à la carte p. 12 du guide.

1 ENTRE GARD ET ARDÈCHE

Circuit de 198 km au départ d'Uzès – La cité ducale d'Uzès, avec son élégante tour Fenestrelle, son majestueux Duché et sa charmante place aux Herbes sera le point de départ d'un circuit permettant de découvrir Bagnols-sur-Cèze et son musée d'Art moderne figuratif, la vieille ville de Pont-St-Esprit, en prélude aux gorges de l'Ardèche, où abondent grottes, avens et belvédères offrant des vues superbes. Après avoir remonté les gorges jusqu'à l'étonnante arche naturelle du pont d'Arc et trouvé un peu de fraîcheur lors de la visite de l'aven d'Orgnac, vous explorerez les agréables gorges de la Cèze en ne manquant pas de faire une halte à Goudargues, avant d'atteindre la cascade du Sautadet à La Roque-sur-Cèze et celle des Concluses. Et pourquoi ne pas partir à l'assaut du Guidon du Bouquet d'où vous dominerez cette garrigue sèche et aride, avec ses capitelles (abris de berger) qui se fondent dans le paysage et sa végétation si particulière où, parmi les chênes verts, abondent thym, romarin et arbousiers ?

2 LA PROVENCE ANTIQUE

Circuit de 233 km au départ d'Orange – Depuis Orange, avec son arc de triomphe et son magnifique théâtre (dont la visite est couplée avec celle du musée juste en face), vous rejoindrez Vaison, impressionnant site archéologique. Un arc de triomphe à Carpentras, quelques traces de mur romain à Avignon précéderont votre arrivée au plateau des Antiques, aux portes de la jolie cité provençale de St-Rémy, où vous verrez les vestiges de la vieille cité de Glanum. Bonne introduction pour aborder Arles, avec son amphithéâtre, son théâtre antique, ses mystérieux cryptoportiques, les thermes de Constantin, la mélancolique nécropole des Alyscamps et l'excellent musée de l'Arles antique... Il ne vous restera plus qu'à gagner la « Rome française », Nîmes, que vous parcourrez des arènes au temple de Diane, en passant par la Maison carrée. Suivez le tracé des remparts mis au jour çà et là, dont le vestige le plus impressionnant est la fameuse tour Magne. Le Castellum, où aboutissaient les eaux puisées dans la fontaine de l'Eure, près d'Uzès, sera un excellent prélude à la découverte du majestueux pont du Gard, partie la plus spectaculaire d'un aqueduc qui courrait dans la garrigue sur près de 50 km !

3 MERVEILLES NATURELLES DU VAUCLUSE

Circuit de 258 km au départ de Carpentras – Après une promenade dans la vieille ville, vous quitterez Carpentras pour les paysages échancrés des dentelles de Montmirail, avec un arrêt au pittoresque village de Malaucène. L'ascension du mont Ventoux vous réserve un panorama exceptionnel... pour peu que l'air soit assez transparent ! Par les gorges de la Nesque, vous atteindrez les impressionnantes carrières d'ocre du Colorado de Rustrel, porte du Luberon. Grimpez au Mourre Nègre avant de sillonner la montagne du Luberon. Vous prendrez le temps d'apprécier ses villages perchés : Bonnieux, Roussillon (où l'ocre est roi) et Gordes, avec ses calades et son village de bories. Enfin, à Fontaine-de-Vaucluse, vous visiterez l'étonnante

Sauvignier S./MICHELIN

Abricots de Roussillon.

résurgence de la Sorgue au terme d'un mystérieux parcours souterrain sous le plateau de Vaucluse.

4 BEAUX VILLAGES DU LUBERON

Circuit de 128 km au départ de Cavaillon – Après avoir fait provision de melons à Cavaillon (et visité, dans la vieille ville, la synagogue et le Musée juif), vous irez flâner parmi les antiquaires et brocanteurs sur les rives de la Sorgue, à l'Isle-sur-la-Sorgue. Si certains évoqueront à Saumane-de-Vaucluse le souvenir du marquis de Sade, d'autres préféreront sans doute honorer Pétrarque qui s'était retiré à Fontaine-de-Vaucluse, non loin de la spectaculaire résurgence de la rivière. Pour aborder le Luberon, rien ne vaut le village des Bories, ces étranges constructions de pierres sèches symbolisant la région, d'autant qu'il est situé aux portes de Gordes, d'où l'on domine la vallée du Calavon. Non loin, l'abbaye de Sénanque, dans son écrin de lavande, est un havre de sérénité. À Roussillon, aux façades badigeonnées, vous visiterez ces étranges carrières où l'ocre était extraite. Un petit tour à St-Saturnin-lès-Apt, avec son moulin et ses cerises, puis à Apt, où vous goûterez les fruits confits et apprécierez le grand marché du samedi. Passé Buoux, avec ses falaises appréciées des escaladeurs au pied desquelles se niche un pittoresque hameau, vous irez marcher dans la forêt de cèdres de Bonnieux. Enfin, vous ferez une halte dans les beaux villages perchés de Ménerbes et Oppède.

5 LA CAMARGUE

Circuit de 228 km au départ d'Arles – Depuis Arles (ne manquez pas le museon Arlaten créé par Mistral), vous gagnerez la Camargue aux multiples facettes. D'abord celle des marais, maîtrisée par l'homme, avec la découverte du domaine du Vigueirat, dans la Crau humide ; puis, après avoir rejoint le delta par le bac de Barcarin, celle des salines à Salin-de-Giraud. Vous arpenterez les sentiers du domaine non endigué de la Palissade, avant de profiter de l'immense plage de Piémanson, près de l'embouchure du Grand Rhône. Partez à la découverte de la faune et de la flore grâce au domaine de la Capelière, et des traditions de la « bouvine » au domaine de Méjanes où, en outre, un petit train permet d'approcher les rives de l'étang de Vaccarès. Vous enchaînerez avec le précieux Musée camarguais, consacré aux mœurs et coutumes locales, puis la visite du château d'Avignon et celle du parc ornithologique du Pont-de-Gau, occasion unique de mieux faire connaissance avec ces oiseaux étranges aperçus de loin dans les étangs. Il vous faudra bien sûr flâner dans les ruelles des Stes-Maries dont les maisons blanches se blottissent autour de l'imposante église fortifiée, avant de gagner, par le pont de Sylvereal ou le bac du Sauvage, la belle cité fortifiée d'Aigues-Mortes et d'aller déguster quelques tellines et une soupe de poissons sur le port du Grau-du-Roi. Le retour vers Arles s'effectuera par l'étang de Scamandre, tout envahi de roselières, et St-Gilles, où vous détaillerez les sculptures du portail de l'abbatiale, chef-d'œuvre du roman provençal.

Cheval camarguais.

Sauvignier S./MICHELIN

6 MONTAGNES DU LITTORAL ET DE L'ARRIÈRE-PAYS MARSEILLAIS

Circuit de 290 km au départ de Marseille – Ce circuit sera l'occasion d'utiliser vos chaussures de marche... ou vos palmes ! En effet, après une agréable promenade dans le vieux Marseille sur les pentes du Panier ou de N.-D.-de-la-Garde, la chaîne de l'Estaque vous offrira criques, calanques et mer superbe : Niolon attirera les plongeurs, tandis que les minuscules plages de la Redonne permettront d'attraper quelques oursins, voire des « pourpres » (poulpes). Baignades plus tranquilles à Carry-le-Rouet, Sausset-les-Pins ou Carro avant de mettre cap au Nord et de s'attarder dans les rues d'Aix bordées de magnifiques hôtels particuliers. Sur les traces de Cézanne,

vous explorerez l'emblématique Ste-Victoire : ses sentiers, parfois escarpés, ouvrent, depuis la Croix de Provence, sur un superbe panorama. Une halte s'impose au couvent royal de St-Maximin, pour ensuite partir en excursion dans le massif de la Ste-Baume, qui attire aussi bien les pèlerins que les randonneurs et les fans de varappe. Là, dans le bucolique parc de St-Pons, vous vous reposerez sous les ombrages avant de retrouver la mer à La Ciotat et de parcourir la corniche des Crêtes. À Cassis enfin, il vous sera possible d'embarquer pour aller à la découverte des somptueuses calanques.

BALADE SUR LES TRACES DE...

Nous vous proposons ci-dessous un certain nombre de thèmes pour construire vous-même votre itinéraire.

Sade – Le divin marquis passa son enfance à Saumane-de-Vaucluse, commit quelques extravagances au château de Mazan, près de Carpentras, fut brûlé en effigie à Aix-en-Provence et se réfugia jusqu'à son arrestation à Lacoste où, son séjour ne passa pas inaperçu...

Mirabeau – À Pertuis, où son père naquit ; à Aix, où l'hôtel de Marignane retentit encore de ses frasques et le palais de justice de son éloquence ; au château d'If enfin, où il fut un des involontaires pensionnaires.

Alphonse Daudet – À Nîmes, sur le boulevard Gambetta, où se trouve sa maison natale ; à Auriolles, au Mas de la Vignasse, où il passait ses vacances chez son cousin... qui lui inspira le personnage de Tartarin ; à Tarascon, dans la maison de ce dernier ; à St-Michel-de-Frigolet, devant un verre de l'élixir du RP Gaucher ; et à Fontvieille, bien entendu, au pied du moulin...

Vincent Van Gogh – À Arles, avec la fondation Van-Gogh, hommage des artistes contemporains au génial hollandais, le café de la place du Forum et l'espace Van-Gogh, ancien Hôtel-Dieu devenu centre culturel, mais aussi au pont de Langlois ; à St-Rémy, dans l'ancien monastère de St-Paul-de-Mausole où il fut interné un an et, en ville, au centre d'art Présence-Van-Gogh installé dans l'hôtel Estrine. Et, enfin, à Avignon, avec la fondation Angladon-Dubrujaud, seul musée de Provence où vous pourrez voir une toile de l'artiste.

Les Félibres – À Maillane, avec la maison et la tombe de Frédéric Mistral, et à Arles, avec le Museon Arlaten, une des grandes œuvres mistraliennes ; à St-Rémy-de-Provence, avec le souvenir de Joseph Roumanille... mais aussi aux Stes-Maries, où Mirèio mourut d'insolation, ou à Cassis et dans les gorges de la Nesque, lieux des exploits de Calendau.

Marché aux poissons sur le Vieux Port de Marseille.

les atouts de la région au fil des saisons

Les gens du Nord se montrent souvent horriblement jaloux du soleil dont les Provençaux jouissent tout au long de l'année, de la luminosité exceptionnelle, de la rareté des pluies et des températures clémentes ! Il faut toutefois savoir (même si la région jouit d'un ensoleillement de plus de 2 500 heures par an) que les conditions climatiques n'y sont pas toujours idylliques (on ne compte plus les hivers glacials !) et que le rythme des saisons y est parfois fort irrégulier. D'une façon générale, la Provence maritime jouit d'un climat moins pluvieux et plus chaud que la Provence intérieure où le facteur altitude modifie sensiblement la température.

Été – La belle saison par excellence : chaleur et absence de pluie font le plus souvent la joie des visiteurs venus chercher du soleil ! Il y tombe moins de 70 mm d'eau et le thermomètre flirte le plus souvent avec les 30 °C... Cette chaleur est toutefois rarement accablante, car elle n'est pas chargée d'humidité. Sa stabilité s'explique par la présence

Champ de lavande.

d'une masse d'air chaud provenant du Sahara, que le Massif central protège des dépressions humides occidentales. Notez que quelques orages, parfois homériques, viennent de temps à autre rafraîchir l'atmosphère. C'est le temps des baignades sur la côte ou des balades au fil de l'eau dans les villages rafraîchissants tels L'Isle-sur-la-Sorgue, Pernes-les-Fontaines, Venasque, Goudargues... ou bien du côté de Sault, où s'étendent les champs de lavande en fleur. Il fera trop chaud pour se lancer dans des randonnées, d'ailleurs les massifs (Alpilles, calanques, Montagnette, Ste-Victoire) sont fermés. En juillet-août, les festivals (en journée ou le soir) battent leur plein : théâtre à Avignon, art lyrique à Aix et Orange, photographie à Arles, correspondance à Grignan, danse à Vaison, etc.

Automne – Il est marqué par l'apparition des pluies, entre la mi-septembre et la fin novembre, sous l'influence des dépressions atlantiques : ce sont parfois de véritables trombes d'eau qui s'abattent ; il peut tomber plus de 100 mm d'eau en une heure, sur un total de 600 mm annuels ! Cela n'est pas sans évoquer les catastrophes d'un passé récent : qui a vu le cours Mirabeau à Aix-en-Provence transformé en quelques instants en un torrent impétueux n'est pas près d'oublier le phénomène ! Cependant, c'est une période agréable pour se promener tranquillement, passé la foule de la haute saison, et découvrir la Camargue notamment.

Hiver – Il est le plus souvent relativement doux et ensoleillé. La transparence de l'air est alors exceptionnelle et l'on a pu apercevoir le sommet du mont Canigou, à la frontière espagnole, depuis la colline de N.-D.-de-la-Garde (non, ce n'est pas une galéjade !). Le froid peut alors provenir des redoutables « coups de mistral » capables d'abaisser la température d'une dizaine de degrés en quelques heures : brrr ! Quant aux chutes de neige, elles sont rarissimes, excepté sur les hauteurs, comme au mont Ventoux, qui voit descendre les skieurs sur ses pentes ! Il faut venir en décembre pour vivre le Noël provençal, avec ses foires aux santons, sa veillée et sa table aux treize desserts.

Printemps – Il est fort capricieux ! Retour des dépressions atlantiques (en général moins violentes qu'en automne) qui alternent avec de belles journées, presque estivales. Mais là encore, méfiance ! Le mistral fait souvent des siennes et gare aux imprudents qui n'ont pas pensé à emporter une « petite laine » !

Toyota Prius
Demain commence aujourd'hui

Et si la solution aux problèmes d'environnement existait déjà ? Avec sa technologie hybride révolutionnaire, la Toyota Prius marie écologie, agrément de conduite et performances.

Réduire les émissions sans sacrifier les performances

Dans la course à la voiture moins polluante, Toyota possède une longueur d'avance grâce à la propulsion hybride. Le moteur essence habituel est complété par un moteur électrique relié à des batteries très compactes. Le moteur électrique procure alors un couple très important, équivalent à celui d'une puissante motorisation turbo-Diesel, gage de belles accélérations, avec une pollution nulle. La Prius accélère de 0 à 100 km/h en seulement 10,9 s.

Pour le conducteur, une auto comme une autre

Le système hybride, baptisé HSD (Hybrid Synergy Drive), est entièrement géré électroniquement. Pierre-Gilles de Gennes, prix Nobel de physique en 1991 ne tarit pas d'éloges : *"Le moteur hybride est aujourd'hui la meilleure solution pour diminuer la pollution et la consommation d'énergies fossiles"*. Pour cet homme de science, *"le moteur hybride est un progrès considérable et probablement la solution aux problèmes engendrés par l'automobile pour les 20 prochaines années"*.

Un silence de fonctionnement digne d'une limousine

Grâce à l'utilisation régulière du moteur électrique, le fonctionnement du système hybride se caractérise par une douceur et un silence digne d'une limousine. La combinaison transparente et imperceptible de ses deux sources d'énergie permet à la Toyota Prius de concilier des consommations et des émissions en baisse, un agrément de conduite préservé et un confort royal. Cerise sur le gâteau, en tant que véhicule propre, elle fait profiter son acheteur particulier d'un crédit d'impôts de 1 525 €*. Avec la Prius, tout le monde est gagnant, l'environnement comme le conducteur !

▶ N°Azur 0 810 010 088
PRIX APPEL LOCAL

TODAY **TOMORROW** **TOYOTA**
Aujourd'hui, demain

UNE TONNE DE CO_2 EN MOINS PAR AN !**
CONSOMMATION MIXTE : 4.3 L/100KM***

C'est le moment de rentrer dans l'arène, avec le retour des ferias (de mars à septembre) en Camargue, et la saison idéale pour parcourir les calanques. Mai et juin sont propices à la descente des gorges de l'Ardèche, pas encore embouteillées.

LE MISTRAL

À tout seigneur tout honneur, le mistral (*mistrau* signifie « maître » en provençal) mérite bien sa célébrité. Descendant du Nord-Ouest, notamment des hauteurs enneigées du Massif central, il s'engouffre dans la vallée du Rhône. Ses violentes rafales purgent le ciel de ses nuages et purifient le sol (les paysans l'appellent *mangio-fango*, ou « mange fange », car il assèche les mares de boue). Mais lorsque le mistral se déchaîne, c'est la tempête : le Rhône se met à rouler des vagues, les étangs se couvrent d'écume, portes et fenêtres claquent à tout va et les déplacements deviennent parfois difficiles. « Tout le moulin craquait. Des tuiles s'envolaient de sa toiture en déroute. Au loin, les pins serrés dont la colline est couverte s'agitaient et bruissaient dans l'ombre. On se serait cru en pleine mer... », écrivait sans exagération Daudet à Fontvieille. Mais s'il est coléreux, le mistral n'est pas rancunier : il se calme aussi soudainement qu'il est apparu et, en quelques jours, tout rentre dans l'ordre.

Si l'on a pu compter, en dehors du mistral, une trentaine de vents différents, la plupart sont essentiellement locaux. Deux autres vents, toutefois, comptent vraiment : le « marin », venu du Sud-Est, accompagne pluie et brouillard ; quant au « labech », arrivant du Sud-Ouest, il accompagne, lui, les orages.

QUEL TEMPS POUR DEMAIN ?

Services téléphoniques de Météo France – Taper 3250 suivi de **1** : toutes les prévisions météo départementales jusqu'à 7 jours (DOM-TOM compris) ; **2** : météo des villes ; **3** : météo plages et mer ; **4** : météo montagne. Accès direct aux prévisions du département – ☎ **0 892 680 2** suivi du numéro du département *(0,34 €/mn)*. **Prévisions pour l'aviation ultralégère** (vol libre et vol à voile) – ☎ 0 892 681 014 *(0,34 €/mn)*. Toutes ces informations sont également disponibles sur **3615 météo** et **www.meteo.fr**

S'y rendre et choisir ses adresses

où s'informer avant de partir

Ceux qui aiment préparer leur voyage dans le détail peuvent rassembler la documentation utile auprès des professionnels du tourisme de la région. Outre les adresses indiquées ci-dessous, sachez que les coordonnées des Offices de tourisme ou Syndicats d'initiative des villes décrites dans le guide sont données systématiquement au début de chaque chapitre *(voir le paragraphe « La situation »)*.

ADRESSES UTILES

Un numéro pour la France, le 3265 – Un nouvel accès facile a été mis en place pour joindre tous les offices de tourisme et syndicats d'initiative en France. Il suffit de composer le 3265 *(0,34 P/mn)* et de prononcer distinctement le nom de la commune. Vous serez alors directement mis en relation avec l'organisme souhaité.

COMITÉS RÉGIONAUX DE TOURISME

Provence-Alpes-Côte d'Azur – Les Docks - Atrium 10.5 - 10 pl. de la Joliette - BP 46214 - 13567 Marseille Cedex 02 - ☎ 04 91 56 47 00 - www.crt-paca.fr

Languedoc-Roussillon (pour le département du Gard) – 20 r. de la République - CS 79507, 34960 Montpellier Cedex 2 - ☎ 04 67 22 81 00 - www.sunfrance.com

Rhône-Alpes (pour les gorges de l'Ardèche) – 104 rte de Paris - 69260 Charbonnières-les-Bains - ☎ 04 72 59 21 59 - www.rhonealpes-tourisme.com

COMITÉS DÉPARTEMENTAUX DE TOURISME

Ardèche – 4 cours du Palais - 07000 Privas - ☎ 04 75 64 04 66 - www.ardeche-guide.com et www.ardeche-resa.com

Bouches-du-Rhône – Le Montesquieu, 13 r. Roux-de-Brignoles, 13006 Marseille - ☎ 04 91 13 84 40 - www.visitprovence.com

Gard – 3 rue Cité Foulc - BP 122 - 30010 Nîmes Cedex 04 - ☎ 04 66 36 96 30 - www.tourismegard.com

Vaucluse – 12 r. du Collège-de-la-Croix - BP 147 - 84008 Avignon Cedex 1 - ☎ 04 90 80 47 00 - www.provenceguide.com

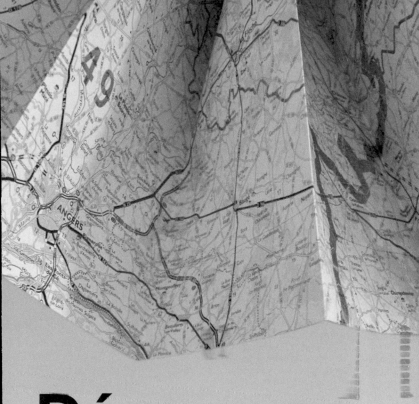

Découvrez la France

Avec
Jean-Patrick Boutet
«Au cœur des régions»

Frédérick Gersal
«Routes de France»

Le site Internet www.degrifprovence
.com offre des réductions de dernière
minute sur les hôtels, chambres d'hôte
et locations.

TOURISME ET HANDICAPÉS

Un certain nombre de sites décrits
dans ce guide sont accessibles aux
handicapés. Ils sont signalés par le
symbole &.

Pour de plus amples renseignements
au sujet de l'accessibilité des musées
aux personnes atteintes de handicaps
moteurs ou sensoriels, consulter le
site http://museofile.culture.fr

**Guide Rousseau H... comme
Handicaps** – Édité par l'association
France Handicaps (SARL Bernic
Éditions, 5 allée des Ajoncs, 78280
Guyancourt, ☎ 01 49 59 05 04,
diffusion Blay Foldex), il donne de
précieux renseignements sur la
pratique du tourisme, des loisirs, des
vacances et des sports accessibles aux
handicapés.

**Le Guide Michelin France et le
Guide Camping Michelin France** –
Révisés chaque année, ils indiquent
respectivement les chambres
accessibles aux handicapés physiques
et les installations sanitaires
aménagées.

comment venir

PAR LA ROUTE

Grands axes – D'une façon générale,
on rejoint la Provence par l'autoroute
du Soleil (A 6 jusqu'à Lyon, puis A 7)
qui se divise en deux branches à
hauteur d'Orange : l'une dessert
Nîmes et le Languedoc (A 9), l'autre
permet d'atteindre Aix en suivant la
vallée de la Durance (A 7). Dans un
cas comme dans l'autre, comptez,
depuis Paris, 8 heures de trajet,
dans des conditions de circulation
normales.

Informations autoroutières – 3 r.
Edmond-Valentin - 75007 Paris -
informations sur les conditions de
circulation sur les autoroutes au
☎ 0 892 681 077 - www.autoroutes.fr

Consultez également l'**Atlas
autoroutier Michelin** n° 914.

**Informations sur Internet et
Minitel** – Le site www.ViaMichelin.fr
offre une multitude de services et
d'informations pratiques d'aide à la
mobilité (calcul d'itinéraires,
cartographie : des cartes pays aux
plans de villes, sélection des hôtels et
restaurants du Guide Michelin...) sur
la France et d'autres pays d'Europe.
Les calculs d'itinéraires sont
également accessibles sur le 3615
ViaMichelin et peuvent être envoyés
par fax (3617 ou 3623 Michelin).

EN TRAIN

Au départ de Paris, nombreux TGV
pour Avignon (2h40), Nîmes (2h50),
Aix-en-Provence et Marseille (en 3h).
Pensez à réserver vos billets à l'avance
afin de bénéficier de tarifs
préférentiels (sous certaines
conditions). Il existe des allers Paris-
Marseille en TGV à 25 € (le billet
« Prem's » s'achète en ligne).
Informations générales – La SNCF a
mis en place un numéro unique de
ligne directe : ☎ 36 35 *(0,34 €/mn)*.
3615 SNCF *(0,20 €/mn)*. www.voyages-
sncf.com
Le **TER** assure les liaisons
interrégionales, ce qui permet d'aller
d'une ville à l'autre rapidement et
facilement. La ligne Marseille-Aubagne-
Toulon dessert la les calanques et
celle de Marseille-Miramas rejoint la
Camargue. Entre Marseille et Avignon,
vous pourrez vous arrêter à Salon-de-
Provence ou Cavaillon, Arles ou
Tarascon, ou bien pousser jusqu'à
Orange. D'Avignon, vous irez à Nîmes,
et de Marseille vous vous rendrez à
Aix-en-Provence. Si vous désirez faire
une escapade dans le Var (consultez
Le Guide Vert Côte d'Azur), prenez
la ligne Marseille-Vintimille :
Toulon est à 50mn et Cannes à 2h.
Informations générales – ☎ 36 35.
3615 TER *(0,15 €/mn)*. www.ter-sncf.com

EN AVION

Ce moyen de transport ne s'avère
guère avantageux : le temps de trajet
intrinsèque est réduit mais il faut
ajouter les transferts entre les

DE FRANCE VERS LA PROVENCE

Distances	Lille	Lyon	Nice	Paris	Poitiers	Strasbourg	Toulouse
Nîmes	930	253	278	714	703	739	342
Marseille	994	315	204	776	781	801	269

ENTRE LES VILLES DE PROVENCE

Distances	Aix	Arles	Avignon	Nîmes	Marseille	Orange
Aix	–	76	81	108	30	100
Arles	76	–	34	35	92	65
Avignon	81	34	–	43	97	30
Nîmes	108	35	43	–	98	56
Marseille	30	92	97	98	–	120
Orange	100	65	30	56	120	–

aéroports. En outre, il vous en coûtera plus cher, à moins que vous ne trouviez des vols promotionnels plus intéressants qu'un voyage en train à plein tarif. Cherchez sur Internet les vols dégriffés où renseignez-vous auprès des compagnies aériennes :

Air France – La compagnie assure quotidiennement les liaisons entre Marseille et Ajaccio, Brest, Bastia, Bordeaux, Clermont-Ferrand, Calvi, Figari, Lille, Lyon, Nantes, Paris, Rennes, Strasbourg, Toulouse. Elle propose également des vols Paris-Avignon.
En réservant 30 jours à l'avance, le prix du billet aller-retour peut-être attractif.
☎ 0 820 820 820. www.airfrance.fr

Easyjet – Vols Paris-Marseille. ☎ 0 825 082 508. www.easyjet.com

Les aéroports qui desservent la région :
Aéroport international de Marseille Provence – 13727 Marignane - ☎ 04 42 14 14 14 - www.marseille.aeroport.fr

Aéroport d'Avignon-Caumont – ☎ 04 90 81 51 51 - www.avignon. aeroport.fr - 4 vols quotidiens directs Avignon/Orly, Aéro-club.

les adresses du guide

Au fil des pages, vous découvrirez notre sélection de bonnes adresses dans le « **carnet pratique** » des villes et sites.
Nous avons sillonné la région pour repérer des chambres d'hôte et des hôtels, des restaurants et des fermes-auberges, en privilégiant des étapes agréables au cœur des villes, des villages ou sur nos circuits touristiques, en pleine campagne ou les pieds dans l'eau. Lieux de charme ou adresses plus simples, nous espérons vous faire profiter de la Provence à travers ses traditions, ses produits du terroir, ses recettes et ses modes de vie.
Le confort, la tranquillité et la qualité de la cuisine sont bien sûr des critères essentiels ! Tous les établissements ont été visités et choisis avec le plus grand soin ; toutefois, il peut arriver que des modifications aient eu lieu depuis notre dernier passage : faites-le nous savoir, vos remarques et suggestions seront toujours les bienvenues !

Si d'aventure vous n'avez pas trouvé votre bonheur parmi toutes nos adresses, consultez **Le Guide Michelin France**. Actualisé chaque année, il recommande hôtels et restaurants sur toute la France. Pour chaque établissement, le niveau de confort et de prix est indiqué, en plus de nombreux renseignements pratiques. Les bonnes tables, étoilées pour la qualité de leur cuisine, sont très prisées par les gastronomes. Le symbole « **Bib Gourmand** » sélectionne les tables qui

proposent une cuisine soignée à moins de 26 €. Le symbole « **Bib Hôtel** » signale des hôtels pratiques et accueillants offrant une prestation de qualité avec une majorité de chambres à moins de 67 € ou 83 € dans les grandes villes et stations touristiques importantes (prix pour 2 personnes, hors petit-déjeuner).

votre budget

Les prix que nous indiquons sont ceux pratiqués en **haute saison** ; hors saison, de nombreux établissements proposent des tarifs plus avantageux, renseignez-vous.
Dans chaque « carnet pratique », les établissements sont classés en quatre catégories de prix pour répondre à toutes les attentes :
😉 : Premier prix
😉😉 : Prix moyen
😉😉😉 et 😉😉😉😉 : Haut de gamme
Vous partez avec un budget inférieur à **40€** ? Choisissez vos adresses parmi celles de la catégorie « **1 piécette** » : vous trouverez des hôtels, des chambres d'hôtes simples et conviviales et des tables souvent gourmandes, toujours honnêtes, à moins de **14€**.
Votre budget est un peu plus large, jusqu'à **65€** pour l'hébergement et **30€** pour la restauration. Piochez vos étapes dans les « **2 piécettes** ». Dans cette catégorie, vous trouverez des maisons, souvent de charme, de meilleur confort et plus agréablement aménagées, animées par des passionnés, ravis de vous faire découvrir leur demeure et leur table. Là encore, chambres et tables d'hôte sont au rendez-vous, avec également des hôtels et des restaurants plus traditionnels, bien sûr.
Vous souhaitez vous faire plaisir, le temps d'un repas ou d'une nuit, vous aimez voyager dans des conditions très confortables ? Les catégories « **3 et 4 piécettes** » sont pour vous... La vie de château dans de luxeuses chambres d'hôte pas si chères que cela ou dans les palaces et les grands hôtels : à vous de choisir ! Vous pouvez aussi profiter des décors de rêve de lieux mythiques à moindres frais, le temps d'un brunch ou d'une tasse de thé... À moins que vous ne préfériez casser votre tirelire pour un repas gastronomique dans un restaurant renommé. Sans oublier que la traditionnelle formule « tenue correcte exigée » est toujours d'actualité dans ces élégantes maisons !

BONS PLANS
« **Bon week-end en ville** » – Deux nuits d'hôtel (dans un établissement de 1 à 4 étoiles) pour le prix d'une ? C'est possible, du 1er novembre au 31 mars, à **Avignon**, **Aix-en-Provence** et **Marseille**, qui participent à cette opération. Demandez la liste des hôtels où vous pourrez réserver dans les Offices de tourisme de ces villes ou

consultez le site Internet www.bon-week-end-en-villes.com

« Terroir et patrimoine » – Certaines villes ont mis en place un partenariat avec des restaurants qui proposent des menus à base de produits de la région à 15 € ou 20 €, une « Assiette du Terroir » à 10 € et un « Petit gourmet » pour les enfants. La formule « Journée Terroir et Patrimoine » combine un déjeuner et des visites. **Aubagne**, **Cavaillon**, **Martigues** et **Uzès** font partie du club. Demandez la liste des établissements auprès des Offices de tourisme de ces villes ou consultez le site Internet www.villes-de-terroir.com

Sauvignier S./MICHELIN

Chambre d'hôte dans le Lubéron.

où dormir

L'arrière-pays est accueillant et reposant ; cependant, sachez que si vous souhaitez y séjourner en période hivernale (entre la Toussaint et Pâques), se loger relève parfois du casse-tête (comme du reste y manger !), tant leur rythme d'activité est accordé à celui des vacances... Mieux vaut alors privilégier les villes qui, comme Nîmes, Marseille ou Aix, disposent de nombreux hôtels de toutes catégories, souvent situés au cœur de la cité, avec une mention spéciale pour Arles et Avignon où certains d'entre eux ont investi d'anciennes nobles demeures, hôtels particuliers ou livrées cardinalices.

LES HÔTELS

Nous vous proposons un choix très large en terme de confort. La location se fait à la nuit et le petit-déjeuner est facturé en supplément. Certains établissements assurent un service de restauration également accessible à la clientèle extérieure.

LES CHAÎNES HÔTELIÈRES

L'hôtellerie dite « économique » peut éventuellement vous rendre service. Vous y trouverez un équipement complet (sanitaire privé et télévision), mais un confort sommaire. Souvent à proximité de grands axes routiers, ces établissements n'assurent pas de restauration. Toutefois, leurs tarifs restent difficiles à concurrencer (moins de 45 € la chambre double). En dépannage, voici donc les centrales de réservation de quelques chaînes :

Akena – ☎ 01 69 84 85 17.
B & B – ☎ 0892 78 29 29.
Etap Hôtel – ☎ 0892 688 900.
Villages Hôtel – ☎ 03 80 60 92 70.

Enfin, les hôtels suivants, un peu plus chers (à partir de 60 € la chambre), offrent un meilleur confort et quelques services complémentaires :

Campanile – ☎ 01 64 62 46 46.
Kyriad – ☎ 0 825 003 003.
Ibis – ☎ 0 825 88 22 22.

LES CHAMBRES D'HÔTE

Vous êtes reçu directement par les habitants qui vous ouvrent leur demeure. L'atmosphère est plus conviviale qu'à l'hôtel, l'envie de communiquer doit être réciproque : misanthropes, s'abstenir ! Les prix, mentionnés à la nuit, incluent le petit-déjeuner. Certains propriétaires proposent aussi aux résidents de la maison une table d'hôte. Il est très vivement conseillé de réserver votre étape, en raison du grand succès de ce type d'hébergement.
NB : certains établissements ne peuvent pas recevoir vos compagnons à quatre pattes ou les accueillent moyennant un supplément : pensez à le demander lors de votre réservation.

LOCATIONS, VILLAGES DE VACANCES, HÔTELS...

Fédération nationale des services de réservation Loisirs-Accueil – 280 bd St-Germain - 75007 Paris - ☎ 01 44 11 10 44 - www.resinfrance.com ou www.loisirsaccueilfrance.com. La Fédération propose un large choix d'hébergements et d'activités de qualité, édite un annuaire regroupant les coordonnées des 62 services Loisirs-Accueil et, pour tous les départements, une brochure détaillée.

Fédération nationale Clévacances France – 54 bd de l'Embouchure – BP 52166 - 31022 Toulouse Cedex - ☎ 05 61 13 55 66 - www.clevacances.com. Cette fédération propose près de 23 500 locations de vacances (appartements, chalets, villas, demeures de caractère, pavillons en résidence) et 2 800 chambres dans 22 régions réparties sur 79 départements en France et outre-mer, et publie un catalogue par département (passer commande auprès des représentants départementaux Clévacances).

Des vacances tout en douceur

Partir en famille dans des lieux uniques et profiter de locations de standing et de services à la carte, c'est tout l'esprit Pierre & Vacances. 90 destinations d'exception vous attendent en France, en Italie, en Espagne et aux Antilles, pour un séjour unique en toute indépendance.

Informations et réservations au
0 825 095 471
(0,15€/min de France métropolitaine)
ou sur
www.pierreetvacances.com

Pierre (&) *Vacances*

LES VACANCES QUI ONT L'ESPRIT DE FAMILLE

Hébergement rural

Maison des Gîtes de France et du Tourisme vert – 59 r. St-Lazare - 75439 Paris Cedex 09 - ☎ 01 49 70 75 75 - www.gites-de-france.com. Cet organisme donne les adresses des relais départementaux et publie des guides sur les différentes possibilités d'hébergement en milieu rural (gîtes ruraux, chambres et tables d'hôtes, gîtes d'étape, chambres d'hôtes de charme, gîtes de neige, gîtes de pêche, gîtes d'enfants, camping à la ferme, gîtes Panda).

Fédération des Stations vertes de Vacances et Villages de Neige – BP 71698 - 21016 Dijon Cedex - ☎ 03 80 54 10 50 - www.stationsvertes.com. Situées à la campagne et à la montagne, les 588 Stations vertes sont des destinations de vacances familiales reconnues tant pour leur qualité de vie (produits du terroir, loisirs variés, cadre agréable) que pour la qualité de leurs structures d'accueil et d'hébergement.

Hébergement pour randonneurs

Les randonneurs, mais aussi les amateurs, d'alpinisme, d'escalade, de ski, de cyclotourisme et de canoë-kayak peuvent consulter le guide *Gîtes d'étapes, refuges*, de A. et S. Mouraret (Rando Éditions La Cadole, 74 r. A.-Perdreaux, 78140 Vélizy, ☎ 01 34 65 11 89) et le site www.gites-refuges.com

Camping

Le Guide Camping Michelin France – Il propose tous les ans une sélection de terrains visités régulièrement par nos inspecteurs. Renseignements pratiques, niveau de confort, prix, agrément, location de bungalows, de mobile homes ou de chalets y sont mentionnés.

Auberges de jeunesse

Ligue française pour les Auberges de Jeunesse – 67 r. Vergniaud - bâtiment K - 75013 Paris - ☎ 01 44 16 78 78 - www.auberges-de-jeunesse.com. La carte LFAJ est délivrée en échange d'une cotisation annuelle de 10,70 € pour les moins de 26 ans et de 15,25 € au-delà de cet âge.

où manger

Sur la côte, la restauration est inégale : souvent « industrielle » (méfiez-vous des saisonniers !), elle peut être authentique dans certains petits établissements qui ne paient pas de mine. Un simple loup grillé aromatisé au fenouil accompagné d'un vin blanc, quelques huîtres ou oursins présentés sur le coin d'une table recouverte d'une toile cirée, avec au loin le soleil se couchant sur les étangs, constitueront un souvenir inoubliable ! Plus à l'intérieur des terres, outre quelques grandes tables, vous trouverez une cuisine volontiers rustique, copieuse, toujours savoureuse et relevée (à l'ail, notamment !), que ce soit sous les tonnelles des restaurants de villages ou dans les fermes-auberges et tables d'hôte qui privilégient une gastronomie du terroir, parfois revisitée avec créativité (réservation obligatoire). Enfin, n'oubliez pas que les restaurants d'hôtels peuvent vous accueillir. Pour répondre à toutes les envies, nous avons sélectionné des restaurants régionaux bien sûr, mais aussi classiques, exotiques ou à thème... Des adresses où grignoter une salade composée, une tarte salée, une pâtisserie ou des produits régionaux sur le pouce ? Retrouvez-les dans la rubrique « Petite pause ».

Salade provençale.

Par ailleurs, si vous souhaitez déguster des spécialités régionales dans une auberge ou mitonner vous-même de bons petits plats avec les produits du terroir, le **Guide Gourmand Michelin Provence, Côte d'Azur, Corse** vous permettra de trouver les boutiques de bouche reconnues, les adresses des marchés, la liste des spécialités culinaires régionales et leurs recettes, des adresses de restaurants aux menus inférieurs à 32 €.

« Sites remarquables du goût »

C'est un label dotant des sites dont la richesse gastronomique s'appuie sur des produits de qualité et un environnement culturel et touristique intéressant. À ces sites sont associés des visites de jardins, musées, unités de production, des dégustations, des marchés réputés, des manifestations. Renseignements sur le site www.legout.com
En Provence, bénéficient de ce label l'oliveraie de la **vallée des Baux**, **Apt** pour ses fruits confits, **Richerenches** (Vaucluse) pour ses truffes et la messe des truffes, **Nyons** pour ses olives et son huile, **Beaumes-de-Venise** pour son muscat.

Sauvignier S./MICHELIN

Vin de Vaqueyras.

Les vins

Pour découvrir les nectars de la région *(voir « Un déjeuner au soleil » dans le chapitre « Invitation au voyage »)*, rien ne vaut une visite dans l'antre des vignerons. Pour obtenir les adresses des caves et des domaines, contactez les Syndicats et Maisons des vins. Dans le « carnet pratique » des villes et sites, retrouvez notre sélection d'adresses dans la rubrique « Achats ».

Côtes-du-rhône – Maison des vins d'AOC côtes-du-rhône et Vallée du Rhône - 6 r. des Trois-Faucons - 84021 Avignon Cedex 1 - ☎ 04 90 27 24 00 - www.vins-rhone.com Demandez la brochure « Routes des vins », comprenant neuf itinéraires.

Voir Dentelles de Montmirail, Orange, Vaison-la-Romaine.

Coteaux d'Aix-en-Provence – Syndicat des Coteaux d'Aix-en-Provence - Maison des Agriculteurs - 22 av. Henri-Pontier - 13626 Aix-en-Provence - ☎ 04 42 23 57 14 - www.coteauxaixenprovence.com. *Voir Aix-en-Provence.*

Vins des Baux-de-Provence – Syndicat des vignerons des Baux, Mme Marie-France Bigourdan, ☎ 04 32 61 90 67. *Voir Les Baux-de-Provence, Salon-de-Provence.*

Vins de Cassis – Syndicat des vignerons de Cassis - Domaine du Bagnol - 12 avenue de Provence - 13260 Cassis - ☎ 04 42 01 78 05. *Voir Cassis.*

Côtes-du-luberon – Syndicat général des vins des côtes-du-lubéron - BP 12 - La Tour-d'Aigues - 84125 Pertuis Cedex - ☎ 04 90 07 34 40 - www.vins-cotes-luberon.fr. *Voir Ansouis, Apt, Ménerbes, la Tour d'Aigues.*

Côtes-de-provence – *Voir La Sainte-Victoire.*

Costières de Nîmes – *Voir Nîmes.*

Vins de pays des sables du golfe du Lion – *Voir Aigues-Mortes.*

Pour connaître les dates des manifestations liées au vignoble, informez-vous auprès des Offices de tourisme. Et si vous voulez approfondir le sujet, consultez *Le Guide Vert Les Thématiques « La France des Vignobles ».*

À faire et à voir

activités de A à Z

Les comités départementaux et régionaux de tourisme *(voir « adresses utiles » dans « S'y rendre et choisir ses adresses »)* disposent de brochures et répondront à vos demandes d'informations quant aux activités proposées dans leur secteur. Pour trouver d'autres adresses de prestataires, reportez-vous aux rubriques « Visite » et « Sports & Loisirs » du « carnet pratique » des villes et sites.

Archéologie

Si vous avez l'âme d'un archéologue, si vous aimez gratter la terre et ne craignez pas le soleil, vous pouvez vous inscrire à des chantiers de fouilles qui sont organisés chaque été en Provence par les services régionaux de l'archéologie :

DRAC Provence-Alpes-Côte d'Azur – 21-23 bd du Roy-René - 13617 Aix-en-Provence - ☎ 04 42 99 10 00.

DRAC Rhône-Alpes – 6 quai St-Vincent - 69283 Lyon Cedex 01 - ☎ 04 72 00 43 29 - www.culture.gouv.fr/rhone-alpes

DRAC Languedoc-Roussillon – Service régional de l'Archéologie - CS 49020 - 5 r. de la Salle-l'Évêque - 34967 Montpellier Cedex 2 - ☎ 04 67 02 32 71.

En outre, la revue *Archéologia* (www.archeologia-magazine.com) publie chaque printemps la liste des chantiers ayant besoin de recrues.

Baignade

En mer – Plages de sable fin en pente douce (Le Grau-du-Roi, La Ciotat) ou plus abrupte (Les Stes-Maries-de-la-Mer), criques rocheuses (les Calanques, chaîne de l'Estaque, îles du Frioul) ou plages de galets, voire d'herbe (Marseille, plage Gaston-Defferre), il y en a pour tous les goûts ! Alors, elle est bonne ? Sûrement, mais est-elle propre ? Si vous désirez connaître le résultat des contrôles de qualité des eaux de baignade effectués chaque mois de juin pour toutes les plages du littoral, vous pouvez consulter le 3615 infoplage ou www.infosplage.com. Sachez que les plages sont classées en 4 catégories, de A (bonne qualité) à D...

En rivière – C'est possible dans le **Gardon** (autour de Collias et du pont du Gard), dans la **Cèze**, dans l'**Ardèche**..., mais gare aux orages qui font monter subitement les eaux !

BALLON

On a réussi à faire le tour du monde en aérostat... mais à propos, le saviez-vous ? Bertrand Piccart, un des auteurs de l'exploit, a des origines provençales puisqu'une de ses grands-mères était nîmoise ! Rien d'étonnant alors qu'il y ait tant de possibilités de découvrir la Provence de cette façon, notamment dans l'**Uzège** *(voir Uzès)* et au-dessus de la **Durance** *(voir la Tour-d'Aigues)*.

Descente de l'Ardèche en canoë.

CANOË-KAYAK

La pratique du canoë-kayak permet d'aborder les sites les plus inaccessibles de l'Ardèche, de la Cèze *(voir Bagnols-sur-Cèze)*, du Gardon *(voir Pont du Gard)*, de la Durance et de la Sorgue *(voir Fontaine-de-Vaucluse)*.

Fédération française de canoë-kayak – 87 quai de la Marne - BP 58 - 94344 Joinville-le-Pont - ☎ 01 45 11 08 50 - www.ffcanoe.asso.fr. La Fédération édite un livre *France canoë-kayak et sports d'eaux vives* et, avec le concours de l'IGN, une carte *Les rivières de France,* avec tous les cours d'eau praticables.

Réglementation particulière – Dans les **gorges de l'Ardèche**, une zone comprise entre Charmes et Sauze est classée réserve naturelle. Cela implique un certain nombre de règles à respecter pour les visiteurs la parcourant à bord d'une embarcation : accès interdit aux planches à voile et aux embarcations de plus de 3 personnes, port du gilet de sauvetage obligatoire. Les deux lieux de bivouac sont Gaud et Gournier, ce qui limite le séjour à deux nuits dans la

réserve. Pour toute information pratique complémentaire, adressez-vous à la Maison de la réserve, à Gournier (☎ 04 75 98 77 31). Les informations concernant les sociétés de location d'embarcations sont fournies dans le « carnet pratique » des gorges de l'Ardèche.

Kayak de mer – Cette discipline utilise un équipement à peu près semblable au kayak mais avec des embarcations plus longues et plus étroites. Son intérêt ? Elle permet de visiter de petites criques inaccessibles par voie terrestre. Les premières sorties sont accompagnées de navigateurs expérimentés. On pratique surtout le kayak de mer dans les **calanques**.

COURS DE CUISINE ET D'ŒNOLOGIE

Les saveurs provençales ravissent vos papilles et vous avez l'âme d'un cordon bleu ? Inscrivez-vous à un cours de cuisine au restaurant « Le Jardin de la Tour » *(voir Avignon)* ou à l'auberge « La Fontaine » *(voir Venasque)*.

Vous goûter le vin ? Découvrez l'art de la dégustation le temps d'une visite à l'Espace Vin à **Cairanne** (☎ 04 90 30 82 05, *www.cairanne.com*), d'un rendez-vous d'initiation proposée par l'Office du tourisme de **Marseille** *(voir ce nom)*, d'une journée à l'Académie du Vin et du Goût à **Roquemaure** (☎ 04 66 33 04 86) ou d'un week-end à l'Université du vin à **Suze-la-Rousse** *(voir Bollène)*, qui propose également des stages de perfectionnement.

CROISIÈRES ORGANISÉES

Sur le Rhône – À partir d'Avignon *(voir ce nom)* sont organisées des promenades en bateau sur le Rhône et des croisières à la journée.

Sur les canaux de la Petite Camargue – *Voir Aigues-Mortes.*

En mer – Au départ de **Marseille** *(voir ce nom)*, visite du château d'If, des îles du Frioul et des calanques ; au départ de **la Ciotat** *(voir ce nom)*, visite des calanques ; au départ de **Cassis** *(voir ce nom)*, visite des calanques de Port-Miou, Port-Pin et En-Vau.

CYCLOTOURISME

À vélo ou à VTT, nombreux circuits possibles... mais attention aux côtes et à la chaleur !

Citons les circuits balisés autour de l'**enclave des papes** (37 km autour de Valréas) et le circuit viticole du haut Vaucluse, compliqué par l'ascension de quelques caves coopératives particulièrement coupe-jarret.

Dans le **Luberon** *(voir ce nom)*, un itinéraire touristique Cavaillon-Apt-Forcalquier (100 km) présente l'avantage d'être jalonné de panneaux d'informations permettant de ne pas pédaler idiot et de s'être mis en rapport avec des professionnels de l'hôtellerie ravis d'accueillir les cyclotouristes.

ViaMichelin

Votre meilleur souvenir de voyage

Avant de partir en vacances, en week-end ou en déplacement professionnel, préparez votre itinéraire détaillé sur www.ViaMichelin.com. Vous pouvez comparer les parcours proposés, sélectionner vos étapes gourmandes, afficher les cartes et les plans de ville le long de votre trajet. Complément idéal des cartes et guides MICHELIN, ViaMichelin vous accompagne également tout au long de votre voyage en France et en Europe : solutions de navigation routière par GPS, guides MICHELIN pour PDA, services sur téléphone mobile,...

Pour découvrir tous les produits et services :

www.viamichelin.com

Vélotourisme dans les gorges de la Nesque.

Les plus vaillants compareront leurs performances à celles des forçats de la route en se mesurant au Géant de Provence, le **Ventoux** *(voir ce nom)*, à partir de Bédoin. Ceux qui préfèrent pédaler sur terrain plat emprunteront l'un des 5 grands circuits de **Camargue** *(voir ce nom)*.

Les clubs cyclotouristes organisent des sorties week-end ou des circuits « découverte » avec des guides. Demandez leurs adresses auprès des comités départementaux de cyclotourisme, qui dépendent de la **Fédération française de cyclotourisme**, 12 r. Louis-Bertrand - 94207 Ivry-sur-Seine Cedex - ☎ 01 56 20 88 87 - www.ffct.org

ESCALADE

Un grand mot ? Les lecteurs de Tartarin le penseront peut-être... N'empêche que s'il paraît superflu de s'encorder pour escalader la **Montagnette** *(voir ce nom)*, les adeptes de la varappe ont quelques parois à se mettre sous la dent : dans les **Calanques** (où Gaston Rebuffat fit ses premières armes, *voir ce nom*), les **dentelles de Montmirail** *(voir ce nom)*, les gorges du Gardon autour de Collias et celles de l'Ardèche, le **Luberon** *(voir ce nom)* autour des falaises abruptes de Buoux, les massifs de la Ste-Victoire et de la Ste-Baume.

Club alpin français Marseille-Provence – 14, Quai Rive-Neuve - 13007 Marseille – ☎ 04 91 54 36 94 - http://cafmarseille.free.fr/pages/club/club.htm

Fédération française de Montagne et d'Escalade – 8-10 quai de la Marne - 75019 Paris - ☎ 01 40 18 75 50 - www.ffme.fr

Consultez également le *Guide des sites naturels d'escalade en France,* par D. Taupin (Éd. Cosiroc/FFME) pour connaître la localisation des sites d'escalade dans la France entière.

GOLF

Les terrains ne manquent pas pour entraîner votre swing dans un cadre enchanteur. Un golf-pass Provence (carnet de 5 *greenfees*) a été mis en place. Renseignements au Comité

régional de tourisme Paca. *Voir Aix-en-Provence, les Alpilles, Avignon, les Baux-de-Provence, Fontaine-de-Vaucluse, Orange et Uzès.*

LAVANDE

Sur les quatre départements du territoire de Haute-Provence (Alpes-de-Haute-Provence, Hautes-Alpes, Drôme et Vaucluse), les routes de la lavande sont une invitation à la découverte de nombreux sites liés à la culture et à l'exploitation de la lavande. Les itinéraires proposés vous mèneront au cœur des paysages de lavande de la Drôme provençale au plateau de Valensole en passant par le pays de Sault. Des visites de distilleries, de fermes et de jardins, des animations et des sorties accompagnées ainsi que des ateliers pour les enfants permettent de découvrir la lavande sous toutes ses facettes : huiles essentielles, parfums, botanique, cuisine, histoire et lecture des paysages. La lavande est célébrée tout au long de l'été : à Ferrassières le 1er dim. de juil., à Valensole le 3e dim. de juil., à Sault le 15 août, ou au corso de Digne et de Valréas déb. août. L'association « Les Routes de la lavande » édite un guide pratique ainsi qu'un calendrier des séjours, ateliers et animations du printemps à l'automne. *Les Routes de la Lavande, 2 av. de Venterol, 26111 Nyons Cedex, ☎ 04 75 26 65 91. www.routes-lavande.com*

Récolte de la lavande près d'Apt.

MARCHÉS

Pour vos achats, ayez le réflexe marché. Certes, ce qu'on y achète est le plus souvent périssable... mais un séjour en Provence ne se conçoit pas sans quelques visites à ces marchés aussi colorés qu'animés qui constituent, en eux-mêmes, un « souvenir », d'autant que les produits proposés, souvent de qualité, y sont fort variés : fruits et légumes, fleurs, épices, herbes de Provence, olives, fromages, tissus provençaux, objets artisanaux, etc.

Nous répertorions les marchés les plus réputés dans les « **carnets pratiques** » de la partie « Villes et sites ».

OLIVES

L'arbre symbolique de l'univers provençal fait l'objet de plusieurs circuits répartis dans les Bouches-du-Rhône (route de l'olivier des Alpilles et de la vallée des Baux, route de l'olivier du pays d'Aix-en-Provence) et dans la Drôme (route de l'olivier en Baronnies, autour de Nyons et Buis-les-Baronnies), unissant les principales oliveraies et les producteurs d'huile d'olive ayant reconnu la charte « Route de l'olivier ». Ils sont signalés par des panonceaux détaillant les spécificités de la production locale. En outre, de nombreux restaurateurs intègrent des produits oléicoles dans leurs menus.

L'olive dans tous ses états.

Renseignements : Association française interprofessionnelle de l'olive, 22 r. Henri-Pontier, 13626 Aix-en-Provence Cedex 1, ☎ 04 42 23 01 92.

Il y a différentes variétés d'olives *(voir « L'art de vivre en Provence » dans le chapitre « Invitation au voyage »)* et donc d'huile. Vous pourrez vous initier à la dégustation d'huile d'olive à l'Institut du Monde de l'Olivier, à **Nyons** *(☎ 04 75 26 90 90).*

PÊCHE

En eau douce – Carpes, truites et autres monstres aquatiques n'ont qu'à bien se tenir ! Le **Rhône** et la **Durance** ne sont pas avares des premières, qui aiment à se laisser surprendre depuis le pont Daladier. Les secondes n'empruntent pas sans appréhension les différentes rivières provençales..., mais il faut savoir que le réseau hydrographique de la Provence n'est pas très dense et qu'il est sujet à d'importantes variations. Nombre de ruisseaux ne se mettent à couler que lorsque la pluie tombe. Néanmoins, des rivières comme l'Ardèche, le Gard ou la Durance (sans parler du Rhône), ainsi que les canaux et les retenues d'eau (Cadarache, Brinon) attirent les pêcheurs de truites, de chevesnes, de carpes, de tanches, de brochets...

Généralement, le cours supérieur des rivières est classé en 1re catégorie tandis que les cours moyen et inférieur le sont en 2e. Pour la pêche dans les lacs et les rivières, il convient d'observer les réglementations nationale et locale, de s'affilier pour l'année en cours dans le département de son choix à une association de pêche et de pisciculture agréée, d'acquitter les taxes afférentes au mode de pêche pratiqué, ou éventuellement d'acheter une carte journalière.

Conseil supérieur de la pêche – Immeuble Le Péricentre - 16 av. Louison-Bobet - 94132 Fontenay-sous-Bois Cedex - ☎ 01 45 14 36 00.

En mer – La Méditerranée est sans doute moins poissonneuse que les autres mers bordant le littoral français... Néanmoins, vous ne rentrerez sans doute pas bredouille. Dans les **zones rocheuses**, les poissons de roche pullulent : rascasses (la gloire de la bouillabaisse), rougets, congres et murènes partagent les lieux avec une foule de poulpes et d'araignées de mer, divers mollusques et quelques rares langoustes. Dans les **zones sableuses**, on trouve des raies, des soles et des limandes. Des bancs de sardines, d'anchois et de thons passent **au large** ainsi que des daurades, des loups (ou bars) et des muges (mulets). Il n'est nul besoin d'autorisation pour pratiquer la pêche en mer, pourvu que ces produits soient réservés à votre consommation personnelle. En revanche, il existe une réglementation pour le ramassage des **oursins** : il n'est autorisé que de novembre à mars, à raison de quatre douzaines par personne, et les oursins doivent avoir une taille supérieure à 5 cm.

Fédération française des pêcheurs en mer – Résidence Alliance, centre Jorlis - 64600 Anglet - ☎ 05 59 31 00 73 - www.ffpm.org

PLAISANCE

Les hardis loups de mer ne manquent pas d'endroits où jeter l'ancre, car la plupart des localités côtières possèdent des ports bien équipés où un certain nombre de places sont réservées aux visiteurs de passage. Renseignements auprès des capitaineries des ports. Citons d'Ouest en Est :

Le Grau-du-Roi – ☎ 0 825 888 868.

Les Saintes-Maries-de-la-Mer – ☎ 04 90 97 85 87.

Port-St-Louis-du-Rhône – Port Napoléon, ☎ 04 42 48 41 21.

Martigues – Capitainerie : Portmaritima - ☎ 04 42 07 00 00.

Port-de-Bouc – ☎ 04 42 06 38 50.

Sausset-les-Pins – ☎ 04 42 44 55 01.

Carry-le-Rouet – ☎ 04 42 45 25 13.

L'Estaque – ☎ 04 91 46 01 40.

Marseille (bureau de plaisance) – ☎ 04 91 33 25 44 et 06 09 24 14 33.

Marseille (capitainerie de Pointe-Rouge) – ☎ 04 91 73 13 21.

Frioul – ☎ 04 91 59 01 82.

Port-Miou – ☎ 04 42 01 96 24.

Cassis – ☎ 04 42 01 96 24.

La Ciotat – ☎ 04 42 08 62 90.

PLONGÉE

C'est à Marseille que Jacques-Yves Cousteau et Émile Gagnan ont mis au point le détendeur moderne qui a permis le développement de la plongée en scaphandre autonome : c'est dire qu'ici, lorsqu'on évoque la plongée, on sait de quoi on parle ! On pourra la pratiquer à Marseille et dans les Calanques *(voir Cassis et Chaîne de l'Estaque)* mais aussi à La Ciotat *(voir ce nom)*, dans le parc naturel aquatique du Mugel. Les plongeurs peuvent en outre visiter **six sites exceptionnels** : des épaves comme celles du *Chauoen*, cargo marocain échoué sur l'île du Planier (au large de Marseille), de la *Drôme*, épave reposant par 51 m de fond, du paquebot *Liban* qui sombra devant l'île Maïre en 1903 ; ou bien des sites naturels comme Les Impériaux, célèbre pour ses immenses gorgones rouges, la Cassidaigne, zone de passage de poissons au pied du phare à 4 milles de Cassis, ou encore l'île Verte, au large de La Ciotat, riche en poissons et en flore sous marine.

Fort bien ! Mais après les baptêmes dispensés par des moniteurs et l'engouement pour la découverte des superbes paysages sous-marins, on n'en est pas pour autant un plongeur confirmé. Il faut savoir que l'apprentissage est long et qu'il doit être dispensé par des moniteurs titulaires des diplômes de moniteurs fédéraux 1er et 2e degré ou titulaires des brevets d'État d'éducateur sportif 1er ou 2e degré option plongée subaquatique.

Fédération française d'études et de sports sous-marins – 24 quai de Rive-Neuve - 13284 Marseille Cedex 07 - ☎ 04 91 33 99 31 ou 0 820 000 457 - www.ffessm.fr. Elle regroupe un grand nombre de clubs nationaux et publie un ensemble de fiches présentant les activités subaquatiques de la fédération.

LOCATION DE PÉNICHES

Locations de bateaux avec ou sans permis pour naviguer sur les canaux :

Cap 2000 – ZA Port de Pêche - ☎ 04 66 51 41 54

A2M – Port-Camargue - ☎ 04 66 53 35 18.

PARAPENTE, DELTAPLANE ET ULM

Plusieurs sites sont propices à la pratique des sports aériens libres (comme le parapente et le deltaplane) et à l'ULM. Citons par exemple le **Luberon** *(voir ce nom et Apt)*, **les Alpilles** *(voir Salon-de-Provence)* et Carpentras *(voir ce nom)*.

Pour obtenir la liste à jour des centres de vol libre et des lieux de pratique, consultez le 3615 FFLV et le site www.fflv.fr. Adressez-vous également à :

Fédération française de vol libre (deltaplane et parapente) – 4 r. de Suisse - 06000 Nice - ☎ 04 97 03 82 82 - www.ffvl.fr

Fédération française de planeur ultraléger motorisé – 96 bis r. Marc-Sangnier - BP 341 - 94709 Maisons-Alfort Cedex - ☎ 01 49 81 74 43 - www.ffplum.com

RANDONNÉE ÉQUESTRE

Pour vous mettre en selle : la Camargue *(voir ce nom, le Grau-du-Roi et St-Gilles)*, le Luberon *(voir ce nom)*, la Montagnette *(voir Tarascon)* et la Ste-Victoire *(voir ce nom)*.

Comité national de tourisme équestre – 9 bd Macdonald - 75019 Paris - ☎ 01 53 26 15 50 - cnte@ffe.com - www.tourisme-equestre.fr. Le comité édite une brochure annuelle, *Cheval nature, l'officiel du tourisme équestre,* répertoriant les possibilités en équitation de loisir et les hébergements accueillant cavaliers et chevaux.

Association régionale de tourisme équestre de Provence – 28 pl. Roger-Salengro, 84300 Cavaillon, ☎ 04 90 78 04 49.

Par ailleurs, le Comité départemental du Vaucluse édite une carte intitulée *Tourisme équestre en Vaucluse.*

RANDONNÉE PÉDESTRE

La découverte de la Provence à pied est un véritable enchantement pour l'œil tant la luminosité ambiante met en valeur la beauté des paysages, qu'ils soient restés sauvages ou qu'ils portent la marque de l'homme, au fil des villages et de leurs terroirs. Pour mieux lire le paysage, vous pourrez effectuer des randonnées accompagnées, notamment dans **les Alpilles** *(voir ce nom)*.

De nombreux sentiers de Grande Randonnée sillonnent la région décrite dans ce guide. Le **GR 4** traverse le bas Vivarais jusqu'au Ventoux, le **GR 42** longe la vallée du Rhône, le **GR 6** suit le cours du Gard jusqu'à Beaucaire puis s'enfonce dans les Alpilles et le Luberon. Le **GR 9** suit la face Nord du Ventoux, traverse le plateau du Vaucluse, le Luberon puis les massifs de la Ste-Victoire et de la Ste-Baume. Les GR 63, 92, 97 et 98 en sont les variantes.

À côté des GR existe une multitude de sentiers de Petite Randonnée (PR) correspondant à des parcours de quelques heures à 48 heures.

Fédération française de randonnée pédestre – 14 r. Riquet - 75019 Paris - ☎ 01 44 89 93 93 - www.ffrp.asso.fr. La Fédération donne le tracé détaillé des GR, GRP et PR ainsi que d'utiles conseils.

Les syndicats d'initiative et les offices de tourisme proposent généralement des dépliants de balades et de randonnées.
Le Comité départemental des Bouches-du-Rhône édite un coffret *Balades et randonnées en Provence*. On peut également obtenir une brochure intitulée *Gard : Terre de Randonnée* auprès du Comité départemental de tourisme du Gard.

Fermeture des massifs – Afin de lutter contre les incendies, dans certaines zones boisées ou d'écosystème particulièrement fragile, l'accès aux massifs est interdit par arrêté préfectoral du 1er juillet au 1er week-end de septembre ainsi que toute l'année dès que le vent est supérieur à 40 km/h. Cela concerne les Alpilles, les Calanques, la Montagnette et la Ste-Victoire.

Randonneurs dans les calanques.

Sauvignier S./MICHELIN

ROUTES HISTORIQUES

Pour découvrir le patrimoine architectural local, la **Fédération nationale des routes historiques** (www.routes-historiques.com) a élaboré 21 itinéraires à thème. Tracés et dépliants sont disponibles auprès des offices de tourisme ou de M. Tranié - 1 r. du château - 60112 Troissereux - ☎ 03 44 79 00 00.

La région couverte par ce guide est parcourue, en totalité ou en partie, par deux routes historiques :

Route historique du patrimoine juif du Midi de la France – Comité départemental du tourisme de Vaucluse, ☎ 04 90 80 47 00. www.provenceguide.com

Routes historiques en Languedoc-Roussillon – Château de Flaugergues - 1744 av. Albert-Einstein - 34000 Montpellier - ☎ 04 99 52 66 37.

ROUTES THÉMATIQUES

Elles sont mises en place par des associations, des offices de tourisme et autres organismes, et bénéficient souvent d'une brochure explicative.

Via Domitia – M. Delran - Association Régionale Via Domitia - CRT - 417 r. Samuel-Morse CS79507 - 34960 Montpellier Cedex 2 - ☎ 04 67 22 81 00 - www.viadomitia.org

Route des peintres de la lumière en Provence – Elle propose une découverte de la région à travers des sites ayant servi de modèles aux « peintres de la lumière », entre 1875 et 1920. Renseignements auprès du Comité régional de tourisme Provence-Alpes-Côte d'Azur.

Circuits Cézanne et Van Gogh – De leur côté, les offices du tourisme d'Aix-en-Provence et de St-Rémy-de-Provence *(voir ces noms)* organisent les circuits « Cézanne » et « Sur les lieux peints par Van Gogh ».

Circuits Marcel Pagnol – Plusieurs circuits permettent, au départ de l'office de tourisme d'Aubagne *(voir ce nom)*, de découvrir les lieux où l'écrivain-cinéaste passa son enfance ainsi que des lieux de tournage de certains de ses films.

Circuit Alphonse Daudet – L'office du tourisme de Fontvieille *(voir Les Alpilles)* a mis en place ce circuit à travers les lieux qui inspirèrent à l'écrivain les fameuses *Lettres de mon moulin*.

SKI

Eh oui ! Ce sera sur le Ventoux *(voir ce nom)*, où pistes de ski alpin, ski de fond et raquettes vous attendent au mont Serein, versant Nord, et à Chalet-Reynard, versant Sud.

SPÉLÉOLOGIE

Pour les fans des mystères souterrains, cette région n'en est pas avare... À Fontaine-de-Vaucluse, on tentera de résoudre les énigmes de la Sorgue, tandis qu'on pourra explorer le Grand Draioun, gouffre de 200 m ouvert dans la falaise de cap Canaille. Le **plateau d'Albion** *(voir Sault)* est également réputé.
Dans l'**Aven d'Orgnac** *(voir ce nom)*, les non-initiés pourront faire une agréable randonnée souterraine.

Fédération française de spéléologie – 28 r. Delandine - 69002 Lyon - ☎ 04 72 56 09 63 - www.ffspeleo.fr

STAGES D'ARTISANAT

Ils abondent en Provence, notamment dans le domaine de la peinture (c'est bien connu, les couleurs et la lumière ici sont sources d'inspiration), cependant ils sont parfois coûteux. Voici une modeste sélection : initiation aux techniques de l'ocre à Roussillon *(voir ce nom)*, stage de céramique à la Maison de la céramique en Luberon à Beaumettes *(voir le Luberon)*, découverte de la pratique du boutis au sein des ateliers organisés par *Soleïado* à Tarascon *(voir ce nom)* et à la Maison du boutis située à Calvisson *(voir Nîmes)*, stage de meubles peints à Uzès *(se renseigner à l'office de tourisme)*.

THALASSOTHÉRAPIE

À la différence du thermalisme, la thalassothérapie n'est pas considérée comme un soin médical (le séjour n'est d'ailleurs pas remboursé par la Sécurité sociale), même si le patient a la possibilité d'être suivi par un médecin. L'eau de mer possède certaines propriétés qui sont surtout utilisées lors de stages de remise en forme, de beauté, de séjours pour futures ou jeunes mamans, de forfaits spécial dos, antistress et antitabac. Sur la côte provençale, des centres de thalassothérapie sont installés au **Grau-du-Roi**, à **Marseille** et aux **Stes-Maries-de-la-Mer** *(voir ces noms)*. Ces centres proposent des séjours d'une semaine ou plus, mais aussi des forfaits à la journée ou au week-end, avec ou sans logement.

Fédération Mer et Santé – 8 r. de l'Isly - 75008 Paris - ☎ 01 44 70 07 57 - www.thalassofederation.com

TRUFFES

Le **Vaucluse** est le premier producteur national de truffes. Si vous êtes sur place entre mi-novembre et mi-mars, profitez-en pour aller aux marchés aux truffes qui ont lieu le matin. Sachez que les transactions se font toujours au comptant et en liquide !
Carpentras – **1044558**De mi-novembre à mi-mars : vendredi 9h. C'est l'un des plus importants du Vaucluse.

Richerenches – Samedi à 10h. C'est le plus réputé.

Valréas – Mercredi.

Pour visiter une truffière, rendez-vous à Uzès *(voir ce nom)* et à Grillon *(voir Valréas)*.

VILLES ET PAYS D'ART ET D'HISTOIRE

Sous ce label décerné par le ministère de la Culture et de la Communication sont regroupés quelque 130 villes et pays qui œuvrent activement à la mise en valeur et à l'animation de leur architecture et de leur patrimoine.

Dans les sites appartenant à ce réseau sont proposées des visites générales ou insolites (1h30 ou plus), conduites par des guides-conférenciers et des animateurs du patrimoine agréés par le ministère (voir également " La destination en famille "). Renseignements auprès des offices de tourisme des villes ou sur le site www.vpah.culture.fr

Les Villes et Pays d'art et d'histoire cités dans ce guide sont : Aix-en-Provence, Arles, Avignon, Beaucaire, Carpentras et Comtat venaissin (Pays de), Marseille, Nîmes, Uzès, Vaison-la-Romaine, Villeneuve-lès-Avignon.

VOILE

Un grand centre ? C'est **Martigues**, qui porte le label « Station nautique », avec ses différents plans d'eau, et l'étang de Berre.

France Station voile nautisme et tourisme – 17 r. Henri-Bocquillon - 75015 Paris - ☎ 01 44 05 96 55 - www.france-nautisme.com. Ce réseau regroupe sous le nom de « stations nautiques » des villages côtiers, des stations touristiques ou des ports de plaisance qui s'engagent à offrir les meilleures conditions pour pratiquer l'ensemble des activités nautiques.

Pour le reste, la plupart des stations de bord de mer possèdent des écoles de voile proposant des stages et il est possible de louer, en saison, des bateaux (avec ou sans équipage).

Fédération française de voile – 17 r. Henri-Bocquillon - 75015 Paris - ☎ 01 40 60 37 00 - www.ffvoile.org

en famille

Pour se faire pardonner quelques visites de musées « pour les grands » ou pour changer un peu de la plage, nous avons sélectionné pour vous un certain nombre de sites *(voir le tableau récapitulatif ci-dessous)* qui intéresseront particulièrement votre progéniture. Vous les repérerez dans la partie « Villes et sites » grâce au pictogramme ⌂.
Le site internet www.provence-enfamille.com propose mille informations sur les activités et les sites susceptibles d'intéresser les enfants.

☺	Nature	Musées	Loisirs
Paradou (Alpilles)		La Petite Provence (santons)	
Maussane-les-Alpilles (Alpilles)		musée des Santons animés	
Gorges de l'Ardèche	grotte de la Madeleine, grotte St-Marcel		
Arles			Petit train des Alpilles
La Crau (Arles)	marais de Vigueirat		
Aubagne		Le Petit monde de Marcel Pagnol (santons)	
Baux-de-Provence		Cathédrale d'images	
Beaucaire	Le Vieux Mas		Les aigles de Beaucaire
Étang de Berre			parc aquatique de la Pyramide
Mornas (étang de Berre)		forteresse	
Méjanes (Camargue)			domaine Paul-Ricard
Pioch-Badet (Camargue)		musée des Roulottes anciennes	
Mormoiron (Carpentras)		Moulin à musique	
Cavaillon		musée de la Crèche provençale	
La Ciotat			parc OK Corral ; sentier sous-marin parc du Mugel
Grotte de la Cocalière	site		
Allauch (chaîne de l'Étoile)		musée du Vieil Allauch	
Gardanne (chaîne de l'Étoile)	écomusée de la Forêt méditerranéenne		
Fontaine-de-Vaucluse		musée du Santon	
Le Grau-du-Roi	Seaquarium et musée de la Mer		
Grottes de Thouzon (L'Isle-sur-la-Sorgue)	site		
Marseille		Préau des Accoules ; musée du Santon Marcel-Carbonel ; museum d'Histoire naturelle ; stade Vélodrome	
Aven d'Orgnac	site		
Pont du Gard	site	Grande Expo, Ludo	
Roussillon		Conservatoire des ocres	
Salon-de-Provence	zoo de la Barben	musée de l'Empéri ; musée Grévin de Provence	
Tarascon		maison de Tartarin, château du Roi René	
Uzès		musée du Bonbon Haribo ; moulin	parc aquatique de la Bouscarasse
Villeneuve-lès-Avignon		parc d'Astronomie ; musée du Vélo et de la Moto	parc de loisirs Amazonia

Réseau Villes et Pays d'art et d'histoire

Le réseau des Villes et Pays d'art et d'histoire (voir la rubrique "Visite guidée") propose des visites-découvertes et des ateliers du patrimoine aux enfants, les mercredi, samedi et pendant les vacances scolaires. Munis de livrets-jeux et d'outils pédagogiques adaptés à leur âge, ces derniers s'initient à l'histoire et à l'architecture, et participent activement à la découverte de la ville. En atelier, ils s'expriment à partir de multiples supports (maquettes, gravures, vidéos) et au contact d'intervenants de tous horizons : architectes, tailleurs de pierre, conteurs, comédiens. Ces activités sont également proposées pendant la visite des adultes en juillet et en août, dans le cadre de l'opération « L'Été des 6-12 ans ».

que rapporter

Les adresses de boutiques ou d'artisans se trouvent à la rubrique « Achats » dans le « **carnet pratique** » de la partie « Villes et sites ».

Pour la bonne bouche

C'est sur place, bien sûr, que vous apprécierez les produits du terroir *(voir « Un déjeuner au soleil » dans le chapitre « Invitation au voyage »),* comme le melon de Cavaillon, mais certaines denrées fraîches peuvent supporter le voyage et d'autres sont conditionnées (telles les tellines cuisinées ou les terrines de taureau) pour être dégustées plus tard. Si vous ne souhaitez pas multiplier les lieux d'achats, sachez que certaines boutiques rassemblent divers produits régionaux comme à Arles, au Grau-du-Roi, à Marseille ou à Nyons.

Spécialités gastronomiques – Le **saucisson d'Arles** est encore fabriqué artisanalement chez Pierre-Milhau, tout comme la **brandade** est préparée selon la recette traditionnelle à Nîmes. **Huiles d'olive** et **olives** aux Baux ou à Nyons *(voir « Olive » dans la rubrique « activités de A à Z »).* Pour rappeler les repas de vacances, il est possible de trouver de la **tapenade** (boutique spécialisée à L'Isle-sur-la-Sorgue) et de l'**anchoïade** en conserve dans les épiceries fines de la région... même si rien ne vaut le frais !

Gourmandises – Vous ne ferez qu'une bouchée des **papelines** d'Avignon ! Pour ne pas rester sur vos envies de confiseries, vous irez à Aix-en-Provence pour ses **Calissons**, à Apt pour ses **fruits confits**, à Carpentras pour ses **berlingots**. En outre, vous pourrez assister à la fabrication de ces petites douceurs. Tout comme

Douceurs provençales.

à St-Didier *(voir Carpentras)* vous apprendrez comment on fait le **nougat**, que l'on trouve par ailleurs à Allauch *(voir Chaîne de l'étoile)* et à Sault. Qui dit nougat dit **miel** et à St-Saturnin-lès-Avignon *(voir Avignon),* vous visiterez le rucher avant d'acheter ce produit que l'on trouve aussi dans Luberon et à Sault. Côté pâtisseries, vous aurez le choix entre les **croquants** d'Arles, les **navettes** de Marseille (le traditionnel biscuit en forme de barque consommé à la Chandeleur) et les **fougasses** à la fleur d'oranger d'Aigues-Mortes.

Alcools – Le fameux élixir du révérend père Gaucher, le **pastis** *(voir « L'art de vivre en Provence » dans la partie « Invitation au voyage »),* qu'on peut bien sûr se procurer un peu partout, du traditionnel et mondialement connu Ricard au pastis à l'ancienne, commercialisé dans les épiceries fines *(voir Aix-en-Provence, Marseille et Aubagne).* Les appellations sont nombreuses et pour certaines très réputées dans la région *(voir « Un déjeuner au soleil » dans la partie « Invitation au Voyage »).* Il est préférable d'acheter son vin dans les caves pour bénéficier de conseils avertis et déguster le produit *(voir « Les vins » dans la partie « Invitation au Voyage »).*

Pour la maison

Voici quelques idées qui n'ont d'autre ambition que de vous aider à faire votre choix en toute connaissance de cause... d'autant que les artisans pullulent en Provence, où le meilleur côtoie souvent le tout-venant. Notez que l'on peut parfois pousser la porte des ateliers pour assister à la fabrication des produits (il conviendra, par prudence, de téléphoner au préalable afin de réserver).

Tissus – Pour décorer sa maison aux couleurs provençales *(voir « L'art de vivre en Provence » dans la partie*

« Invitation au voyage »), rien de plus facile. On trouve en effet partout des tissus provençaux, plus particulièrement dans les boutiques **Souleïado** à Tarascon et Marseille, et **Les Olivades** à Nîmes. *Voir aussi à Arles et Avignon.*

Santons – À Noël *(voir « Noëls de Provence » dans la partie « Invitation au voyage »)*, pour faire sa crèche ou la compléter, rendez-vous sur les **marchés et foires aux santons** à St-Maximin-la-Ste-Baume, Marseille, Tarascon et Aubagne, où vous pourrez également visiter les ateliers des santonniers. Avant d'acheter vos figurines, regardez si elles portent la mention « véritable santon de Provence » (qui atteste de leur fabrication artisanale et locale, selon une charte de qualité), quoique si vous êtes chez des artisans, comme à St-Rémy-de-Provence ou Salon-de-Provence, ce ne sera pas nécessaire !

Poteries – **Aubagne** conserve sa tradition potière, ainsi que le village bien nommé de **St-Quentin-la-Poterie** *(voir Uzès)*. À **Apt**, on continue de fabriquer des carreaux.

Savons – Impossible de passer à **Marseille** sans revenir avec un savon !

On le trouve dans toute la Provence, notamment à **Gardanne** *(voir Chaîne de l'étoile)* et à **Salon-de-Provence**, où vous visiterez un petit musée qui lui est consacré.

Antiquités – Les amateurs d'antiquités se précipiteront à **L'Isle-sur-la-Sorgue**, où pas moins de 160 antiquaires sont rassemblés.

POUR LE PLAISIR

Boules – Ah ! la pétanque *(voir « L'art de vivre en Provence » dans la partie « Invitation au voyage »)*... Vous y avez pris goût après quelques leçons à **la Ciotat** ? Vous pourrez vous acheter des boules à **Marseille** pour continuer à vous exercer de retour à la maison.

Pigments – Un ami peintre ? Procurez-vous des ocres mais aussi toutes sortes de pigments naturels à **Roussillon**, de préférence au Conservatoire des ocres et pigments appliqués.

Taureaux et chevaux – Vous laisserez ces animaux en paix dans leur Camargue, mais vous pourrez revenir avec la panoplie du parfait gardian achetée à **Aigues-Mortes** et vous plonger dans des livres sur la tauromachie trouvés dans une librairie spécialisée à **Arles**.

fêtes et festivals

Autour des grands classiques (Avignon, Aix, Orange), les **festivals** ont tendance à se multiplier dès qu'apparaissent les beaux jours proposant, des programmations le plus souvent de qualité : dans l'impossibilité de prétendre à l'exhaustivité, voici donc une sélection parmi les principaux festivals dont la pérennité semble assurée.

Par ailleurs, ont été répertoriées ici les **ferias** traditionnelles impliquant l'organisation d'une ou plusieurs corridas ou *novilladas*. Outre ces cycles d'importance, de durée et de prestige variables, les *aficionados* en herbe ou confirmés pourront assister à des spectacles taurins avec mises à mort organisés à diverses dates dans les arènes de Fourques, du Grau-du-Roi, Bellegarde, Aramon, Vergèze, St-Martin-de-Crau, Istres, St-Gilles-du-Gard, etc.

Enfin, vous retrouverez ces manifestations ainsi que d'autres de moindre importance dans la rubrique « Calendrier » du « carnet pratique » des villes.

PRINCIPALES MANIFESTATIONS

Février

Les Hivernales d'Avignon : festival de danse contemporaine.	**Avignon**
Les Élancées : festival des arts du geste.	**Istres**
Fête de la Chandeleur à la basilique St-Victor (le 2).	**Marseille**
Alicoque : fête de l'huile nouvelle (1er w.-end).	**Nyons**
Oursinades (1ers dim.).	**Carry-le-Rouet**
Fête de la Saint-Valentin (w.-end le plus proche du 14).	**Roquemaure**
Corso carnavalesque (w.-end précédant et suivant Mardi gras).	**Graveson**

Ferrade en Camargue.

Mars-Avril

Rencontres du 9e Art : festival consacré à la bande dessinée (mi-mars à mi-avril). — **Aix-en-Provence**

Avril

Fête de la St-Marc (dernier w.-end) : autour de la vigne et du vin. — **Villeneuve-lès-Avignon**

Pâques

Foire à la brocante (la plus grande de Provence). — **L'Isle-sur-la-Sorgue**

Feria pascale (du ven. au lun.). — **Arles**

Mai

Fête des gardians (le 1er). — **Arles**

Pèlerinage des gitans (le 24) et des Saintes (le 25). — **Les Saintes-Maries-de-la-Mer**

Journées des plantes rares et méditerranéennes aux jardins d'Albertas (dernier w.-end). — **Bouc-Bel-Air**

Pentecôte

Feria (du jeu. au lun.). — **Nîmes**

Fête de la transhumance (w.-end). — **St-Rémy-de-Provence**

Juin

Festival de la nouvelle danse (2e quinzaine). — **Uzès**

Fête du Petit Saint-Jean (le 23). — **Valréas**

Fêtes de la Tarasque (dernier w.-end). — **Tarascon**

Fêtes de la mer et de la Saint-Pierre (dernier sam.). — **Martigues**

Juillet

Festival de théâtre et de danse. — **Avignon**

Chorégies : opéras, concerts symphoniques dans le théâtre antique. — **Orange**

Festival international d'art lyrique. — **Aix-en-Provence**

Rencontres d'été de la Chartreuse. — **Villeneuve-lès-Avignon**

Festival de la Sorgue : musique, concours de chant, folklore, animations taurines. — **Fontaine-de-Vaucluse, L'Isle-sur-la-Sorgue, Le Thor**

Les Estivales des Taillades, au théâtre des Carrières. — **Les Taillades**

Festival international de folklore de Château-Gombert. — **Marseille**

Rencontres classiques d'Orange (théâtre). — **Orange**

Pegoulado : défilé nocturne en costumes traditionnels (ven. précédant le 1er dim. du mois) — **Arles**

La charrette de St-Éloi (du 1er dim. au mar. suivant). — **Châteaurenard**

Festival de la correspondance (déb. du mois). — **Grignan**

Mondial de pétanque au parc Borély (1re quinzaine). — **Marseille**

Les Olivades : fête de l'olivier (w.-end av. le 14 juil.). — **Nyons**

Feria du cheval (autour du 14). — **Les Stes-Maries-de-la-Mer**

Corso de nuit (autour du 14). — **Carpentras**

Journée des vieux métiers et marché à l'ancienne (le 14). — **Châteaurenard**

Festival de Vaison (2e quinzaine) : danse. — **Vaison-la-Romaine**

Estivales de Carpentras (2e quinzaine) : théâtre, jazz, humour, variétés. — **Carpentras**

Festival d'Avignon.

Festival Les Suds (2ᵉ quinzaine) : musiques du monde.	**Arles**
Nuits musicales (2ᵉ quinzaine).	**Uzès**
Festival européen des arts céramiques (3ᵉ w.-end, années paires).	**St-Quentin-la-Poterie**
Fêtes de la Madeleine (dix derniers jours) : manifestations taurines et fête foraine.	**Beaucaire**
Fêtes de sainte Marie-Madeleine (fin du mois).	**St-Maximin-la-Ste-Baume**
Fête de la Saint-Éloi (dernier w.-end).	**Graveson**
Fête des Coteaux d'Aix (fin du mois).	**Aix-en-Provence**
Festival de théâtre et musique du monde (fin du mois).	**Martigues**
Les Polymusicales de Bollène (fin du mois).	**Bollène**

Juillet-août

Festival de danse contemporaine.	**Aix-en-Provence**
Festival international de quatuors à cordes du Luberon.	**Cabrières d'Avignon, Isle-sur-la-Sorgue, Goult, Roussillon et Silvacane**
Foire aux santons et à la céramique.	**Aubagne**
Festival du château de la Tour d'Aigues (de mi-juil. à mi-août).	**La Tour-d'Aigues**
Nuits musicales et théâtrales de l'Enclave des Papes (de mi-juil. à mi août).	**Valréas**
Festival international de piano (dernière sem. de juil. et 3ʳᵉˢ sem. d'août).	**La Roque-d'Anthéron, abbaye de Silvacane**

De début juillet à mi-septembre

Festival Organa : concerts d'orgue.	**St-Rémy-de-Provence**
Les Rencontres d'Arles : autour de la photographie.	**Arles**

Août

Feria de la St-Étienne (déb. du mois).	**Istres**
Corso nocturne de la lavande (1ᵉʳ sam. et lun.)	**Valréas**
Fête de la véraison (1ᵉʳ w.-end.)	**Châteauneuf-du-Pape**
Festival de musique juive (1ʳᵉ sem.).	**Carpentras**
Choralies internationales (1ʳᵉ quinzaine, tous les 3 ans, la prochaine en 2007).	**Vaison-la-Romaine**
Nuit des vins de Rasteau (w.-end du 15).	**Rasteau**
Foire à la brocante (w.-end du 15).	**L'Isle-sur-la-Sorgue**
Fête de la lavande (le 15).	**Sault**
Feria (autour du 15).	**St-Rémy-de-Provence**
Argilla, fête de la céramique (w.-end après le 15 août, années impaires).	**Aubagne**
Cavalcade provençale (3ᵉ dim., années paires).	**Aubagne**
Rencontres musicales (2ᵉ sem.).	**Pont-St-Esprit**

Septembre

Fête des vins (1ᵉʳ dim.).	**Cassis**
Feria et Fêtes du riz (du ven. au dim., déb. du mois).	**Arles**

Feria des vendanges (3e w.-end).	**Nîmes**
Week-end autour du 22 octobre Pèlerinage des Saintes.	**Les Stes-Maries-de-la-Mer**

Novembre

Foire aux santons et à l'artisanat d'art (3e w.-end), au couvent royal.	**St-Maximin-la-Ste-Baume**
Provence Prestige : Salon de l'art de vivre (fin du mois).	**Arles**
Marché aux santons (dernier w.-end).	**Tarascon**

De fin novembre à fin décembre

Foire aux santons sur la Canebière.	**Marseille**
Foire aux santons et à la céramique.	**Aubagne**

De fin novembre à mi-janvier

Salon international des santonniers dans le cloître St-Trophime.	**Arles**

Décembre

Biennale de l'art santonnier (1er w.-end, années paires).	**Aubagne**
Fête des bergers (début du mois).	**Istres**

24 décembre

Messe de minuit avec descente des bergers.	**Allauch**
Veillée calendale et messe de minuit (St-Trophime).	**Arles**
Fête des bergers et messe de minuit.	**Les Baux-de-Provence**
Représentation de la pastorale *Li Bergié de Séguret*.	**Séguret**
Messe de minuit avec pastrage.	**St-Michel-de-Frigolet**
Messe de minuit avec pastrage.	**St-Rémy-de-Provence**
Messe de minuit avec offrande des bergers, gardians, riziculteurs et pêcheurs.	**Les Stes-Maries-de-la-Mer**
Messe de minuit avec pastrage.	**Tarascon**

nos conseils de lecture

OUVRAGES GÉNÉRAUX – TOURISME

Dictionnaire de la Provence et de la Côte d'Azur, Larousse, 2002.

La Provence, Encyclopédie Bonneton, 2002.

Les Plus Beaux Villages de Provence, M. Jacobs, Bibliothèque des Arts, 2001.

La Provence de Giono, J. Chabot, Édisud, 2000.

Le Midi de Daudet, A. Gérard, Édisud, 2000.

Monde méditerranéen, Nathan, 2003.

Le Jardin classique en Provence méridionale, M. Nys, Édisud, 2000.

Le P'tit Crapahut autour de Marseille et d'Aix-en-Provence, S. Couette, C. Lopez, J. Tropini, F. Brunet-Debaines, Libris, 2003.

HISTOIRE – ART – TRADITIONS

Histoire de la Provence, A. Bastie, Ouest-France, 2001.

Histoire de la Provence, M. Agulhon, N. Coulet, coll. « Que sais-je ? », P.U.F, 2001.

Les Mots d'ici, P. Blanchet, Édisud, 1995.

Une Provence si étrange, R. Gast, Ouest-France, 2003.

Promenades en Provence romane, J.-M. Rouquette, G. Barruo, Zodiaque, 2002.

La Provence des peintres, P. Cros, Plume, 2000.

La Provence de Cézanne, J. Arrouye, Édisud, 2000.

Pierre Puget, L. Lagrange, éd. Jeanne Laffitte, 1999.

L'Art de vivre en Provence, Dane McDowell, Flammarion, 2002.

Les Fêtes provençales, J.-C. Clébert, J. Aoun, Aubanel, 2001.

Santons et traditions de Noël en Provence, A. Bouyala d'Arnaud, éd. Paul Tacussel, 2001.

L'Art du piquage en Provence, F. Nicolle, coll. « Ateliers de Provence », Édisud, 2002.

Ocres et peintures décoratives en Provence, V. Tripard, coll. « Ateliers de Provence », Édisud, 2000.

GASTRONOMIE

Cuisine provençale d'hier et d'aujourd'hui, C. Étienne, Ouest-France, 2003.

Les Meilleures Recettes de Provence, M. Biehn, Flammarion, 2002.

Desserts et douceurs de Provence, A. Maureau, Édisud, 2004.

La Cuisinière provençale, J.-B. Reboul, éd. Paul Tacussel, 2001.

La Provence gourmande de Jean Giono,
S. Giono, A. Martin, Albin Michel, 2000.

Promenades gourmandes en Provence,
R. Carrier, Albin Michel, 2000.

La Cuisine provençale et niçoise,
M. Roubaud, éd. Jeanne Laffitte, 1999.

Herbes de Provence, A. Gardiner, Ouest-France, 2003.

La Truffe, J. Pagnol, Aubanel, 2000.

L'Huile d'olive, J. Pagnol, Aubanel, 1999.

Vins de Provence, F. Millo, Éditions Féret, 2003.

Table mise en Camargue, J. Rouré, coll. « Carrés Gourmands », Équinoxe, 1999.

LITTÉRATURE

Le Mas Théotime ; *L'Enfant et la rivière* ; *Malicroix*, H. Bosco, coll. « Folio », Gallimard.

Trois jours d'engatse, P. Carrese, Pocket Éditions.

Lettres de mon moulin ; *Contes du lundi* ; *Tartarin de Tarascon* ; *Port Tarascon*, A. Daudet, Pocket Éditions.

Le Voleur d'innocence, R. Fregni, coll. « Folio », Gallimard.

Une enfance provençale, Marie Gasquet, Flammarion.

Le Grand Troupeau ; *Le Chant du monde* ; *Le Hussard sur le toit* ; *Provence* ; *Colline* ; *Un de Baumugnes* ; *Regain*, J. Giono, coll. « Folio », Gallimard, ou Le Livre de Poche.

Total Khéops ; *Chourmo* ; *Solea*, J.-C. Izzo, coll. « Série noire », Gallimard.

Une année en Provence ; *Provence toujours* ; *Hôtel Pastis*, P. Mayle, coll. Points, Le Seuil.

La Splendeur d'Antonia, J.-P. Milovanoff, Pocket Éditions.

Marius ; *Fanny* ; *César* ; *Jean de Florette* ; *Manon des Sources* ; *Angèle* ; *Topaze* ; *La Gloire de mon père* ; *Le Château de ma mère* ; *Le Temps des secrets*, M. Pagnol, coll. « Fortunio », de Fallois, ou Le Livre de Poche.

Disparue dans la nuit, Y. Queffélec, Le livre de Poche.

Un silence d'environ une demi-heure, B. Schreiber, coll. « Folio », Gallimard.

L'œuvre, E. Zola, « Folio », Gallimard, ou Le Livre de Poche.

BD – JEUNESSE

Léo Loden, Carrere/Arleston, éd. Soleil Productions.

La Pastorale des santons de Provence, Y. Adouard, éd. Thierry Magnier, 2001.

La légende des santons de Provence, Giorda, Hatier, 2003.

Copain de la Provence, S. Moirenc, coll. « Copains », Milan Éditions, 2001.

Engane, taureau de Camargue, F. Vincent, École des Loisirs, 2002.

La Provence

PRESSE

Les **quotidiens** couvrant la région Provence sont *La Provence*, né de la fusion entre le légendaire *Provençal* et le *Méridional* (diverses éditions dans les Bouches-du-Rhône et le Vaucluse), *La Marseillaise* (Marseille, Bouches-du-Rhône et Gard) et le *Midi-Libre* (éditions du Gard et de Camargue). Hebdomadaire d'informations générales : *La Semaine de Nîmes* (nombreuses informations concernant les manifestations culturelles, tauromachiques ou sportives du Gard). Ceux qui s'intéressent à la **tauromachie** consulteront avec profit la revue *Toros*, éditée à Nîmes depuis 1925 : articles de fond et de technique et commentaires sur la saison taurine, tant en France qu'en Espagne. *La Course camarguaise*, revue éditée par la fédération de cette spécialité, se trouvera dans la plupart des librairies de la région.

APPORTEZ VOTRE PIERRE
À L'ÉDIFICE DE LA SAUVEGARDE
DU PATRIMOINE
NE L'EMPORTEZ PAS DANS VOS BAGAGES

Un cœur transpercé d'une flèche et deux prénoms se jurant l'amour éternel, le tout gravé dans la pierre d'un monument historique ; emballages de pellicules, mégots de cigarettes ou bouteilles vides abandonnés sur un site archéologique. Comment confondre notre patrimoine culturel avec un carnet mondain ou une poubelle ? Pour la plupart d'entre nous, ces agissements sont de toute évidence condamnables, mais d'autres comportements, en apparence inoffensifs, peuvent également avoir un impact négatif.

Au cours de nos visites, gardons à l'esprit que chaque élément du patrimoine culturel d'un pays est singulier, vulnérable et irremplaçable. Or, les phénomènes naturels et humains sont à l'origine de sa détérioration, lente ou immédiate. Si la dégradation est un processus inéluctable, un comportement adéquat peut toutefois le retarder. Chacun de nous peut ainsi contribuer à la sauvegarde de ce patrimoine pour notre génération et les suivantes.

Ne considérez jamais une action de façon isolée, mais envisagez sa répétition mille fois par jour

- Chaque micro-secousse, même la plus inoffensive, chaque toucher devient nuisible quand il est multiplié par 1 000, 10 000, 100 000 personnes.
- Acceptez de bon gré les interdictions (ne pas toucher, ne pas photographier, ne pas courir) ou restrictions (fermeture de certains lieux, circuits obligatoires, présentation d'œuvres d'art par roulement, gestion de l'affluence des visiteurs, éclairage réduit, etc). Ces dispositions sont établies uniquement pour limiter l'impact négatif de la foule sur un bien ancien et donc beaucoup plus fragile qu'il ne paraît.
- Évitez de grimper sur les statues, les monuments, les vieux murs qui ont survécu aux siècles : ils sont anciens et fragiles et pourraient s'altérer sous l'effet du poids et des frottements.
- Aimeriez-vous emporter en souvenir une tesselle de la mosaïque que vous avez tant admirée? Combien de visiteurs avec ce même désir faudra-t-il pour que toute la mosaïque disparaisse à jamais ?

Faites preuve d'attention et de respect

- Dans un lieu étroit et rempli de visiteurs tel qu'une tombe ou une chapelle décorées de fresques, faites attention à votre sac à dos : vous risquez de heurter la paroi et de l'abîmer.
- Les pierres sur lesquelles vous marchez ont parfois plus de 1 000 ans. Chaussez-vous de façon appropriée et laissez pour d'autres occasions les talons aiguilles ou les semelles cloutées.
- L'atmosphère de certains lieux invite à la contemplation et/ou à la méditation. Évitez donc toute pollution acoustique (cris, radio, téléphone mobile, klaxon, etc.).

N'enfreignez pas les lois internationales

- En vous appropriant une partie, si infime soit-elle, du patrimoine (un fragment de marbre, un petit vase en terre cuite, une monnaie, etc.), vous ouvrez la voie au vol systématique et au trafic illicite d'œuvres d'art.
- N'achetez pas d'objets de provenance inconnue et ne tentez pas de les sortir du pays ; dans la majorité des nations, vous risquez de vous exposer à de graves condamnations.

Message élaboré en partenariat avec l'ICCROM (Centre international d'études pour la conservation et la restauration des biens culturels) et l'UNESCO.

Pour plus d'informations, voir les sites
http://www.unesco.org
http://www.iccrom.org
http://www.international.icomos.org

Cabanon dans la calanque de Sormiou.

Magnin G./MICHELIN

*Invitation
au voyage*

L'art de vivre en Provence

C'est l'été, l'air est saturé de soleil, les cigales chantent et le parfum suave des figuiers parvient jusqu'à nous. Là, sous la treille, une table est dressée : sur une nappe aux couleurs provençales, quelques olives et des verres de pastis perlés de gouttes de fraîcheur. En guise d'apéritif, nous vous offrons tout l'art de vivre en Provence.

Rythmes de vie

Jeu de tarot marseillais.

Tirer ou pointer

Mitan d'après-midi sur la place ombragée de platanes : les joueurs de **pétanque** (« pieds tanqués » : immobiles, *voir La Ciotat*) ou de **longue** (jeu provençal se déroulant à plus longue distance) entrent en lice dans un concert de paires de boules entrechoquées. Le jeu est simple : il faut lancer des boules en métal le plus près possible du « bouchon » ou cochonnet (une bille en buis) et déloger en les frappant celles de l'équipe adverse. Mais le goût méridional pour la palabre et la présence de spectateurs passionnés, prompts à la galéjade, le transforment en une moderne *commedia dell'arte* interprétée avec jubilation. Quant à l'appréciation des distances entre boules et cochonnet, elle suscite les plus vives controverses : chacun affirme avoir le compas dans l'œil, invoque la Bonne Mère, puis finit par s'incliner devant le verdict du mètre pliant...

Prendre ou passer

La partie de cartes est une tradition remontant au 14e s., à laquelle on doit en particulier le **tarot** dit « de Marseille ». On joue à la maison, au café, sur la plage, dans le train... Pour gagner, on étale tout son talent : visage impassible au moment de la donne, coups d'œil « voyeurs », remarques déstabilisatrices, signes et mimiques, tout est bon tant il est vrai que « si on ne peut plus tricher avec les amis, ce n'est plus la peine de jouer aux cartes » (Marcel Pagnol, *Marius*, acte III).

PASTAGA AU PAYS DES CIGALES
Le **pastis** est l'apéritif provençal par excellence depuis les Années folles. Des marques renommées telles que *Ricard*, *Casanis* ou *Janot* ont fait de la belle boisson jaune la reine incontestée des terrasses de cafés. Produit de la macération de plantes (anis vert, anis étoilé, réglisse, etc.) dans l'alcool, le « pastaga » peut être plus ou moins coupé d'eau fraîche, suivant le goût de chacun. Certains préfèrent la « momie » servie dans un petit verre, d'autres le dégustent avec du sirop : orgeat pour la « mauresque », grenadine pour la « tomate » ou menthe pour le « perroquet ».

La pétanque, un sport provençal.

Le fameux « petit jaune »...
avec modération.

Tambourin.

Costume d'Arles.

Galoubets.

Faire la sieste

Moment sacré ! Tous, petits et grands, se plient au rituel du « pénéquet » (petit somme). Après le déjeuner, la chaleur accablante ou la lente digestion d'un aïoli incite à fermer les volets : dans le silence de la maison commence alors la sieste, bercée par le chant stridulant et répétitif des cigales.

Un folklore bien vivant

Dansons la farandole...

Les Provençaux semblent partager depuis des temps immémoriaux un goût prononcé pour la fête. Temps fort des festivités, les premières notes des musiciens qui ouvrent la **farandole**. Entraînés par un rythme à six temps, les danseurs évoluent main dans la main. Véritables virtuoses de la mélodie, les **tambourinaires** jouent de leur main gauche du galoubet, petite flûte très aiguë, tandis que, de la droite, ils battent le tambourin.

À chacun son costume

Difficile d'imaginer la diversité des costumes portés jadis aux quatre coins de la Provence : la poissonnière du Vieux Port de Marseille, avec sa coiffe à barbes flottant au vent, la bouquetière, la bastidane, la bugadière (lavandière), ou encore la paysanne, avec son jupon rayé, son grand tablier de toile indigo et son *capucho* ou *capelino* sur la tête, ont aujourd'hui adopté des tenues plus modernes. On ne voit plus guère ces vêtements traditionnels que dans les villages de santons *(voir notamment La Petite Provence du Paradou, dans les Alpilles)* !

Certaines célébrations font néanmoins revivre les plus somptueuses de ces parures. Élégante parmi d'autres, avec son gracieux éventail, l'**Arlésienne** revêt une longue jupe et un corsage à manches serrées. Un grand fichu de dentelle blanche, ou assorti à la jupe, tombe sur un plastron de tulle au drapé complexe.

Plus sobres, les hommes portent une chemise blanche attachée au col par un fin cordon, parfois recouverte d'un gilet sombre. Un pantalon de toile, retenu par une large ceinture rouge ou noire, et un chapeau de feutre à larges bords complètent la tenue.

Bastide provençale (château de Roussan, St-Rémy-de-Provence).

Les maisons traditionnelles

Adaptée au climat du pays, la demeure provençale est orientée Nord-Sud, avec une légère inclinaison vers l'Est, qui la préserve du mistral. Une haie de cyprès la protège des vents du Nord, tandis que platanes ou micocouliers ombragent sa façade méridionale.

Enduits d'une épaisse couche de mortier aux couleurs chaudes, ses murs épais, aveugles au Nord, sont percés sur les autres faces de petites fenêtres, qui laissent passer la lumière, mais pas la chaleur. Son toit à faible pente est couvert de tuiles romaines, que couronne une génoise, frise de tuiles superposées. À l'intérieur, des carreaux de terre cuite de forme hexagonale, appelés « tomettes », dallent le sol.

La bastide

Élégante demeure en pierre de taille, la bastide affiche de belles façades régulières aux ouvertures symétriques. Généralement de plan carré et coiffée d'un toit à quatre pans, elle se distingue par ses ornements soignés : balcons en fer forgé, escalier extérieur avec rampe et perron, le tout agrémenté de sculptures.

Tomettes en terre cuite.

Pazery D./MICHELIN

Le mas

Grosse bâtisse trapue en pierre apparente (moellons ou galets rehaussés de pierre de taille à l'encadrement des ouvertures), le mas regroupe sous un même toit le corps d'habitation et les dépendances. La salle (cuisine) ouvre de plain-pied sur la cour. Pièce principale malgré sa taille modérée, elle comporte une pile (évier), une cheminée et un potager (fourneau), ainsi qu'un mobilier varié. Le rez-de-chaussée abrite aussi une cave, une bergerie et une écurie, un four à pain et une citerne, tandis que l'on conserve dans la remise les produits de la récolte et la charcuterie.

À l'étage s'agencent les chambres et le grenier, où se trouvent la magnanerie (pièce réservée à l'élevage des vers à soie), la grange et le pigeonnier. Toutefois, certaines de ces pièces peuvent se trouver dans des bâtiments annexes au corps de logis, et ce plan type varie selon l'importance du mas, la région et sa vocation agricole.

Ainsi, le mas du bas Vivarais possède souvent un étage de plus : du 1er étage, où le couradou (une terrasse, généralement couverte) dessert la cuisine, les chambres et la magnanerie, part un petit escalier en bois qui mène au grenier.

Pazery D./MICHELIN

Cabane de gardian.

Demeure paysanne provençale par excellence, l'oustau s'organise comme le mas, avec des dimensions plus modestes.

La cabane de gardian

Typiquement camarguaise, cette petite bâtisse se divise en deux pièces exiguës (la salle à manger et la chambre) séparées par une cloison de roseaux. Ces roseaux des marais (les *sagnos*) coiffent harmonieusement le toit, tel un chapeau de paille posé sur les murs en pisé. Seule la façade avant, percée d'une porte, est bâtie en

Entrée d'une maison provençale.

dur. Elle soutient en effet la poutre faitière, maintenue à l'arrière par une autre pièce de bois, inclinée à 45°, qui dépasse du toit en dessinant une croix. Autre originalité, la cabane, rectangulaire à l'entrée, s'arrondit à l'autre extrémité pour résister au vent.

Les meubles

C'est au 18ᵉ s. et au début du 19ᵉ s. que la production artistique de mobilier provençal atteint sa maturité.

Si la sobriété des lignes et des décors, inspirée par les styles Renaissance et Louis XIII, se maintient en haute Provence, ailleurs triomphe le style Louis XV. Les **fustiers** (fabricants) travaillent essentiellement le noyer. Les meubles aux galbes tourmentés, aux cintrages prononcés et aux piétements enroulés s'ornent d'une mouluration abondante dont les motifs font appel au registre végétal : feuilles d'acanthe, corbeilles fleuries, branches d'olivier ou de chêne... Des « bobèches » (petites bobines chantournées) se dressent parfois aux angles et sommets des frontons ou des dossiers. Aux côtés du buffet à glissants, du **radassié**, grand canapé à l'assise paillée, ou des fauteuils « à capucine », foisonnent de petits éléments de rangement : le **paniero** (panetière) et le **manjadou** (garde-manger) ajourés par des fuseaux, le **veriau** (étagère réservée à la verrerie fine), le **saliero** (boîte à sel).

Cette période marque aussi l'épanouissement du **mobilier peint**. Fortement influencés par les Italiens, les artistes locaux n'hésitent pas à peindre noyer, hêtre, chêne et bois fruitiers dans des polychromies de gris-bleu ou de gris-vert, de rouge « sang de bœuf », de blanc et de jaune safran. Les détails de sculpture sont mis en valeur par le jeu des couleurs, les panneaux servent de support à des paysages, des compositions florales ou des médaillons dans le goût antique. Les **armoires d'Uzès**, en résineux ou en peuplier, constituent une production originale ; teintées en noir, ces armoires de mariage aux lignes rigides offrent des façades richement décorées de motifs peints.

Panetière (Museon Arlaten, Arles).

Les faïences

La renommée des centres céramistes de cette région riche en argile fine date du règne de Louis XIV : les guerres vident alors les caisses du royaume, provoquent l'interdiction de faire usage de la vaisselle d'or et d'argent et relancent l'intérêt pour la faïence. À St-Jean-du-Désert, entre Aubagne et Marseille, **Joseph Clérissy**, s'inspirant des premières porcelaines chinoises importées en France, décore ses pièces de motifs et de scènes en camaïeus bleus dits « à la Chine » ; cette production décline après la grande peste, mais de nouvelles fabriques prennent la relève et appliquent, à partir de 1730, la technique du « grand feu ». **Fauchier** imagine le décor « aux fleurs jetées » et introduit les fonds d'émail jaune. **Leroy** nimbe de motifs à « fleurs astéroïdes » ses compositions peuplées de personnages et d'animaux fantastiques. Des faïences blanches à émail stannifère ou polychromes voient le jour dans l'atelier de **Jérôme Bruny** à La Tour-d'Aigues. Les **manufactures d'Apt** créent une céramique sur fond souvent marbré de jaune et de marron, décorée d'arabesques ou de motifs végétaux en relief.

La deuxième moitié du 18ᵉ s. marque l'apogée de la production marseillaise. Pierrette Candellot, épouse du faïencier Claude Perrin et devenue la **Veuve Perrin**, oriente l'affaire familiale vers la technique du « petit feu » grâce à laquelle elle obtient des pièces d'une qualité exceptionnelle ; elle exploite en le transcendant tout le registre ornemental marseillais, donne ses lettres de noblesse au décor aux poissons, introduit les paysages marins, conçoit un insolite fond vert d'eau et fait évoluer les formes en puisant des idées nouvelles dans l'orfèvrerie... À sa suite, deux artistes apportent un raffinement ornemental jusque-là cantonné à la porcelaine. **Antoine Bonnefoy** dessine des médaillons d'une exquise facture, à motifs « à la bouillabaisse » ou représentant des scènes pastorales proches du style de Boucher. **Gaspard Robert** compose son fameux décor floral à papillon noir et bordé or ; ses plats à liseré bleu-blanc-rouge constituent les dernières grandes œuvres de la faïence de Marseille, qui périclite sous les coups conjugués de la concurrence porcelainière, de la Révolution et du blocus de la flotte anglaise.

Assiette circulaire à aile ajourée (fabrique Veuve Perrin).

« Cacalausiero », pot à escargots d'Aubagne, du 19ᵉ s.

Soupière en terre jaspée d'Apt (fabrique Moulin).

Les tissus

Les « imprimés provençaux » d'aujourd'hui témoignent d'une longue évolution des procédés et des modes. Bien avant d'apprendre à imprimer le coton, les Provençaux tissent la laine et le

Atelier de couture en Arles, par Antoine Raspal (vers 1760).

chanvre, le lin et la soie, qu'ils savent aussi teindre. Dès la fin du 18e s., Avignon, Aix et Marseille se distinguent par leur étoffes de **soie** : taffetas chatoyants, satins et bourres moirées, ou encore brocarts et *lampas*.

Mais c'est avec les **indiennes** que les tissus provençaux gagnent leur titre de noblesse. En effet, grâce à ses relations commerciales, la région découvre les tissus orientaux. Probablement importées à Marseille dès le 16e s., les toiles colorées venues d'Inde (toutes sortes de mousselines, que les Français baptisent cambrésines, toiles blanches et toiles peintes polychromes) mais aussi du Levant (toiles blanches – *demittes* et *escamittes* – ou bleu indigo d'Alep, *boucassins* de Smyrne et de Constantinople, et surtout, chafarcanis, ces fameuses indiennes d'Alep imprimées à la planche) se répandent dans la région avec une popularité sans cesse grandissante. Les procédés indiens d'illustration des étoffes inspirent à leur tour les Provençaux, qui s'approprient ces techniques de peinture (un travail au pinceau très délicat) ou d'impression (à l'aide de moules en bois gravés). Les ateliers de Marseille, notamment, sont passés maîtres dans l'art de l'impres-

Boutis et tissus imprimés de la maison Souleïdo à Tarascon.

Sauvignier S./MICHELIN

sion sur tissus, déclinant une large gamme d'indiennes colorées, décorées de semis de motifs répétitifs de fleurs et de feuilles. Leur succès perdure, notamment grâce au savoir-faire traditionnel d'entreprises comme *Souleïado*, basée à Tarascon *(voir ce nom)*.

Les étoffes peuvent être brodées selon les méthodes du **matelassage** (dit aussi « piqué marseillais »), qui consiste à coudre ensemble trois épaisseurs de tissus, ou du piquage, appelé **boutis** *(voir La maison du boutis, à Calvisson)*.

Quant à la serge nimoise, elle servit dans la marine avant de séduire les cowboys Outre-Atlantique et de connaître un succès international sous le nom de **blue jean** *(voir la partie « comprendre », à Nîmes)* !

Musée Charles-Demery, Tarascon

Piqués des 18e-19e s.

Olives vertes cassées.

Pazery D./MICHELIN

Les marchés

Véritable Provence en mi-
niature, où les produits de la
terre et de la mer le disputent parfois aux pièces
d'artisanat et de tissus, les marchés animent la
place du village, le port ou le cours ombragé de
la ville. Chaque jour ou chaque semaine, parmi
les étals rivalisant de couleurs et d'arômes, dans
la faconde des marchands à l'accent chantant, on
vient faire ses provisions, mais aussi prendre son
temps, celui de discuter, d'échanger les dernières
nouvelles...

Fruits et légumes

Au rythme des saisons, les marchés déclinent
toutes les richesses de la terre : si l'oignon, l'ail
et la pomme d'amour (tomate) occupent une
place privilégiée, les cardons, le fenouil, les poivrons, les courgettes, les aubergines et les asperges ne sont pas en reste. La truffe se trouve
dans le Vaucluse, premier producteur en France.

Aux quatre coins de la Provence, les paniers regorgent des fraises de Carpentras, pas-
tèques et melons de Cavaillon, cerises de Remoulins, figues vertes de Marseille,
pêches, poires et abricots de la vallée du Rhône, mais aussi de raisin de table Muscat
du Ventoux, tous sucrés et juteux à souhait.

Les olives

Dans les villages qui jalonnent la Route de l'olivier en Baronnies (autour de Nyons
et de Buis-les-Baronnies) et celle de l'olivier des Alpilles et de la vallée des Baux
(deux circuits jalonnés de moulins à huile et de savonneries), les marchés abondent en olives de toutes sortes. Vertes, brunes ou noires, tirant parfois sur le
mauve ou sur le rouge : parmi les meilleures variétés, la **tanche** (ou olive de
Nyons), délicieuse en saumure ; l'**aglandau**, pressée pour l'huile ; la **grossane**,
une olive noire charnue, piquée au sel ; la **salonenque** (ou olive des Baux), une
variété verte préparée en olives cassées ; ou encore la **picholine**, olive verte fine
et allongée, conservée en saumure.

Achetez donc un petit pot de **tapenade** : ce mélange d'olives noires, d'anchois et
de câpres (*tapèno*, en provençal) pilé au
mortier avec un filet d'huile d'olive
est délicieux à l'apéritif ou en
hors-d'œuvre, tartiné sur
des tranches de pain.

Fromages de chèvre.

Les herbes de Provence

Cultivées ou pous-
sant à l'état sauvage
dans la garrigue, les
herbes de Provence
embaument les mar-
chés de leurs fra-
grances subtiles.
Elles constituent,
avec l'ail et l'huile
d'olive, l'un des fon-
dements de la cuisine
provençale : ainsi, la **sarriette** parfume certains fromages de chèvre et de brebis ;
le **thym** (ou farigoule) et le **laurier** assaisonnent la ratatouille ou
les grillades ; le **basilic**, délicieux

*Bouquet de
senteurs (thym,
basilic, persil,
sauge, etc.).*

Malburet J./MICHELIN

Sauvignier S./MICHELIN

Harmonie de couleurs sur un marché provençal.

dans la salade de tomates, est aussi pilé avec de l'ail, de l'huile d'olive et du parmesan pour préparer le pistou ; la **sauge**, bouillie avec de l'ail, puis enrichie d'huile d'olive et de pain, donne le traditionnel « aigo boulido » ; le **romarin** parfume les gratins de légumes, le poisson et, pris en infusion, facilite la digestion ; le **serpolet** relève le lapin, la soupe de légumes et les plats à la tomate ; le **genièvre** aromatise les pâtés et les gibiers ; la **marjolaine** agrémente les civets ; l'**estragon** relève les sauces blanches ; le goût anisé du **fenouil** se marie à merveille avec le poisson...

Épices diverses, à choisir sur le marché.

Les fromages

Pays des saveurs fortes, la Provence produit aussi quelques fromages de caractère, comme la **tomme de brebis** (région d'Arles) ou de chèvre (monts de Vaucluse), ou encore la **brousse**, fromage de chèvre frais au petit-lait (Arles) ou au lait entier (brousse du Rove, près de Marseille), que l'on déguste salée, avec des herbes et un filet d'huile d'olive, ou sucrée, avec des fruits.

Poissons et crustacés

Dès l'aube, les poissons fraîchement pêchés alignent leurs écailles moirées dans les caisses de glace des marchés et des criées. Effilés ou ventrus, plats ou charnus, s'ils ne finissent pas en bouillabaisse ou en bourride, ils atterriront sur le grill, généreusement saupoudrés d'herbes : mérous, loups, daurades, mulets, merlans, sardines, anchois, merlus, grondins, rascasses, congres, turbots, rougets... À leurs côtés sur les étalages, poulpes, langoustes et cigales de mer, mais aussi clovisses, **violets**, moules et oursins (sur le Vieux Port de Marseille, notamment), ou encore, **tellines** et palourdes (coquillages des sables de Camargue), délicieuses avec une sauce piquante. Sans oublier la **poutargue**, œufs de mulet (ou muge) récoltés à Martigues en juillet et août, à déguster fraîche ou séchée (attention, comptez 150€ le kilo !).

Oursins.

Un déjeuner au soleil

Rehaussée d'une pointe d'ail, cette « truffe de Provence » chantée par les poètes, et généreusement arrosée d'huile d'olive, la cuisine provençale fait rimer avec bonheur les couleurs et les saveurs du pays.

Bouillabaisse.

L'ail, l'or blanc de la Provence.

Sabatier/PHOTONONSTOP

Aïoli, dans un mortier de marbre.

Campion L/MICHELIN

Quelques spécialités goûteuses

La bouillabaisse – Le secret de la réussite tient autant au choix des poissons qu'à l'assaisonnement. Aux indispensables « trois poissons » – rascasse, grondin et congre – peuvent s'ajouter loup, turbot, sole, rouget, lotte ou crustacés. Oignon, tomate, safran, ail, thym, laurier, sauge, fenouil, peau d'orange, parfois un verre de vin blanc ou de cognac aromatisent le bouillon, que l'on savourera sur des tranches de pain grillées. La rouille, une sauce à base de piments d'Espagne, apporte sa touche finale, colorée et... piquante !

L'aïoli – Cette mayonnaise à l'huile d'olive, généreusement relevée d'ail pilé, accompagne les hors-d'œuvre, les légumes et plus particulièrement la « bourride », une soupe de poissons.

Les artichauts à la barigoule – Le mot *barigoule* (champignon) évoque la façon dont on coupe les artichauts pour ce plat de légumes arrosé de vin blanc, parfumé à l'ail, avec huile d'olive et lardons.

Autres plats typiques – La Méditerranée regorge de savoureuses créatures, comme le rouget ou le loup (nom local du bar), particulièrement délicieux lorsqu'on le grille au fenouil ou aux sarments de vigne. À St-Rémy, on prépare le « **catigau** », une fricassée d'anguilles du Rhône grillées ou fumées. Spécialité nîmoise, la **brandade de morue** est une onctueuse crème de morue à l'huile d'olive et au lait, assaisonnée d'ail et parfois de truffe.

On pourrait encore évoquer les **pieds-paquets** à la Marseillaise (pieds et tripes de mouton, farcis et mijotés), le **bœuf gardian** de Camargue (bœuf en daube, mijoté dans du vin rouge avec des aromates), ou encore les **saucissons d'Arles**, sans oublier les innombrables préparations à base de légumes : la ratatouille, bien sûr, mais aussi les gratins *(tian)* et les soupes, les beignets et les légumes farcis.

Sauvignier S/MICHELIN

Pour un pique-nique ensoleillé.

Calissons d'Aix.

PETITES DOUCEURS

On ne saurait parler des spécialités provençales sans mentionner toutes ces petites douceurs qui émoustillent les papilles : les melons confits et les **papalines** d'Avignon, les **calissons** d'Aix (petits fours à la pâte d'amande, délicatement parfumés à la fleur d'oranger et nappés de sucre glacé), les **berlingots** de Carpentras, les caladons (biscuits aux amandes) et le **croquant Villaret** de Nîmes, les tartarinades (bonbons au chocolat) de Tarascon, les **fruits confits** d'Apt, le **nougat** de Sault, le pain de Modane (pain fendu aux fruits confits) de Nyons...

Les vins

Ce sont surtout les vins rouges qui font la renom-mée et la diversité des vins de Provence. Francs et corsés, ou souples et délicats suivant leur prove-nance, leur qualité s'améliore sans cesse grâce à la sélection rigoureuse des cépages, mais aussi à leur association, parfois très complexe, au sein d'un même cru.

De côtes en costières

L'un des plus grands crus de l'appellation côtes-du-rhône, le **châteauneuf-du-pape**, d'un rouge sombre, dégage des notes fruitées, boisées et poivrées, et se bonifie en vieillissant. **Vacqueyras** produit des rouges charpentés et des blancs élégants. Le vignoble de **Séguret** fournit des vins capiteux et parfumés, celui de **Cairanne** des vins tanniques, qui demandent un certain vieillissement. Le **gigondas**, vieilli quelques années en fûts de chêne, s'apparente au châteauneuf-du-pape.

Sur l'autre rive du Rhône, **Lirac** et **Tavel** donnent des vins rosés réputés. Plus au Sud, les **costières de Nîmes** sont en train de se forger une belle réputation. La région d'Aigues-Mortes est le domaine des vins des sables, blancs ou rosés, dont le **listel** est le plus connu.

Les vins rouges des **côtes-du-luberon** sont légers et se boivent jeunes tandis que les blancs sont plus frais et fins. Les **côtes-du-ventoux** produisent des vins rouges tanniques et charpentés, lorsque les raisins ont mûri sur les versants bien exposés du mont Ventoux. Les plus légers sont consommés en primeur.

Les vins doux naturels, sucrés, s'obtiennent par adjonction d'alcool dans le moût (le jus de raisin) en cours de fermentation. Les plus savoureux sont le **rasteau**, ambré ou rouge, et le **muscat de Beaumes-de-Venise**, à la belle robe dorée et au bouquet riche en tonalités fleuries et fruitées.

Les appellations de Provence

Sur les collines de basse Provence, **Cassis** se dis-tingue par son vin blanc sec, riche en arômes fruités, mais aussi par son rouge, plus velouté. Aux portes d'Aix-en-Provence, deux proprié-taires se partagent le tout petit vignoble de **Palette** (dont le fameux Château Simone) qui produit un rouge suave et tannique, parfois qualifié de « bordeaux de la Provence ».

Les **coteaux d'Aix-en-Provence** donnent des rouges chaleureux, solides, et des rosés secs. Rouges, rosés ou blancs, les vins des **Baux-de-Provence** se boivent jeunes.

Sous l'appellation **côtes-de-provence** (autour du massif de la Ste-Baume notamment) se dé-cline une grande variété de vins rosés.

Enfin, parmi les innombrables vins de pays, ceux de la **Petite Crau** et de la principauté d'**Orange** se distinguent par leur qualité.

Le très prisé Château Simone, vin des environs d'Aix d'appellation Palette.

Noëls de Provence

Aussi éloigné soit-il de ses racines, tout Provençal renoue avec les traditions séculaires du pays à la période des fêtes calendales. De la Sainte-Barbe, le 4 décembre, à la Chandeleur, le 2 février, il vit au rythme des crèches colorées, du « blad de Calendo » (blé de Noël), du gros souper et des célébrations qui suivent la nuit du pastrage.

Table de Noël dressée avec les treize desser

Santons traditionnels des ateliers Marcel Carbonel à Marseille. De gauche à droite : le meunier et son âne, les bohémiens, Grasset et Grasseto, le tambourinaire.

Des crèches colorées

Crèches d'église...
Probablement importées d'Italie au 17ᵉ s., les crèches connurent un vif succès dans les églises de Provence. Au 18ᵉ s. apparaissent des figures de cire aux yeux de verre, dont la tête, les bras et les jambes s'articulent sur une armature métallique et sont parés de somptueux costumes bigarrés, de bijoux et d'une perruque. Puis les matériaux évoluent, avec l'éclosion de sujets en carton estampé ou moulé, en verre filé, en bois ou en mie de pain.

... et crèches parlantes
Également très en vogue au 18ᵉ s., les crèches parlantes mettaient en scène une ribambelle d'automates, capables de se mouvoir, mais aussi de parler et de chanter. Un spectacle haut en couleur où, suivant une imagination débridée, on n'hésite pas à malmener l'exactitude historique. On vit ainsi des rennes, des girafes et des hippopotames déambuler autour du Divin Enfant. Sous le Premier Empire, Napoléon et ses troupes devinrent les protagonistes d'une de ces crèches... au son des salves d'artillerie tirées par un navire de guerre ! Plus tard, dans une crèche installée près de la gare de Marseille, on vit encore les Rois mages descendre... d'un train à la locomotive fumante ! Les dernières de ces crèches ont disparu à la fin du 19ᵉ s.

Crèches de santons
Héritage imprévu de la Révolution de 1789, les santons naissent de la fermeture des églises, et avec elles, des crèches. Un figuriste de Marseille (un artisan qui moulait des statues pour les églises), **Jean-Louis Lagnel**, a l'idée de fabriquer de petites figurines de crèche à bon marché pour les vendre aux familles... qui se mettent à créer leurs propres crèches.
De facture naïve, façonnés dans l'argile crue, séchée, puis peinte à la détrempe, les santons font se côtoyer dans une débauche de couleurs figures bibliques et types provençaux traditionnels : la sainte Famille et les Rois mages, les bergers et leurs moutons rencontrent ainsi le tambourinaire, le rémouleur, le meunier, le ravi, les bohémiens, l'aveugle et son guide, la marchande de poissons, le couple de vieux, Bartoumieu...
Chaque famille possède bientôt sa crèche, dont les préparatifs commencent le dimanche précédant Noël, jour tant attendu des petits comme des grands. Dans un paysage miniature, souvent improvisé avec les moyens du bord, les santons se rendent en foule à l'étable de Bethléem pour y adorer l'Enfant Jésus (que l'on ne dépose que le 24 décembre à minuit) et lui faire don de leurs présents, où la morue et les oignons le disputent sans rougir à la myrrhe et à l'encens !

Gérard J.-C./PHOTONONSTOP

Galette des Rois.

Sauvignier S./MICHELIN

Ateliers Marcel Carbonel, Marseille

La nuit du pastrage

Les fêtes calendales (de Noël) débutent à la Sainte-Barbe, le 4 décembre, par la semence du *blad de Calendo* (blé de Noël), qui ornera la cheminée, la crèche, et la table de Noël.

Le gros souper

La soirée du 24 décembre commence par le **cacho-fio**, l'allumage de la bûche de Noël. Cette tâche revient au plus jeune enfant et à l'homme le plus âgé de l'assemblée. Ensemble, ils portent vers la cheminée une souche, qu'ils bénissent avec du vin cuit tout en répétant les paroles rituelles : *que l'an que vèn se sian pas mai, que siaguen pas mens* (« l'an prochain, si nous ne sommes pas plus, que nous ne soyons pas moins ! »), avant de la brûler.

La famille passe alors à table pour le gros souper. Sur la table recouverte de trois nappes, on dispose trois chandeliers (symbolisant la Sainte-Trinité) et trois soucoupes contenant le blé de Noël, ainsi que treize pains. Au menu, sept plats, et leurs vins, préludent aux fameux treize desserts : les mendiants (noix et noisettes, figues, amandes et raisins sccs), les fruits frais, la fougasse (parfois nommée « gibassier » ou « pompe à l'huile ») et les nougats, blanc et noir.

La messe de minuit

Nombre de villages perpétuent la tradition des crèches vivantes pour mettre en scène la Nativité. La messe de minuit débute avec **lou Pastrage** : tandis que le prêtre dépose le Divin Enfant sur la paille, les cloches appellent le cortège des bergers. Guidés par les anges et les tambourinaires, ces derniers apportent dans leur charrette illuminée un agneau qu'ils offrent à Jésus. Fifres et tambourins entonnent alors les airs de Noël, vieux chants provençaux repris en chœur par les fidèles.

Blé de la Sainte-Barbe : il a bien poussé à Noël, il apporte la prospérité pour l'année à venir.

De l'an nòu à la Chandeleur

Dès le lendemain de Noël commencent les **Pastorales**, qui illustrent le chemin parcouru par Joseph cherchant un toit pour la nuit.

Après l'*an nòu* (le Nouvel An), que chacun passe en famille le 31 décembre, vient la fête des Rois mages, le 1er dimanche de janvier. On mange à cette occasion le « gâteau des Rois », une couronne de brioche décorée de fruits confits cachant une fève grillée.

Le 2 février, soit 40 jours après la naissance de Jésus, la Chandeleur célèbre la purification de la Vierge et sa visite au Temple. Au programme, procession de cierges verts, bénédiction du feu et, à Marseille, dégustation de navettes, ces biscuits dont la forme de barque évoque l'arrivée des saintes Maries en Provence. Enfin, en ce jour de liesse qui clôt la période calendale, on démonte toutes les crèches... jusqu'à l'année suivante.

Traditions tauromachiques

Née en Camargue, la tauromachie provençale s'est enrichie des traditions venues d'Espagne. Profondément ancrée dans le pays, elle décline aujourd'hui toutes sortes de festivités. Nîmes, Arles ou les Stes-Maries rivalisent dans l'organisation des ferias. Corridas avec picadors et mises à mort, ou simples courses à la cocarde, elles attirent des foules passionnées, aficionados ou simples curieux. Un rendez-vous à ne pas manquer !

Les courses camarguaises

Fief des **manades** (troupeaux de taureaux noirs accompagnés de chevaux blancs) les « terres de bouvine » s'animent d'une joyeuse effervescence lors des courses taurines. Arles et Nîmes, capitales incontestées, mais aussi quantité d'autres localités affichent d'avril à octobre un calendrier bien rempli qui culmine en juillet avec la Cocarde d'or et se clôture, en octobre, avec la grande finale du Trophée des raseteurs.

Arrivée des taureaux dans une feria.

Ponctuées de **ferrades** (les taureaux, terrassés, reçoivent au fer à chaud la marque du propriétaire) et de courses équestres entre gardians, les courses à la cocarde (également appelées courses camarguaises ou courses libres) marquent les temps forts de ces fêtes.

Tradition camarguaise, cette course taurine demeura longtemps l'apanage des garçons de ferme avant de se développer dans les villages. Chacun pouvait s'élancer sur la piste et défier le taureau, pour tenter d'attraper la cocarde fixée entre ses cornes. Codifiée au fil des ans, elle se déroule désormais dans les arènes, entre professionnels.

La course à la cocarde

Véritables héros de la course, six taureaux se succèdent dans l'arène, pour un affrontement d'un quart d'heure chacun. Vêtu de blanc, le **raseteur** entre en piste et, tandis qu'un « tourneur » détourne l'attention de la bête, il tente, par une course en arc de cercle (ou raset), d'approcher la bête pour attraper ses attributs à l'aide d'un crochet : la cocarde rouge (au milieu du frontal), les glands blancs (sous les cornes), et les ficelles les retenant.

Un exercice qui requiert du style, mais aussi de la souplesse et du courage. Chargé par l'animal, le raseteur franchit parfois la barrière dans un envol spectaculaire. Les taureaux les plus appréciés se ruent alors à sa poursuite. Lorsqu'ils sautent par-dessus les planches, action d'éclat baptisée « coup de barrière », la foule se lève avec enthousiasme tandis qu'un vieux gramophone joue quelques mesures de l'air du toréador de *Carmen* en l'honneur du vaillant cocardier.

Pazery D./MICHELIN

L'habit de lumière du torero.

Musée du Vieux Nîmes

Éventail publicitaire pour les courses de taureaux du 7 août 1892 à Nîmes.

Les corridas espagnoles

Introduite à Nîmes en 1853, la corrida espagnole ne pouvait qu'y trouver un écho favorable. Aujourd'hui, l'aficionado (amateur de taureaux) provençal n'a guère le temps de souffler : **corridas** (avec mise à mort), **novilladas** (affrontement avec un taureau de moins de quatre ans, première étape de la carrière d'un torero) et **corridas de rejón** (à cheval) s'y succèdent à bonne cadence d'avril à septembre.

Côté rue...

Les **ferias** rassemblent chaque année à Nîmes et à Arles des milliers de personnes. Plusieurs jours durant, les *peñas* (fanfares) animent les festivités de leurs airs gais et entraînants, tandis que dans les *bodegas* (bars), vin et pastis coulent à flots. On danse la sévillane dans les bals et, entre deux courses aux arènes, on joue à défier les taureaux lâchés dans les rues.

Jadis, les taureaux galopaient jusqu'au village où se déroulait la course, encadrés par les gardians à cheval : le grand jeu consistait à les faire s'échapper par tous les moyens. Ils arrivent aujourd'hui en camion, mais la tradition se perpétue avec les tumultueux *abrivado* (arrivée), *bandido* (départ) et *encierros* (lâchers de taureaux).

... et côté arène

Clou du spectacle, la corrida commence par un *paseo* (salut). Après une première série de passes, les picadors jouent de leur pique pour exciter la fougue du taureau, bientôt relayés par le torero, qui plante ses banderilles à l'encolure de la bête. Lorsque les clarines ont retenti, le torero entame les passes à la *muleta* (cape rouge), prélude majestueux à l'*estocade* (mise à mort). Les matadors les plus méritants se voient attribuer les oreilles ou, trophée suprême, la queue de leur victime.

Sauvignier S./MICHELIN

Malle à banderilles.

LEXIQUE TAUROMACHIQUE

Bannes : cornes.

Bravo : se dit d'un taureau qui se montre offensif.

Capelado : défilé des raseteurs au début de la course camarguaise.

Cocardier : nom donné aux taureaux, souvent castrés. On les appelle aussi « biou ».

Matador de toros : « tueur de taureaux », qui affronte le taureau lors d'une corrida.

Simbèu : bœuf dressé accompagnant le troupeau. À la fin de la course camarguaise, on le fait entrer en piste pour aider à ramener au toril les taureaux récalcitrants.

Tenues blanches : désigne l'ensemble des raseteurs, aussi appelés les « as du crochet ».

Pazery D./MICHELIN

Course camarguaise.

La relève tricolore

Aux côtés des toreros espagnols et sud-américains les plus aguerris, quelques Français ont su se faire une place à l'affiche des ferias provençales : hormis Christian Montcouquiol, surnommé « El Nimeño II », qui fut longtemps le seul à se prévaloir d'une véritable carrière internationale, citons les Nîmois Denis Loré et Stéphane Fernández Meca, le Biterrois Sébastien Castella et l'Arlésien Juan Bautista, ainsi que, à cheval, les jeunes Camarguaises Patricia Pellen et Julie Calvière.

Le savoir-faire provençal

Révolution agricole, industrialisation accélérée, développement d'un tourisme de masse, urbanisation galopante : l'économie provençale a subi depuis un demi-siècle des mutations considérables, sans renier pour autant son savoir-faire séculaire.

Le « jardin de la France »

L'agriculture spéculative moderne a largement supplanté la culture traditionnelle, l'élevage du mouton et la cueillette, qui assuraient jadis la subsistance des petits paysans provençaux. Hormis les **cultures maraîchères et fruitières**, qui prospèrent grâce à la douceur du climat, les riches terres de Provence assurent d'abondantes récoltes de **blé**, de **riz**, mais aussi de maïs et de colza. Mais hélas, les vieux moulins chers à Daudet ont disparu, remplacés par des minoteries urbaines.

Quant à l'**élevage de moutons**, les producteurs l'ont résolument tourné vers la viande, plus rentable que la laine. Les troupeaux se contentent de la modeste pâture des garrigues ou de la Crau, qu'ils glanent en parcourant d'immenses territoires. L'été, ils trouvent refuge dans la fraîcheur du Larzac ou de la montagne lozérienne, certains gagnant même les Alpes ; une transhumance... aujourd'hui motorisée.

Le **vignoble** prospère lui aussi dans les plaines, où il produit quantité de vins ordinaires, peu comparables avec ceux des coteaux. Sous appellation commune, les côtes-du-Rhône déclinent en effet des crus plus délicats *(voir « Un déjeuner au soleil »)*.

Fête de la transhumance.

Aux arômes des herbes de Provence qui poussent à l'état sauvage (thym, romarin, sarriette) ou font l'objet d'une culture minutieuse (basilic, marjolaine, estragon) se mêlent ceux, non moins subtils, des vergers de **tilleul**, dont les fleurs séchées font d'agréables infusions, et de l'**amandier**, qui se rencontre sur tout le littoral méditerranéen.

Enfin, sur les sols calcaires ensoleillés, le manteau mauve des champs de **lavande** ondule au gré du vent, exhalant leur senteur délicate. Après la récolte, l'été, on laisse les fleurs sécher, avant de les distiller à l'alambic. L'essence ainsi obtenue (1 litre seulement pour 100 kg de fleurs !) est utilisée en parfumerie.

Oliveraie des Alpilles.
Vignes en automne.
Champ de lavande.

Retour de pêche.

Sauvignier S./MICHELIN

Pêcheurs de la Belle Bleue

Reléguée à une place marginale dans l'économie de la région, la pêche souffre bien souvent de la pollution des eaux. Néanmoins, plusieurs milliers de tonnes de sardines, d'anchois, de maquereaux et d'anguilles se déversent chaque année dans les ports provençaux. Sur les quais, animés par le va-et-vient des marins débarquant leurs cargaisons et faisant sécher leurs filets, les cris des vendeurs et des poissonniers se mêlent dans une ambiance digne des romans de Pagnol.

Gamme de teintes d'ocre naturelle.

Brazs J.-P./MICHELIN

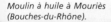

Industries d'hier et d'aujourd'hui

Fleuron de ces industries séculaires, la production d'**huile d'olive**. Généralement cueillies encore vertes pour les conserves, les olives ne sont récoltées qu'à maturité, lorsqu'elles prennent une couleur brun violacé, pour faire l'huile. Broyées entières, avec les noyaux, elles donnent une pâte, que l'on répartit sur une série de disques empilés placés sous le puissant piston d'une presse hydraulique. Le mélange d'huile et d'eau qui s'écoule est ensuite pompé vers des centrifugeuses, afin d'en séparer les deux composants. On obtient ainsi une huile vierge, par « première pression » à froid. Pendant longtemps, on actionnait les presses à la main et le cheval faisait tourner la meule. Rebroyé avec de l'eau tiède, le résidu de la première pression, ou « grignon », produisait alors une huile dite de « deuxième pression », utilisée notamment dans la fabrication du savon.

Autre production ancestrale, l'**ocre** d'Apt-Roussillon et du Vaucluse est réputée pour sa qualité par-delà les frontières. Après traitement du minerai brut, on obtient une poudre fine, constituée d'argile et d'oxyde de fer, qui sert de base aux peintures et badigeons. On peut encore la cuire pour en foncer la teinte et faire des ocres rouges, dites « calcinées ».

La Provence s'est hissée parmi les grandes régions industrielles de France. Les zones industrielles ont fleuri entre Marseille et Aix, autour de l'étang de Berre et du port de Fos, ainsi que dans les basses vallées du Rhône et de la Durance. Elles offrent une panoplie complète d'activités, les industries traditionnelles (construction navale, bâtiment, agroalimentaire, savonnerie, salins, ou encore confiserie et conserverie de fruits) côtoyant les secteurs les plus modernes (pétrole, aéronautique, électronique, nucléaire, chimie).

Moulin à huile à Mouriès (Bouches-du-Rhône).

Pazery D./MICHELIN

Entre mer et garrigue

Au fil des siècles, érosion, fluctuations marines et bouleversements tectoniques se sont conjugués pour façonner la Provence d'aujourd'hui, avec ses paysages vallonnés et ses massifs rocheux, étrangement sculptés par le temps, mais aussi sa mer – la Méditerranée – et ses rivages étonnants. Puis la nature a paré les lieux de sa robe bigarrée ; une nature qui fleure bon le soleil...

Calanque de Sormiou.

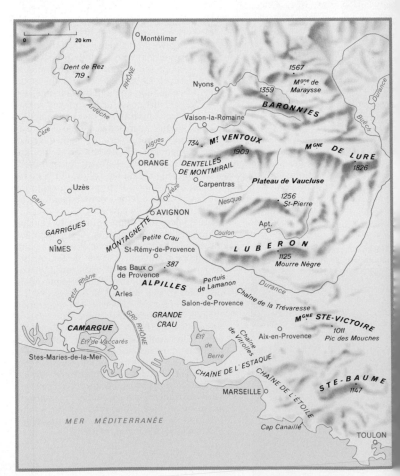

Magnin G./MICHELIN

Des paysages accidentés

Plaines fertiles...

Nées des accumulations alluviales, les plaines s'étendent surtout de part et d'autre de la **vallée du Rhône**. Largement consacrées aux cultures maraîchères, ces riches terres sont quadrillées en petits champs réguliers, abrités du mistral par d'imposantes haies de cyprès, notamment dans le **comtat Venaissin** et la **Petite Crau**.

Sur la rive gauche du Rhône s'ouvre la **Grande Crau**, immense désert pierreux parsemé d'une maigre végétation (les « coussous »), où gambadent traditionnellement les grands troupeaux de moutons. Mais depuis l'extension de la zone industrielle de Fos et l'amendement du sol, la valorisation des cultures (oliviers, amandiers, vignes) tend à supplanter le caractère pastoral qui faisait le charme des lieux.

De l'autre côté du fleuve, la **Camargue** occupe un vaste delta. Entre terre et mer, ses marécages sablonneux (les « sansouires ») se déploient à l'infini, invitation à quelques chevauchées sauvages.

... et reliefs arides

À l'Est du Rhône, l'imposant **massif du mont Ventoux** domine la plaine comtadine. Sur ses contreforts, les dentelles de Montmirail dressent leurs crêtes finement ciselées. Plus à l'Est s'ouvre le **plateau de Vaucluse**, vaste étendue karstique creusée d'avens et entaillée par des gorges que parcourt un mystérieux réseau hydrographique souterrain. Dans les sites tourmentés de la longue **chaîne du Luberon** nichent des villages perchés au charme suranné. D'une beauté plus austère, la **chaîne des Alpilles** dresse ses escarpements décharnés et sa crête déchiquetée. Vers l'Est, la silhouette de la **montagne Ste-Victoire**, sculptée elle aussi de grottes et d'avens, semble veiller sur la ville d'Aix. Léchée par la mer, la **chaîne de l'Estaque** s'avance quant à elle sur la côte, barrière naturelle entre l'étang de Berre et la baie de Marseille, tandis qu'à l'horizon se profile la longue barre rocheuse de la **Ste-Baume**. De l'autre côté du Rhône, les contreforts des Cévennes s'abaissent en pente douce vers les garrigues de Nîmes. Des causses désolés se succèdent en gradins, terres ingrates entrecoupées de canyons et d'avens.

Des cours d'eau capricieux

Dévalant des Cévennes à l'Ouest (l'Ardèche et le Gard) et des Alpes à l'Est (l'Aigues, l'Ouvèze et la Durance), plusieurs rivières se jettent dans le **Rhône**. Maigres ruisselets égarés dans un lit trop large aux périodes de sécheresse, ils se muent lors des orages en impressionnantes avalanches d'eau. On a ainsi vu l'Ardèche monter de 21 m en une journée, son débit passant de 2,5 m³ par seconde à 7 500 m³ ! Quant aux affluents alpins, presque asséchés les mois d'automne et d'hiver, leur volume explose subitement (dans une proportion de 1 à 180 pour la Durance) à la fonte des neiges. Depuis une quinzaine d'années, les crues à répétition (dernière en date, celle de décembre 2003) incitent à repenser l'occupation des sols et à prendre davantage en compte le facteur risque.

Montagne Sainte-Victoire.

Ollivier S./MICHELIN

Un littoral très échancré

De la côte languedocienne au golfe de Fos se déroule l'étonnant rivage de Camargue. Modelées par les courants marins, les alluvions charriées par le Rhône ont formé d'étroits cordons littoraux enserrant des **lagunes**, vastes étangs parsemés de bancs sableux où s'ébrouent les chevaux.

D'un contraste saisissant, les reliefs calcaires réapparaissent à partir de l'Estaque. De Marseille à La Ciotat, une kyrielle de petites baies découpe la côte, les plus profondes formant des **calanques**, falaises acérées déclinant au fil des heures toutes les nuances de bruns et orange rougeâtres.

Les eaux de la Méditerranée

Irradiée par les rayons du soleil, les eaux limpides de la Méditerranée font chanter les couleurs, du turquoise au bleu nuit en passant par l'émeraude. La mer affiche des températures de surface idéales pour la baignade en été (de 20 ℃ à 25 ℃),

Amandier.

pour fraîchir sensiblement en hiver, où elle ne dépasse guère 12-13 ℃. Particulièrement salée en raison de son évaporation intense, elle n'est soumise qu'à de faibles marées. Ses flots calmes peuvent aussi se déchaîner en quelques heures lorsque le **mistral** se lève.

Une nature gorgée de soleil

Frondaisons argentées...

Importé par les Grecs il y a 2 500 ans, l'**olivier** règne en maître sur les sols calcaires et siliceux de Provence. Prospérant sous la douceur du climat méditerranéen, on en dénombre plus de soixante variétés, dont les larges voûtes argentées s'étagent du littoral aux basses pentes, en passant par les vallées.

Olivier.

Les oliveraies cohabitent souvent avec des **figuiers**, aux effluves sucrés, et des **amandiers**, qui parent les terres provençales de leur somptueuse floraison dès l'aube des beaux jours.

Parmi les multiples variétés de **chênes** de la région, le chêne blanc (ou pubescent) – aux feuilles caduques, d'aspect cotonneux et blanchâtre – colonise volontiers les fonds des vallées et les versants humides. Il côtoie parfois l'érable, le sorbier et l'alisier. Les sous-bois dissimulent nombre d'arbrisseaux et de fleurs, notamment des orchidées.

Mais à l'évocation de la Provence se profile surtout la silhouette des **pins** : le pin maritime, dont le feuillage sombre et bleuté cache une écorce rouge violacé ; le pin parasol, dont la forme évocatrice jalonne le littoral méditerranéen, aux côtés du pin d'Alep, plus clair et moins touffu. Quant aux **cyprès**, ils détachent sur l'azur leurs formes sombres, fuseaux effilés pointés en rangs serrés vers le ciel, pyramides ventrues, ou à branches étalées, selon les espèces. Enfin, **platanes** et **micocouliers** ombragent les cours et places des villages de leur imposante frondaison.

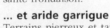

Cyprès.

... et aride garrigue

Terrains pierreux et taillis arides couvrent ici ou là de petites collines à pentes douces, pour se déployer plus amplement au Nord de Nîmes. Une maigre végétation s'accommode de ces landes calcaires.

Pin parasol.

Lézard des murailles (Lacertidae).

Chênes verts, cistes, buissons épineux de chardons et de genêts, ou encore minuscules chênes kermès hérissent ces sols désolés. La lavande, le thym et le romarin s'immiscent à travers la broussaille, où les troupeaux de moutons gambadent à la recherche d'une modeste pâture.

Paysage de garrigue.

Ciste rose (Cistacea).

Des cigales tout l'été

Habitants des terres

Insecte provençal par excellence, la **cigale** fait retentir de toutes parts son chant lancinant (chant nuptial du mâle pour attirer sa belle) dès que pointent les beaux jours, chauds et ensoleillés.

Grand amateur de chaleur lui aussi, le **lézard** paresse au soleil ou niche dans les anfractuosités rocheuses de la garrigue, tel le long lézard ocellé, ou son petit cousin le lézard vert.

Ils y côtoient la couleuvre, les escargots (dont le « petit gris », très prisé des gourmets), la mante religieuse ou encore la belette.

Sur les pierrailles de la Crau gambadent les **moutons mérinos** d'Arles, conduits lors de la transhumance par les béliers flouca, parés d'amusantes touffes de laine bleue et rouge, les **chèvres du Rove**, aux étonnantes cornes torsadées, et des ânes gris.

Quant à la Camargue, connue pour ses manades de **taureaux** noirs et de majestueux **chevaux** blancs, elle accueille également le sanglier, le ragondin (rongeur), le renard roux et diverses grenouilles.

Des oiseaux par milliers

Mais la Camargue reste surtout le fief incontesté d'une incroyable colonie d'oiseaux : hérons, aigrettes, sternes, mouettes et goélands, canards bigarrés et, à la place d'honneur, le flamant rose, élégant échassier à la silhouette longiligne.

Plus loin, les falaises des Calanques sont le refuge d'une riche avifaune maritime, dont le hibou, le merle bleu ou le martinet.

Faucons et busards, mais aussi chouettes et huppes affectionnent plus particulièrement la plaine de la Crau, tandis que l'aigle et la fauvette planent au-dessus de la garrigue.

Un aquarium géant

La cigale, symbole de la Provence.

La Méditerranée recèle aussi bien des fonds peu profonds, sableux ou vaseux, que rocheux et accidentés, plongeant à pic dans les abysses.

Roi de ces mers, le **mérou** (protégé depuis 1980) passe les premières années de sa vie (il est alors femelle) dans les fonds rocheux du littoral, avant de se réfugier, lorsqu'il atteint l'âge adulte (et devient un mâle), dans des cavités beaucoup plus profondes.

Parmi les innombrables poissons pêchés au large des côtes, on recense loups, daurades, mulets, merlans, bancs de sardines et d'anchois, mais aussi merlus, grondins rouges, rascasses (plus solitaires), ou encore murènes au corps allongé, tapies sous les rochers.

Au grand dam des baigneurs, des méduses (souvent urticantes) envahissent épisodiquement le littoral.

Le feu, ennemi numéro un

L'engouement touristique pour la Méditerranée et la Provence, conjugué au développement industriel et urbain accéléré de la région, mettent sans cesse en péril son patrimoine naturel.

La menace la plus grave vient des **incendies de forêt**. On ne compte plus les hectares qui s'envolent chaque année en fumée (2003 fut encore une année désastreuse, 24 000 ha ont été ravagés), par négligence, imprudence ou malveillance humaine. En période de sécheresse, les broussailles des sous-bois et les aiguilles de pins offrent au feu un aliment de choix : à la moindre amorce, tout flambe. Certaines plantes dégagent même des essences très volatiles qui peuvent s'enflammer toutes seules. Et lorsque le vent s'en mêle, la catastrophe devient inéluctable... De véritables vagues de feu, qui peuvent se déployer sur 10 km de long et 30 m de haut, se propagent inexorablement, progressant de plusieurs kilomètres par heure. Bien souvent, cette course folle ne prend fin que lorsqu'elles rencontrent la mer, à moins que le vent ne tombe subitement, ou ne renverse sa direction. Vision apocalyptique, elles laissent derrière elles un paysage meurtri. La fumée dissipée, les arbres dressent leurs squelettes calcinés, plantés sur un épais tapis de cendres blanches. Ainsi se modifie peu à peu l'équilibre écologique de la région. La forêt ne cesse de reculer, grignotée par des sols qui demeureront longtemps stériles avant de se régénérer.

Les multiples moyens mis en œuvre pour combattre le feu ne suffisent pas à enrayer ce désastre. Seules la **prévention** (mise en place de coupe-feu, guet méthodique, nettoyage des sous-bois, débroussaillage autour des habitations, interdiction d'accès au massifs en périodes sensibles, etc.) et la **sensibilisation** du public (notamment des touristes) laissent espérer des résultats significatifs. *Pour en savoir plus, consultez le site de l'Observatoire de la forêt méditerranéenne : www.ofme.org*

Canadair de la Sécurité civile de Marignane.

Autres fléaux – L'urbanisation et l'industrialisation accélérées ont sensiblement entaché la beauté de plusieurs sites. Le complexe industriel de Fos-sur-Mer dévore la Crau ; l'étang de Berre, qui subit la pollution de la banlieue active de Marseille, est interdit à la pêche depuis 1957. Enfin, la fréquentation automobile croissante a nécessité une extension constante des infrastructures routières, qui lacèrent le paysage et grignotent de plus en plus les espaces sauvages.

Labyrinthes de calcaire

Dans certaines contrées provençales, tel le plateau du bas Vivarais, se déroulent de vastes étendues désolées, pierreuses et grises. L'aridité de ces sols calcaires, très poreux, dissimule un monde souterrain en perpétuelle évolution.

Une érosion intense

En s'infiltrant dans le calcaire, les eaux de pluie produisent une action chimique qui dissout la roche. De petites dépressions circulaires se creusent alors : ce sont les **cloups** (ou sotchs), qui s'élargissent progressivement jusqu'à former des **dolines**, plus vastes et fermées. Lorsque le ruissellement fendille la carapace calcaire, l'eau pénètre plus profondément par les fissures et l'érosion façonne des puits, appelés **avens** ou igues. Peu à peu, ces abîmes naturels se prolongent et se ramifient jusqu'à communiquer entre eux, parfois reliés par des grottes.

De véritables rivières souterraines parcourent ce dédale de galeries. Leur débit s'accélère parfois jusqu'à se précipiter en cascades. Lorsqu'elles s'écoulent plus lentement, les eaux forment de petits lacs, retenus par des barrages naturels (comme les gours) nés de l'accumulation de dépôts calcaires.

Aven de Marzal.

Il arrive qu'au-dessus de ces nappes souterraines se poursuive la dissolution de la croûte rocheuse. Des blocs se détachent progressivement de la voûte, qui se rapproche de plus en plus de la surface du sol. C'est le cas de la gigantesque salle supérieure d'Orgnac, haute de 50 m et que quelques dizaines de mètres seulement séparent de la surface du causse. Elle devient parfois tellement mince qu'un éboulement finit par éventrer brusquement la cavité, laissant un gouffre béant.

Des sculptures naturelles

Au fil de son mystérieux cheminement souterrain, l'eau abandonne le calcaire dont elle s'est chargée en pénétrant dans le sol. Elle édifie ainsi des concrétions dont les formes fantastiques semblent défier les lois de l'équilibre, longs cierges effilés ou figures sinueuses. Ces étranges sculptures naissent du lent amoncellement (de l'ordre de 1 cm par siècle) des dépôts de calcite (carbonate de chaux issu de la dissolution du calcaire) laissés par le suintement des eaux. Ainsi se forment des pendeloques, des pyramides,

Aven d'Orgnac : concrétions de forme géométrique.

des draperies, dont les représentations les plus connues sont les stalactites, les stalagmites et les excentriques.

Les **stalactites** « tombent » de la voûte de la grotte, où chaque gouttelette d'eau perlant au plafond a déposé, avant sa chute ou son évaporation, une partie de la calcite qu'elle contenait. De même nature, les **stalagmites** « montent » du sol, s'élevant là où le goutte-à-goutte s'est écoulé sans relâche. Lorsqu'une stalactite et une stalagmite se rencontrent, leurs extrémités se rejoignent en une **colonne**. Autres protubérances, les **excentriques** se forment dans les grottes par cristallisation, sans se soucier des lois de la pesanteur. Elles se développent dans tous les sens, dessinant de minces rayons ou de petits éventails translucides qui dépassent rarement 20 cm de longueur. Les plus étonnants se cachent dans les avens d'Orgnac et de Marzal, ainsi que dans la grotte de la Madeleine.

Ce fascinant monde souterrain, dont l'exploration méthodique et scientifique a déjà permis de belles découvertes, recèle encore d'innombrables mystères...

Un peu d'histoire

*À la croisée des civilisations fran-
çaise et italienne, la Provence fut le
théâtre de guerres et d'annexions,
mais aussi de relations culturelles
et commerciales rayonnantes :
Grecs et Romains laissèrent leur
empreinte dans la région... comme
en témoignent l'agriculture, l'art et
l'architecture.*

Préhistoire et Antiquité

AVANT J.-C.
- **Vers 6000** – Néolithique cardial (du mot *cardium*, coquillage utilisé dans la décoration des poteries) : sites de Châteauneuf-lès-Martigues et de Courthézon.
- **Vers 3500** – Chasséen : apparition de véritables éleveurs-agriculteurs vivant dans
des villages.
- **1800-800** – Âge du bronze. Les Ligures.
- **8ᵉ-4ᵉ s.** – Installation progressive des Celtes.
- **Vers 600** – Fondation de **Massalia** (Marseille) par les Phocéens.
- **4ᵉ s.** – Apogée de Massalia ; voyages du navigateur massaliote Pythéas dans les mers du Nord.
- **125-122** – Conquête de la Gaule méridionale
par les Romains. Destruction d'Entremont et
fondation d'Aix.
- **102** – Victoire de Marius sur les Teutons.
- **58-51** – Conquête de la Gaule chevelue par
César.
- **27** – Auguste organise la Narbonnaise.

*Peinture d'équidé
de la grotte Cosquer.*

Après J.-C.
- **284** – La Narbonnaise est divisée en deux provinces : Narbonnaise sur la rive
droite du Rhône, Viennoise sur la rive gauche.
- **4ᵉ s.** – Apogée d'Arles. Mise en place des diocèses.
- **416** – Jean Cassien, venu d'Orient, fonde l'abbaye St-Victor de Marseille.

Formation du comté de Provence

*Sceau de Raymond VI,
comte de Toulouse.*

- **471** – Prise d'Arles par les Wisigoths.
- **536** – Cession de la Provence aux Francs.
- **843** – Traité de Verdun : la Provence, la Bourgogne
et la Lorraine reviennent à Lothaire.
- **855** – Création d'un royaume de Provence au profit
de Charles, 3ᵉ fils de Lothaire.
- **2ᵉ moitié des 9ᵉ et 10ᵉ s.** – Incursions répétées des
Sarrasins, des Normands et des Hongrois.
- **879** – Boson, beau-frère de Charles le Chauve, roi de
Bourgogne et de Provence.
- **1032** – Rattachement de la Provence au Saint-Empire
romain germanique. Les comtes de Provence, cependant, jouissent d'une indépendance effective.

Saint Louis s'embarquant pour la croisade, au port d'Aigues-Mortes.

LAUROS-GIRAUDON

*haut en bas, les papes
ignonnais Jean XXII,
noît XII, Clément VI,
ocent VI, Urbain V
Grégoire XI
alais des Papes,
ignon).*

- **1125** – Partage de la Provence entre les comtes de Barcelone et de Toulouse. La Provence vit en union assez étroite avec le Languedoc, qui pratique la même langue (d'oc) et des coutumes semblables.

La **croisade contre les Albigeois** entraîne l'union tardive des partis catalan et toulousain – qui se disputaient jusqu'alors la Provence – face aux « envahisseurs » du Nord, mais la défaite de Muret (1213) ruine tout espoir d'une Occitanie unie.

- **Vers 1135** – Les villes sont devenues des puissances locales depuis le début du 12e s. ; elles élisent des consuls dont le pouvoir s'est accru au détriment des seigneurs traditionnels (évêques, comtes et vicomtes).
Au 13e s., elles gagnent progressivement leur indépendance.

- **1229** – L'expédition de Louis VIII (siège d'Avignon en 1226) et le traité de Paris (1229) aboutissent à la création de la sénéchaussée royale de Beaucaire ; la rive droite du Rhône est désormais terre royale. À l'Est, le comte catalan Raimond-Bérenger V maintient son autorité et dote la Provence d'une organisation administrative ; lui-même réside souvent à Aix.

- **1246** – Charles Ier d'Anjou, frère de saint Louis, épouse Béatrice de Provence, fille du comte de Barcelone, et devient comte de Provence. Son gouvernement est apprécié : la sécurité est rétablie, une administration honnête gère les affaires publiques et la prospérité reprend.

- **1248** – Saint Louis s'embarque à Aigues-Mortes pour la 7e croisade.

- **1274** – Cédé par le roi de France à la papauté, le Comtat est dit « venaissin » Durant la première moitié du 14e s., les successeurs de Charles Ier, Charles II et Robert d'Anjou le Sage, poursuivent une politique d'ordre et de paix.

- **1316-1403** – Avignon devient la ville phare, où l'évêque Jacques Duèse, élu pape sous le nom de Jean XXII en 1316, décide de se fixer. Déjà, Clément V résidait depuis 1309 dans le Comtat et bénéficiait de la « protection » du roi de France ; aussi l'acte de Jean XXII fut confirmé par son successeur Benoît XII qui entreprit la construction d'une nouvelle résidence pontificale. Le séjour des **papes en Avignon** se traduit par un essor et un rayonnement extraordinaires de la ville pendant près d'un siècle.

- **1348** – Clément VI achète Avignon à la reine Jeanne Ire d'Anjou. Épidémie de peste noire.

La Provence entre dans une phase difficile. Hormis la famine et la peste, les ravages des Grandes Compagnies (les routiers) et l'instabilité politique due à la faiblesse de la reine Jeanne (petite-fille du roi Robert, assassinée en 1382) affaiblissent gravement le pays. Après une violente querelle de succession, Louis II d'Anjou (neveu du roi de France Charles V) rétablit la situation en 1387. La pacification est provisoirement ralentie par les agissements d'un seigneur turbulent, le vicomte de Turenne, qui pille et rançonne le pays (1389-1399). La tranquillité ne revient définitivement qu'au début du 15e s.

- **1409** – Fondation de l'**université d'Aix**, qui est élevée au rang de capitale administrative avec un sénéchal et une Cour des maîtres rationaux (officiers chargés de la gestion des finances du comté).

- **1434-1480** – Règne du **roi René Ier le Bon**, oncle de Louis XI. Fils cadet de Louis II d'Anjou († 1417), il hérite de la Provence à la mort de son frère (1434). Son règne laissera un souvenir heureux, car il coïncide avec une période de restauration politique et économique qui se fait sentir dans toute la France. Poète et amateur d'art éclairé, il attire quantité d'artistes à Aix, qui prend en quelque sorte le relais de l'Avignon des papes.

- **1450** – Jacques Cœur installe ses comptoirs à Marseille.

- **1481** – Charles du Maine, neveu de René d'Anjou, laisse par testament la Provence à Louis XI.

La Peste devant l'hôtel de ville, à Marseille (tableau de M. Serre).

Bernard J./Musée des Beaux-Arts, Marseille

Les états de Provence

● **1486** – Les **états de Provence**, réunis à Aix, ratifient la réunion de la Provence à la France.

● **1501** – Institution du parlement d'Aix, cour souveraine de justice qui s'arroge des prérogatives politiques.

● **1524-1536** – Invasion de la Provence par les Impériaux (soldats de l'Empire germanique).

● **1539** – Édit de Villers-Cotterêts imposant l'usage du français pour les actes administratifs.

● **1545** – **Massacre des Vaudois** hérétiques du Luberon.

Dès 1530, la Réforme se propage dans le Midi, grâce aux colporteurs de bibles et aux marchands. Le protestantisme est stimulé par le rayonnement de l'Église vaudoise, implantée dans les communautés villageoises du Luberon. L'hérésie vaudoise remonte au 12e s. : un certain **Vaudès** ou Valdès, riche marchand lyonnais, avait fondé en 1170 une secte prêchant la pauvreté et le retour à l'Évangile, refusant les sacrements et la hiérarchie ecclésiastique. Excommuniés en 1184, les Vaudois étaient, depuis ce temps, pourchassés comme hérétiques. En 1530, ils furent repérés par l'Inquisition et en 1540, le parlement d'Aix (institué en 1501) lança contre dix-neuf d'entre eux l'« arrêt de Mérindol ». François Ier temporise et prescrit un sursis. Mais lorsqu'en 1544, des hérétiques saccagent l'abbaye de Sénanque, le président du parlement d'Aix, Meynier d'Oppède, obtient du roi l'autorisation d'appliquer l'« arrêt de Mérindol » et organise une expédition punitive. Du 15 au 20 avril 1545, une véritable folie sanguinaire s'abat sur les villages du Luberon dont certains sont incendiés et rasés : 3 000 personnes sont massacrées et 600 envoyées aux galères.

● **1555** – **Nostradamus**, né à St-Rémy, publie les *Centuries astrologiques.*

● **1558** – L'ingénieur salonnais Adam de Craponne fait creuser le canal qui porte son nom.

● **1567** – **Massacre de la Michelade** à Nîmes : 200 prêtres ou notables catholiques sont assassinés.

Le protestantisme continue à se répandre en dépit des massacres. Ses bastions se concentrent à l'Ouest du Rhône (Vivarais, Cévennes, Nîmes et Uzès) et dans la principauté d'Orange. En 1560, l'affrontement devient inévitable : nombre d'églises et d'abbayes sont saccagées par les huguenots tandis que les catholiques ripostent. Dans le tumulte des représailles réciproques, deux camps se dessinent nettement : la Provence adopte majoritairement le catholicisme tandis que le Languedoc-Cévennes, sous la houlette des marchands et des artisans du textile qui animent le mouvement réformé, adhère à la cause protestante, dont Nîmes est le flambeau. L'âpreté de ces guerres de Religion, qui se poursuivent encore au moment de l'insurrection des Camisards (1702-1704), restera à jamais gravée dans la mémoire collective de ces peuples.

● **1622** – Louis XIII visite Arles, Aix et Marseille.

● **1660** – Louis XIV entre solennellement dans Marseille.

● **1685** – Révocation de l'édit de Nantes.

● **1713** – La principauté d'Orange, possession de la famille de Nassau depuis 1559, est acquise par la France au **traité d'Utrecht**.

● **1720** – La grande peste, partie de Marseille, décime les populations provençales.

● **1771** – Suppression du parlement d'Aix.

La Marche des Marseillais,
illustration de A. Newton
(18ᵉ s.).

De la Révolution
à nos jours

- **1790** – L'Assemblée constituante décide la création de trois départements dans le Sud-Est de la France : les Basses-Alpes (ch.-l. : Digne), les Bouches-du-Rhône (ch.-l. : Aix) et le Var (ch.-l. : Toulon).
- **1791** – Avignon et le Comtat venaissin sont réunis à la France.
- **1792** – 500 volontaires marseillais défilent dans Paris au chant de l'armée du Rhin, qui s'appellera *La Marseillaise.*
- **1815** – Chute de Napoléon. Assassinat du maréchal Brune à Avignon par des fanatiques royalistes (Terreur blanche).
- **1854** – Fondation du **Félibrige**, école littéraire provençale.
- **1859** – Frédéric Mistral publie le poème provençal *Mireille.*
- **1904** – Attribution du prix Nobel de littérature à Frédéric Mistral.
- **1933** – Création de la **Compagnie nationale du Rhône** pour l'aménagement du fleuve.
- **1942** – Invasion de la Provence par les troupes allemandes le 11 novembre.
- **1944** – Débarquement des armées alliées le 15 août sur la Côte d'Azur. Du 23 au 28 août, les troupes du **général de Montsabert**, aidées par les forces de la Résistance, libèrent Marseille de l'occupation allemande.
- **1962** – Mise en service des premières usines de l'aménagement hydroélectrique de la Durance.
- **1965** – Début de la construction de l'ensemble portuaire de Fos.
- **1970** – Marseille relié à Paris par les autoroutes A 6 et A 7. Création du Parc naturel régional de Camargue.
- **1977** – Mise en service à Marseille de la première ligne du métropolitain. Création du Parc naturel régional du Luberon.
- **1981** – Desserte de Marseille par le TGV.
- **1991** – Découverte dans la calanque de Sormiou, au Sud de Marseille, de la grotte ornée aujourd'hui appelée **grotte Cosquer**.
- **1993** – L'Olympique de Marseille est le premier club français à remporter une coupe européenne de football.
- **1994** – Découverte dans les gorges de l'Ardèche d'une grotte ornée aujourd'hui appelée **grotte Chauvet**.
- **1999** – Marseille fête ses 2 600 ans d'existence.
- **Juin 2001** – La nouvelle ligne TGV tracée au Sud de Valence met Paris à 3h de Marseille, à 2h50 de Nîmes et à 2h40 de la nouvelle gare d'Avignon-TGV.

Chambre de Commerce et d'Industrie de Marseille

Affiche de David Dellepiane
pour l'Exposition coloniale de 1906.

La Provence antique

Aucune autre région de France ne conserve de telles traces de son passé antique : cela tient bien sûr à l'empreinte romaine, plus profonde et durable que dans tout le reste de la Gaule, mais aussi à l'exceptionnel état de conservation des monuments. Hormis les Romains, les autochtones celto-ligures, avec leurs oppidums, les Étrusques et les Grecs, avec leurs comptoirs, ont marqué l'histoire de la Provence antique.

Kaufmann B./MICHELIN

Nos ancêtres les Ligures

Kaufmann B./MICHELIN

Aux Ligures qui peuplent la région dès l'âge du bronze (1800 à 800 avant J.-C.) viennent se mêler des Celtes au 7ᵉ s., puis surtout aux 5ᵉ et 4ᵉ s. De ce brassage naissent les **Celto-Ligures**, qui s'installent progressivement sur les hauteurs où ils édifient de véritables villes fortifiées : les oppidums.

Ils y vivent dans des maisons très simples, en pierre et en brique crue, organisées selon un plan régulier à l'intérieur d'une enceinte, et se consacrent essentiellement à l'agriculture, à l'élevage et à la chasse.

Têtes celto-ligures trouvées à l'oppidum d'Entremont (musée Granet, Aix-en-Provence).

Parmi les vestiges qu'ils nous ont laissés, leur statuaire qui célèbre volontiers les guerriers morts, héros protecteurs de la cité. Il était en outre du dernier chic d'incruster dans le linteau de sa porte les têtes des ennemis vaincus ou, à défaut, leur représentation sculptée.

La bosse du commerce

Si les Rhodaniens ne laissent guère que leur nom au grand fleuve provençal, Rodhanos, et si les Étrusques se limitent à quelques échanges commerciaux, les **Phocéens**, venus d'Asie Mineure (Ionie), sont les premiers à fonder une colonie permanente, vers 600 : Massalia, l'actuelle Marseille.

Peu à peu, la civilisation hellénique se diffuse dans toute la région. Son influence accélère notamment l'évolution de l'économie (introduction de la monnaie) et de la société (techniques de construction). Mais au 2ᵉ s., les relations commencent à se gâter entre les autochtones et la cité phocéenne, et la **confédération salyenne** (qui regroupe les peuplades provençales) réagit à « l'impérialisme massaliote ».

Rome à la rescousse

La cité phocéenne obtient en 154 la protection de Rome face aux menaces gauloises, et, dès 125, alors que la montée en puissance de l'empire arverne met en péril la sécurité du Midi de la Gaule, clé du trafic entre l'Italie et l'Espagne, les légions romaines ne se font pas prier pour répondre à l'appel des Massaliotes : elles soumettent facilement les Voconces de Vaison, puis les Salyens d'Entremont

Mosaïque au musée de l'Arles antique (Arles).

et, après avoir fondé le camp d'Aquae Sextiae (Aix) en 122, infligent une sanglante défaite aux Arvernes et aux Allobroges.

La Transalpine, une nouvelle province – bientôt nommée la **Narbonnaise**, en référence à la première colonie romaine (Narbonne) – définie en 118 par le consul Domitius Ahenobarbus, reçoit le statut de *Provincia Romana* : la Provence en tirera sans doute son nom et, pour l'heure, Massalia conserve son indépendance et son territoire.

Des chemins qui mènent à Rome

Sitôt installés en Provence, les Romains mettent en place des voies de communication terrestres dont le tracé suit celui de chemins antérieurs (sentiers tracés par les Gaulois, ou drailles empruntées par les troupeaux). Pavées à l'entrée des villes, elles sont en rase campagne couvertes d'un paletage très compact, et jalonnées de ponts de bois ou de pierre, de bornes milliaires et de relais.

Trois grandes voies romaines sillonnent ainsi la Provence : la **voie Aurélienne** *(via Aurelia)* relie Rome au Rhône, en longeant la côte par Antibes, Fréjus, Aix et Salon-de-Provence, pour rejoindre la voie Domitienne à Tarascon ; la **voie Domitienne** *(via Domitia)* relie l'Italie du Nord à l'Espagne, en passant par Briançon, Gap, Sisteron, Apt, Cavaillon, Tarascon, Nîmes, Béziers, Narbonne et Perpignan. Enfin, la **route d'Agrippa** part d'Arles et suit la rive gauche du Rhône en direction de Lyon, en passant par Avignon et Orange.

Marius et César : la Paix romaine

En 102 avant J.-C., Marius vainc près d'Aix les Cimbres et les Teutons. Un juste retour des choses, après la cuisante défaite infligée par ces derniers aux légions romaines, à Orange, trois ans auparavant.

Dès lors, la domination romaine s'étend de manière irréversible sur le pays, avec son lot d'abus et de spoliations. La Gaule transalpine s'intègre rapidement au monde romain et soutient **César** sans états d'âme pendant la guerre des Gaules (58 à 51). Mais dans la lutte qui oppose ensuite le général victorieux à son rival, Pompée, Marseille mise sur le perdant : assiégée (49 avant J.-C.), puis envahie, elle perd son indépendance, à l'heure où des villes comme Narbonne, Nîmes, Arles et Fréjus prennent leur envol.

La civilisation gallo-romaine connaît son apogée entre les 1er et 3e s., sous l'impulsion de l'empereur **Auguste**, et plus tard, d'Antonin le Pieux, nîmois d'origine. L'agriculture demeure la première activité de la Provence, tandis que le commerce enrichit les villes (Arles en particulier, qui profite de la disgrâce de Marseille).

Guerrier de Roquepertuse.

Fonder une ville

Peu de villes sont créées *ex nihilo* par les Romains, la plupart succédant à un établissement indigène, plus ou moins hellénisé.

La fondation d'une ville romaine suit des règles bien précises : on détermine tout d'abord le

Colonnes du théâtre antique de Glanum (St-Rémy-de-Provence).

LA MAISON ROMAINE

Un large seuil donne accès au vestibule et au corridor. De là, on entre dans l'*atrium* (1), grande salle dont la partie centrale, à ciel ouvert *(compluvium)*, est creusée d'un bassin *(impluvium)* alimenté par les eaux de pluie. Tout autour s'agencent une salle de réception (2), le laraire (oratoire privé) et le *tablinum* du chef de famille (cabinet de travail). On pénètre ensuite par un couloir dans le péristyle (3), cour verdoyante marquant le cœur de la partie strictement familiale de la maison. Sur ce havre de paix ouvrent les chambres, le *triclinium* (4) (la salle à manger) et le grand salon *(œcus)*.

centre de la future cité, puis on trace deux axes majeurs, le *cardo maximus* (orienté Nord-Sud) et le *decumanus maximus* (Est-Ouest). À partir de ces axes perpendiculaires se définit un quadrillage régulier, dont les mailles forment théoriquement des carrés d'une centaine de mètres de côté. À de rares exceptions près (comme Nîmes, Arles et Orange, qui se voient octroyer le privilège honorifique de s'entourer de remparts), les villes restent ouvertes : à quoi bon des fortifications, puisque la « pax romana » règne désormais sur la contrée ?

Le forum, cœur de la cité

Autour de la grande place publique, entourée de portiques, s'agencent les bâtiments publics : le temple du culte impérial, la basilique (où l'on ne traite pas de religion, mais des affaires judiciaires et commerciales), la curie (où siègent les magistrats municipaux) et, parfois, une prison. Bref, ce que l'on nommerait aujourd'hui une cité administrative.

Des rues bien étudiées

Heureux temps où le piéton est roi ! Les promeneurs déambulent à l'ombre de portiques, qui les protègent également de la pluie. Bordée de caniveaux et revêtue de grandes dalles, la chaussée est en outre hérissée de bornes plates, de même hauteur que les trottoirs pour permettre aux piétons de traverser la rue sans effort, et séparées par un espace calculé pour laisser passer les chevaux et les roues des chars.

Demeures urbaines

Les fouilles de Vaison, de Glanum ou du quartier de la Fontaine à Nîmes ont révélé divers types de maisons : petite maison bourgeoise, maison de rapport à étages ouverte sur une cour intérieure, boutiques. Mais la plus imposante reste sans conteste l'habitation patricienne, grande et luxueuse demeure dont la sobriété de façade (seules de rares fenêtres rompent la nudité des murs) dissimule un riche intérieur, orné de mosaïques, de peintures, de statues et de marbre.

Les arcs

Improprement appelés arcs « de triomphe », les arcs « municipaux » provençaux d'Orange, des Antiques (près de St-Rémy), de Carpentras et de Cavaillon commémorent la fondation des cités et les exploits des vétérans légionnaires.

Arc municipal de St-Rémy-de-Provence.

Mosaïque de l'enlèvement d'Europe (musée de l'Arles antique, Arles).

Les trois ordres ; de gauche à droite : dorique, ionique et corinthien.

De l'eau, de l'eau !

Afin d'acheminer l'eau dans les villes, les Romains édifient des aqueducs, parfois grandioses, comme le pont du Gard.

Il s'agit notamment d'alimenter les **thermes**. Expression d'un art de vivre raffiné, ces établissements de bains sont avant tout un lieu de détente : on s'y retrouve entre amis pour pratiquer des exercices physiques, flâner, lire ou écouter des conférences.

En sous-sol, foyers et hypocaustes assurent le chauffage des salles et de l'eau : l'air chauffé par la combustion du bois circule dans les murs par un système de tubulures, tandis qu'un circuit de canalisations distribue l'eau dans les différents bains.

Lors d'une journée aux thermes, le baigneur commence par s'enduire le corps d'huile, pour se livrer à quelques exercices d'échauffement dans le *palestre* (gymnase), avant de passer dans le *tepidarium* (salle tiède). Là, il se nettoie la peau à l'aide de spatules métalliques *(strigiles)*. Dans le *caldarium* (salle chaude) l'attendent bain de vapeur, bain chaud collectif et massages. Ragaillardi par les bains glacés du *frigidarium* (salle froide), il ne lui reste plus qu'à se rhabiller pour aller s'adonner aux jeux de l'esprit dans les salles annexes.

ENTREZ DANS LES ORDRES

Dérivés des ordres grecs, les trois ordres architecturaux romains s'en distinguent néanmoins par quelques détails. Employé à l'étage inférieur des monuments, le **dorique** romain (ou toscan), jugé trop sévère pour son aspect simple et massif, ne se rencontre que rarement. De même, les architectes ont souvent dédaigné l'**ionique**, très élégant (avec ses chapiteaux ornés de deux volutes latérales) mais pas assez pompeux à leur goût. Seul le **corinthien** semble avoir eu leur faveur, pour la richesse de son ornementation. On le reconnaît aux deux rangs de feuilles d'acanthe, entre lesquels s'élèvent des volutes, qui ornent ses chapiteaux. Quant à l'ordre **composite**, c'est une synthèse de l'ionique et du corinthien.

Canalisations du pont du Gard.

Théâtre antique de Vaison-la-Romaine.

Kaufmann B./MICHELIN

Jeux du cirque et des arènes

Après une journée aux thermes, rien de tel qu'un bon spectacle. Au cirque, long espace rectangulaire arrondi aux extrémités, se déroulent les courses de chars et de chevaux. Les sanglants combats de gladiateurs et de fauves ont lieu dans l'amphithéâtre (ou arène). À l'extérieur se dessinent deux niveaux d'arcades surmontés d'un étage réduit, l'attique, où l'on amarre une immense voile *(velum)* pour abriter les spectateurs du soleil. À l'intérieur, un mur protège les spectateurs des premiers gradins contre les bonds des bêtes féroces lâchées sur la piste. Au-dessus s'élèvent les gradins *(cavea)*, attribués à chacun selon sa classe sociale : tout est conçu pour éviter qu'un notable ne se trouve nez à nez avec un esclave ou un affranchi.

Au théâtre ce soir

Les gradins du théâtre romain s'étagent en demi-cercle autour de l'*orchestra*, espace réservé aux sièges des dignitaires. Au fond de la scène surélevée se dresse un mur percé de trois portes par lesquelles les acteurs font leur entrée ; richement décoré de colonnes, niches à statues (dont celle de l'empereur, au centre), revêtements de marbre et mosaïques, il constitue souvent la plus belle partie de l'édifice. Derrière s'alignent les loges des acteurs et les magasins d'accessoires, qui cachent un jardin où les spectateurs peuvent se promener à l'entracte.

Un ingénieux système permet de changer rapidement les décors en les faisant coulisser. Quant aux acteurs, ils peuvent disparaître de la scène ou surgir du sous-sol grâce à des trappes, ou encore descendre du ciel et monter aux nues. Les machinistes savent aussi produire des fumées, des éclairs et du tonnerre...

L'excellente acoustique est obtenue par divers moyens. Dans les masques des acteurs, la bouche forme porte-voix. Au-dessus de la scène, un grand toit incliné rabat les sons qui se diffusent harmonieusement sur la courbe des gradins, tandis que les colonnades rompent l'écho et que des vases résonateurs, répartis sous les gradins, font office de haut-parleurs. Enfin, les portes de la scène, creuses, forment d'efficaces caisses de résonance lorsque les acteurs s'y adossent.

Lacanaud M./Musée de l'Arles antique, Arles

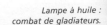

Statuette de gladiateur de la catégorie des Samnites.

Lampe à huile : combat de gladiateurs.

80

Acrotères en forme de masque tragique.

Bodin D./Musée de l'Arles antique, Arles

Lacanaud M./Musée de l'Arles antique, Arles

LAUROS-GIRAUDON

...llum avec masques scéniques (musée archéologique Théo-Desplans, Vaison-la-Romaine).

Le chant du cygne

Après les incertitudes du 3ᵉ s., les 4ᵉ et 5ᵉ s. apportent des transformations religieuses et politiques considérables. Au cours du 3ᵉ s., la Provence doit faire face à une série d'invasions (Allamans et Vandales) qui mettent à mal sa prospérité et le bel ordonnancement de la Paix romaine : déclin des villes (comme Nîmes et Glanum, abandonnées par leurs habitants), appauvrissement des campagnes et insécurité entraînent une nouvelle occupation des sites de hauteur, abandonnés depuis trois siècles. Partout, des remparts s'élèvent.

Le christianisme (qui semble ne pas être apparu avant la fin du 2ᵉ s.) triomphe des autres religions après la conversion de **Constantin**. Ce dernier fait d'Arles sa ville favorite en Occident, la dotant notamment d'un palais impérial et de thermes. Véritable centre commercial où s'élaborent tissus, orfèvrerie, sarcophages, armes et navires, *Arelate* (qui faillit bien devenir *Constantina*, en hommage à son bienfaiteur) devient un important centre politique (préfecture des Gaules en 395), puis religieux, en accueillant dans ses murs 19 conciles. Cette prospérité se prolonge jusqu'en 471, date de la prise de la ville par les Wisigoths. Pendant ce temps, Marseille redevient un port actif et Aix un important centre administratif.

La fin de la civilisation gallo-romaine

La prise d'Arles par les Wisigoths marque la fin de la civilisation gallo-romaine, en dépit d'une tentative de « restauration » menée par les Ostrogoths, qui remettent en vigueur les institutions romaines entre 476 et 508.

La vie religieuse poursuit son essor : les conciles se multiplient dans les villes de Provence, prescrivant notamment la création d'une école par paroisse afin de parfaire l'évangélisation des campagnes.

L'évêque d'Arles, **Césaire**, jouit d'un immense prestige en Gaule. En 536, la Provence entre dans le royaume franc et subit le sort incertain des autres provinces, ballottées au gré des partages successoraux de la dynastie mérovingienne. La décadence s'accélère.

La première moitié du 8ᵉ s. n'est que confusion et tragédies : Arabes et Francs transforment la région en véritable champ de bataille et, entre 736 et 740, **Charles Martel** la soumet avec une brutalité inouïe.

En 855 est érigé un royaume de Provence, dont les contours correspondent à peu près au bassin rhodanien. Mais, affaibli par la menace des Sarrasins et des Normands, il ne tarde pas à échoir aux rois de Bourgogne. Leurs possessions (du Jura à la Méditerranée) sont placées sous la protection des empereurs germaniques, qui en héritent en 1032. Cette date capitale fait de la Provence une terre d'empire.

Lacanaud M./Musée de l'Arles antique, Arles

Boucle de ceinture de saint Césaire, évêque d'Arles.

Mireille et Vincent.

Une langue qui chante

Enfants du pays ou épris de cette terre de soleil, poètes et écrivains ont sans cesse puisé en Provence une inspiration féconde. Qu'ils chantent la nature, la vie quotidienne ou l'amour, beaucoup s'expriment en provençal, ce dialecte occitan dont l'accent mélodieux traduit si bien leurs sentiments...

L'art des troubadours

Folquet de Marseille (manuscrit du 13e s.).

BN, Paris

Langue romane, la langue d'oc (du Sud) se distingue de la langue d'oïl (du Nord), ainsi nommées d'après leurs façons respectives de dire « oui ». En outre, l'occitan s'avère pluriel, il compte différentes langues régionales, dont le **provençal**.

L'âge d'or de l'occitan

L'occitan doit sa fixation et son rayonnement au succès de la littérature courtoise au 12e s. De Bordeaux jusqu'à Nice, c'est l'Occitanie tout entière qui chante l'art des troubadours. Ses poètes, comme les Provençaux Raimbaut d'Orange, la comtesse de Die, Raimbaut de Vaqueiras ou Folquet de Marseille, sont appréciés jusque dans les cours étrangères. Source d'inspiration intarissable, l'amour (un amour courtois) se déclame avec patience et discrétion, longue suite de vers pleins d'inquiétude et d'espoir. Au 13e s., les écrivains cultivent un autre genre, plus mordant bien que parfois élégiaque, le **sirventès** (poème satirique) et, en prose, les fameuses **vidas** (vies) des troubadours.

L'occitan occulté au fil du temps

En dépit de l'**édit de Villers-Cotterêts** (1539) qui impose dans l'administration l'usage du français, les langues occitanes continuent de primer à l'oral. Dans la vie quotidienne, seule une élite s'exprime en français, et l'on raconte que Racine, séjournant à Uzès en 1661, eut beaucoup de mal à se faire comprendre ! Dans la littérature, certains écrivains maintiennent le flambeau, tels **Nicolas Saboly**, au 17e s. ou, au siècle suivant, l'**abbé Fabre**. Cependant, le français prend le dessus avec l'exode rural et l'école obligatoire entraîne le déclin de l'occitan.

PÉTRARQUE, AMOUREUX TRANSI
Exilé en Avignon, Pétrarque (1304-1374) s'éprend, en 1327, de la belle Laure de Noves. Cette brûlante passion lui inspire les sonnets de son *Canzoniere (Chansonnier)*, pathétique hymne d'amour en langue occitane, à la gloire de la beauté spirituelle et physique de sa dulcinée. Mais le poète, retiré à Fontaine-de-Vaucluse, a aussi décrit, dans ses lettres, la vie et la nature provençales ; il nous parle ainsi des bergers, des pêcheurs de la Sorgue ou encore de son ascension du mont Ventoux.

Portrait de Pétrarque (2e moitié du 16e s.).

ALINARI-GIRAUDON

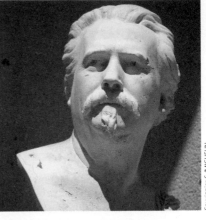

Buste de Frédéric Mistral.

Sauvignier S./MICHELIN

Le félibrige

La **langue provençale** connaît dans la seconde moitié du 19e s. un formidable renouveau. Amoureux de la Provence, sept jeunes poètes (Roumanille, Mistral, Aubanel, Mathieu, Tavan, Giéra et Brunet) fondent en 1854 le Félibrige. Ensemble, ils entendent restaurer leur langue et en codifier l'orthographe.

Figure de proue du groupe, **Frédéric Mistral** (1830-1914) connaît le succès dès 1859 avec *Mirèio* (Mireille), un poème épique qui chante les amours contrariées du Camarguais Vincent et de la belle Mireille, fille d'un riche fermier de la Crau. Cette œuvre, chaleureusement saluée par Lamartine, fut adaptée au théâtre lyrique par Gounod. En 1867, son *Calendau* (« Noël ») fait revivre le passé de son pays. Dès lors, la gloire ne le quitte plus jusqu'à son dernier recueil, *Les Olivades* (1912), hymne à la figure éternelle de la Provence. Prix Nobel de littérature en 1904, Mistral œuvre aussi pour restituer l'orthographe de la langue d'oc, dans son monumental *Trésor du félibrige*, une référence immuable.

Forte de cette aura, l'école regroupe sous sa bannière des poètes et romanciers occitans aussi différents qu'**Alphonse Daudet** *(Les Lettres de mon moulin ; Tartarin de Tarascon)*, Paul Arène, Jean-Henri Fabre, Folco de Baroncelli et Joseph d'Arbaud, ou encore Charles Maurras.

Delgado B./Museon Arlaten, Arles

Marcel Pagnol.

Marcel Pagnol Communication

De Pagnol au « polar bouillabaisse »

Une littérature florissante

À la même époque, deux grands « Provençaux » illustrent la littérature française : **Émile Zola**, Aixois d'adoption, dont les *Rougon-Macquart* évoquent le cheminement d'une famille du Midi, et le Marseillais **Edmond Rostand**, qui émeut les foules avec son *Aiglon* avant de connaître gloire et fortune grâce au flamboyant *Cyrano de Bergerac.*

Nombre d'autres écrivains provençaux s'imposent à leur tour sur la scène littéraire, trouvant pour la plupart leur veine dans leur terre natale, tels **Henri Bosco** du Luberon *(Le Mas Théotime)*, André Chamson de Nîmes *(Roux le Bandit)*, **Marcel Pagnol** d'Aubagne *(Marius)*, **René Barjavel** de Nyons, **André Gide** qui évoque ses attaches uzétiennes dans *Si le grain ne meurt...* Aussi différents soient-ils, tous expriment à leur manière une certaine vision de la nature et de l'amour, empreinte de sacralité. Quant au poète sorgois **René Char**, au Marseillais **Antonin Artaud**, ou encore aux chefs de file du roman noir marseillais, **Philippe Carrèse** et **Jean-Claude Izzo**, ils explorent des contrées plus universelles.

Provençal et français se côtoient dans les rues d'Aix-en-Provence.

CARRIERO
DE LA MASSO

RUE
DE LA MASSE

Malburet J./MICHELIN

Un nouvel élan pour le provençal ?

En dehors de la littérature, le provençal est quelque peu tombé en désuétude. Longtemps reléguées au second plan, les langues régionales d'oc font néanmoins leur apparition dans les programmes scolaires. En 2003, le conseil régional de Provence-Alpes-Côtes-d'Azur a voté la reconnaissance du provençal (et du niçois) et s'est engagé à généraliser l'enseignement de cette langue, véhicule d'une identité culturelle.

ABC d'architecture

Architecture antique

ORANGE – Théâtre antique (début du 1er s. avant J.-C.)

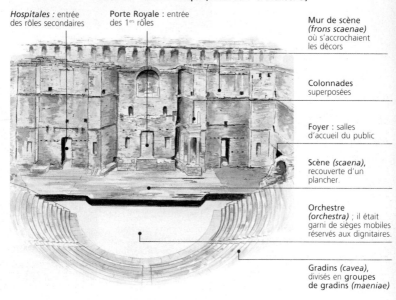

Hospitales : entrée des rôles secondaires

Porte Royale : entrée des 1ers rôles

Mur de scène *(frons scaenae)* où s'accrochaient les décors

Colonnades superposées

Foyer : salles d'accueil du public

Scène *(scaena),* recouverte d'un plancher.

Orchestre *(orchestra)* ; il était garni de sièges mobiles réservés aux dignitaires.

Gradins *(cavea),* divisés en **groupes de gradins** *(maeniae)*

NÎMES – Maison carrée (fin du 1er s. avant J.-C.)

La Maison carrée de Nîmes est un temple consacré au culte impérial ; il se compose d'un vestibule délimité par une colonnade et d'une chambre de la divinité, la *cella.*

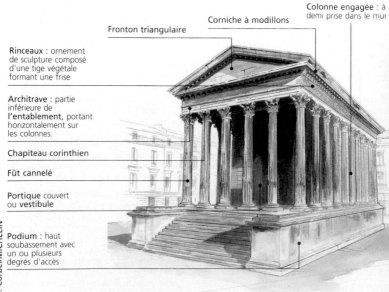

Colonne engagée : à demi prise dans le mur

Corniche à modillons

Fronton triangulaire

Rinceaux : ornement de sculpture composé d'une tige végétale formant une frise

Architrave : partie inférieure de **l'entablement,** portant horizontalement sur les colonnes.

Chapiteau corinthien

Fût cannelé

Portique couvert ou **vestibule**

Podium : haut soubassement avec un ou plusieurs degrés d'accès

Architecture religieuse

VAISON-LA-ROMAINE – Plan de l'ancienne cathédrale N.-D.-de-Nazareth (11ᵉ s.)

Cette cathédrale est de style typiquement provençal : son plan adopte celui des basiliques romaines, comportant une nef sans transept et se terminant sur une abside en hémicycle.

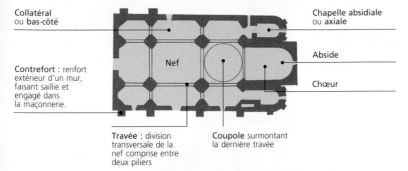

Collatéral ou bas-côté

Chapelle absidiale ou axiale

Nef

Abside

Contrefort : renfort extérieur d'un mur, faisant saillie et engagé dans la maçonnerie.

Chœur

Travée : division transversale de la nef comprise entre deux piliers

Coupole surmontant la dernière travée

Coupe en élévation d'une église romane provençale

Nous proposons deux variantes de l'église romane provençale telle qu'on la rencontre le plus souvent.

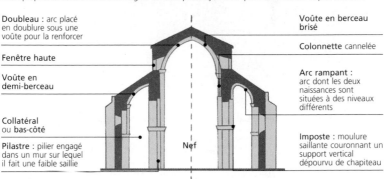

Doubleau : arc placé en doublure sous une voûte pour la renforcer

Voûte en berceau brisé

Colonnette cannelée

Fenêtre haute

Voûte en demi-berceau

Arc rampant : arc dont les deux naissances sont situées à des niveaux différents

Collatéral ou bas-côté

Pilastre : pilier engagé dans un mur sur lequel il fait une faible saillie

Nef

Imposte : moulure saillante couronnant un support vertical dépourvu de chapiteau

Abbaye de SILVACANE – Voûtes de la salle capitulaire (13ᵉ s.)

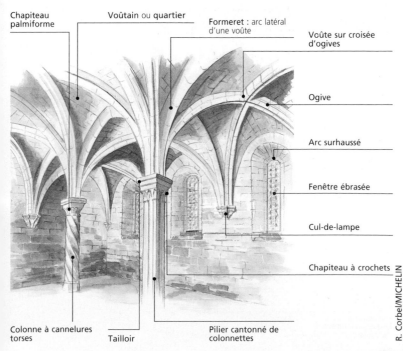

Chapiteau palmiforme

Voûtain ou quartier

Formeret : arc latéral d'une voûte

Voûte sur croisée d'ogives

Ogive

Arc surhaussé

Fenêtre ébrasée

Cul-de-lampe

Chapiteau à crochets

Colonne à cannelures torses

Tailloir

Pilier cantonné de colonnettes

R. Corbel/MICHELIN

Abbaye de MONTMAJOUR – Chapelle Ste-Croix (12e s.)

Le plan rayonnant en forme de quatre-feuilles de la chapelle Ste-Croix est typique de l'architecture de plusieurs édifices provençaux de la même époque.

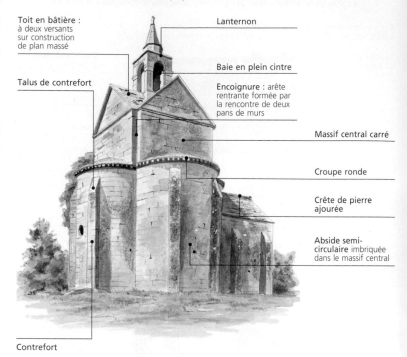

Toit en bâtière : à deux versants sur construction de plan massé

Lanternon

Talus de contrefort

Baie en plein cintre

Encoignure : arête rentrante formée par la rencontre de deux pans de murs

Massif central carré

Croupe ronde

Crête de pierre ajourée

Abside semi-circulaire imbriquée dans le massif central

Contrefort

CARPENTRAS – Portail Sud de l'ancienne cathédrale St-Siffrein (fin du 15e s.)

Le portail Sud, ou porte Juive, est de style gothique flamboyant, phase terminale du gothique ; on le reconnaît aux découpes sinueuses du remplage des fenêtres, qui évoquent des flammes.

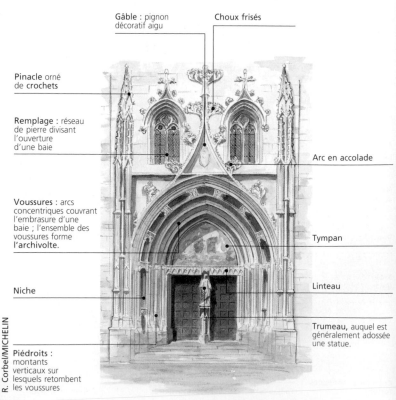

Gâble : pignon décoratif aigu

Choux frisés

Pinacle orné de **crochets**

Remplage : réseau de pierre divisant l'ouverture d'une baie

Arc en accolade

Voussures : arcs concentriques couvrant l'embrasure d'une baie ; l'ensemble des voussures forme l'**archivolte.**

Tympan

Niche

Linteau

Trumeau, auquel est généralement adossée une statue.

Piédroits : montants verticaux sur lesquels retombent les voussures

R. Corbel/MICHELIN

Abbaye de ST-MICHEL-DE-FRIGOLET – Retable de la chapelle N.-D.-du-Bon-Remède (17ᵉ s.)

Cette chapelle, du 11ᵉ s., a été recouverte de boiseries de style baroque au 17ᵉ s. Un retable monumental en occupe le fond.

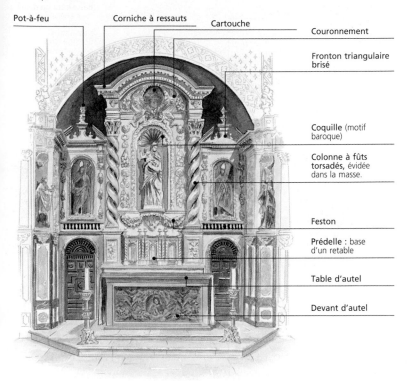

Pot-à-feu

Corniche à ressauts

Cartouche

Couronnement

Fronton triangulaire brisé

Coquille (motif baroque)

Colonne à fûts torsadés, évidée dans la masse.

Feston

Prédelle : base d'un retable

Table d'autel

Devant d'autel

UZÈS – Orgues de la cathédrale St-Théodorit (18ᵉ s.)

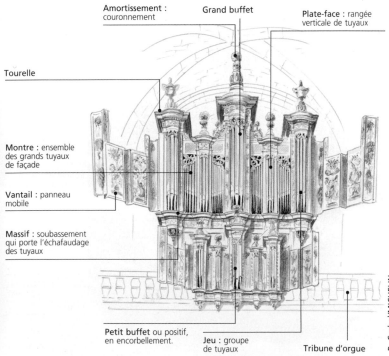

Amortissement : couronnement

Grand buffet

Plate-face : rangée verticale de tuyaux

Tourelle

Montre : ensemble des grands tuyaux de façade

Vantail : panneau mobile

Massif : soubassement qui porte l'échafaudage des tuyaux

Petit buffet ou positif, en encorbellement.

Jeu : groupe de tuyaux

Tribune d'orgue

Architecture militaire

TARASCON – Château fort (14ᵉ-15ᵉ s.)

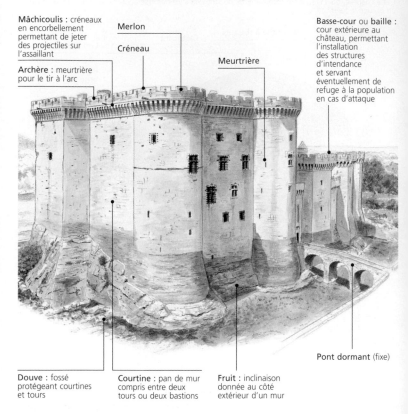

Mâchicoulis : créneaux en encorbellement permettant de jeter des projectiles sur l'assaillant

Merlon

Créneau

Archère : meurtrière pour le tir à l'arc

Meurtrière

Basse-cour ou **baille :** cour extérieure au château, permettant l'installation des structures d'intendance et servant éventuellement de refuge à la population en cas d'attaque

Pont dormant (fixe)

Douve : fossé protégeant courtines et tours

Courtine : pan de mur compris entre deux tours ou deux bastions

Fruit : inclinaison donnée au côté extérieur d'un mur

PORT-DE-BOUC – Fort (17ᵉ s.)

Ce fort fut construit par Vauban en 1664. Son système de défense supprime les angles morts et les secteurs sans feu en aménageant des angles saillants comme autant de bastions.

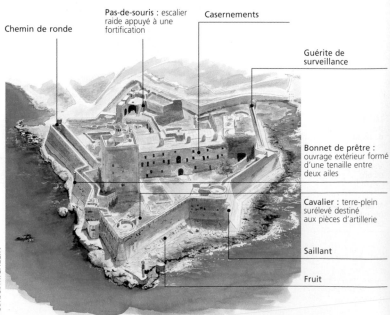

Chemin de ronde

Pas-de-souris : escalier raide appuyé à une fortification

Casernements

Guérite de surveillance

Bonnet de prêtre : ouvrage extérieur formé d'une tenaille entre deux ailes

Cavalier : terre-plein surélevé destiné aux pièces d'artillerie

Saillant

Fruit

Architecture civile

AIX-EN-PROVENCE – Pavillon Vendôme (17e-18e s.)

L'ordonnance de la façade est rythmée par la superposition des ordres dorique, ionique et corinthien, suivant le « grand ordre » prôné par Palladio dès la Renaissance.

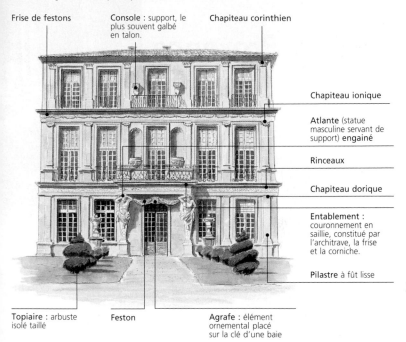

Frise de festons

Console : support, le plus souvent galbé en talon.

Chapiteau corinthien

Chapiteau ionique

Atlante (statue masculine servant de support) engainé

Rinceaux

Chapiteau dorique

Entablement : couronnement en saillie, constitué par l'architrave, la frise et la corniche.

Pilastre à fût lisse

Topiaire : arbuste isolé taillé

Feston

Agrafe : élément ornemental placé sur la clé d'une baie

MARSEILLE – Château d'eau du palais Longchamp (19e s.)

S'inspirant de la colonnade du Bernin à St-Pierre de Rome, l'architecte Espérandieu a élevé une fontaine monumentale dont la décoration utilise à profusion le thème aquatique.

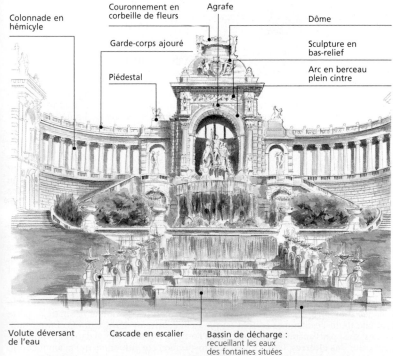

Colonnade en hémicycle

Couronnement en corbeille de fleurs

Agrafe

Dôme

Garde-corps ajouré

Sculpture en bas-relief

Piédestal

Arc en berceau plein cintre

Volute déversant de l'eau

Cascade en escalier

Bassin de décharge : recueillant les eaux des fontaines situées en amont

R. Corbel/MICHELIN

*Église St-Michel
à Salon-de-Provence.*

La Provence romane

À la croisée de l'Antiquité et du Moyen Âge, l'architecture romane provençale témoigne, autour du 12ᵉ s., d'un renouvellement original des formes. En cette période féconde, le nouveau regard porté sur les monuments romains, qui subsistaient nombreux, crée cette union parfaite du génie antique et de l'idéal spirituel du temps.

Cloître de St-Trophime à Arles.

Chapelles rurales et grands sanctuaires

Jeux d'ombre et de lumière

Chapelle St-Sixte à Eygalières.

En cette terre de soleil inondée par la lumière blanche du Midi, il fait bon pénétrer dans la pénombre apaisante d'une **église provençale**. Préservant une agréable fraîcheur, des murs épais soutiennent la voûte en berceau brisé de la nef. Les ouvertures se limitent généralement à quelques petites baies collatérales (les fenêtres hautes du vaisseau central, comme à St-Trophime, restent plutôt rares) qui éclairent la nef en un subtil clair-obscur. La lumière glisse le long des piliers pour suspendre son cours et mieux se dérober... La nef s'anime et mène doucement vers le chœur lumineux de l'église.

Une renaissance de l'antique

Avec une fidélité manifeste à la conception romaine de l'architecture, les **églises romanes** méridionales conservent des plans et des volumes simples. En entrant dans ces lieux, le promeneur longe en principe une nef unique, sans transept ni collatéraux, qui l'amène insensiblement vers une abside dépourvue de chapelles rayonnantes (celle de N.-D.-de-Montmajour constitue une exception, liée à un important culte de reliques). Les volumes extérieurs masquent volontiers les dispositions intérieures, comme aux abords de la chapelle St-Quenin de Vaison, où l'on ne perçoit qu'une masse triangulaire.

Les façades trahissent plus encore l'influence romaine. La chapelle St-Gabriel, près de Tarascon, prend pour modèle un étage de l'amphithéâtre de Nîmes. En Avignon, N.-D.-des-Doms emprunte à l'arc d'Orange la disposition de sa baie centrale, et même ses proportions.

De la modeste chapelle rurale au grand sanctuaire de pèlerinage, toutes ces constructions se distinguent par la qualité de leur pierre de taille, inspirée des techniques romaines. La beauté des assises, soulignée par la nudité des parois, porte en elle toute l'esthétique épurée d'une architecture au décor confiné. En entrant, on est saisi par l'austérité de la nef, dont l'ornementation se fond dans la pénombre. Au cœur des **cloîtres**, les chapiteaux d'inspiration corinthienne, qui avaient connu dès le 11ᵉ s. de nombreuses variations figurées, continuent de faire florès : à

Chapiteau du cloître de l'abbaye de Sénanque.

Chapiteau historié, cloître de St-Trophime.

Nef de l'abbaye de Silvacane.

St-Trophime comme à St-Paul-de-Mausole, des animaux fabuleux s'agitent dans les acanthes.

Sur le chemin de Saint-Jacques

En suivant les pas des pèlerins de Compostelle, on découvre à St-Trophime et à St-Gilles d'exceptionnels porches sculptés : ils concentrent à l'entrée de l'église toute l'ornementation de la façade en une prodigalité peu commune en Provence. À St-Gilles, les trois portails racontent de manière triomphale l'histoire de la Passion du Christ. On y trouve, placées dans des niches, de belles figures d'apôtres et d'archanges, très inspirées de l'antique.

Les moines bâtisseurs

À l'origine des plus belles constructions romanes du Midi se trouvent les communautés monastiques. L'exemple le plus majestueux de cette architecture, l'abbaye N.-D.-de-Montmajour, en réunit à elle seule toutes les qualités : des volumes simples, une épure décorative, une taille de la pierre inégalée... On y décèle, à travers les magnifiques chapiteaux du cloître, le même esprit fantastique qu'à St-Trophime.

Trois sœurs cisterciennes

L'architecture cistercienne a trouvé en Provence sa terre d'élection : les moines blancs de saint Bernard, dans leur souci de retourner aux sources de la vie monastique, ont reconnu dans l'épure des églises méridionales comme un écho de leur idéal architectural. Les abbayes de **Sénanque**, de **Silvacane** et du **Thoronet** mêlent à la fois l'austère et le sublime. Leur tracé rigoureux, leurs volumes parfaits et leur absolu dépouillement expriment l'essence même de la spiritualité cistercienne en quête de pureté.

Ces églises poussent à l'extrême la sobriété ornementale. Les chapiteaux à feuilles d'eau de Silvacane, pourtant si simples, constituent même une entrave au règlement, qui bannit toute sculpture : monstres et démons ne doivent en aucun cas distraire les moines de la prière. Lieux de recueillement et de silence, donc... Tout juste rompu par le chant des cigales, et par les chœurs sacrés qui s'échappent parfois des voûtes de pierre...

Gothique, baroque et classicisme

Avec l'installation des papes en Avignon, au début du 14ᵉ s., la « nouvelle Rome » se couvre d'églises gothiques. Des artistes originaires de toute l'Europe y affluent, faisant de cette ville un intense foyer de création... Puis, parallèlement au courant classique, le règne de Louis XIV voit en Provence l'épanouissement d'un art baroque d'une vitalité extraordinaire, sur le chemin entre Rome et Paris.

« L'Annonciation » par Taddeo di Bartolo (musée du Petit Palais, Avignon).

Le gothique des papes

Églises et chapelles

En Avignon, les papes ne se sont pas contentés de métamorphoser l'ancienne demeure épiscopale en un somptueux palais ; ils ont présidé à plusieurs chantiers d'envergure, telle la superbe chartreuse de Villeneuve-lès-Avignon.

À la fin du 14ᵉ s., les plans s'enrichissent, comme à l'église des Célestins. Les nefs s'illuminent, et plus encore les chœurs. À St-Martial, les fenêtres s'étirent entre les contreforts de l'abside : des flots de lumière se déversent sur un décor de fines dentelles, qui rendent plus sensible encore la légèreté de la structure.

Un goût pour le décor est déjà manifeste dans les tombeaux des papes Jean XXII, à N.-D.-des-Doms, et Innocent VI, à la chartreuse de Villeneuve, véritables joyaux de la sculpture gothique avignonnaise.

De Simone Martini à Nicolas Froment

Au 14ᵉ s., Avignon fait figure de « Nova Roma » : nombre d'artistes italiens affluent à l'appel des papes, tel Simone Martini, qui laisse sur le paysage comtadin l'empreinte d'une beauté idéale.

L'écho du faste de la cour des papes résonne dans le monde chatoyant peint par **Matteo Giovannetti**, qui ouvre la danse de la « peinture gothique internationale ».

Après le départ des papes, la vie picturale avignonnaise s'endort, bientôt relayée par Aix-en-Provence. Des artistes originaires du Nord ou des Flandres y découvrent le moyen d'unifier des compositions monumentales comme le triptyque de *L'Annonciation* dans l'église de la Madeleine à Aix. À la chartreuse de Villeneuve, le *Couronnement de la Vierge* d'Enguerrand Quarton marque le renouveau pictural avignonnais, tandis qu'à Aix, Nicolas Froment exécute pour la cathédrale le retable du *Buisson ardent*.

ENTRE DÉFENSE ET RÉSIDENCE
Au cours du 13ᵉ s., le Midi élève des enceintes urbaines considérables, comme à **Aigues-Mortes**, parangon de la fortification royale de la deuxième moitié du siècle. L'élément phare en est la tour de Constance, défensive et symbolique, édifiée sur le modèle de la tour circulaire du Louvre de Philippe Le Bel. Ouvrages de défense, les châteaux deviennent aussi de plus en plus des lieux de vie : ainsi, dans le château de **Tarascon** reconstruit au 15ᵉ s., la fonction résidentielle finit par supplanter la fonction défensive.

« *Le Faune* » par Pierre Puget.

Baroque provençal

Un art de l'excès

Tel nous apparaît ce baroque provençal qui anime l'architecture en multipliant les fioritures. Statues et reliefs se déploient surtout dans le décor intérieur des chapelles de confréries, comme celle des Pénitents Noirs d'Avignon. Dans l'ancienne église marseillaise des Récollets, l'austérité extérieure rend plus saisissante encore l'exubérance de la nef. Cette faconde décorative, qui tire sa source d'un regard ébloui par la Rome du Bernin, prend toute sa splendeur dans la *Gloire* sculptée par **Jacques Bernus** dans le chœur de la cathédrale de Carpentras.

Bernard J./Musée des BA de Marseille

L'architecture entre en scène

Excellant dans l'agencement de l'espace, les architectes ménagent les effets de surprise. On découvre ainsi dans l'hôtel de ville d'Aix, conçu par **Pierre Pavillon**, l'un des plus anciens escaliers « à l'impériale » français. Cette plastique de l'espace culmine à la fin du 17ᵉ s. dans la chapelle de la Charité de **Pierre Puget**, à Marseille.

Le paysage urbain n'échappe pas à cet art de la mise en scène. À Aix, l'aménagement du quartier Mazarin conduit à la création d'un cours planté d'ormeaux, tout de pierre et d'eau, d'arbres et de lumière. Pour magnifier cette plastique monumentale, on élève de somptueux hôtels, aux façades colossales percées de portails à atlantes.

Longtemps célébré comme « le plus bel endroit du monde », le cours de Marseille s'inspire de celui d'Aix. Puget a par ailleurs entrepris d'unifier les propriétés d'un îlot entier, sous l'apparence d'un hôtel particulier aux proportions démesurées. Un haut lieu de l'art baroque, hélas en grande partie disparu.

La tentation classique

À partir de la fin du 17ᵉ s., les architectes suivent une veine plus classique et s'inspirent de la Renaissance, en particulier dans leurs églises, où triomphent les modèles romains de la Contre-Réforme. Ils regardent aussi vers la capitale, dont les ouvrages influencent l'église St-Julien à Arles, ou encore celle des Chartreux à Marseille. Dès le milieu du 17ᵉ s., **Pierre Mignard** s'était fait l'apôtre d'un classicisme provençal en édifiant des hôtels d'un genre très parisien, particulièrement en vogue au siècle suivant.

Chasse au faucon dans la chambre du Cerf, fresque du 14ᵉ s. (palais des Papes, Avignon).

Atlante du pavillon Vendôme, Aix-en-Provence.

Campion L./MICHELIN

Lumière et couleurs

Terre natale pour certains, d'adoption pour beaucoup, la Provence invite à la création. D'une pureté sans égal, sa lumière inonde généreusement la terre, l'eau, la roche, éclatante palette contrastant à l'infini. Une source d'inspiration intarissable...

« Les Collines d'Allauch » par Paul Guigou, 1862 (musée des Beaux-Arts, Marseille).

À la recherche de la lumière

Dans le sillage de J.-A. Constantin (1756-1844) et de F.-M. Granet (1775-1849), les peintres du 19e s. travaillent sur la luminosité qui baigne la nature provençale. Autour d'Émile Loubon (1809-1863), l'**école paysagiste** regroupe des artistes comme Paul Guigou (1834-1871), qui annonce déjà l'impressionnisme, et Adolphe Monticelli (1824-1886), dont les représentations confinent parfois à l'abstraction.

Dans leur lignée s'imposent à partir de 1870 les **naturalistes**, tels Achille Emperaire (1829-1898) et Joseph Ravaisou (1865-1925) à Aix, Clément Brun (1868-1920) et Paul Saïn (1853-1908) en Avignon. À Marseille, les premiers artistes plantent leur chevalet sur les collines de l'Estaque : Joseph Garibaldi (1863-1941), Alphonse Moutte (1840-1913) – avec des scènes de pêcheurs très réalistes – et J.-B. Olive (1848-1936), bientôt suivis par **Félix Ziem** (1821-1911). Ce dernier ouvre une voie nouvelle, traitant la couleur en tant que telle, non plus seulement comme effet de lumière *(voir le musée Ziem, à Martigues)*.

Van Gogh
Loin de sa Hollande natale, Van Gogh (1853-1890) s'installe à **Arles** *(voir ce nom)* en 1888, pour « voir une autre lumière ». De fait, il la restitue en peinture avec un génie fiévreux, presque halluciné, tant dans ses paysages *(Vue d'Arles aux iris, Les Alyscamps)* que dans ses portraits *(L'Arlésienne, Vieux Paysan provençal)*. Par leurs couleurs vives et leurs formes exacerbées, les œuvres de ces années provençales expriment les « terribles pas-

« La Chambre de Van Gogh à Arles » par Vincent Van Gogh, 1889 (musée d'Orsay, Paris).

« L'Estaque. Vue du golfe de Marseille »
par Paul Cézanne (musée d'Orsay, Paris).

Lewandowski H./RMN

sions » et souffrances intérieures qui animent l'artiste. Interné à l'hospice de **St-Rémy** *(voir ce nom)* pendant près d'un an, il peint des toiles plus torturées, où la nature, qui se fait parfois menaçante, déploie à l'infini ses lignes sinueuses, accentuées par une touche tournoyante, comme dans *Les Blés jaunes au cyprès*, *Les Oliviers*, ainsi qu'une inquiétante série d'*Autoportraits...* Après deux années d'intense création, il quitte la Provence en 1890, et se suicide peu après.

Cézanne

Originaire d'**Aix** *(voir ce nom)*, Cézanne (1839-1906) côtoie à Paris les impressionnistes, avant de s'installer à l'Estaque en 1870. Comme eux, il cherche d'abord à traduire la vibration de la lumière et la subtile variation des teintes, le frémissement des reflets et des nuances. Mais dès 1879, qui ouvre sa période dite constructive, son style s'émancipe. Jouant davantage des volumes, il juxtapose les touches de couleur, déclinant les modules géométriques pour traiter – comme il l'écrit – « la nature par le cylindre, la sphère, le cône, le tout mis en perspective ». En quête de perfection, il consacre à la montagne Ste-Victoire une soixantaine de toiles... dont aucune ne le satisfait pleinement. Ses recherches, annonciatrices du cubisme, se poursuivront jusqu'à sa mort.

« Pinède à Cassis » par Derain.

Musée Cantini, Marseille/©ADAGP, Paris 2005

Une terre d'accueil

Tout au long du 20ᵉ s., la Provence continue d'attirer une foule d'artistes, dont beaucoup bouleversent durablement la peinture.

Afin de mieux contenir le flot de lumière du Midi et de rendre le contraste simultané des couleurs, **Paul Signac** (1863-1935) fait évoluer sa technique pointilliste.

Devenue le rendez-vous privilégié de l'avant-garde, l'Estaque inspire dès 1908 les premières compositions cubistes de **Georges Braque** et de **Pablo Picasso**.

Quant aux fauves **Henri Matisse**, **Raoul Dufy** et **André Derain**, ils trouvent en Provence matière à exalter le pouvoir émotionnel de la couleur, généreusement déployée en aplats.

La génération qui émerge après-guerre explore à son tour des horizons nouveaux... Établi près d'Aix de 1947 à 1987, le père du « dessin automatique » surréaliste, **André Masson**, fait une série de *Paysages provençaux*. Dans un tout autre style, Nicolas de Staël séjourne lui aussi en Provence, tandis que **Victor Vasarely** ouvre à Aix *(voir ce nom)* une fondation qui présente ses recherches optiques et cinétiques, et que le Nîmois **Claude Viallat** anime dans les années 1960 le mouvement Supports/Surfaces *(voir ses vitraux dans l'église N.-D.-des-Sablons, à Aigues-Mortes)*.

Aujourd'hui, la création continue de foisonner. Une pléiade de jeunes artistes, sortis pour certains de l'école d'art de Luminy, à Marseille, travaillent dans la région, où trois musées d'art contemporain se distinguent par l'audace de leurs choix : le MAC de **Marseille**, le Carré d'Art de **Nîmes** et, en **Avignon**, la collection du galeriste Yvon Lambert présentée dans un beau bâtiment du 18ᵉ s., l'hôtel de Caumont, dont le classicisme épuré s'accorde fort bien avec des œuvres contemporaines parfois déconcertantes...

Roussillon, une ville ocre sur le ciel bleu de Provence.

Malburet J./MICHELIN

Malburet J./MICHELIN

Villes
et sites

Aigues-Mortes★★

« Vaisseau de haut bord » (Chateaubriand) échoué entre étangs, salines, marais et canaux, Aigues-Mortes apparaît tel un mirage, dressant ses longues murailles aux tons de miel, délicatement rosées par les rayons du couchant.

La situation

Carte Michelin Local 339 K7 – Gard (30). Qu'on arrive de Nîmes par la D 769 ou d'Arles par la D 58, il faudra traverser une zone commerciale et artisanale, puis le canal du Rhône à Sète, pour découvrir la vieille ville depuis le pont (attention au virage à angle droit...) ; parking *(payant)* au pied des remparts.

🚹 *Pl. St-Louis, BP 32, 30220 Aigues-Mortes,* ☎ *04 66 53 73 00. www.ot-aiguesmortes.fr*

Le nom

Aquae mortae : les eaux mortes. Les habitants du lieu trouvaient ce nom si lugubre qu'ils demandèrent en 1248 à saint Louis d'adopter celui, plus optimiste, de *Bona per forsa* (« Bonne malgré tout », en latin de cuisine). Mais, pareille aux bras morts du Rhône, la requête se perdit dans les sables.

Les gens

6 012 Aiguesmortains, ou « Ventrebleus » pour leurs voisins du Grau-du-Roi, outre la statue de saint Louis.

comprendre

Au commencement était le sel – Exploitées dès l'Antiquité, les salines d'Aigues-Mortes attirèrent pêcheurs et sauniers dans ce lieu insalubre. Les moines bénédictins y établirent dès le 8ᵉ s. l'**abbaye de Psalmodi** afin d'exploiter cette denrée précieuse dans les étangs de Peccais. Les salines resteront très longtemps une des principales ressources de la ville.

Pour parvenir aux « tables saunantes », l'eau pompée dans la mer parcourt plus de 70 km dans des roubines ; la concentration de chlorure de sodium y passe de 29 à plus de 260 g/l. Récolté mécaniquement, le sel est

---

VRAI SERPENT DE MER
Lorsque saint Louis embarqua en 1248 pour la 7ᵉ croisade, la mer venait battre le pied des remparts d'Aigues-Mortes. Faux : d'abord il n'y avait pas de remparts. Quant aux navires, ils devaient emprunter un chenal, le canal vieil, pour atteindre la mer au Grau Louis, ouvert sur une vaste baie, l'anse du Repos, devenue depuis étang du Repausset.

VENGEANCE
Grevé de taxes (dont la fameuse gabelle instituée en 1343), le sel suscita une telle contrebande que Sully, agacé (et toujours soucieux des deniers publics), voulut faire noyer en 1596 tous les salins provençaux.

Aigues-Mortes, une ville fortifiée posée sur les étangs.

carnet pratique

VISITE

Visites guidées de la ville – Visite du Petit Musée d'Histoire et d'Archéologie, des chapelles des Pénitents-Blancs, des Pénitents-Gris, de l'église Notre-Dame des Sablons et de la place Saint-Louis. Juil.-août sur réservation à l'Office de tourisme.
☎ 04 66 53 73 00. 5 € (enf. 2 €).

Tour de la ville en train touristique – SEPTAM - ☎ 04 66 53 85 20 - avr.-sept. : 4 € (enf. 2,50 €). Circuit de 20mn, dép. porte de la Gardette tous les 45mn.

Isles de Stel – 12 r. Am.-Courbet - ☎ 04 66 53 60 70 ou 06 10 90 16 68 - www.isles-de-stel.fr - fermé 30 sept.-1ᵉʳ avr - 10 € (enf 6 €). Promenade en péniche sur la Petite Camargue, à la découverte de sa faune et de sa flore exceptionnelles. Arrêt dans une manade pour assister au travail des gardians à cheval.

Péniche Pescalune – 46 r. de la Pinède - ☎ 04 66 53 79 47 - peniche.pescalune@wanadoo.fr - tlj sf dim. mat. 10h30, 15h. Dép. au pied de la tour de Constance. Promenade commentée de 2h30 par le chenal maritime du Grau-du-Roi, le cours du Vidourle et le canal du Rhône à Sète.

SE LOGER

😊 **St-Louis** – 10 r. Am.-Courbet - ☎ 04 66 53 72 68 - hotel.saint-louis@wanadoo.fr - fermé nov.-mars - 22 ch. 62/102 € - 🖵 10 € - restaurant 20/35 €. Intra-muros, à deux pas de la tour de Constance, cette charmante demeure du 17ᵉ s. abrite des chambres actuelles et colorées. En hiver, restaurant au décor provençal avec cheminée ; en été, jolie cour intérieure ombragée. Plats traditionnels.

SE RESTAURER

😊 **L'Aigo Boulido** – Chemin Bas-de-Peccais - contourner les remparts et prendre la petite route face à la porte de la Reine ; après 1,5 km prendre à droite un chemin de terre - ☎ 06 13 24 79 31 - fermé de mi-oct. à fin mars - 🖵 - réserv. conseillée - 10/60 €. L'aigo Boulido est un bouillon à l'ail souverain pour les lendemains de fête, mais c'est aussi ce restaurant perdu dans les marais et les roseaux, face aux camelles de sel. L'endroit est divin lorsque la nuit tombe doucement sur les étangs... cuisine régionale, gambas à la plancha, etc.

😊 **Les Huîtres d'un Autre Monde** – 11 r. Alsace-Lorraine - ☎ 04 66 51 49 20 ou 06 08 05 63 57 - leshuitresdunautremonde@hotmail.com - ouv. w.-end et j. fériés, le soir en été - 🖵 - réserv. obligatoire de sept. à juin - 10/25 €. Qu'elle vienne de Bretagne ou de Normandie, de Bouzigues ou d'Aigues-Mortes, l'huître est ici à l'honneur. Vente à emporter ou dégustation sur place avec un petit blanc du pays. Également, coquillages au détail ou en plateau.

😊😊 **Salicorne** – 9 r. Alsace-Lorraine - ☎ 04 66 53 62 67 - www.la-salicorne.com - fermé 3 janv.-10 fév. - 17/55 €. Ce restaurant, niché dans une petite rue à l'écart de l'animation de la place, propose une cuisine qui sait s'inspirer des traditions provençales pour les revisiter avec finesse et originalité. Excellent choix de vins des Costières voisines. Agréable terrasse dressée sous une belle pergola.

😊😊 **Le Café de Bouzigues** – 7 r. Pasteur - ☎ 04 66 53 93 95 - www.cafedebouzigues.com - fermé 3 janv.-3 fév. et 15 oct.-10 déc. - 17 € déj. - 22/31 €. Eh non ! Vous ne mangerez pas de moules de Bouzigues dans ce café, mais une cuisine locale parfumée, dans une salle à manger colorée... À moins que vous ne préfériez la cour-terrasse, très originale avec sa collection de brocs et de cages à oiseaux.

😊😊😊 **Les Arcades** – 23 bd Gambetta - ☎ 04 66 53 81 13 - info@les-arcades.fr - fermé 2-23 mars, 5-20 oct., mar. midi, jeu. midi et lun. sf le soir en juil.-août - 34/44 € - 9 ch. 100/110 € 🖵. Cette demeure du 16ᵉ s. a du caractère avec sa série d'arcades bordant la rue. Dans la salle à manger aux jolies tomettes et pierres apparentes, vous goûterez une cuisine appétissante élaborée avec des produits frais. Quelques spacieuses chambres garnies de mobilier provençal.

QUE RAPPORTER

Marché traditionnel – Av. Frédéric-Mistral - merc. et dim. 8h30-12h30.

Domaines de Jarras-Listel – Quai de Jarras - ☎ 04 66 51 17 00 - www.listel.fr - visite guidée et dégustation (35-40mn) en avr.-oct. : 10h-18h ; nov.-mars : tlj sf dim. 10h-11h30, 14h-16h30 - fermé j. fériés et w.-end d'oct. à fin mars. Pour enrichir sa cave des célèbres gris de gris. Visite des chais en prime.

La Bandido – 12 r. Pasteur - ☎ 04 66 53 72 31 - été : 9h30-12h, 15h-20h ; reste de l'année : 9h30-12h, 15h-19h - fermé nov.-fév., 25 déc. et 1ᵉʳ janv. La Bandido propose une belle gamme de chemises imprimées, vestes en velours noir, pantalons et jupes cavalières en peau de taupe, chapeaux, bottes et seden (lasso) pour jouer au gardian.

Fête de la Saint-Louis.

CALENDRIER

Fête votive – Sa particularité, ce sont les courses camarguaises qui se donnent au pied des remparts, dans le dernier "plan de théâtres" survivant : chaque famille possède son "théâtre", petit gradin de 2 m de large ; après avoir tiré au sort les emplacements, les théâtres sont montés côte à côte de façon à former une arène. Les courses sont précédées d'*abrivados* et suivies de *bandidos* particulièrement animés. *Octobre.*

amoncelé en de scintillantes « camelles » avant d'être conditionné. Récolté à Aigues-Mortes par la compagnie des Salins du Midi, il est réservé à l'usage alimentaire.

Une opération immobilière – Comme beaucoup de ses prédécesseurs, saint Louis avait une idée fixe : libérer les lieux saints des « infidèles ». Mais, à cette époque, la France ne comptait aucun port sur la Méditerranée. C'est chose faite (ou presque) en 1240 : les moines de Psalmodi cèdent un lopin de terre au souverain... Il y fait aussitôt aménager un port, construire la tour de Constance et l'église N.-D.-des-Sablons. Attirer des habitants en ce lieu plutôt insalubre et éloigné de tout n'était pas chose facile : on accorda donc maints privilèges aux intrépides qui acceptèrent de s'y établir... Et le 28 août 1248, 1 500 navires appareillèrent pour Chypre. L'expédition, qui dura 8 ans, ne donna guère de résultats, si bien que le roi décida de repartir en 1270. Victime du typhus, il dut s'aliter à Tunis et mourut quelques jours plus tard. C'est son fils Philippe le Hardi qui, en 1272, commanda la construction des remparts à un entrepreneur génois, Guillaume Boccanegra.

La lutte contre le sable – Des heurs et malheurs de son grand roi, Aigues-Mortes tira malgré tout une prospérité certaine, grâce au développement de son port. Les villes italiennes comme Venise l'utilisaient et diverses ordonnances lui accordèrent le monopole du commerce français en Méditerranée. Cependant, cette opulence allait péricliter avec l'ensablement du canal, puis la fermeture et la transformation en étang de l'anse du Repos, au 16e s. Malgré des travaux continuels et le percement de l'actuel chenal maritime vers le Grau-du-Roi, le destin d'Aigues-Mortes ne sera plus lié à la mer. L'annexion de la Provence en 1482 donne la prééminence au port de Marseille et la création du port de Sète, en 1666, portera le coup de grâce aux aspirations maritimes des Aiguesmortains.

> **MACABRE SAUMURE**
> En 1421, les Armagnacs massacrèrent les Bourguignons qui tenaient la place. Mais que faire des corps ? Traitons-les comme les poissons, se dirent les Armagnacs. On plaça donc dans la tour une couche de Bourguignons, une couche de sel et ainsi de suite. Si l'histoire reste sujette à caution, on avouera qu'elle ne manque pas de sel.

se promener

LE CENTRE-VILLE

Compter 1h. La ville fut dessinée sur le modèle des bastides, selon un plan régulier de 550 sur 300 m quadrillé par des rues rectilignes. Protégée du vent salé par ses hautes murailles, Aigues-Mortes semble avoir aussi échappé à l'usure du temps. Vous y trouverez de nombreux cafés, échoppes d'artisans, magasins de souvenirs et galeries d'art autour de la place St-Louis et dans les rues principales.

Entrer par la porte de la Gardette que prolonge la Grand'Rue Jean-Jaurès et prendre à gauche la rue de la République.

Chapelle des Pénitents Blancs

☎ *04 66 53 73 00 - visite guidée sur réservation à l'Office de tourisme.*

Cette chapelle baroque, rendue au culte tous les ans pour le dimanche des Rameaux, abrite ostensoirs, dais et lanternes, qui étaient utilisés lors des processions par cette confrérie instituée en 1622. Remarquez, derrière le chœur, l'immense *Pentecôte* de Xavier Sigalon.

Poursuivre tout droit par la rue Baudin, puis tourner à droite dans la rue Rouget-de-l'Isle et enfin à gauche dans la rue Paul-Bert.

Chapelle des Pénitents Gris

☎ *04 66 53 73 00 - visite guidée sur réservation à l'Office de tourisme.*

Baroque toujours, cette charmante chapelle encadrée de cyprès fut élevée en 1607. Elle servit sous la Révolution d'entrepôt à fourrage : c'est sans doute ce qui a sauvé de la destruction le délirant retable baroque sculpté par Jean Sabatier.

Revenir sur ses pas et prendre en face la rue Pasteur jusqu'à la place St-Louis.

Église Notre-Dame-des-Sablons★

Édifiée sous saint Louis, l'église gothique fut parfois pillée, souvent remaniée... et subit bien des avatars (elle servit même, un temps, d'entrepôt à sel). Une belle charpente et un décor dépouillé sont mis en lumière par les vitraux contemporains de **Claude Viallat**, l'apôtre nîmois du groupe Supports/Surfaces.

Place St-Louis

Jolie place ombragée de platanes, cœur animé de la cité. Au centre, juché sur son piédestal, saint Louis (par Pradier, 1849) surveille d'un œil indulgent la foule qui, l'été, envahit les terrasses des cafés et des restaurants. La **chapelle des Capucins**, édifiée au 17ᵉ s. avec des pierres venant de l'ancien môle de la Peyrade, servit de halle couverte jusqu'à sa reconversion en lieu d'exposition.

Rejoindre les remparts à la porte de l'Organeau par la rue Victor-Hugo et suivre à droite le boulevard intérieur Sud puis le boulevard Ouest, voies qui permettaient à la garnison de se déplacer rapidement. On rejoint ainsi la porte de la Gardette.

LES FORTIFICATIONS

Compter 45mn – accès par la place Anatole-France. ☎ *04 66 53 61 55 - www.monum.fr - &. - mai-août : 10h-19h (dernière entrée 1h av. fermeture) ; sept.-avr. : 10h-17h30 - fermé 1ᵉʳ janv., 1ᵉʳ Mai, 1ᵉʳ et 11 Nov. et 25 déc. - 6,10 € (-18 ans gratuit).*

Tour de Constance★★

Ce puissant donjon circulaire de 40 m de hauteur (y compris la tourelle) fut édifié entre 1240 et 1249 ; le châtelet d'entrée et le pont qui le relie au rempart datent, eux, du 16ᵉ s. La salle de garnison, voûtée de belles ogives, a gardé son four à pain ; un oculus percé en son centre servait d'accès au cul-de-basse-fosse. Un escalier à vis mène à l'oratoire du roi, petite pièce ménagée dans le mur, puis à la salle haute, où furent emprisonnés maints huguenots.

Magnin G. /MICHELIN

Du sommet de la tourelle de guet de la tour de Constance, que surmonte une cage en fer forgé (elle protégeait jadis une lanterne servant de phare), un immense **panorama★★** se découvre au-delà des remparts sur les salins, la Camargue, les pyramides de la Grande-Motte, Sète et la barre bleutée des Cévennes.

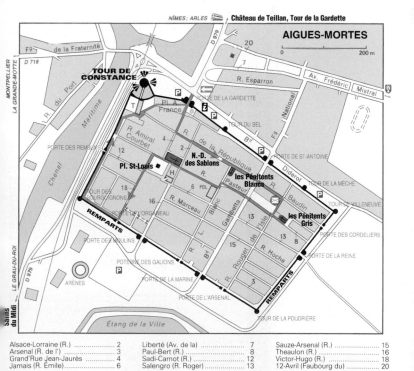

NÎMES ; ARLES Château de Teillan, Tour de la Gardette

AIGUES-MORTES

0   200 m

Les remparts**

Un tour des remparts par le chemin de ronde permet de découvrir la ville, avec de belles perspectives sur le chenal maritime (aujourd'hui port de plaisance) et les salins d'Aigues-Mortes. Les plus imaginatifs se mettront sans peine dans la peau des soldats de la garnison chargés de défendre la cité, à ceci près que les douves qui protégeaient l'enceinte ont été comblées. Édifiées à partir de 1270, les murailles d'Aigues-Mortes (en pierre de Beaucaire et des Baux) nous sont parvenues intactes, ce qui en fait le meilleur exemple d'architecture militaire du 13ᵉ s. Elles dessinent un grand quadrilatère dont les murs, surmontés de chemins de ronde, sont flanqués de tours. Les plus fortes, placées aux angles et aux portes principales, sont couvertes de terrasses comprenant deux salles voûtées.

S'il n'y avait que deux portes côté Nord, les quais d'embarquement du port de l'étang de la Ville (aujourd'hui asséché), côté Sud, étaient desservis par cinq portes. La porte de l'Organeau doit son nom à l'organeau (anneau de fer) où les nefs venaient s'amarrer. Quant à la porte des Galions, elle rappelle que les galères venaient se ranger à cet endroit.

UN PETIT CREUX ?
Saupoudrée de sucre glace et parfumée à la fleur d'oranger, la **fougasse d'Aigues-Mortes** saura vous requinquer avant d'entreprendre le tour des remparts.

alentours

Salins du Midi
3 km au Sud par la route du Grau-du-Roi. Mars-oct. : visite guidée en petit train ou en bus panoramique au dép. des caves de Listel (route du Grau-du-Roi). Information et réservation : ☎ 04 66 73 40 24 ou 04 66 73 40 26. www.salins.fr La visite permet de suivre les étapes de l'obtention du sel, autrefois et aujourd'hui.

Tour Carbonnière
3 km au Nord en direction de St-Laurent-d'Aigouze. Tracée sur une digue parmi étangs et roseaux, la route, ancienne piste de sauniers, constituait autrefois le seul accès terrestre vers Aigues-Mortes. Rien d'étonnant à ce qu'on y

Étincelantes dans la lumière camarguaise, les camelles, collines de sel posées sur les étangs.

ait édifié au 14ᵉ s. cette tour afin de défendre la ville contre les visiteurs indésirables, avant d'y installer, en 1409, un poste de péage... La garnison vivait dans une salle au 1ᵉʳ étage (cheminée et four à pain). De la plate-forme, vue sur les étangs.

Château de Teillan
13 km au Nord-Est par la D 979 puis, après St-Laurent d'Aigouze, la D 288 à gauche. ☎ *04 66 88 02 38 - visite guidée sur demande (1h) de mi-juil. à fin août : tlj sf lun. 15h-17h - 4,50 €.*
Castrum gallo-romain, puis prieuré de l'abbaye de Psalmodi, c'est depuis le 17ᵉ s. un château que surmonte une tour de guet (belle vue depuis la terrasse). Dans le parc, bien agréable en été, nombreux autels romains et bornes milliaires, ainsi qu'une remarquable *noria* (machine permettant de puiser de l'eau de façon continue).

Le Grau-du-Roi⚄ *(voir ce nom)*

> **NOTE SALÉE**
> Le sel a toujours été considéré comme une matière précieuse : les légionnaires romains étaient payés pour partie en sel, ce qui a donné en français le mot salaire.

Aix-en-Provence★★

Cité classique des 17ᵉ et 18ᵉ s. avec ses avenues majestueuses, ses hôtels élégants aux façades mordorées, ses fontaines gracieuses, ses petites places discrètes et pleines de fraîcheur, la ville du calisson se veut aussi 21ᵉ arrondissement de Paris et métropole étudiante aux brasseries et aux terrasses perpétuellement animées : une ville d'aujourd'hui, mais qui a su préserver un héritage culturel raffiné.

La situation
Carte Michelin Local 340 H4 – Schéma p. 352 – Bouches-du-Rhône (13). D'où l'on arrive, on emprunte fatalement la ceinture de boulevards qui enserre la vieille cité... Les places de parking étant rares, un conseil : cherchez du côté du boulevard du Roi-René, au Sud, ou sur le boulevard Aristide-Briand au Nord.
🛈 *2 pl. du Gén.-de-Gaulle, 13100 Aix-en-Provence,* ☎ *04 42 16 11 61. www.aixenprovencetourism.com*

Le nom
Aquae Sextiae, ainsi se nommait le camp romain honorant à la fois les eaux thermales et le consul Sextius, qui réduisit les Salyens en esclavage. Les gens du cru abrégèrent bientôt en Aquis, qui devint en provençal Aïs.

Les gens
134 222 Aixois. Dans une cité vouée à la musique, on ne pouvait faire moins que de distinguer un musicien : **Darius Milhaud** (1892-1974), membre du groupe des Six et compositeur du fameux *Bœuf sur le toit*. Certes, il est né à Marseille en 1892, mais il descendait d'une famille aixoise.

Sauvignier S. /MICHELIN

Selon la légende, les calissons auraient été confectionnés pour dérider la reine Jeanne le jour de son mariage avec le roi René : la jeune épousée ne manifestait guère d'enthousiasme jusqu'à ce qu'on lui présente ces friandises faites d'un tiers d'amandes, d'un tiers de sucre et d'un tiers de melon confit.

UNE VILLE À VIVRE
Prenez le temps de visiter, ou mieux, de vivre Aix : ses nobles avenues bordées d'hôtels aux tonalités de cuivre, ses boulevards ombragés de magnifiques platanes, ses fontaines bruissantes déploient le cadre somptueux d'une vie gaie et animée. Allez dans le dédale de ruelles du vieil Aix, sur le cours Mirabeau que l'on « fait » à la recherche d'un visage connu installé à une terrasse de café, dans les librairies où l'on resterait des heures en quête de l'oiseau rare, passez devant les vitrines des antiquaires, des galeries d'art, des boutiques de luxe... pour, à la nuit tombante, vous mêler à la foule des étudiants devant les cinémas, puis, plus tard, choisir une table parmi les innombrables restaurants, et flânez encore, nez au vent, pour capter une dernière parcelle de cette magie qui émane des lieux, cet indéfinissable art de vivre, à la fois ludique et raffiné, qui les imprègne.

TRANSPORTS

En train – Aix-en-Provence est desservi par le TGV Méditerranée (2h50 depuis Paris). La gare TGV est éloignée du centre-ville (12 km au SO) mais des navettes circulent (de 5h50 à 23h50).

Le **TER** relie Marseille à Aix-en-Provence en 45mn.

En voiture – Aix est à 30 km au N de Marseille par l'A 51.

VISITE

Visites guidées de la ville – Aix, qui porte le label Ville d'art et d'histoire, propose des visites-découvertes (2h) animées par des guides-conférenciers agréés par le ministère de la Culture et de la Communication. *Renseignements à l'Office de tourisme ou sur www.aixenprovencetourism.com*

Circuits thématiques – Circuit pédestre Cézanne - de mi-mai à mi-oct. : jeu. 10h. Circuit commenté des bastides et jardins du pays d'Aix - mai-juil. : lun. 14h-19h, dans les vallées de l'Arc et des Pinchinats. *Renseignements à l'Office de tourisme - www.aixenprovencetourism.com*

Visa pour Aix et le pays d'Aix – La carte Visa, vendue au prix de 2 € dans les musées et les différents offices de tourisme participant à l'opération, donne droit à des tarifs réduits pour de nombreuses prestations : bus, visites guidées, spectacles, musées, etc.

SE LOGER

Centrale de réservation – Au sein de l'Office du tourisme d'Aix, elle permet de réserver un hébergement (sans frais supplémentaires) - ☎ 04 42 16 11 84/85 - resaix@aixenprovencetourism.com - www.aixenprovencetourism.com

🍽🍽 **Le Manoir** – *8 r. d'Entrecasteaux - ☎ 04 42 26 27 20 - msg@hotelmanoir.com - fermé 7-30 janv. - 🅿 - 40 ch. 55/83 € - ☐ 9 €.* Belle construction ancienne, naguère fabrique de chapeaux. Un élément de cloître du 14e s. y est annexé ; aménagé en terrasse d'été, il procure une atmosphère unique. Préférez les chambres rénovées, les autres offrent en effet un décor un tantinet désuet.

🍽🍽 **Hôtel Cardinal** – *24 r. Cardinale - ☎ 04 42 38 32 30 - hotel.cardinal@wanadoo.fr - 29 ch. 58/100 € - ☐ 8 €.* Dans un immeuble du 18e siècle, au calme en plein quartier Mazarin, aménagé avec goût, mariant l'élégance d'hier au confort d'aujourd'hui. Son emplacement est parfait pour découvrir la ville à pied et oublier sa voiture (parking Mignet : 7 €/j).

🍽🍽🍽 **Hôtel St-Christophe** – *2 av. Victor-Hugo - ☎ 04 42 26 01 24 - saintchristophe@francemarket.com - 56 ch. 71/115,30 € - ☐ 9 €.* Une situation de choix pour cet hôtel aménagé en plein centre-ville, à deux pas du célèbre cours Mirabeau. Les chambres, de bon confort, présentent un cadre provençal ou de style années 1930.

🍽🍽🍽🍽 **Hôtel des Augustins** – *3 r. Masse - ☎ 04 42 27 28 59 - hotel.augustins@wanadoo.fr - 29 ch. 110/230 € - ☐ 10 €.* Voûtes de pierres et vitraux rappellent que cet hôtel situé à deux pas du cours Mirabeau a été aménagé dans un couvent du 15e s. Chambres de style moderne. Deux d'entre elles sont dotées d'une terrasse donnant sur les toits.

Pazery D./MICHELIN

Fontaine de la place de la Mairie.

SE RESTAURER

🍽 **Le Basilic Gourmand** – *6 r. du Griffon - une petite rue au NE de la mairie par la rue Paul-Bert - ☎ 04 42 96 08 58 - ouv. midi et soir sf dim. et lun. tlj mais le soir en juin.- août - 11,50/50 €.* Une décoration de style brocante dans un environnement aux tons safran et une cuisine méditerranéenne légère où tout le monde se fait plaisir. Terrasse.

🍽 **Chez Charlotte** – *32 r. des Bernardines - ☎ 04 42 26 77 56 - fermé août, dim. lun. - 🚫 - 13/16 €.* On entre par un salon intime que les photos de famille ont teinté de nostalgie. La salle principale est dédiée au cinéma présent et futur. L'été, c'est dans la petite cour sous le figuier que l'on s'installe. Cuisine traditionnelle simple suivant les saisons. Le patron ne laisse pas indifférent.

🍽🍽 **Chez Antoine "Côté Cour"** – *19 cours Mirabeau - ☎ 04 42 93 12 51 - fermé lun. midi et dim. - 20/80 €.* En retrait du cours Mirabeau, dans un patio-véranda lumineux agrémenté de plantes vertes. Toutes les saveurs provençales et italiennes sont au rendez-vous. Goûtez aux aubergines à la parmesane et aux calamars farcis. Un endroit où l'on aime à se montrer.

🍽🍽 **Les Deux Frères** – *☎ 04 42 27 90 32 - fermé lun. d'oct. à juin et dim. - 23/30 €.* L'aîné mitonne une appétissante cuisine dans l'air du temps tandis que le cadet reçoit les hôtes dans un cadre panachant couleurs "tendance" et mobilier de style bistrot.

🍽🍽 **La Vieille Auberge** – *63 r. Espariat - ☎ 04 42 27 17 41 - fermé 5-19 janv., 17-23 nov. et lun. midi - 18 € déj. - 26/45 €.* Sur une placette très animée le soir, cadre rustique avec poutres, colonnes et monumentale cheminée en pierre de Rognes. Cuisine personnalisée, bon choix de menus et séduisante sélection de vins régionaux.

EN SOIRÉE

Café des Deux Garçons – *53 cours Mirabeau -* ☎ *04 42 26 00 51 - www.les2garcons.com - 7h-2h.* Cette célèbre brasserie - Cézanne et Zola furent des habitués de la maison - est une escale touristique à elle seule tant il est vrai que le décor du 18ᵉ s. tout en dorures, frises et boiseries vaut le coup d'œil. Terrasse très agréable et luxueux piano-bar à l'étage.

Château de la Pioline – *260 r. Guillaume-du-Vair, Les Milles -* ☎ *04 42 52 27 27 - www.chateaudelapioline.fr - 24 heures/24h.* Le bar de cet hôtel datant du 16ᵉ s. arbore de superbes décors à l'image des salons Médicis (en souvenir de l'illustre Catherine) et Louis XVI. Aux beaux jours, profitez de la large terrasse tournée vers un jardin à la française de 4 ha.

QUE RAPPORTER

Foire aux santons – Décembre. Parking av. Victor-Hugo.

Marchés – Marché traditionnel tous les matins pl. Richelme ; mardi, jeudi et samedi pl. des Prêcheurs et pl. de la Madeleine. Marché aux fleurs mardi, jeudi et samedi pl. de l'Hôtel-de-Ville. Brocante et artisanat mardi, jeudi et samedi pl. Verdun.

Marché place de l'Hôtel-de-Ville.

Calissons du Roy René – *10 r. Clemenceau -* ☎ *04 42 26 67 86 - www.calisson.com - boutique : tlj sf dim. 8h-12h, 12h30-19h, sam. 10h-12h, 14h-19h - fermé j. fériés.* Faites provision des incontournables calissons et autres douceurs provençales (nougats blancs, noirs et aux fruits) dans cette jolie boutique tenue par la même famille depuis 1920. Les produits sont présentés dans de jolies faïences. Possibilité de visiter la fabrique (sur rendez-vous). Accueil courtois.

Léonard Parli – *35 av. Victor-Hugo -* ☎ *04 42 26 05 71 - www.leonard-parli.com - tlj sf dim. 8h-19h, sam. 9h-19h.* Ne quittez pas Aix sans faire un détour chez ce confiseur, véritable ambassadeur gourmand de la ville depuis 1874. Léonard Parli n'est pas l'inventeur du calisson, mais il a largement contribué à son renouveau et continue à le fabriquer de façon artisanale. Découvrez également ses autres spécialités : fruits confits, pâtes de fruits, pralines, nougats, sans oublier les fameux biscotins.

Maison L. Béchard – *12 cours Mirabeau -* ☎ *04 42 26 06 78 - bechard-aix@wanadoo.fr - tlj sf lun. 9h-19h, w.-end 8h-19h - fermé août.* Une institution à Aix-en-Provence... Cette maison a fêté ses 100 ans en 2001 et n'a rien perdu de son charme. Les serveuses officient toujours en tablier blanc et les gourmandises exposées sont très appétissantes. Deux spécialités : les calissons et les biscotins (noisettes enrobées d'une pâte fine). Également, rayon traiteur.

Château de la Gaude – *Rte des Pinchinats -* ☎ *04 42 21 64 19 - chateaudelagaude@club-internet.fr – tlj sf dim. 9h-19h.* Pour flâner dans les jardins du château 18ᵉ et goûter un vin classé AOC Coteaux-d'Aix.

Liquoristerie de Provence – *36 av. de la Grand-Bégude - Aix-en-Provence, prendre direction Gap/Sisteron, puis prendre la sortie n° 13 Venelles - 13770 Venelles -* ☎ *04 42 54 94 65 - www.versinthe.net - tlj sf dim. 9h-12h45, 14h-18h, sam. 9h-13h, 14h30-18h30.* Adresse précieuse que cette boutique dédiée aux apéritifs et liqueurs de Provence. La liquoristerie s'est illustrée dès son ouverture, en 1999, par la réintroduction de l'absinthe qu'elle a rebaptisé Versinthe. L'Aqualanca, la Blanche de Versinthe et le P'tit Bleu de Marseille, plusieurs fois médaillés dans divers concours, connaissent également un grand succès. Visite et dégustations gratuites.

Artisanat – Potiers, céramistes, tisserands, vanniers et orfèvres s'installent régulièrement sur le cours Mirabeau : à la fin mars, à la mi-mai, à la mi-juin, à la mi-oct. et à la mi-nov.

Santons Fouque – *65 cours Gambetta - Autoroute A 8, sortie Aix 3 Sautets (10mn à pied du centre ville) -* ☎ *04 42 26 33 38 - www.santons-fouque.com - tlj sf dim. 9h-12h, 14h-18h - fermé dim. sf en déc. et j. fériés.* Depuis quatre générations, la famille Fouque perpétue son savoir-faire et réalise toujours artisanalement ses santons. Cette maison a donné naissance à près de 1 800 modèles dont le fameux Coup de Mistral, berger plié sous la bourrasque. Visite gratuite de l'atelier de fabrication et du jardin (crèche en plein air).

Antiquités – Foires à la brocante, en centre-ville, à différentes périodes de l'année.

SPORTS & LOISIRS

Cité du Livre – *8-10 r. des Allumettes -* ☎ *04 42 91 98 88 - www.citedulivre-aix.com - tlj sf dim. et lun. 12h-18h (merc. sam. 10h).* Cette cité propose un ensemble de services qui ne peuvent que réjouir les littéraires : la superbe bibliothèque Méjanes, installée dans une ancienne fabrique d'allumettes de la fin du 19ᵉ s., diverses structures liées au métier du livre, nombreuses manifestations culturelles (danse, expositions, cinéma, etc.)

Thermes Sextius – *55 cours Sextius - ☎ 04 42 23 81 82 - www.thermes-sextius.com - tlj sf dim. 8h30-19h30, sam. 8h30-13h30, 14h30-18h30 - fermé 25 déc.* Les Thermes utilisent les eaux minérales chaudes d'Aix (36°) pour divers soins : bain hydromassant, application de boue, douche au jet, soins esthétiques, etc. Forfaits à l'heure, à la demi-journée ou à la journée. Espace « forme et détente » avec sauna, hammam, jacuzzi, piscine d'été, cardio-training et gymnastique.

Golf – *Chemin Départemental 9 - ☎ 04 42 24 20 41.* Parcours de 18 trous sur la zone d'activité des Milles.

CALENDRIER

Festival d'art lyrique et de musique - Créé en 1948 par Gabriel Dussurget, ce prestigieux festival se tient chaque été en juillet dans la cour de l'archevêché transformée en théâtre, au théâtre du jeu de Paume, au Grand St-Jean et à l'hôtel Maynier-d'Oppède. Le programme, axé sur les grandes oeuvres lyriques, avec une coloration très mozartienne, fait aussi la part belle à l'opéra baroque et à la musique contemporaine. Pendant les mois de juin et juil., l'académie européenne de Musique donne des concerts dans la ville. *Rens. et rés. : Festival international d'art lyrique et académie européenne de Musique, Service réservation, rue Gaston de Saporta, 13100 Aix-en-Provence, ☎ 04 42 17 34 34, www.festival-aix.com*

Nuit des Toiles – Parcours nocturne en images, son et lumière dans les jardins de l'atelier Cézanne en juillet-août.

Festival des Vins et Coteaux d'Aix – Dernier dimanche de juillet cours Mirabeau.

Foire aux santons – En décembre. Parking av. Victor-Hugo.

Antiquités – Foires à la brocante, en centre-ville à différentes périodes de l'année.

Journées des Plantes rares et méditerranéennes – Dernier week-end de mai, dans les jardins d'Albertas à Bouc-Bel-Air - ☎ *04 42 22 29 77 - www.jardinsalbertas.com.*

---

comprendre

La capitale du roi René – Certes, Aix n'a pas attendu le « bon roi René » pour exister. Mais c'est avec lui que la petite cité romaine fondée sur les décombres de l'oppidum d'Entremont, et déjà siège d'une université depuis 1409, allait connaître sa période la plus brillante.

René est également duc d'Anjou, roi très théorique de Naples et de Sicile et comte de Provence de surcroît, ce qui l'oblige à jouer un rôle politique pour lequel il est peu fait. S'il encourage le commerce, se soucie de l'état sanitaire de la population, stimule l'agriculture, c'est au prix d'une fiscalité pesante et d'une dépréciation de sa monnaie, qui inspire assez peu confiance... C'est que la splendeur a un prix et le mécénat aussi : le roi s'est entouré d'artistes de valeur, des flamands comme Barthélemy d'Eyck (auteur du *Triptyque de l'Annonciation*), des bourguignons ou des locaux comme l'Uzétien Nicolas Froment (à qui l'on doit le fameux *Triptyque du Buisson ardent*). Veuf d'Isabelle de Lorraine, le roi René épouse, à 44 ans, une jeune femme de 21 ans, Jeanne de Laval, la « reine Jeanne », qui devient bientôt aussi populaire en Provence que son époux.

Les enfants et petits-enfants du « bon roi » étant morts avant lui, son neveu Louis XI met l'Anjou dans son escarcelle... René désigne alors comme héritier Charles du Maine. Celui-ci s'éteint sans descendance en 1481 : la Provence à son tour tombe dans le domaine royal, sans coup férir.

Les nouveaux visages d'Aix – Une fois la ville réunie à la France, le roi se fait représenter à Aix par un gouverneur ; Aix se trouve alors désignée comme siège du Parlement, institué en 1501. Elle va connaître une seconde période de splendeur au 17ᵉ s. avec l'émergence d'une catégorie sociale, les « gens de robe » ou « robins ». Ces magistrats et juristes fortunés se font construire de splendides hôtels particuliers, les remparts sont rasés et remplacés par un « cours à carrosses » (l'actuel cours Mirabeau) au-delà duquel surgissent des quartiers nouveaux, comme le quartier Mazarin. Toujours prospère, la ville continue de s'embellir au 18ᵉ s. avec de larges avenues, des places, des fontaines, de nouveaux bâtiments publics comme le palais de justice qui, signe des temps, prend la place du vieux palais comtal...

Après la Révolution, Aix va souffrir du développement de Marseille. Il lui faut attendre les années 1970 pour connaître un renouveau s'appuyant sur deux axes : industriel avec les entreprises du secteur high-tech (zone d'activité des Milles et technopole du plateau d'Arbois) ; culturel avec le rayonnement de son université et de son Festival d'art lyrique. Cet essor économique et démographique s'accompagne d'un grand projet d'urbanisme, dans le prolongement des cours Sextius et Mirabeau (la Cité du Livre en est la première réalisation – *voir le « carnet pratique »*), où prend naissance l'Aix du 21ᵉ s.

découvrir

LA VILLE DE CÉZANNE

Fils d'un chapelier, **Paul Cézanne** est né à Aix en 1839. Après des études au collège de Bourbon où il se lie d'amitié avec Émile Zola, il fait son droit tout en commençant à peindre dans la campagne du Jas de Bouffan, demeure entourée d'un parc, aux portes d'Aix, achetée en 1859 par son père. À Paris, il fréquente les impressionnistes, mais ne rencontre aucun succès. De retour à Aix, malgré les louanges de Monet, Manet, Sisley et surtout Pissarro, il s'affranchit assez vite de la « technique » mise au point par ses amis, pour travailler sur les couleurs (il ose des rapports jamais employés avant lui) et les volumes. Après un séjour à l'**Estaque** *(voir chaîne de l'Estaque)*, qui sera pour lui une révélation, il connaîtra la (très tardive) consécration parisienne au Salon d'automne de 1904.

« *Les Baigneuses* » : une peinture essentielle dans l'œuvre de Cézanne.

Terlay B./musée Granet, Aix-en-Provence

Circuit Paul-Cézanne

Mis en place par l'Office de tourisme *(demander le dépliant)*, il permet de repérer en ville les lieux fréquentés par le peintre et, dans les environs, les lieux de la campagne aixoise qui l'ont inspiré, en particulier la **Sainte-Victoire** *(voir ce nom)*.

Atelier Paul Cézanne

9 av. Paul-Cézanne, au Nord de la ville, par l'av. Pasteur. ☎ *04 42 21 06 53. - www.atelier-cezanne.com - juil.-août : 10h-18h ; avr.-juin et sept. : 10h-12h, 14h-18h ; oct.-mars : 10h-12h, 14h-17h (dernière entrée 20mn av. fermeture) - fermé 1ᵉʳ janv., 1ᵉʳ Mai et 25 déc. - 5,50 €.*

Cézanne avait fait construire en 1897 ce pavillon d'architecture traditionnelle, entouré d'un jardin *(où se déroulent les Nuits des Toiles, voir le calendrier dans le « carnet pratique »)* dont les frondaisons colorées montent à l'assaut du 1ᵉʳ étage. C'est là, dans l'atelier des « Lauves », qu'il créa notamment *Les Grandes Baigneuses* et vécut jusqu'à sa mort, en 1906. Quelques souvenirs du peintre sont exposés dans l'atelier conservé en l'état.

se promener

LE VIEIL AIX★★

Compter 1/2 journée. Partir de la Rotonde, où s'élève une fontaine monumentale.

Cours Mirabeau★★

L'art de vivre aixois... Vous le goûterez en premier lieu sous les superbes platanes du cours, vaste tunnel de verdure ponctué de fontaines, d'hôtels aux balcons sculptés par Pierre Puget (17ᵉ s.) ou ses disciples, mais aussi aux terrasses des cafés.

Petits métiers aixois d'autrefois et de toujours : celui d'atlante n'était pas de tout repos...

Magnin G. /MICHELIN

AIX-EN-PROVENCE

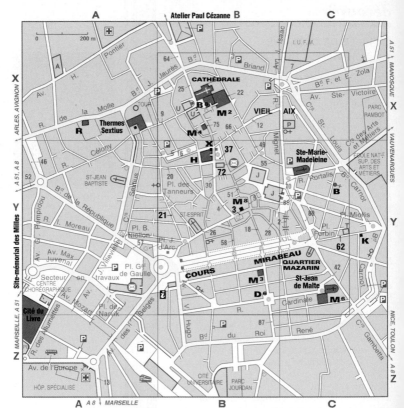

Hôtel d'Isoard de Vauvenargues – *Au nº 10.* Édifié vers 1710. Beau balcon en fer forgé et linteau à cannelures, théâtre d'un sanglant fait divers lorsque le marquis d'Entrecasteaux, président du Parlement, y assassina sa femme, Angélique de Castellane.

Hôtel de Forbin – *Au nº 20.* Édifié en 1656. Balcon orné de belles ferronneries.

Fontaine des Neuf Canons – *Au centre du cours.* Elle date de 1691.

Fontaine d'eau thermale – La fontaine moussue (alimentée en eau chaude) que l'on rencontre à hauteur de la rue Clemenceau date de 1734.

Hôtel Maurel de Pontevès – *Au nº 38.* Une annexe de la cour d'appel est venue se loger là où fut reçue en 1660 la Grande Mademoiselle, Anne-Marie de Montpensier.

Fontaine du roi René – Œuvre de David d'Angers (19ᵉ s.) : elle se dresse à l'extrémité du cours. Le roi y est

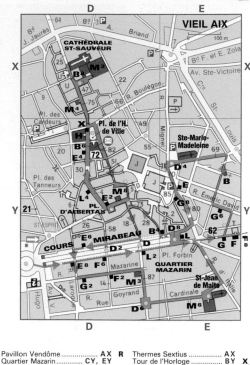

représenté tenant à la main une grappe de raisin muscat, variété qu'il avait introduite en Provence.

Hôtel du Poët – Au bout du cours, sa façade à trois étages décorée de mascarons (1730) ferme la perspective.

Prendre la rue à droite de l'hôtel du Poët.

Rue de l'Opéra

Au n° 18, hôtel de Lestang-Parade (1650), au n° 24, hôtel de Bonnecorse, du 18ᵉ s., et au n° 26, hôtel de Grimaldi, bâti, dit-on, sur des dessins de Puget. **Maison natale de Cézanne** au n° 28.

Revenir vers le théâtre du Jeu de Paume, en prenant à droite puis à gauche dans la rue Émeric-David.

Hôtel de Panisse-Passis

Au n° 16. Élevé en 1739 ; superbe portail.

Un détour à droite conduit devant l'imposante façade de l'**ancienne chapelle des Jésuites** puis dans la rue Portalis.

Église Ste-Marie-Madeleine

8h30-11h30.

L'édifice (17ᵉ s.) abrite quelques œuvres intéressantes, en particulier une belle **Vierge★** en marbre de Chastel (18ᵉ s.) et, surtout, le volet central du **Triptyque de l'Annonciation★**, datant de 1445, attribué à Barthélemy d'Eyck.

Fontaine des Prêcheurs

Sur la place du même nom (Sade y fut pendu en effigie), elle est également l'œuvre de Chastel.

Au n° 2, remarquez les atlantes qui ornent le portail de l'**hôtel d'Agut** avant d'emprunter la rue Thiers où se dresse, au n° 2, l'**hôtel de Roquesante**, du 17ᵉ s.

La rue Thiers conduit en haut du cours Mirabeau dont on emprunte le trottoir de droite. Au n° 55, se distingue encore l'enseigne d'une **chapellerie** fondée en 1825 par le père de Cézanne.

Prendre la rue Fabrot à droite.

Magnin G. /MICHELIN

Hôtel de Panisse-Passis : figures fantastiques, ferronneries ouvragées ou l'euphorie des robins.

Pazey D./MICHELIN

Comme un décor d'opéra, la petite place d'Albertas est un véritable miracle d'équilibre.

On entre ici dans le vieil Aix proprement dit. La rue Fabrot, piétonne et commerçante, mène à la place St-Honoré.

Prendre la rue Espariat.

Hôtel Boyer d'Éguilles

Au n° 6. Le Muséum d'histoire naturelle *(voir « visiter »)* y est installé. Que vous le visitiez ou non, entrez dans la cour d'honneur par le portail à carrosses pour découvrir la façade de l'hôtel édifié en 1675, très probablement par Pierre Puget.

Place d'Albertas★

Ouverte en 1745, il en émane un charme prenant, tant elle paraît hors d'atteinte des siècles. On y donne des concerts chaque été.

Au n° 10, l'**hôtel d'Albertas**, édifié en 1707, a été décoré par le sculpteur toulonnais Toro.

Prenez à droite dans la rue Aude où l'**hôtel Peyronetti** *(n° 13)*, de style Renaissance italienne, date de 1620, avant de poursuivre par la rue du Mar.-Foch qui conduit à la place de l'Hôtel-de-Ville. Au passage, remarquez les beaux atlantes de l'**hôtel d'Arbaud** *(n° 7)*. Traversez ensuite la **place Richelme** que borde la façade Sud de l'ancienne halle aux grains : à voir le matin, lorsqu'elle accueille le marché aux primeurs.

HAUTES SAISONS
La **tour de l'Horloge**, ancien beffroi de la ville (16ᵉ s.), supporte à son sommet une cloche dans sa cage de ferronnerie où un personnage, chaque fois différent, marque le passage des saisons.

Place de l'Hôtel-de-Ville★

Elle prend tout son éclat le samedi matin lorsque s'y tient le marché aux fleurs. L'**hôtel de ville**, édifié de 1655 à 1670 par un architecte parisien, Pierre Pavillon, se signale par un balcon orné d'une belle ferronnerie et une magnifique grille d'entrée. **Cour★** pavée de galets, entourée de bâtiments à pilastres. Au Sud de la place, sur la façade de l'**ancienne halle aux grains**, un fronton sculpté (œuvre de Chastel) représente le Rhône et la Durance.

Prendre la rue Gaston-de-Saporta, où, au n° 17, se trouve le musée du Vieil Aix (voir « visiter »).

Sur la place des Martyrs-de-la-Résistance s'élève, au fond, l'**ancien archevêché** du 17ᵉ s., dont la cour accueille le Festival d'art lyrique et les bâtiments, le **musée des Tapisseries★** *(voir « visiter »)*.

Cloître Saint-Sauveur★

☎ 04 42 23 98 90/64 - *visite guidée - mai-oct. : tlj sf pdt offices 9h30-12h, 14h30-17h30 ; nov.-avr. : tlj sf pdt offices 10h-12h, 14h30-17h30.*

Une merveille d'art roman dont on admirera la légèreté et l'élégance, due en particulier aux colonnettes jumelées et aux chapiteaux à feuillages ou historiés.

LAUROS-GIRAUDON

Le roi René et la reine Jeanne sont représentés agenouillés de part et d'autre de la Vierge, qui, tenant l'Enfant, siège dans un buisson de feu : rappel de celui où Dieu apparut à Moïse, selon la Bible.

Cathédrale St-Sauveur★

Par le cloître, on entre dans la nef romane de la cathédrale St-Sauveur où voisinent tous les styles, du 5ᵉ au 17ᵉ s.

À l'intérieur, vous pourrez admirer le merveilleux **Triptyque du Buisson ardent★★** *(en restauration)*, désormais attribué à Nicolas Froment après l'avoir longtemps été au roi René lui-même, et le **baptistère★** d'époque mérovingienne. À noter également une peinture sur bois attribuée à l'atelier de Nicolas Froment, et les **vantaux★** en noyer sculptés de quatre prophètes et de douze sibylles païennes (masqués par de fausses portes) dus à Jean Guiramand.

En sortant, un coup d'œil sur la façade permet de voir un petit portail de style roman provençal *(à droite)*, une partie gothique flamboyante *(au centre)* et un clocher gothique *(à gauche)*.

Revenant à la place de l'Hôtel-de-Ville par les rues Vauvenargues, Méjanes, des Bagniers et Clemenceau, aussi étroites qu'animées, gagnez le cours Mirabeau où, au n° 19, l'**hôtel d'Arbaud-Jouques** présente une façade finement décorée.

Après avoir traversé le cours, la rue Laroque puis, à gauche, la rue Mazarine donnent accès au **quartier Mazarin**, réalisé entre 1646 et 1651 par l'archevêque Michel Mazarin, frère du cardinal.

La cathédrale St-Sauveur : du mérovingien au baroque, il y en a pour tous les goûts.

Magnin G. /MICHELIN

Quartier Mazarin★

Hôtel de Marignane – *12 r. Mazarine.* Fin 17ᵉ s. Il fut le théâtre des douteux exploits du jeune **Mirabeau** : aussi désargenté que débauché, il séduit une riche héritière, Mlle de Marignane. Le mariage devient inévitable mais le beau-père coupe les vivres au jeune ménage. Mirabeau accumule les dettes chez les commerçants de la ville jusqu'à ce que ceux-ci le fassent interner au château d'If. Libéré, il séduit une femme mariée et s'enfuit avec elle. Convoqué à Aix en 1783 suite à la demande en séparation formulée par sa femme, il présente lui-même sa défense et sa prodigieuse éloquence lui fait gagner le procès en première instance !

Hôtel de Caumont – *3 r. Joseph-Cabassol.* Le conservatoire de musique et de danse Darius-Milhaud occupe une élégante demeure de 1720, aux balcons et frontons superposés.

Fontaine des Quatre-Dauphins★ – Au centre d'une petite place carrée, cette œuvre charmante de J.-C. Ribaut (1667) est une des plus jolies fontaines d'Aix : ce n'est pas peu dire !

Église St-Jean-de-Malte – Au bout de la rue Cardinale, l'église St-Jean-de-Malte, élevée à la fin du 13ᵉ s., est le premier édifice gothique aixois. Si la façade offre un aspect sévère, à l'intérieur, la **nef★**, toute de simplicité et d'élégance, ne manque pas de charme. ☎ *04 42 38 25 70 - 10h-12h, 15h-19h.*

L'ancien palais de Malte abrite le **musée Granet★** *(voir « visiter »).*

La rue d'Italie, sur la gauche, conduit au cours Mirabeau.

Une des nombreuses fontaines qui font la réputation d'Aix et dans lesquelles on peut se rafraîchir, au plus chaud de la journée.

Magnin G./MICHELIN

visiter

Se reporter aux plans pour localiser les sites.

Musée Granet★
☎ 04 42 52 87 80 - *fermé pour travaux de rénovation ; réouverture prévue en juil. 2006.*
Superbe collection de peintures provenant de divers legs, dont celui du peintre aixois **François-Marius Granet** (1775-1849), et section archéologique présentant les vestiges de l'époque romaine *(voir Oppidum d'Entremont dans « circuits »).*

> **À VOIR**
> Les huit tableaux de Cézanne dont une *Nature morte* (1865), *La Femme nue au miroir* (1872), *Les Baigneuses* (1895), etc.

On s'attardera devant les primitifs avignonnais (volets du *Triptyque de la reine Sanche*, de Matteo Giovanetti, le peintre du palais des Papes), italiens et flamands avant d'aborder les œuvres des grandes écoles européennes du 16ᵉ au 19ᵉ s. Pour l'école française, Philippe de Champaigne, Le Nain, Rigaud, Largillière, Greuze, Géricault, ainsi que des tableaux de l'école provençale avec en particulier Loubon, Achille Emperaire et Cézanne. Parmi les autres écoles, œuvres de Guerchin, Rubens et de l'école de Rembrandt.

Musée des Tapisseries★
☎ 04 42 21 05 78 - *tlj sf mar. 10h-12h30, 13h30-17 - fermé 1ᵉʳ et 2 janv., 1ᵉʳ Mai, 25 et 26 déc. - 2,50 €.*
Bel ensemble de 19 tapisseries exécutées à Beauvais aux 17ᵉ et 18ᵉ s., et les 9 célèbres panneaux de la vie de Don Quichotte d'après les cartons de Natoire.

Fondation Vasarely★
☎ 04 42 20 01 09 - *www.fondationvasarely.fr* - ♿ - *tlj sf dim. et j. fériés 10h-18h (dernière entrée 30mn av. fermeture) - fermé j. fériés - 7 € (enf. 4 €).*
Située à 2,5 km à l'Ouest, sur la colline du Jas de Bouffan, là où se trouvait la propriété de Cézanne que Vasarely admirait.
Elle propose dans une architecture résolument moderne (16 structures hexagonales dont les sobres façades sont décorées de cercles blancs et noirs alternés) une suite de 42 « intégrations monumentales » de Victor Vasarely (1906-1997), illustrant ses recherches sur les déviations linéaires (à partir de 1930) puis sur la lumière et l'illusion de mouvement (dès 1955).

Muséum d'histoire naturelle
☎ 04 42 27 91 27 - *www.museum-aix-en-provence.org* - *10h-12h, 13h-17h - fermé 1ᵉʳ janv., 1ᵉʳ Mai et 25 déc. - 2,50 € (-25 ans gratuit).*

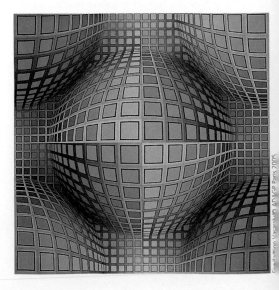

Victor Vasarely : « Lava » (1954). Quand l'image crée l'illusion en jouant avec nos nerfs optiques.

Belles portes du 17ᵉ s., peintures et sculptures offrent un cadre remarquable et valent à elles seules la visite de ces collections de paléontologie générale et provençale. Les œufs fossiles de dinosaures, retrouvés sur les flans de la Sainte-Victoire, sont présentés ici.

Musée du Vieil Aix
☎ 04 42 21 43 55 - avr.-oct. : 10h-12h, 14h30-18h ; nov.-mars : 10h-12h, 14h-17h. - fermé lun. et j. fériés - 4 €.
Les férus d'histoire locale apprécieront les marionnettes évoquant les « crèches parlantes » et les processions de la Fête-Dieu, la collection de faïences de Moustiers et de santons.

Musée bibliographique et archéologique Paul-Arbaud
☎ 04 42 38 38 95 - tlj sf dim. 14h-17h - fermé 2ᵉ quinzaine d'août et j. fériés - 3 €.
Installé dans un hôtel de la fin du 18ᵉ s., il présente une collection de faïences régionales ainsi que des livres relatifs à la Provence.

Pavillon Vendôme
☎ 04 42 21 05 78 - tlj sf mar. 10h-12h30, 13h30-17h - fermé 1ᵉʳ et 2 janv., 1ᵉʳ Mai, 25 et 26 déc. - 2,50 €.
Maison de campagne construite en 1665 pour le cardinal de Vendôme par Pierre Pavillon et A. Matisse. Ce bel édifice abrite une collection de meubles et d'objets d'art provençaux. L'ensemble donne une idée de ce qu'était l'intérieur d'un hôtel aixois au 18ᵉ s. Le jardin à la française convie à une agréable promenade.

circuits

LA SAINTE-VICTOIRE★★★
Circuit de 74 km. Voir ce nom.

VALLÉE DE L'ARC
56 km – environ 3h. Quitter Aix au Sud en direction de Marseille, jusqu'aux Milles.

Site-mémorial des Milles
2 r. Adrien-Duberc, 13290 Les Milles. tlj sf w.-end 9h-12h, 12h45-17h. Fermé j. fériés. Gratuit. ☎ 04 42 24 33 02.
Cette ancienne tuilerie, grande bâtisse de brique rouge, a été le seul camp français à la fois d'internement, de transit et de déportation pendant la Seconde Guerre mondiale. Les artistes et intellectuels allemands réfugiés à Sanary-sur-Mer *(voir Le Guide Vert Côte d'Azur)* qui n'eurent pas la chance de s'enfuir au moment de l'armistice passèrent par là. Peintures murales et souvenirs des internés entretiennent la mémoire.
Rejoindre la D 7 en direction de Gardane, puis suivre la N8 jusqu'à Bouc-Bel-Air.

Jardins d'Albertas★
Lieu-dit La Croix-d'Or. ☎ *04 42 22 29 77 - www.jardins-albertas.com - & - juin-août : 15h-19h ; mai et sept.-oct. : w.-end et j. fériés 14h-18h - 3,50 €.*
Ce jardin de 8 ha, aménagé en 1751 par le marquis d'Albertas, marie harmonieusement les traditions italienne (terrasses, statues dans le goût antique, grotte artificielle), française (parterres, canal et perspective) et provençale (rangée de platanes).
Au lieu-dit San Baquis, tourner à droite dans la D 60ᴬ.

Cabriès
Cabriès est un joli village en hauteur. On accède à son château par la porte de l'horloge et un lacis de ruelles tracées à l'intérieur de ce qui était autrefois l'enceinte du village. Le château abrite le **musée Edgar-Mélik** (1904-1976) consacré à ce peintre méconnu qui fréquenta les artistes de Montparnasse avant de venir s'installer ici dans les années 1940. Ses œuvres, parfois peintes à même les murs, dans des tons chaleureux de jaune, orange et rouge, se rapprochent de l'expressionnisme.

Pazery D. /MICHELIN

Divinités et monstres peuplent le jardin à l'italienne créé par le marquis d'Albertas.

Au sous-sol, quelques pièces archéologiques. ☎ *04 42 22 42 81. www.musee-melik.com - tlj sf mar. 10h-12h, 14h-17h, dim. 14h-18h. - fermé 1ᵉʳ janv., 1ᵉʳ Mai et 25 déc. - 4,60 €.*

Par la D 8, rejoindre la D 543 et, à Calas, prendre à gauche la D 9ᴮ puis la D 9.

Après avoir longé le **réservoir du Réaltor**, belle nappe d'eau de 58 ha entourée d'une abondante végétation, prenez à droite la D 65ᴰ qui franchit le canal de Marseille.

Après la Mérindolle, tourner à gauche.

Aqueduc de Roquefavour★

VU DE HAUT

On peut, en suivant sur 2,1 km un chemin non revêtu à droite *(direction de Petit Rigouès)* puis, en prenant de nouveau à droite vers la maison du garde, s'avancer jusqu'à la crête de l'ouvrage, que la canalisation franchit à ciel ouvert.

Construit de 1842 à 1847 par l'ingénieur de Montricher pour permettre au canal de Marseille de franchir la vallée de l'Arc, cet aqueduc, long de 375 m et haut de 83 m (contre 275 m et 49 m pour le pont du Gard) s'étage sur trois niveaux : le dernier, qui porte la canalisation conduisant à Marseille les eaux de la Durance, est soutenu par 53 arceaux.

Revenir à la D 64 et tourner à droite.

Ventabren

Petit village aux ruelles pittoresques dominé par les ruines du château de la reine Jeanne. Du pied des ruines *(emprunter la rue du Cimetière)*, vue sur l'étang de Berre, Martigues et la trouée de Caronte, la chaîne de Vitrolles.

Par la D 64ᴬ, rejoindre la D 10 à droite puis tourner à gauche dans la D 543.

Entre Éguilles et Ventabren, un viaduc qui met la Canebière à 3h des Champs-Élysées : « Ô collègue, tu galèjes ? ! »

Magnin G. /MICHELIN

Éguilles

Dominant la vallée de l'Arc, le village, semé de vieux lavoirs, est situé sur la voie Aurélienne, devenue la D 17. Bel hôtel de ville, ancienne demeure des Boyer d'Éguilles. Depuis l'esplanade, vue sur la chaîne de l'Étoile et la plaine aixoise où se faufile la ligne du TGV Méditerranée.

Quitter Éguilles au Nord-Est par la D 63 puis tourner à droite dans la D 14 et prendre à gauche le chemin qui conduit au plateau d'Entremont.

LES SALYENS

Peuple celto-ligure, les Salyens occupaient au 3ᵉ s. avant J.-C. la basse Provence occidentale et avaient fixé leur capitale à l'oppidum d'Entremont. Si les fouilles révèlent une civilisation urbaine évoluée, cette urbanité n'allait pas sans une certaine rudesse : témoin, leur usage, rapporté par le naturaliste romain Strabon, de couper la tête de leurs ennemis et de la suspendre à l'encolure de leurs chevaux pour la rapporter chez eux et la clouer dans leur entrée en guise de trophée. Les Massaliotes, que ces rudes voisins gênaient dans leurs opérations commerciales, firent appel aux Romains en 124 avant J.-C. Sous la direction du consul Sextius, ceux-ci réduisirent les Salyens en esclavage, détruisirent la ville et fondèrent un camp non loin des sources thermales, Aquae Sextiae : Aix allait pouvoir naître.

Oppidum d'Entremont

☎ 04 42 21 97 33 - *fév.-oct. : 9h-12h, 14h-17h30 ; nov.-janv. : 9h-12h, 14h-17h - fermé mar., 1ᵉʳ janv., 1ᵉʳ et 8 Mai, 1ᵉʳ et 11 Nov., 25 déc. - gratuit.*

Cette ville forte des Salyens était protégée par des escarpements naturels et, au Nord, par un rempart aux fortes courtines renforcées de tours. Entre deux tours du rempart s'élevait un portique où, suppose-t-on, les Salyens exposaient les crânes de leurs ennemis.

À l'intérieur, une première ville, la « ville haute » se trouvait elle-même isolée par une fortification.

La « ville basse » semble avoir été un quartier artisanal, comme en témoignent des restes de fours et de pressoirs à huile.

Les **fouilles** ont permis de retrouver un abondant matériel attestant d'un niveau de développement assez élevé et des traces de sa destruction par les Romains, notamment des boulets de pierre. La statuaire d'Entremont est exposée au musée Granet *(voir « visiter »).*

Les Alpilles★★

Crêtes déchiquetées, sommets arides se découpant dans une atmosphère transparente évoquant la Grèce, oliveraies argentées, rangées de cyprès dressant leur fuselage sombre : Frédéric Mistral voyait dans les Alpilles un « véritable belvédère de gloire et de légendes ».

La situation

Carte Michelin Local 340 D3-E3 – Bouches-du-Rhône (13). Entre Arles et Avignon, cette chaîne calcaire, prolongement géologique du Luberon, se divise en Alpilles des Baux à l'Ouest, et Alpilles d'Eygalières à l'Est ; en son centre, elle domine St-Rémy-de-Provence.

Le nom

Le mot *alpe* signifie « montagne » ou « sommet », tout simplement. Et, pour bien montrer qu'on sait être modeste, même en Provence, on y a rajouté un diminutif.

Les gens

Frédéric Mistral et **Marie Mauron** les chantèrent, Alphonse Daudet y puisa l'inspiration de ses contes : grand escaladeur de cimes (imaginaires), Tartarin partait s'entraîner... dans les Alpilles.

PROJET
16 communes des Alpilles se sont regroupées pour rédiger la charte du futur **Parc régional naturel** visant à protéger la faune et la flore, à maintenir une agriculture traditionnelle diversifiée, à assurer le développement économique et à préserver une identité spécifique.

« La chaîne des Alpilles, ceinturée d'oliviers comme un massif de roches grecques » (Frédéric Mistral).

Pazery D./MICHELIN

carnet pratique

VISITE

Bon à savoir – Du 1er juillet au 15 septembre, l'accès aux massifs boisés des Alpilles est interdit en raison des risques d'incendie. Il en va de même tout au long de l'année lorsque le mistral souffle à plus de 40 km/h.

Visite guidée de la Caume – Visite guidée "nature". Lun. 14h, sur demande à l'Office du tourisme de St-Rémy-de-Provence ☎ 04 90 92 05 22.

Agence publique du massif des Alpilles – Pl. Henri-Giraud - 13520 Maussane-les-Alpilles - ☎ 04 90 54 24 10. Porteuse du projet de création d'un parc naturel régional, l'agence, qui regroupe seize communes des Alpilles, organise des promenades-découvertes autour de cinq grands thèmes : faune, flore, agriculture, patrimoine, homme et environnement. Balades-contes, ateliers, conférences et randonnées de niveaux de difficulté divers au programme. Le livret-calendrier est disponible au CDT des Bouches-du-Rhône à Marseille et dans les offices du tourisme des Alpilles.

Le Train des Alpilles –  - Diesel/autorail : dép. d'Arles (17 bis av. de Hongrie, derrière la " vraie " gare, après le pont de chemin de fer sur la route de Montmajour, puis à gauche) 10h, 13h30 et 15h10 ; de Fontvieille merc. et jeu. 10h50, 14h20 et 16h ; de mi-juin à mi-sept., sf j. fériés - 8 € (5-12 ans 5 €). Train vapeur : dép. d'Arles 10h et 14h ; de Fontvieille w.-end 11h et 17h ; de mi-avr. à mi-sept. (lun. de Pâques et de Pentecôte) - 10 € (enf. 7 €) - ☎ 04 90 18 81 31. Il s'agit d'un train saisonnier qui vous conduit d'Arles à Fontvieille en musardant agréablement.

SE LOGER

☒☒ **Hostellerie de la Tour** – Rte d'Arles - 13990 Fontvieille - 9 km à l'O des Baux par D 78F puis D 17 - ☎ 04 90 54 72 21 - fermé de nov. à mi-mars - ☒ - 10 ch. 42/67 € - ☒ 9 € - restaurant 14/18 €. Un accueil chaleureux et attentionné vous sera réservé dans cette modeste auberge plébiscitée par les habitués pour sa bonne tenue. Les chambres, petites et sans fioriture, sont néanmoins confortables. Cuisine familiale mitonnée par la patronne. Agréable piscine.

☒☒ **Daudet** – 7 av. Montmajour - 13990 Fontvieille - ☎ 04 90 54 76 06 - fermé de fin oct. à fin mars - ☒ - 14 ch. 57/65 € - ☒ 8 €. Chambres donnant de plain-pied sur le patio, murs blancs, volets bleu lavande, meubles en fer forgé, terrain de pétanque, lauriers roses : le bonheur à la Daudet !

SE RESTAURER

☒ **La Pitchoune** – 21 pl. de l'Église - 13520 Maussane-les-Alpilles - ☎ 04 90 54 34 84 - fermé de mi-nov. à mi-janv., vend. midi et lun. - 13/28 €. Cette demeure bourgeoise du 19e s. jouxtant l'église renferme de mignonnes salles à manger dotées de sols à petits carreaux imitant la mosaïque. Terrasse ombragée de pins. Cuisine familiale.

☒☒ **L'Ami Provençal** – 35 pl. de l'Église - 13990 Fontvieille - ☎ 04 90 54 68 32 - fermé merc. hors sais. et le soir du 15 sept. à fin mars - 15/25 €. Cette saladerie se trouve à deux pas de l'église et de la maison où vécut Léo Lelée, le « peintre des Arlésiennes ». Appétissantes recettes associant produits du marché et saveurs d'autrefois et possibilité de prendre un petit-déjeuner sur place. Accueil familial.

☒☒ **Table du Meunier** – 42 cours Hyacinthe-Bellon - 13990 Fontvieille - ☎ 04 90 54 61 05 - fermé de mi-janv. à mi-mars, vac. de Toussaint, 20-28 déc., mar. sf juil.-août et merc. - réserv. conseillée - 23/30 €. La patronne de ce restaurant réussit la prouesse d'être à la fois au four et au moulin : elle sélectionne elle-même chaque jour de bons produits régionaux puis mitonne de délicieux plats gorgés de soleil. Salle à manger rustique et jolie terrasse recelant un véritable trésor, un poulailler de 1765. Réservation conseillée.

☒☒☒☒ **Bistrot d'Eygalières "Chez Bru"** – R. de la République - 13810 Eygalières - 12 km au SE de St-Rémy par D 99 et D 24B - ☎ 04 90 90 60 34 - sbru@club-internet.fr - fermé 12 janv.-15 mars, 7-12 août, dim. soir d'oct. à mai, mar. midi de juin à sept. et lun. - réserv. obligatoire - 45 € déj. - 65/75 € - 2 ch. 115/130 € - ☒ 12 €. Le charme provençal est au rendez-vous dans ce bistrot chic aménagé dans deux maisons villageoises : tons crème et chocolat, meubles peints, poutres apparentes, savoureuse cuisine au goût du jour et superbe carte de vins régionaux. Chambres joliment décorées.

FAIRE UNE PAUSE

La Maison Sucrée – R. de la République - 13810 Eygalières - ☎ 04 90 95 94 15 - ouv. tlj juil.-août ; mars-oct. : lun., mar. midi et jeu.-dim. 11h-21h30 ; nov.-mai : vend., sam., dim. - fermé 15-30 nov. et 15-30 janv. Glacier (délicieux sorbets à la mandarine ou au fruit de la passion !), crêperie et salon de thé au cœur d'Eygalières.

QUE RAPPORTER

Moulin Saint-Michel – Cours Paul-Revoil - En plein cœur du village sur le cours - 13890 Mouriès - ☎ 04 90 47 50 40 -

Sauvignier S./MICHELIN

www.moulinsaintmichel.com - tlj sf dim. 9h-12h, 14h-18h - fermé j. fériés et troisième sem. d'août. Ce moulin, superbement restauré, tourne depuis 1744 pour broyer les principales variétés d'olives de la vallée des Baux-de-Provence et en tirer des huiles AOC. estampillées « Site remarquable du goût ». Visite instructive et boutique proposant des produits du terroir.

Coopérative oléicole de la Vallée des Baux – *R. Charloun-Rieu - 13520 Maussane-les-Alpilles -* ☎ *04 90 54 32 37 - www.moulin-cornille.com - tlj sf dim. 9h-18h ; j. fériés 11h-18h - fermé 1ᵉʳ Mai, 25 déc. et 1ᵉʳ janv.* Cette coopérative installée dans un moulin du 18ᵉ s. utilise encore des broyeurs à meules et des scourtins. Production artisanale et traditionnelle d'huile vierge à partir de cinq variétés d'olives récoltées dans la vallée des Baux. Vente sur place.

Moulin du Mas des Barres – *Petite route de Mouriès - Quartier de Gréoux - 13520 Maussane-les-Alpilles -* ☎ *04 90 54 44 32 - 9h-12h, 14h-18h.* Mas agréablement situé au milieu des oliviers, au pied des Alpilles.

Ce moulin reçoit chaque année la récolte de 500 oléiculteurs locaux et, à partir de cinq variétés d'olives, produit une huile AOC aux saveurs de noisette, d'artichaut, de pomme verte ou encore d'herbe fraîche. La boutique propose tapenade, pistou, purée d'olives et bien sûr la fameuse huile, en bouteille ou en bidon.

SPORTS & LOISIRS

Aéroclub de Romanin – *Ancienne voie Aurélia - 13210 St-Rémy-de-Provence -* ☎ *04 90 92 08 43 ou 06 03 47 02 98 - 9h-12h, 13h30-18h.* Débutants ou confirmés, laissez-vous porter par le mistral au-dessus du célèbre moulin de Daudet.

Golf de Servanes – *Rte de Servanes - 13890 Mouriès -* ☎ *04 90 47 59 95 - www.opengolfclub.com - 8h30-19h - fermé 25 déc. et 1ᵉʳ janv.* Parcours de 18 trous dans les Alpilles

Randonnée pédestre – *13810 Eygalières.* Parcours de 15 km sur les crêtes des Alpilles, de Glanum à Eygalières, par le Val Saint-Clerg que suit le GR 6. Autres circuits pédestres de 1h à 3h.

circuits

LES ALPILLES DES BAUX★★ ①
Circuit au départ de St-Rémy-de-Provence. 40 km - environ 4h.

Saint-Rémy-de-Provence★ *(voir ce nom)*
Quitter St-Rémy sur le côté gauche de la place de la République par le chemin de la Combette qui devient, après un virage à droite, le Vieux Chemin d'Arles. Après 3,8 km (à un stop), tourner à gauche dans la D 27 (signalisée « Les Baux »).

Juste avant le haut de la côte, sur la gauche, une route revêtue tracée en corniche permet d'aller contempler le **panorama★★★** des Baux (table d'orientation).
De retour sur la D 27, on serpente dans le **Val d'Enfer** *(voir les Baux-de-Provence).*

Les Baux-de-Provence★★★ *(voir ce nom)*
Suivre la D 27 puis prendre à droite avant Maussane-les-Alpilles pour rejoindre Paradou par la D 17.

Paradou
C'est la petite patrie du poète provençal **Charloun Rieu** ▶ (1846-1924), qui repose au cimetière du village dans un très curieux tombeau...

La Petite Provence du Paradou – *À la sortie du village, en direction de Fontvieille (D 17), sur la droite de la route.* ☎ *04 90 54 35 75 - www.petiteprovence.com -* & *- 10h-18h30 ; 1ᵉʳ janv. et 25 déc. : 14h-18h30 - 4,50 €.*
Dans un décor évoquant la Provence (mas, bories, port, moulin de Daudet) évoluent plus de 400 santons, parfois animés, habillés de costumes traditionnels. Les scènes évoquent la Provence d'autrefois : métiers (pêcheur, meunier, berger de la Crau), festivités (farandole), vie quotidienne (marché, lavoir... et l'inévitable partie de cartes au café).
Revenir au village et prendre, sur la droite, la D 78ᴳ qui court parmi les olivettes.

Aqueducs et meunerie romains de Barbegal
15mn à partir du sentier signalisé « aqueduc romain ». Ruines de deux aqueducs gallo-romains jumelés. L'un alimentait Arles en eau d'Eygalières. L'autre actionnait une vaste meunerie hydraulique construite sur le flanc Sud

> **HOMÈRE AU PARADOU**
> Outre ses *Chants du terroir*, le poète-paysan Charloun Rieu n'a pas hésité à traduire *L'Odyssée* en provençal.

Magnin G. /MICHELIN

Du moulin, vue★ remarquable sur les Alpilles, les châteaux de Beaucaire et de Tarascon, la vallée du Rhône et l'abbaye toute proche de Montmajour.

de la colline *(maquette au musée de l'Arles et de la Provence Antiques, voir Arles)*. Il constitue un des rares exemples de bâtiments industriels romains qui nous soient parvenus.
Prendre à droite la D 33.

Fontvieille

🛈 *5 r. Marcel-Honorat, 13990 Fontvieille,* ☎ *04 90 54 67 49. www.fontvieille-provence.com*
Ce bourg typiquement provençal est un centre d'extraction d'une roche calcaire, la pierre d'Arles.
◀ Mais Fontvieille est surtout connu grâce au **moulin de Daudet**. La salle du 1ᵉʳ étage présente le système de meules utilisé pour moudre le grain ; remarquez, à hauteur du toit, les noms des vents locaux, inscrits en fonction de leur provenance. Au sous-sol, le petit musée réunit quelques souvenirs de l'écrivain : manuscrits, portraits, photos, éditions rares. ☎ *04 90 54 60 78 - juin-sept. : 9h-19h ; avr.-mai : 9h-18h ; fév.-mars et oct.-déc. : 10h-12h, 14h-17h - 2,50 €.*

UNE COLLINE INSPIRATRICE

Eh non, Alphonse Daudet ne vivait pas dans ce moulin (qui fonctionna jusqu'en 1914) : lorsqu'il venait à Fontvieille, il préférait le confort du château de Montauban, au pied de la colline. Et les fameuses *Lettres de mon moulin* ont été écrites à Paris. Mais il aimait venir flâner sur la colline d'où l'on embrasse le cadre de son œuvre provençale. Quant aux récits du meunier, peut-être s'en inspira-t-il ?

DÉCOUVRIR

🚶 *2h.* Le parcours Daudet est une partie de l'itinéraire de découverte du village qui compte 30 stations.

◀ 🚶 En suivant le parcours « sur les traces de Daudet », vous arriverez au **château de Montauban**. Au rez-de-chaussée : hommage à Daudet mais aussi à **Léo Lelée** (1872-1947), qui peignit des Arlésiennes et contribua à faire connaître leur costume. Enfin, une salle abrite une crèche provençale. Le 1ᵉʳ étage présente une exposition sur les traditions de Fontvieille. *Pour les horaires, se renseigner à l'Office de tourisme. Billet combiné avec le moulin.*
Parmi olivettes, pinèdes et champs de primeurs, la D 33 remonte vers le Nord.

Chapelle St-Gabriel★

☎ *04 90 91 03 52 - se renseigner à l'Office du tourisme de Tarascon - clé disponible sur demande.*
Cette chapelle du 12ᵉ s. présente une remarquable façade sculptée. À l'intérieur, bel exemple, très dépouillé, d'architecture romane.
Prendre la D 32 pour regagner St-Rémy.

LES ALPILLES D'EYGALIÈRES★★ ②

Circuit au départ de St-Rémy-de-Provence – 42 km – environ 3h. Quitter St-Rémy par la D 5 en direction de Maussane.
La route passe devant le monastère de St-Paul-de-Mausole et le plateau des Antiques *(voir St-Rémy-de-Provence)* avant de partir à l'assaut de la chaîne des Alpilles, dans un paysage où dominent les pins.
Après 4 km d'ascension, laisser sa voiture sur le parking en bordure de la route pour emprunter à pied un chemin en montée.

Panorama de la Caume★★

Accès interdit 1ᵉʳ juil.-15 sept. 🚶 Alt. 387 m. Vaste panorama depuis le rebord Sud du plateau, au-delà de l'enceinte du relais de télévision, sur la chaîne des Alpilles, la plaine de la Crau et la Camargue, tandis que le rebord Nord révèle la plaine rhodanienne, le Guidon du Bouquet avec sa silhouette en forme de bec, le Ventoux et la vallée de la Durance.
Revenir à la D 5. Après avoir traversé de petites gorges, on aperçoit sur la gauche d'anciennes carrières de bauxite, les **rochers d'Entreconque**, à la couleur rougeâtre très particulière. Puis apparaissent des vergers où abondent oliviers, abricotiers, amandiers et cerisiers.

SANCTUAIRE POUR RAPACES

L'aigle de Bonelli, le vautour percnoptère et le hibou grand duc ont leurs habitudes à la Caume. Aussi, pour ne pas troubler ces espèces fragiles, on s'abstiendra de sortir des chemins balisés.

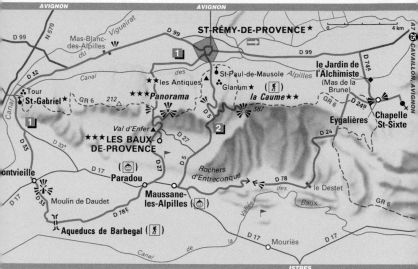

Maussane-les-Alpilles

À l'entrée de Maussane-les-Alpilles, sur la gauche de la route, un **musée des Santons animés** fait évoluer ses petits personnages au pied d'une fresque représentant des paysages provençaux. ☎ 04 90 54 39 00 - & - avr.-sept. : 10h-20h ; oct.-mars : tlj sf mar. 13h30-19h - fermé janv. - 3,60 € (enf. 2 €).

Prendre à gauche la D 17 puis, immédiatement à gauche la D 78.

Longeant le massif au milieu des olivettes, la route s'élève doucement vers un col qui ménage une belle vue sur les Opiès, petit mont que surmonte une tour.

Au hameau du Destet, prendre à gauche la D 24 en montée (on verra sur la gauche la crête de la Caume), qui traverse une belle pinède. Après 7,5 km, la D 24ᴮ sur la droite conduit à Eygalières.

Eygalières

Au pied d'un vieux donjon juché sur une colline, Eygalières (l'ancienne *Aquileria*, où les Romains puisaient l'eau qui alimentait Arles) étire ses rues tortueuses et colorées. Du sommet du village, aujourd'hui peuplé d'antiquaires et d'artisans d'art, belle vue sur la montagne de la Caume et la vallée de la Durance.

Poursuivre sur la D 24ᴮ en direction d'Orgon.

Chapelle St-Sixte

Sur un tertre rocailleux, à l'emplacement d'un temple païen dédié aux eaux, cette chapelle possède une belle abside séparée de la nef par un arc reposant sur des consoles ornées de têtes de sanglier.

Revenir à Eygalières et, dans le village, prendre sur la gauche la petite route portant l'indication « Mas de la Brune ».

Le jardin de l'Alchimiste

☎ 04 90 90 67 67. - www.jardin-alchimiste.com - mai-oct. : 10h-19h - 5 € (enf. 1 €).

Autour du **Mas de la Brune**, belle demeure de campagne édifiée en 1572 et aujourd'hui transformée en hôtel de charme, Le « **jardin magique** » vous apprend les vertus tant médicinales que symboliques des plantes méditerranéennes, en particulier celles des Alpilles. Le « **jardin alchimique** », où se mêlent pierres, eau et plantes, a été composé et mis en scène en s'inspirant de la quête de la pierre philosophale par les alchimistes... Dessiné avec soin, talent et originalité, le lieu est empreint d'un charme indéniable, un peu étrange, propice à l'abandon comme à la rêverie.

La D 74ᴬ conduit à la D 99 qu'on prendra sur la gauche pour rentrer à St-Rémy.

La chapelle Ste-Sixte date du 12ᵉ s.

Sauvignier S./MICHELIN

Ansouis

Entre Durance et Luberon, le village perché d'Ansouis se dore paresseusement au soleil, à l'ombre protectrice du prestigieux château des Sabran-Pontevès, l'un des trois grands noms du Luberon.

La situation

Carte Michelin Local 332 F11 – Schémas p. 253 et 382 – Vaucluse (84). Sur les contreforts Sud du grand Luberon *(voir ce nom)*, entre Lourmarin (8 km à l'Ouest) et La Tour-d'Aigues (8 km à l'Est, *voir ce nom*). Parking à l'entrée du village.

🚹 *Pl. du Château, 84240 Ansouis,* ☎ *04 90 09 86 98.*

Le nom

Les plus fantaisistes y voient une déformation d'*in sosciis*, les « meurtrières » en latin. Les plus observateurs remarquent que le bourg est situé sur une éminence, et que cela correspond au sens de la racine ligure *ant-*.

Les gens

Sans mettre en doute leur piété et leur aptitude à la sainteté, on peut penser que les 1 033 Ansouisiens ne partagent pas tous la vertu ni surtout la remarquable précocité d'Elzéar de Sabran qui, dès son plus jeune âge, par souci de mortification, refusait le lait de sa nourrice le vendredi !

Les feuillages sombres du parc, écrin romantique pour un château, mi-forteresse, mi-palais.

visiter

Château★

☎ *04 90 09 82 70 - visite guidée (1h) juil.-sept. : 14h30-18h (dernière entrée 30mn av. fermeture) ; des vac. de Pâques à fin juin et oct. : tlj sf mar. 14h30-18h (dernière entrée 1h av. fermeture). 6 € (enf. 3 €).*

Demeure de la lignée des Sabran-Pontevès, dont chaque génération s'est plu, au cours des siècles, à embellir le patrimoine, c'est à la fois une forteresse (ce qu'elle fut à l'origine, au 12e s., lorsque les barons d'Ansouis l'ont élevée) et une habitation de plaisance, depuis les remaniements effectués aux 17e et 18e s., en particulier dans la partie Sud.

Une vaste esplanade plantée de marronniers conduit à la façade de pierres dorées, aussi monumentale qu'harmonieuse. Des « pointes de diamants » agrémentent le portail d'entrée que surmontent les armes des Sabran. Par l'escalier d'honneur (au risque de rater une marche, jetez un coup d'œil sur la voûte), on accède à la salle des Gardes et ses armures ; un étroit couloir mène à la chapelle, puis à la salle à manger décorée de tapisseries flamandes. Un luxueux salon Charles X permet d'accéder à la chambre de saint Elzéar et sainte Delphine de Sabran où sont rassemblés des souvenirs de ces deux bienheureux. Enfin, dans la cuisine, les cuivres étincellent.

Église

Elle a été édifiée au 13ᵉ s. sur la première enceinte fortifiée du château : d'où les meurtrières étroites du mur Sud qui paraissent plus adaptées à un usage militaire que religieux...

Musée extraordinaire

☎ 04 90 09 82 64 - avr.-sept. : 14h-19h ; mars et oct.-déc. : 14h-18h - fermé mar., janv.-fév., 1ᵉʳ janv. et 25 déc. - 3,50 € (-16 ans 1,50 €).

Le monde sous-marin sur les contreforts du Luberon ? Pourquoi pas puisque, dans des temps (très) reculés, la mer recouvrait la région... Dans les caves voûtées de cette ancienne bâtisse, une « grotte marine », baignée d'une lumière bleutée et éclairée de vitraux, a été aménagée : c'est la **grotte bleue aux coraux**, point d'orgue de la visite. À voir également : tableaux et céramiques de **Georges Mazoyer**, peintre, céramiste et créateur de vitraux, que sa passion pour la plongée sous-marine a conduit à réunir cette étrange collection.

alentours

Château Turcan - musée de la Vigne et du Vin

Quitter Ansouis en direction de La Tour-d'Aigues, puis prendre immédiatement à droite la D 56 en direction de Pertuis. Après 2 km, tourner à gauche (fléchage) dans un chemin empierré bordé de cyprès (300 m environ). ☎ 04 90 09 83 33 - ♿ - *de mi-juin à fin sept. : 9h30-12h30, 14h30-19h (dim. sur demande) ; reste de l'année : 9h30-12h, 14h30-18h30 (dernière entrée 1h av. fermeture) - fermé dim. et j. fériés, du 1ᵉʳ au 10 janv. et lun. en hiver - 3 € (-12 ans gratuit).*

Cette propriété viticole abrite un agréable musée où ▶ sont exposés plus de trois mille objets et outils du 16ᵉ s. à nos jours, souvent fort beaux, parfois inattendus, tous relatifs à la viticulture, à la vinification et aux activités annexes (comme la tonnellerie, présentée dans un atelier 1900 reconstitué).

Le Luberon★★★ *(voir ce nom)*

> **PROLONGATIONS**
> Une fois sorti du musée, vous voilà au fait de l'art de la vigne et aptes à vous adonner à une dégustation des produits de la propriété... et pourquoi pas, à quelques emplettes !

Apt

Capitale de l'ocre (elle conserve la seule usine encore ▶ en exploitation) et du fruit confit, Apt vous réserve d'autres surprises, tout aussi singulières : à l'écart des chemins trop fréquentés, le charme paisible de ses ruelles ou l'animation de son grand marché vous retiendront peut-être plus longtemps que prévu dans cette sympathique cité.

La situation

Carte Michelin Local 332 F10 – Schémas p. 122 et 253 – Vaucluse (84). Apt ne se laisse pas aborder sans peine : lorsqu'on arrive de l'Ouest (Cavaillon est à 31 km et Avignon 52 km) par la N 100, il faut en effet traverser de longs faubourgs avant de franchir le Calavon, pour soudain se retrouver sur la place de la Bouquerie, âme de la petite cité. Il faut découvrir Apt le samedi matin lorsque la ville s'anime pour le grand marché qui investit places et ruelles du centre : étals débordant de fruits et légumes, tissus provençaux aux couleurs chatoyantes, infinies variétés de miels, produits « bio » du Luberon, objets d'artisanat, rempailleurs de chaises.... *Parkings gratuits aménagés sur les quais ou sur les berges - sam., jour du fameux marché, navette gratuite en été (toutes les 30mn, dép. des parkings du stade de Viton et de la gare).*
🛈 *20 av. Philippe-de-Girard, 84400 Apt,* ☎ *04 90 74 03 18. www.ot-apt.fr*

> **UN CHAUDRON DE CONFITURE**
> C'est ainsi que Mme de Sévigné appelait Apt. Les fruits furent d'abord confits dans du miel avant que le sucre ne soit introduit à l'époque des Croisades. Depuis lors, l'élaboration du fruit confit n'a pas changé : il s'agit de conserver le fruit en remplaçant son eau par du sucre. Pour cela, une seule méthode : le plonger dans des sirops portés à ébullition et répéter l'opération entre 5 et 12 fois en l'espace d'un mois.

Le nom
La Colonia Julia Apta fut une prospère colonie romaine établie sur la voie Domitienne au début de notre ère.

Les gens
11 172 Aptésiens. L'un de leurs ancêtres, Auzias Maseta, fut intronisé en 1348 par le pape Clément VI, « écuyer en confiture », preuve que le fruit confit d'Apt (naguère appelé « confiture sèche ») était déjà apprécié en très haut lieu.

carnet pratique

TRANSPORT

Autocar – Liaisons entre Apt et Avignon (1h10 de trajet). *Renseignements à la gare routière, 250 av. de la Libération,* ☎ *04 90 74 20 21.*

SE LOGER

☜☺ **Le Ventoux** – *785 av. Victor-Hugo -* ☎ *04 90 04 74 60 - www.le-petunia.com - 15 ch. 42/46 € -* ☐ *6,50 € - restaurant 14/22 €.* À 10mn du centre-ville, un petit établissement agréable à prix modiques, offrant des chambres très confortables.

SE RESTAURER

☜ **La Tour de l'Ho** – *125 bd National -* ☎ *04 90 74 01 90 - fermé 22-28 déc., mar. et merc. - 9/25 €.* Une crêperie-restaurant réputée de la « capitale » du Luberon. Terrasse. Service tardif et ambiance musicale certains soirs.

☜☺ **Auberge de Rustréou** – *3 pl. de la Fête - 84400 Rustrel -* ☎ *04 90 04 90 90 - 20/27 € - 7 ch. 40/55 € -* ☐ *6 €.* Une salle climatisée aux tonalités chaudes ; un village tranquille, aux portes du colorado provençal ; une cuisine soignée : l'auberge du Rustréou s'est fait depuis longtemps une réputation de qualité.

FAIRE UNE PAUSE

Boulangerie de Rustrel – *Brieugne - 84400 Rustrel -* ☎ *04 90 04 95 45 - tlj sf merc. 7h-12h30, dim. 7h-12h.* Les connaisseurs n'hésitent pas à faire quelques kilomètres de plus pour venir s'approvisionner dans cette petite boulangerie artisanale. Et ils ont raison ! Car les pains fabriqués ici sont tous au levain, pétris à la main et cuits au feu de bois. Un régal !

QUE RAPPORTER

Marché – Marché traditionnel sam. et marché paysan mar. de mai à nov.

Confiserie Le Coulon – *24 quai de la Liberté -* ☎ *04 90 74 21 90 - tlj sf dim. et lun. 9h-12h, 15h-19h - fermé 2 sem. en janv. et 2 sem. en juin.* Monsieur Ceccon a créé cette confiserie en 1969 sur les bords du Calavon. Depuis, son fils a repris le flambeau sans rien changer aux méthodes artisanales employées dans l'élaboration des fruits confits. Hormis les clémentines corses et les ananas de l'île de la Réunion ou de Madagascar, il utilise les produits de la région et n'ajoute aucun colorant ni conservateur. Dans la jolie boutique colorée et cossue, vous découvrirez, entre autres, les deux fabrications vedettes de la maison : l'abricot et la mandarine.

Confiserie Aptunion – *N 100 - À Salignan -* ☎ *04 90 76 31 43 - www.kerryaptunion.com - visite guidée de l'usine sur demande préalable - fermé dim. sf nov. et déc.* Impossible de manquer cette fabrique de fruits confits : une jolie boutique a été aménagée à l'entrée. Cerise bigarreau (produit vedette), cassis, melon, poire, pêche blanche, abricot et mangue y sont vendus glacés ou en purée, présentés en corbeille ou en composition. Visite de l'atelier sur rendez-vous.

Château de Mille – *Rte de Bonnieux - à 4 km d'Apt sur la D 3, s'engager à droite sur un chemin de terre -* ☎ *04 90 74 11 94 - chateaudemille@wanadoo.fr - 8h-12h, 14h-18h.* Ancienne demeure estivale des papes d'Avignon, la propriété a été acquise, il y a 2 siècles, par la famille Reybaud, maîtres faïenciers et ancêtres du propriétaire actuel. Les vins du domaine bénéficient de l'appellation d'origine contrôlée côtes-du-luberon et ont été maintes fois récompensés par des médailles d'or. Lors de votre venue, prolongez la visite jusqu'à la cuve taillée à même la roche : elle vaut le coup d'œil !

SPORTS & LOISIRS

Base de loisirs, plan d'eau d'Apt – *Rte de St-Saturnin-d'Apt -* ☎ *04 90 04 85 41 - sports@apt.fr - 8h30-12h, 13h30-19h - fermé de fin nov. à mi-mars.* Cette base de loisirs propose de nombreuses activités : voile, planche à voile, kayak, tir à l'arc... Bon à savoir : la baignade n'est pas autorisée sur ce plan d'eau.

Randonnée à vélo – ☎ *04 90 04 42 00.* Un circuit balisé de 50 km, Ocres en Luberon, relie Apt, Roussillon, Gargas, St-Saturnin-les-Apt, Villars et Rustrel par de petites départementales. Topo-guide disponible au Parc naturel régional du Luberon.

École Rustr'Aile Colorado – *Le Stade - 84400 Rustrel -* ☎ *04 90 04 96 53 - www.parapente.biz - 9h-19h - fermé nov.-mars.* École de parapente : survol des falaises d'ocre du Colorado de Rustrel.

CALENDRIER

Festival « Tréteaux de Nuit » – 2e quinzaine de juillet. Musique du monde, variétés, humour.

Tout ce dont on peut avoir un jour besoin, sans même s'en douter, se trouve au marché d'Apt.

se promener

Compter 1h environ, 2h ou plus les jours de marché... Prendre, depuis la place de la Bouquerie, la rue de la République jusqu'à la place du Septier, ornée de beaux hôtels particuliers, puis la place Carnot, et, sur la droite, la rue Ste-Anne.

Cathédrale Ste-Anne

Élevée entre le 11ᵉ et le 12ᵉ s. mais très remaniée depuis : s'y mêlent allègrement roman (bas-côté droit) et gothique (bas-côté gauche) tandis que la nef date du 18ᵉ s. La coupole sur trompes, soutenant le clocher roman, est semblable à celle de N.-D.-des-Doms à Avignon. Un remarquable vitrail du 15ᵉ s., au fond de l'abside, représente sainte Anne tenant dans ses bras la Vierge et l'Enfant.

Dans la **chapelle Sainte-Anne**, achevée en 1664, après qu'Anne d'Autriche fut venue à Apt en pèlerinage, reliquaire de la sainte et groupe sculpté (sainte Anne et la Vierge Marie enfant), œuvre en marbre de Carrare due à Benzoni ; reliques de saint Elzéar de Sabran *(voir Ansouis)* et de saint Castor, évêque du lieu, mort en 422.

> **ROYALE PÈLERINE**
> Un pèlerinage très suivi a lieu chaque année le dernier dimanche de juillet : sainte Anne est connue pour rendre les femmes fécondes ; Anne d'Autriche, qui lui devait la naissance de Louis XIV, vint en pèlerinage à Apt en 1660.

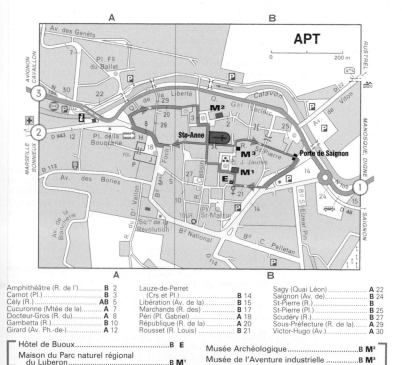

Dans la salle du **Trésor**, châsses en émaux de Limoges (12ᵉ s.), coffrets en bois doré florentins (14ᵉ s.), manuscrits liturgiques et un étendard arabe tissé en 1097 à Damiette.
☏ 04 90 74 36 60 - www.apt-cathedrale.com - avr.-sept. : visite guidée (15mn) 11h et 17h, sam. 11h ; oct.-mars : 11h - fermé dim. et j. fériés - gratuit.
Crypte sur deux étages : le niveau supérieur, roman, conçu comme une minuscule église, contient un autel du 5ᵉ s. ; l'étage inférieur est d'époque carolingienne.
Poursuivre par la rue des Marchands, qui passe sous le clo-cher-porte, jusqu'à la place du Postel.
Passant devant le musée de l'Aventure industrielle *(voir « visiter »)*, poursuivez dans la rue St-Pierre jusqu'à la **porte de Saignon**, vestige de l'enceinte de la cité.
Suivre à droite le cours Lauze-de-Perret jusqu'à la rue Louis-Rousset, par laquelle on entre à nouveau dans la cité.
Au coin de la rue L.-Achart, **hôtel de Buoux** (16ᵉ s.). La Maison du Parc du Luberon *(voir « visiter »)* est installée dans un ancien hôtel particulier de la place Jean-Jaurès.
Gagner par la rue Cassin (à droite) la rue des Marchands, sur la gauche.
Sur la **place Gabriel-Péri**, belle façade classique de la sous-préfecture flanquée de deux fontaines à dauphins.
Par la rue du Dʳ-Gros, rejoindre la place de la Bouquerie.

La porte de Saignon, ouverture médiévale sur les ruelles de la capitale de l'ocre et du fruit confit.

Magnin G. /MICHELIN

visiter

Maison du Parc naturel régional du Luberon
☏ 04 90 04 42 00 - www.parcduluberon.fr - avr.-sept. : tlj sf dim. 8h30-12h, 13h30-19h ; oct.-mars : tlj sf w.-end 8h30-12h, 13h30-18h - fermé j. fériés.
Excellente introduction pour une première approche du Parc du Luberon. Vidéos présentant différents aspects, tant géographiques qu'humains, du Luberon. Au sous-sol, l'accent est mis sur la géologie et l'évolution des espèces vivantes. Au rez-de-chaussée, les grands milieux naturels, l'habitat et les villages perchés.

> **INDISPENSABLE**
> ... avant de partir à la découverte de la région : bornes interactives, panneaux lumineux, fresques animées, diaporamas... Vous saurez tout (ou presque) sur le Luberon.

Musée de l'Aventure industrielle
☏ 04 90 74 95 30 - ☐ - juin-sept. : tlj sf mar. 10h-12h, 15h-18h30, dim. 15h-19h ; oct.-mai : tlj sf dim. et mar. 10h-12h, 14h-17h30 - 4 € (-12 ans gratuit).
Installé dans une ancienne usine de fruits confits, ce musée présente les trois activités industrielles d'Apt et leur évolution du 19ᵉ s. à nos jours : la fabrication des **fruits confits** (machines et outillage) et leur conditionnement (collection d'étiquettes), l'exploitation de l'**ocre** (maquette sur l'extraction, reconstitution d'une scène d'affinage) et la **faïencerie** (exposition de faïences 17ᵉ-20ᵉ s. et de céramiques architecturales).

Musée archéologique
☏ 04 90 74 95 30 - juin-sept. : 10h-12h, 15h-18h30, dim. 15h-19h ; oct.-mai : tlj sf dim. 10h-12h, 14h-17h30 - fermé mar. et j. fériés - 4 € (-12 ans gratuit).
Installées dans un hôtel du 18ᵉ s., derrière la place Carnot, collections de préhistoire, de protohistoire et d'archéologie gallo-romaine (mosaïques, céramique, verrerie, bijoux), ainsi que d'objets découverts sur le site de l'oppidum du Chastellard-de-Lardiers, près de Banon (Alpes-de-Haute-Provence).

circuit

CIRCUIT DE L'OCRE★★
49 km – environ 4h. Quitter Apt par la N 100 en direction de Cavaillon. Prendre à droite sur la D 149 en direction de Bonnieux.

Pont-Julien
Ce pont de l'antique voie Domitienne a été jeté sur le Coulon (ou Calavon) en 3 avant J.-C. Remarquez les

ouvertures pratiquées dans les piles de façon que les eaux s'écoulent rapidement en cas de fortes crues.

Reprendre la D 149 en sens inverse et poursuivre au-delà de la N 100.

Roussillon★★ *(voir ce nom)*

Quitter le village par la D 227 (belles vues à droite sur les falaises d'ocre et le Luberon, à gauche sur le plateau de Vaucluse) *puis prendre à droite la D 2 et, tout de suite à droite, la D 101.* Dans un champ à droite, une vingtaine de bassins de décantation ont été creusés pour le traitement de l'ocre, que l'on extrait des carrières voisines.

Prendre sur la gauche, à l'entrée de Gargas, la D 83, puis à nouveau à gauche la D 943. ▶

> **GARGAS**
> On y extrait encore l'ocre de nos jours. Autres villages ocriers : Gignac *(accès par la D 22)* et Villars *(au Sud de la D 179, entre St-Saturnin et Rustrel)*, où l'ocre était extraite de galeries souterraines.

St-Saturnin-lès-Apt

Ce village perché, adossé aux premiers contreforts du plateau de Vaucluse, est dominé par les vestiges des **murailles** du château qui semblent nées de la falaise. Sa chapelle romane et son moulin à vent offrent un tableau d'un charme tout provençal. Tout en haut, la **porte Ayguier** (15ᵉ s.) a conservé une partie de son système de défense. Les ruelles étroites et sinueuses, les maisons aux murs de pierre sèche et la tranquillité de ce village en font une agréable base pour randonneurs : près de 250 km de sentiers sont balisés sur les anciens chemins de transhumance des alentours, vous permettant d'apercevoir au passage *aiguiers (voir Sault)* et vestiges de bories *(voir Le Luberon).*

Poursuivre par la D 179, puis la D 30 jusqu'à Rustrel.

Colorado de Rustrel★★

Depuis le centre du village, prendre la route de Sault (D 30ᴬ) puis, immédiatement à droite, le boulevard du Colorado que l'on suit sur 500 m. Les parkings (payants) sont indiqués. Guides et plans sont disponibles à la Maison du Colorado, ☎ 04 90 04 96 07 et à la mairie de Rustrel, ☎ 04 90 04 97 43 ou 98 49.

⚐ À partir des parkings, plusieurs circuits vous permettront de découvrir les cheminées des Fées, le Sahara, le cirque de Barriès, les cascades, la rivière de sable et le tunnel, émouvants résultats de l'œuvre conjointe de l'activité humaine (arrêtée en 1956) et de l'érosion.

⚐ *Environ 2h AR. Pour les randonneurs aguerris.* Suivre le balisage jaune. Laissez à droite l'ancienne usine de fer de Rustrel avant de découvrir les roches vermillon au cours de la descente dans le vallon de Lèbre. Remontez jusqu'aux « terres vertes », anciennes carrières de phosphate puis, après avoir traversé un paysage de pinèdes ▶

> **CHÂTEAUX DE SABLE**
> Ces étranges paysages sont hélas appelés à disparaître dans un avenir plus ou moins proche, du fait de l'érosion, de la végétation qui reprend ses droits, de l'abandon de l'exploitation, le tout provoquant un retour aux équilibres naturels et l'effondrement de ces cheminées qui ne sont constituées que de sable...

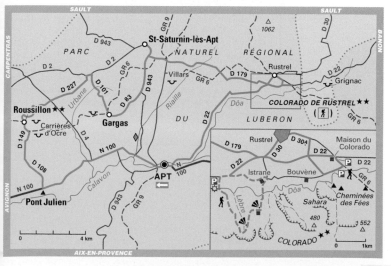

Maanin G. /MICHELIN

D'étranges cheminées : quand l'homme et la nature s'unissent pour créer un paysage fantastique.

et de bruyères, on débouche sur l'ancienne carrière d'Istrane. Le retour s'effectue par l'ancien chemin de Rustrel à Caseneuve et une petite route rurale.

Faites un tour dans l'agréable village de **Rustrel**, dominé par le clocher-peigne de son église et la silhouette d'un manoir.

⏱ *1h15. Départ du cimetière de Rustrel, balisage jaune.* Des charbonniers étaient venus d'Italie, au milieu du 18e s., pour fabriquer le charbon de bois nécessaire au fonctionnement des usines de fer établies sur la commune de Rustrel. Un itinéraire rappelle leur mémoire.

Revenir à Apt par la D 22.

Gorges de l'**Ardèche**★★★

On ne présente plus le célèbre pont d'Arc qui offre une entrée grandiose à l'une des plus imposantes curiosités naturelles du Midi de la France. La majeure partie des gorges a été constituée en réserve naturelle en 1980 et l'ensemble érigé en Grand Site d'intérêt national. La route touristique hardiment tracée sur la rive gauche s'élance à l'assaut de la corniche et ses nombreux belvédères dévoilent des panoramas à couper le souffle !

La situation

Carte Michelin Local 331 I7-J8 – Ardèche (07). À la sortie du bassin de Vallon, l'Ardèche creuse ses gorges dans le plateau calcaire du bas Vivarais. De part et d'autre s'étendent le plateau des Gras *(sur la gauche)* et le plateau d'Orgnac *(sur la droite)*, truffés de grottes et plantés d'un fouillis de chênes verts. La D 290, **route panoramique**, domine l'entaille du plateau côté rive gauche. *Il est vivement conseillé de suivre la route panoramique dans le sens Vallon-Pont-d'Arc-St-Martin-d'Ardèche pour accéder facilement aux parkings des nombreux belvédères.*

Le nom

Il vient d'*ardica* (ou *adrica*), bas latin que l'on rattache à une racine italique *atr-* signifiant « noir » ou « sombre ».

Les gens

La grotte Chauvet, le site des Templiers... nombreux sont les témoignages d'une occupation très ancienne des gorges. Elles sont aujourd'hui fréquentées par une multitude de canoéistes et de vacanciers que surveille, sans doute avec étonnement, le superbe et rare **aigle de Bonelli** ; il ne faut pas oublier que c'est son territoire !

ATTENTION !
La beauté des gorges de l'Ardèche attire chaque année une multitude de vacanciers, surtout pendant la période estivale. Cette affluence ne doit pas faire oublier qu'il s'agit d'un site naturel fragile qui mérite vraiment d'être préservé.

carnet pratique

Voir également les carnets pratiques de Vallon-Pont-d'Arc et de l'aven d'Orgnac.

Se loger

⊖⊖ Hôtel Le Clos des Bruyères – *Rte des Gorges - 07150 Vallon-Pont-d'Arc - ☏ 04 75 37 18 85 - clos.des.bruyeres@online.fr - fermé oct.-mars - P - 32 ch. 55/59 € - ☕ 6,80 €.*
La route des gorges de l'Ardèche est magnifique, mais fatiguante avec ses virages ! Faites étape dans cette maison de style régional, dont les arcades ouvrent sur la piscine d'été. Chambres avec balcon ou en rez-de-jardin. Cuisine de la mer au restaurant doté d'une terrasse.

Se restaurer

⊖⊖ L'Auberge Sarrasine – *R. de la Fontaine - 30760 Aiguèze - ☏ 04 66 50 94 20 - fermé janv. - 15/50 €.*
En vous promenant dans les ruelles anciennes du village, vous découvrirez ce petit restaurant installé dans trois salles voûtées datant du 11e s. et agrémentées de belles cheminées. Le chef marie avec bonheur saveurs et couleurs.

Descente en barque ou en canoe

Elle peut s'effectuer toute l'année. En période froide (oct.-avr.), se munir d'une combinaison étanche et isotherme. Privilégier les mois de mai, juin (à l'exclusion des w.-ends, très chargés) et septembre (tous les jours). La descente complète représente 30 km en partant avant le Pont-d'Arc, mais il est possible de commencer vers Chames (derniers loueurs) pour réduire la descente à 24 km. Prévoir 2 jours pour profiter au maximum de la descente sans se soucier de l'heure d'arrivée. Ceux qui veulent profiter des gorges sans effort physique peuvent demander les services de la Confrérie des bateliers de l'Ardèche (renseignements et réservations à l'Office du tourisme de Vallon). Pour séjourner sur les aires de bivouac de la réserve naturelle, il est nécessaire de réserver sa place à l'avance (☏ 04 75 88 00 41).

Locations - Une soixantaine de loueurs implantés à Vallon-Pont-d'Arc, Salavas, Ruoms, St-Martin et St-Remèze proposent la descente des gorges, soit en location libre soit en location accompagnée de 1 à 2 j, pour un forfait moyen de 26 € (1 j.) ou 36 € (2 j. sans hébergement, bivouac obligatoire 5 € et 7 € sous tente collective) par personne.
Liste des loueurs auprès de l'Office du tourisme des gorges de l'Ardèche et de Vallon-Pont-d'Arc (le village, 07150 Vallon-Pont-d'Arc - ☏ 04 75 88 04 01 ; l'Office du tourisme du pays Ruomsois - rue Alphonse-Daudet, 07120 Ruoms - ☏ 04 75 93 91 90 et l'Office du tourisme de St-Martin-d'Ardèche - ☏ 04 75 98 70 91).
La descente en individuel étant libre, réserver à l'avance sa nuitée en bivouac auprès de la Centrale de réservation des bivouacs de la réserve naturelle des gorges de l'Ardèche (☏ 04 75 88 00 41).

Prudence – Selon la saison et la hauteur des eaux, prévoir de 6h à 9h pour la descente (dép. interdit après 18h). Quelques passages difficiles nécessitent un minimum d'initiation (et expérience confirmée en zone orange) à demander avant votre départ auprès de votre loueur de canoës. Il est impératif de savoir nager. Gilet de sauvetage désormais exigé, sous peine de lourdes amendes. Un règlement de la navigation est consultable chez tous les loueurs de canoës, dans les mairies, les offices de tourisme et les gendarmeries. Pour une descente découverte du patrimoine, traversez en toute sécurité les 26 km de Réserve Naturelle avec les bateliers de l'Ardèche. Par ailleurs, il est très utile de se procurer le Plan-guide des gorges de l'Ardèche, édité par l'association Tourena.

Bivouac - La rivière traverse une réserve naturelle. Sur 30 km de canyon, la porte de départ est le majesteux Pont-d'arc. L'arrêt pour le pique-nique reste possible tout au long de la rivière, moyennant un strict respect des lieux (abandon de déchets interdit !), mais le bivouac n'est autorisé que sur les aires naturelles de Gaud et de Gournier (5 € par personne ou 7 € sous tente marabout - réservation au 04 75 88 00 41).
Des séjours de plus longue durée sont possibles aux campings des Templiers (naturisme, ☏ 04 75 04 28 58) et des grottes de St-Marcel (☏ 04 75 04 14 65).

Damase J. /MICHELIN

Descente à pied

De nombreux passages nécessitent un sens exercé de la reconnaissance de terrain : vires étroites et glissantes, traversées de grottes et de gués. Équipement de randonnée performant recommandé.
Le *Plan-guide* édité par l'association Tourena donne de précieux renseignements sur les parcours à pied dans les gorges. Si l'on entreprend la promenade à partir de la rive gauche, il est prudent de se renseigner auparavant sur le niveau des eaux auprès des gendarmeries locales ou du Service départemental d'alerte des crues (☏ 04 75 64 54 55). Les gués « des Champs » et « de Guitard » sont en effet inévitables.

LES CAPRICES DE L'ARDÈCHE

Prenant sa source à 1 467 m d'altitude dans le massif de Mazan, l'Ardèche se jette dans le Rhône, après 119 km de course, 1 km en amont de Pont-St-Esprit. Si la pente est surtout très forte dans la haute vallée, c'est dans le bas pays que l'on rencontre les exemples d'érosion les plus étonnants : ici, la rivière a dû se frayer un passage dans les assises calcaires du plateau, déjà attaqué par les eaux souterraines. Ses affluents, qui dévalent brutalement de la montagne, accentuent son régime irrégulier : maximum en automne, faible débit hivernal, crues au printemps et basses eaux en été. Le débit de l'Ardèche peut passer de 2,5 m³/s à plus de 7 000 lors des fameux et redoutables « coups de l'Ardèche » : c'est un véritable mur d'eau qui s'avance à la vitesse de 15 ou 20 km/h au point de repousser le flot du Rhône. La décrue est tout aussi soudaine.

circuits

ROUTE PANORAMIQUE ①

À SAVOIR
Ce circuit permet de découvrir les gorges de l'Ardèche par la D 290, **route panoramique** qui domine la rivière puis, après avoir franchi l'Ardèche à St-Martin-d'Ardèche, de rentrer à Vallon par le plateau d'Orgnac.

38 km au départ de Vallon-Pont-d'Arc (voir ce nom) – compter 1/2 journée. Quitter Vallon vers le Sud en direction du pont d'Arc.

Après être passée au pied du château du vieux Vallon, la route franchit l'Ibie avant de rejoindre l'Ardèche.

Sur la gauche s'ouvrent la **grotte des Tunnels**, une rivière souterraine y coulait autrefois (à présent elle se visite), puis la **grotte des Huguenots**, où est présentée une exposition sur la spéléologie, la préhistoire et l'histoire des huguenots du Sud Vivarais. ☎ 04 75 88 06 71 - de mi-juin à fin août : 10h-19h - 3,50 € (enf. 2,50 €).

Pont d'Arc★★

Laisser la voiture sur le grand parking aménagé à gauche de la route. Un sentier s'amorçant de l'autre côté permet d'accéder à la plage située au pied du pont d'Arc. Cette impressionnante arche naturelle, haute de 34 m, large de 59 m, enjambe l'Ardèche qui contournait autrefois ce promontoire.

Le paysage, à partir du pont d'Arc, devient grandiose. Au fond d'une gorge déserte, longue de 30 km, cernée par des falaises dont certaines atteignent 300 m de hauteur, les eaux vertes de la rivière dessinent d'harmonieux méandres entrecoupés de rapides. Après Chames, la route effectue un long crochet au fond de l'imposant **cirque★** rocheux du **vallon de Tiourre,** avant de gagner, en corniche, le rebord du plateau.

Belvédère du Serre de Tourre★★

Il est établi à la verticale de l'Ardèche qu'il surplombe d'une hauteur de 200 m. De là, la vue sur le méandre du **pas du Mousse** est superbe. Seules traces d'occupation humaine, les ruines du château d'Ebbo (16ᵉ s.), vissées sur l'échine rocheuse, s'ajoutent à la grandeur du lieu.

Largement tracée dans le taillis de chênes verts des bois Bouchas puis Malbosc, la route épouse le relief tour-

Sous l'arche ne se déversait autrefois qu'un simple cours d'eau souterrain. On suppose que l'Ardèche, à la faveur d'une forte crue, aurait abandonné son ancien cours pour se glisser à travers l'orifice qu'elle a peu à peu agrandi, donnant naissance au pont d'Arc.

menté des falaises. Depuis les **belvédères de Gaud**★★, on découvre la partie amont du méandre de Gaud et les tourelles de son petit château (19ᵉ s.).

Belvédères d'Autridge★

Une boucle en déviation permet d'y accéder. Vues sur l'aiguille de Morsanne, semblable à la proue d'un navire.

500 m après la majestueuse combe d'Agrimont, du rebord de la route s'offrent de superbes **perspectives**★★ sur la courbe de l'Ardèche que domine l'aiguille de Morsanne.

Belvédères de Gournier★★

À 200 m au-dessus de l'Ardèche, les belvédères de Gournier voient la rivière se frayer un passage parmi les rochers de la Toupine de Gournier.

Gagner l'aven de Marzal par la route qui court sur le plateau des Gras (D 590, face à la route d'accès au belvédère de la Madeleine).

Aven de Marzal★

Température intérieure : 14 °C. ☎ 04 75 55 14 82 - visite guidée (1h) avr.-sept. : 10h-18h ; mars et oct.-nov. : dim. et j. fériés 14h-17h - 7,80 € (enf. 5,20 €).

S'enfonçant sous le plateau des Gras, cet aven est riche en concrétions de calcite, que colorient divers oxydes allant de l'ocre brun au blanc neigeux.

On accède aux grottes par un escalier qui emprunte l'orifice naturel et débouche dans la Grande Salle, ou salle du Tombeau. Tout près, remarquez les ossements d'animaux tombés dans la grotte (ours, cerfs, bisons). La **salle du Chien**, où une coulée de draperies blanches surmonte l'entrée, contient des concrétions très variées : orgues de couleurs vives, formations excentriques, en disques et en grappes de raisins. Par la richesse de ses coloris, la **salle de la Pomme de pin** est un enchantement.

À la sortie de l'aven, un **musée du Monde souterrain** évoque les grandes étapes de la spéléologie en France : équipements ayant appartenu ou ayant été mis au point par les pionniers de cette spécialité tels que Martel, Robert de Joly, Élisabeth et Norbert Casteret ou Guy de Lavaur. ☎ 04 75 55 14 82 - ♿ - avr.-sept. : 10h-18h ; mars et oct.-nov. : dim. et j. fériés 14h 18h - gratuit.

On peut compléter la visite par un parcours ombragé de 800 m, aménagé en « **zoo préhistorique** », qui présente des reproductions, plus ou moins crédibles, de quelques spécimens de la faune locale d'autrefois. ☎ 04 75 55 14 82. ♿ - avr.-sept. : 10h-18h ; mars et oct.-nov. : dim. et j. fériés 13h-17h30 - 7,80 € (enf. 5,20 €) ; 13,40 € (enf. 8,30 €) billet combiné avec aven de Marzal.

Poursuivre sur le plateau des Gras par la pittoresque D 201.

> ### RICHE
> Terme de la visite, la **salle des Diamants** (130 m au-dessous du sol) scintille de milliers de cristaux, en une féerie de reflets et de couleurs.

> ### GRANDEUR NATURE
> Dimétrodon, stégosaure, brachiosaure, tyrannosaure et mammouth... bref, de quoi réjouir les fans de *Jurassic Park*.

UN GARDE FORESTIER BIEN TATILLON

En occitan, *marzal* désigne une graminée sauvage. Ce fut le sobriquet dont on affubla le garde forestier de St-Remèze, Dechame, qui avait infligé une amende à sa propre femme, coupable d'avoir cueilli cette plante dans le champ d'un voisin pour nourrir ses lapins. Or, peu après, Marzal fut tué par un habitant de la commune qui, pour se débarrasser du corps, le jeta dans un aven dit « Trou de la Barthe ». Le crime découvert, le trou prit le nom de la victime. L'aven ne fut cependant véritablement connu qu'en 1892 lorsque le spéléologue **E.-A. Martel** (1859-1938) en fit la première exploration. Mais on oublia sa situation exacte et il ne fut redécouvert qu'en 1949.

Bidon

C'est un minuscule village aux maisons de pierres sèches, où la vie semble s'écouler paisiblement depuis des siècles. Le **musée de la Vie** retrace le prodigieux cheminement suivi par l'univers depuis le fameux big-bang jusqu'à nos jours. ☎ 04 75 04 08 79 - ♿ - de déb. avr. à mi-nov. : 10h-18h - 6 € (enf. 3 €).

Revenir aux gorges par la D 590 jusqu'au grand carrefour de la Madeleine.

HAUTE PROTECTION
Écosystème fragile, la réserve naturelle des gorges de l'Ardèche (zone comprise entre Charmes et Sauze) fait l'objet de mesures de protection : on s'abstiendra donc d'y faire du feu, d'y abandonner des détritus, d'arracher les plantes ou d'ébrancher les arbres et de s'écarter des sentiers. Campings et bivouacs sont interdits en dehors des aires autorisées.

Vous voici sur la **Haute Corniche★★★**, partie la plus spectaculaire du parcours, où les belvédères offrent des vues parfois saisissantes sur les gorges.

Belvédère de la Madeleine★

Accès au parking en voiture – du moins à partir du mois d'avril, lorsque la barrière est ouverte – par une route goudronnée. Beau point de vue sur le « fort » de la Madeleine barrant vers l'aval l'enfilade des gorges. On peut faire une petite visite à la **Maison de la réserve** *(entrée libre).*

Il faut toute la vigueur parfois brutale de l'Ardèche pour frayer un chemin dans les plateaux calcaires qui la séparent du Rhône.

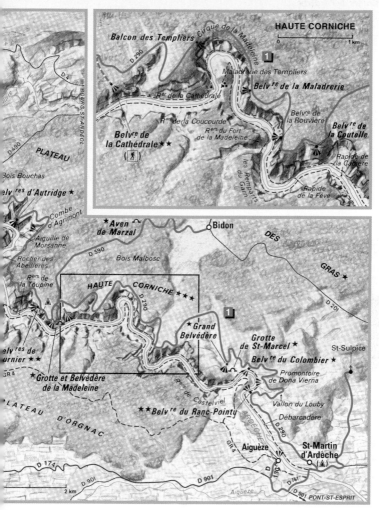

Grotte de la Madeleine★

☎ 04 75 04 22 20 - www.grottemadeleine.com - visite guidée (1h), dernière visite 1h av. fermeture, juil.-août : 9h-19h ; avr.-juin et sept. : 10h-18h ; oct. : 10h-17h - 7 € (enf. 4,50 €).

📷 Découverte en 1887, la grotte a été forée par un ancien cours d'eau souterrain qui drainait jadis une partie du plateau des Gras. On y pénètre par la grotte Obscure, d'où un tunnel taillé dans le roc permet d'atteindre la salle du Chaos. Une magnifique coulée blanche entre deux amas rouges de draperies évoque une cascade par sa fluidité et ses concrétions en forme de rose des sables. Les parois de la salle sont couvertes de petites cristallisations semblables à des coraux.

Belvédère de la Cathédrale★★

🚶 15mn depuis le point d'accès au belvédère de la Madeleine, sur un chemin parfois rocailleux (soyez prudents !). Point de vue imprenable sur un immense rocher ruiniforme, la « Cathédrale », qui dresse ses flèches de pierre en amont de la rivière.

Balcon des Templiers

Il doit son nom aux ruines d'une maladrerie de Templiers posée en contrebas sur un éperon. Vues saisissantes sur le méandre resserré de la rivière, dominé par les magnifiques parois du cirque.

Belvédère de la Maladrerie

Il permet d'apercevoir la « Cathédrale » sous un autre angle ; le belvédère de la **Rouvière** donne sur les « remparts » du Garn.

Belvédère de la Coutelle

Plus vertigineux, ce belvédère est situé à pic sur la rivière qui coule 180 m plus bas ; à gauche on aperçoit les rochers de Castelviel et les rapides de la Fève et de la Cadière.

Grand Belvédère★

Il donne sur la sortie des gorges et le dernier méandre de l'Ardèche.

À 200 m en aval du Grand Belvédère, à gauche de la D 290, se trouve le bâtiment d'accueil de la grotte de St-Marcel.

Grotte de St-Marcel★

☎ *04 75 04 38 07 - visite guidée (1h) juil.-août : 10h-19h ; de mi-mars à fin juin et sept. : 10h-18h ; de déb. oct. à mi-nov. : 10h-17h (dernière entrée 1h avant fermeture) - 7 €.*

◉ Découverte en 1835 par un chasseur d'Aiguèze, cette grotte, creusée par une rivière souterraine, s'ouvre naturellement par un abri sous roche au flanc des gorges. Aujourd'hui, une partie des galeries (dont le total atteint 32 km) est ouverte aux visiteurs.

Un tunnel donne accès à d'impressionnants couloirs où abondent stalactites, stalagmites, draperies, fistuleuses et autres excentriques, l'intérêt principal de la grotte résidant toutefois dans ses **cascades de gours**. On traverse la salle de la Fontaine de la Vierge, la galerie des Peintres striée de bandes blanches (calcite), rouges (oxyde de fer) et noires (manganèse), la salle des Rois, la Cathédrale.

Un sentier pédestre tracé autour du site fait découvrir la flore locale (chênes verts, buis, cistes, etc.) et deux monuments mégalithiques *(dépliant remis à la caisse).*

Reprendre la D 290.

Grotte de St-Marcel : la lumière met en scène les dentelles des cascades de gours.

Kaufmann B. /MICHELIN

Belvédère du Colombier★

On découvre un méandre aux berges entièrement rocheuses.

La route décrit ensuite un crochet au fond d'une vallée sèche, puis, après le promontoire de Dona Vierna, fait un long détour au fond du vallon du Louby.

Belvédère du Ranc-Pointu★★

Il permet de distinguer stries, marmites et grottes, différents phénomènes dus à l'érosion.

Une vallée cultivée largement ouverte vers le Rhône succède brusquement au paysage tourmenté des gorges. Sur la droite, on aperçoit Aiguèze, agrippé à une crête rocheuse dominant l'Ardèche.

Saint-Martin-d'Ardèche

◄ Située au débouché des gorges, cette sympathique bourgade a su aujourd'hui se lier d'amitié avec la rivière dont les facéties fréquentes avaient, par le passé, fait surnommer ses habitants les « trempe-culs ». La cité, où Max Ernst séjourna de 1937 à 1940, accueille aujourd'hui aux beaux jours nombre d'adeptes de la baignade ou de la pêche, randonneurs et canoéistes.

De St-Martin, franchir l'Ardèche sur le pont suspendu (des plus étroits !) puis prendre à droite la D 901 et tout de suite à droite la D 180.

DÉTOUR

Par une petite route à gauche de St-Martin-d'Ardèche (direction Trignan), on accède, au milieu des vignes, à la chapelle romane de **Saint-Sulpice**, d'une éblouissante blancheur.

Aiguèze

Village médiéval aux rues pavées. On pénètre dans l'ancienne forteresse du 14e s. par un arc taillé dans le rocher : depuis le chemin de ronde, **coup d'œil★** sur la sortie du canyon, les tours en ruine et, en contrebas, le pont suspendu que l'on vient de franchir.

PLATEAU D'ORGNAC ☑

Circuit de 45 km au départ d'Orgnac-l'Aven. Voir aven d'Orgnac.

découvrir

AU FOND DES GORGES

La **descente des gorges en barque, en canoë ou à pied*****, de Vallon-Pont-d'Arc à St-Martin-d'Ardèche, est une expérience inoubliable. *Recommandations : voir le « carnet pratique ».*

En barque ou en canoë

Après un calme plan d'eau, l'Ardèche pénètre en méandre dans les gorges. L'impressionnant **rapide du Charlemagne**, que domine le monumental rocher du même nom, précède le passage sous le porche naturel du pont d'Arc. Sur la gauche se déploie le cirque d'Estre où s'ouvre la grotte Chauvet ; puis, peu après, on aperçoit sur la droite l'entrée de la grotte ornée d'Ebbo, avant l'étroit pas du Mousse qui donne accès au plateau. Sur la gauche se détache le rocher de l'Aiguille.

Après les falaises de Saleyron, quelques battements de cœur au passage du **rapide de la Dent Noire**... Puis, retour au calme dans le méandre du cirque de Gaud. Les rapides alternent alors avec de magnifiques plans d'eau, surplombés par d'impressionnantes parois : aiguille de Morsanne à gauche et, à droite, les arrachements rouges et noirs des Abeillères. Après les rochers et les trous de la Toupine de Gournier (le fond peut y atteindre 18 m), on aperçoit au loin, après environ 4h de navigation, la majestueuse Cathédrale et, sur la gauche, une des entrées naturelles de la grotte de la Madeleine. Peu après la Cathédrale, on contourne la presqu'île des Templiers, qui ont cédé aujourd'hui le terrain aux naturistes.

Au pied d'énormes falaises, le **cirque de la Madeleine** est l'un des plus beaux passages des gorges. Le singulier rocher de la Coucourde (de *cogorda*, mot désignant en provençal une « courge » et, donc, un crâne !) et le surplomb de Castelvieil précèdent l'entrée de la grotte St-Marcel. Puis, après le promontoire de Dona Vierna et le belvédère du Ranc-Pointu, les falaises s'abaissent à l'entrée de la percée finale. Sur la droite, la tour d'Aiguèze domine la vallée, désormais élargie.

À pied

Pour rester au sec, on partira du Chames-Gué du Charmassonet *(rive gauche)*, puis on traversera deux fois la rivière, au Charmassonet-Gué de Guitard *(rive droite)* et au gué de Guitard-Sauze *(rive gauche)*. D'autre part, depuis le plateau, de nombreux parcours en boucle sont possibles.

> ► **ACCROCHEZ-VOUS...**
> Le rapide du Charlemagne, ou celui de la Dent Noire, risquent de chahuter les cœurs sensibles...

> ► **C'EST BEAU !**
> Détroits, rapides et plans d'eau irisés se succèdent tandis que les chênes verts contrastent avec les parois dénudées.

Arles★★★

Joyau posé sur le Rhône, sous un ciel transparent purifié par le mistral, cette cité antique et romane, riche d'un patrimoine architectural unique au monde, et aussi capitale de l'image, a depuis toujours inspiré artistes et poètes. Pour en saisir l'âme, il faut savoir s'y arrêter, et y perdre son temps...

La situation

Carte Michelin Local 340 C3 – Schéma p. 203 – Bouches-du-Rhône (13). Sitôt quittée la voie rapide, on se trouve sur le boulevard des Lices, centre nerveux de la ville, qui longe le tracé des anciens remparts. Une suggestion : se garer sous les platanes du boulevard Georges-Clemenceau. Une mise en garde : ne pas s'aventurer en voiture dans le dédale de ruelles du vieil Arles !

🖪 *Espl. Charles-de-Gaulle, Bd des Lices, 13200 Arles,* ☎ *04 90 18 41 20. www.tourisme.ville-arles.fr*

Le nom

Du celte *ar* (« hauteur ») et *lath* (« près des marais »), elle est devenue l'Arelate des Romains – mais elle faillit bien être rebaptisée « Constantina » en l'honneur de l'empereur Constantin qui la couvrit de bienfaits.

Les gens

53 057 Arlésiens ou Arlatens (en provençal). Parmi eux, le flamboyant couturier **Christian Lacroix** qui s'est inspiré pour ses créations du costume traditionnel provençal.

Les bords du Rhône à Arles, derrière lesquels se dissimule le clocher de l'église St-Trophime.

comprendre

De main en main – Les Celto-Ligures établirent à cet endroit leur oppidum, Théliné, que les Grecs de Marseille colonisèrent dès le 6ᵉ s. avant J.-C. Bientôt rebaptisée Arelate, la ville prit son essor lorsque le consul Marius la fit relier, en 104 avant J.-C., au golfe de Fos par un canal, ce qui facilita la navigation. Après la prise de Marseille par César en 49 avant J.-C., Arelate devient une colonie romaine prospère : carrefour de plusieurs routes (sept au total), grand port maritime et fluvial.

◄ **Une colonie romaine** – Colonie des vétérans de la 6ᵉ légion, la ville reçoit le privilège de ceinturer les 40 ha de la cité officielle d'un rempart. Un forum, des temples, une basilique, des thermes et un théâtre sont édifiés ; un aqueduc amène à la ville l'eau pure des Alpilles. La ville se développe au 1ᵉʳ s. : amphithéâtre, chantiers navals au

> **« VIN DE POIX »**
> Ainsi appelait-on dans l'Antiquité le vin noir et épais des coteaux du Rhône, qui s'est fort heureusement allégé depuis....

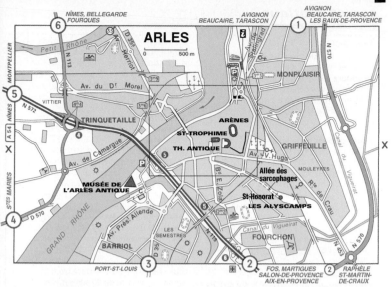

ARLES

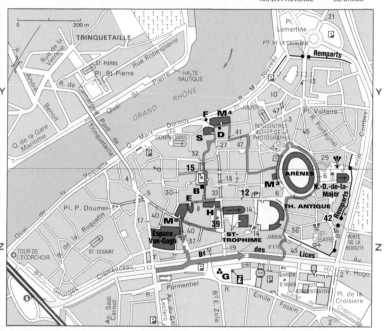

carnet pratique

TRANSPORTS

En train – Le **TER** relie Arles à Avignon (20mn) et Marseille (50mn).

En voiture – Arles est à 95 km au NO de Marseille par la N 568, puis la N 113 ; à 37 km au S d'Avignon par la N 570, et à 30 km au SE de Nîmes par la N 113.

VISITE

Visites guidées de la ville – Arles, qui porte le label Ville d'art et d'histoire, propose des visites-découvertes (1h30) animées par des guides-conférenciers agréés par le ministère de la Culture et de la Communication. *Se renseigner pour les horaires. 4 €.* ☎ *04 90 18 41 20. www.tourisme.ville-arles.fr*

Allovisit – Parcours dans la ville en 7 étapes, audioguidé depuis votre téléphone portable. *Carte Allovisit disponible gratuitement à l'Office de tourisme (communication : 0,34 €/mn).*

Sites et musées arlésiens – Il existe un Pass donnant accès à tous les monuments et musées de la ville : on peut se le procurer à l'entrée du premier d'entre eux (à l'exception du Museon Arlaten) et à l'Office de tourisme. *13,50 €.* Il existe également un Pass Antique (9 €) qui permet de visiter les monuments de l'antiquité.

Le Train des Alpilles – 📷 *Voir Les Alpilles.*

SE LOGER

⊜ **Le Relais de Poste** – *2 r. Molière -* ☎ *04 90 52 05 76 - www.hotelrelaisdeposte.com - fermé janv.-15 ch. 31/62 € - ⊇ 6 € - restaurant 8/20 €.* À deux pas du boulevard des Lices et de l'espace Van-Gogh, un authentique relais de poste du 18e s. poursuit sa vocation hôtelière. Salle de restaurant aux poutres et peintures murales évoquant l'ancienne affectation du lieu, et chambres simples décorées de tissus provençaux.

⊜⊜ **Hôtel du Musée** – *11 r. du Grand-Prieuré -* ☎ *04 90 93 88 88 - contact@hoteldumusee.com.fr - fermé 5 janv.-10 fév. - 28 ch. 42/85 € - ⊇ 7 €.* Face au musée Réattu, un ancien hôtel particulier du 17e s. : un dédale de cours agréablement verdoyantes, teintes chaudes aux murs et aux sols, et accueil chaleureux : un charme fou !

⊜⊜ **Muette** – *15 r. des Suisses -* ☎ *04 90 96 15 39 - hotel.muette@wanadoo.fr - fermé vac. de fév. - 18 ch. 54/65 € - ⊇ 6 €.* Belle façade du 12e s. donnant sur une placette de la vieille ville. Pierres apparentes dans les chambres, sagement provençales. Salle des petits-déjeuners égayée de photos tauromachiques.

⊜⊜ **Acacias** – *2 r. de la Cavalerie -* ☎ *04 90 96 37 88 - contact@hotel-acacias.com - fermé 23 oct.-13 mars - 33 ch. 55 € - ⊇ 6 €.* Pimpante façade rose au pied de la porte de la Cavalerie. Chambres colorées et meublées avec simplicité. Salle des petits-déjeuners agrémentée d'une fresque.

⊜⊜ **Hôtel Calendal** – *5 r. Porte-de-Laure -* ☎ *04 90 96 11 89 - contact@lecalendal.com - fermé janv. - 35 ch. 64/99 € - ⊇ 7 €.* Cet hôtel à la coquetterie des maisons provençales, avec sa façade colorée, son joli jardin intérieur ombragé et son salon « cosy ». À l'intérieur, le jaune et le bleu parent meubles, étoffes et faïences. Petit salon de thé.

⊜⊜⊜ **Mireille** – *2 pl. St-Pierre, à Trinquetaille -* ☎ *04 90 93 70 74 - contact@hotel-mireille.com - fermé 4 nov.-14 mars - 34 ch. 82/120 € - ⊇ 11 € - restaurant 23/29 €.* C'est au calme que vous plongerez dans la piscine d'été de cet hôtel un peu excentré, oubliant son environnement urbain. Chambres de bonne taille, aux couleurs gaies, garnies de meubles provençaux. Lumineuse salle à manger rehaussée d'étoffes rouges et jaunes.

⊜⊜⊜ **Hôtel d'Arlatan** – *26 r. Sauvage, près du Forum -* ☎ *04 90 93 56 66 - hotel-arlatan@wanadoo.fr - fermé 5 janv.-8 fév. - 41 ch. 85/153 € - ⊇ 11 €.* Vous tomberez sous le charme de cet ancien hôtel particulier du 15e s. voisin de la place du Forum, ne serait-ce qu'en admirant les vestiges romains à travers le sol de verre du bar et du salon. Chambres meublées à l'ancienne et jolis tissus. Petite cour arborée où le petit déjeuner est servi en été.

SE RESTAURER

⊜ **Corazón** – *1 bis r. Réattu, face à l'entrée du musée Réattu -* ☎ *04 90 96 32 53 - corazon.arles@wanadoo.fr - fermé dim. et lun. - 7,50/35 €.* Galerie d'art, boutique déco, salon de thé, restaurant ? Un peu de tout ça et plus encore : ajoutez en plus qu'on peut y déjeuner ou dîner sur le pouce dans le patio grâce à l'ardoise du jour. Et vous comprendrez notre coup de cœur pour ce corazón-là !

⊜⊜ **La Charcuterie** – *51 r. des Arènes -* ☎ *04 90 96 56 96 - restaurant.la-charcuterie@wanadoo.fr - fermé 1er-15 août, 23 déc.-6 janv., dim. et lun. sf en juil. et w.-ends de mai - 15/30 €.* Authentique ripailleur lyonnais, le jovial propriétaire des lieux ne pouvait choisir mieux qu'une ancienne charcuterie et ses comptoirs de marbre pour régaler les amateurs de cochonnailles. Des saucissons d'Arles aux pieds de cochon de Lyon, tout y est choisi avec soin !

⊜⊜ **Le Criquet** – *21 r. Porte-de-Laure -* ☎ *04 90 96 80 51 - fermé de fin déc. à fin fév. et merc. - 16/19 €.* Préférez la salle à manger de ce petit restaurant voisin des arènes : avec ses pierres apparentes et ses poutres, elle a davantage de charme que la terrasse. Tranquillement attablé, vous pourrez y savourer la bourride du jeune chef et autres spécialités.

⊜⊜ **Lou Calèu** – *27 r. Porte-de-Laure - montée Vauban -* ☎ *04 90 49 71 77 - contact@lou-caleu.com - fermé 5 janv.-15 fév. - 18/26 €.* Un grand classique : mescluns, civet de taureau (ailleurs on dit gardiane), carré d'agneau au romarin : c'est tout Arles dans votre assiette. Excellente carte de vins. Une adresse pour fins gourmets.

⊜⊜ **Le Jardin de Manon** – *14 av. des Alyscamps -* ☎ *04 90 93 38 68 - fermé 4-24 fév. et 21 oct.-10 nov. - 14 € déj. - 19/40 €.* Ce restaurant situé à l'écart du centre-ville porte bien son nom. Sa cour-terrasse intérieure, arborée et fleurie, séduira les amateurs de dîners à la belle étoile. Deux accueillantes salles à manger habillées de boiseries. Cuisine régionale d'un bon rapport qualité-prix, préparée avec les produits du marché.

⊖⊟ Ferme-Auberge de Barbegal – *D 33 - 13280 Raphèle-les-Arles -* ☎ *04 90 54 63 69 - www.barbegal.fr - fermé dim. soir et lun. -* ▱ *- réserv. obligatoire - 18/25 € – 5 ch. 52/64 €.* Les propriétaires de cette ferme tricentenaire superbement restaurée élèvent moutons et volailles, cultivent un potager et exploitent une oliveraie. Ils proposent également une cuisine du terroir bien sûr élaborée avec les produits maison. L'affaire marche bien, aussi pensez à réserver.

Magnin G. /MICHELIN

En soirée

Bon à savoir - Loin de s'être figée dans son passé, Arles est une ville très vivante, sachant conjuguer ses traditions et l'ère moderne. Entre les corridas et le Festival International de la Photographie, son grand marché d'artisanat et de produits régionaux et ses programmations musicales, il nous reste quelques moments pour nous poser sur les terrasses de ces grands cafés que Van Gogh avait su si bien peindre.

Bar de l'hôtel Nord-Pinus – *Pl. du Forum -* ☎ *04 90 93 44 44 - www.nord-pinus.com - 10h-1h.* L'hôtel Nord-Pinus, bâti au 17ᵉ s., abrite un bar à l'atmosphère plaisante : lustres surmontés de maquettes de bateaux, fauteuils crapauds, musique flamenco et "traje de luces". De nombreuses personnalités ont été séduites : Picasso, Jean Cocteau, Yves Montand, Nimeno 2, Ruiz Miguel, Jean Giono...

Le Café, la nuit (Café Van Gogh) – *11 pl. du Forum -* ☎ *04 90 96 44 56 - juil.-août : 9h-2h ; hors sais. : 9h-0h.* Ce café et sa grande terrasse sur la place du Forum doit sa célébrité à Vincent Van Gogh qui en a fait le sujet de l'une de ses toiles en 1888 : « Voilà un tableau de nuit sans noir, rien qu'avec du beau bleu et du violet et du vert et, dans cet entourage, la place illuminée se colore de soufre pâle, de citron vert. Cela m'amuse énormément de peindre la nuit sur la place... » (extrait d'une lettre de Van Gogh à sa sœur Wilhelmine, datée de septembre 1888).

L'Entrevue – *23 quai Marx-Dormoy -* ☎ *04 90 93 37 28 - 8h30-0h ; juin-sept. : 8h30-2h - fermé 25 déc., 1ᵉʳ janv., dim. soir en hiver et dim. midi en été.* Ce lieu insolite créé par les éditions Actes Sud (éditeurs entre autres de Paul Auster et de Nina Berberova) abrite à la fois un café-restaurant à thème, une librairie, un hammam et un cinéma d'art et essai.

Arts et Spectacles Le Méjan – *Pl. Nina-Berberova -* ☎ *04 90 49 56 78 - mejan@actes-sud.fr.* Créée en 1984 à l'initiative des éditions Actes Sud, cette association organise tout au long de l'année, dans la chapelle de Saint-Martin-du-Méjan, des soirées et matinées musicales, concerts de jazz, lectures, conférences et expositions.

Que rapporter

Marchés – Marché traditionnel mercredi, bd Émile-Combes et samedi, bd des Lices et bd Clemenceau. Brocante le 1ᵉʳ mercredi du mois. Marché aux potiers le jeudi et le vendredi de l'Ascension, bd des Lices. Marché de Noël fin novembre.

La Boutique des Gourmets – *5 pl. Félix-Rey, espace Van-Gogh -* ☎ *04 90 49 66 93 - edsanje4@wanadoo.fr - tlj sf lun. hors sais. et dim. 9h30-12h30, 14h-19h - fermé fin janv.* Cette boutique se consacre entièrement aux produits du terroir provençal : liqueurs, sel de Camargue, riz, conserves cuisinées de tellines, tapenades, terrines de taureau, huiles d'olive, miel, confitures... Découvrez également les nougats de la maison Guy Thomas aux 25 parfums originaux (thym, romarin, réglisse, figue, etc.).

De Moro – *R. du Prés.-Wilson -* ☎ *04 90 93 14 43 - tlj sf dim. apr.-midi et lun. 7h30-19h - fermé j. fériés.* Les connaisseurs disent que cette adresse fabrique les meilleurs croquants du pays d'Arles. Les gourmands, eux, fondent littéralement à la vue des pâtes d'amande, des fruits confits, de la Framboisine, du Bayadère, etc. Sans oublier les chocolats maison, les pains à l'ancienne, les fougasses ou encore les viennoiseries.

Fad'oli – *46 r. des Arènes et pl. du Forum -* ☎ *04 90 49 70 73 - yannbruyere@hotmail.com - tlj sf dim. 10h-19h, dim. en juil.-août - fermé 25 déc.-2 janv.* Dans cette petite boutique, vous découvrirez un choix intéressant d'huiles d'olive d'origines très diverses (Espagne, Grèce, Italie, Provence, etc.), de la tapenade et des olives confites. Restauration possible sur place : sandwiches et « fadolis » à l'huile d'olive bien sûr, salades, sushis, tapas...

Henri Vezolles Santonnier – *14 rd-pt des Arènes -* ☎ *04 90 93 48 80 - mai-sept. : tlj sf dim. 9h-19h ; hors sais. : 9h-12h30, 14h-19h - fermé janv.* Cet artisan fabrique artisanalement ses santons à partir de deux, trois ou quatre terres naturelles différentes. Il les décore ensuite à la barbotine. Vente directe exclusivement dans son atelier.

Les Étoffes de Romane – *10 bd des Lices -* ☎ *04 90 93 53 70 - nov.-mai : mar.-vend 9h30-13h, 14h-19h, sam. 9h30-13h30, 15h30-19h.* Tissus provençaux (habillement et ameublement).

Librairie Actes Sud – *Pl. Nina-Berberova, Le Mejan* - ☎ *04 90 49 56 77* - *librairie@actes-sud.fr* – *tlj sf dim. 9h30-19h30.* Pour acheter les dernières parutions de la célèbre maison d'édition arlésienne.

La Boutique des Passionnés – *14 r. Réattu - centre ville, zone piétonne -* ☎ *04 90 96 59 93 - www.passion-toros.com - lun. 14h-19h, mar.-sam. 9h-19h, dim. en déc. - fermé j. fériés.* À la fois librairie et magasin de disques, cette adresse indépendante est une mine d'or pour les passionnés de tauromachie et de musiques du Sud.

Pazery D. /MICHELIN

CALENDRIER

Tauromachie – Si une visite des arènes permet d'en apprécier l'architecture, rien de tel que d'y pénétrer un jour de corrida ou de course camarguaise pour y trouver une ambiance, sans doute guère éloignée de ce qu'elle était durant l'Antiquité. En dehors des spectacles isolés, les corridas se donnent lors des ferias de Pâques (w.-end de Pâques) et du Riz (2ᵉ w.-end de sept.), qui réunissent le gotha de la tauromachie. De grandes courses camarguaises ont lieu au début du printemps (dim. des Rameaux), mais les grands rendez-vous sont les fêtes d'Arles (1ᵉʳ w.-end de juil.) avec les

Cocardes d'or et d'argent ; et un an sur deux, en octobre, en alternance avec Nîmes, la finale du Trophée des As.

Bon à savoir – Du fait de la configuration des arènes, afin de bénéficier d'une vision complète de la piste, il faut être tout près ou tout en haut. Aux places intermédiaires, vous risquez de vous trouver derrière un spectateur placé plus haut que vous ! Préférez donc les tribunes (le must, c'est la tribune centrale : comptez environ 87 €) ou les 1ᵉʳ et 2ᵉ séries (39 et 29 €). Sachez également que les corridas commencent toujours à l'heure annoncée et que les retardataires doivent attendre dans les couloirs que le premier taureau soit estoqué pour pouvoir gagner leur place. *Réservations au bureau des arènes (à droite de l'entrée principale) :* ☎ *04 90 96 03 70 - www.arenes-arles.com (réservation en ligne).*

Fête des Gardians – Chaque 1ᵉʳ Mai, rassemblement des gardians et des membres de la Nacioun Gardiano pour la procession de la statue de saint Georges jusqu'à l'église de la Major. Après la bénédiction, remise des pains bénits aux autorités de la ville, grand-messe chantée en provençal. L'après-midi, grand spectacle provençal aux arènes. Tous les trois ans, élection de la reine d'Arles.

Les Rencontres d'Arles – ☎ *04 90 96 76 06 - 10 rd-pt des Arènes - www.rencontres-arles.com - de déb. juil. à mi-sept.* Rencontres internationales de la photographie ; soirées au théâtre antique, expositions, stages et colloques un peu partout en ville.

Festival Les Suds – *2ᵉ quinzaine de juillet.* Musiques du monde. *www.suds-arles.com*

Provence Prestige – *Fin novembre.* Salon de l'art de vivre. *www.provenceprestige.com*

Salon international des santonniers – De fin novembre à mi-janvier, dans le cloître St-Trophime.

Messe et veillée provençale traditionnelle – 24 décembre à St-Trophime.

Sud, quartier résidentiel à l'Est. Sur la rive opposée du Rhône, à Trinquetaille, mariniers, bateliers et marchands entretiennent l'animation et un pont de bateaux est lancé sur le fleuve.

Un siècle d'or – Arles est un centre industriel actif : on y fabrique des tissus, de l'orfèvrerie, des navires, des sarcophages, des armes. Un atelier impérial bat monnaie. On exporte le blé, la charcuterie, l'huile et le vin. Prospère, Arles voit accroître son pouvoir politique : **Constantin** s'y installe. L'extension d'Arles atteint alors son maximum : l'empereur fait remodeler le quartier Nord-Ouest où il édifie un palais impérial et les thermes de la Trouille. En 395, la cité devient préfecture des Gaules (Espagne, Gaule proprement dite, Bretagne). Dans ses murs se tiennent dix-neuf conciles, grâce au rayonnement de ses évêques (comme saint Césaire), qui en font une importante métropole religieuse.

Le déclin – Francs et Sarrasins se disputent au 8ᵉ s. le pays, avec les ravages qu'on imagine... et au 9ᵉ s., la ville n'est plus que l'ombre d'elle-même lorsqu'elle devient la capitale du royaume d'Arles, comprenant la

Bourgogne et une partie de la Provence. Il faudra attendre le 12e s. pour voir l'amorce d'un renouveau : l'empereur **Frédéric Barberousse** vient se faire couronner roi d'Arles en 1178 dans la toute nouvelle cathédrale Saint-Trophime. En 1239, les bourgeois arlésiens se rallient au comte de Provence et dès lors, la ville suit les destinées de sa province. Aix la détrône dans le domaine politique, Marseille prend sa revanche dans l'ordre économique. Le Rhône assure néanmoins une certaine prospérité, d'autant que le pays est mis en valeur par l'irrigation de la Crau et la bonification des marais. Mais l'avènement du chemin de fer, détruisant le rôle commercial du fleuve, lui porte un coup fatal. Arles n'est plus alors que le marché agricole de la Camargue, de la Crau et des Alpilles.

se promener

CENTRE MONUMENTAL
Compter 1 journée.

Quel plaisir de se promener sur le **boulevard des Lices**, avec ses grands platanes, ses terrasses de cafés et son animation, particulièrement le samedi matin, jour de marché.

Par l'agréable jardin d'Été, puis la rue Porte-de-Laure ▶ jalonnée de restaurants, vous accédez à l'Arles antique, débouchant devant la masse majestueuse de l'amphithéâtre, tandis que sur la gauche, parmi pins et mélèzes, se dressent les colonnes du théâtre antique.

Théâtre antique★★
☎ 04 90 49 36 74 - mai-sept. : 9h-18h30 ; mars-avr. et oct. : 9h-12h, 14h-18h ; nov.-fév. : 10h-12h, 14h-17h (dernière entrée 30mn av. fermeture) - fermé 1er janv., 1er Mai, 1er nov. et 25 déc. - 3 €.

Construit vers 27-25 avant J.-C., il est malheureusement très dégradé mais va être restauré (dans le cadre du Plan patrimoine antique) et doté d'un équipement moderne pour continuer à accueillir des spectacles.

Carrière au Moyen Âge, réduit fortifié ensuite, il disparut complètement sous les habitations et ne fut dégagé qu'à partir de 1827. D'un diamètre de 102 m, l'édifice s'appuyait non pas sur une colline (comme celui d'Orange) mais sur un portique extérieur de 27 arches dont une travée a subsisté. Ne restent du mur de scène que deux admirables colonnes, composant avec la végétation un paysage on ne peut plus romantique. La scène, la fosse du rideau, l'orchestre et une partie des gradins sont encore visibles.

Prenant sur la droite des arènes, on accède au parvis de la collégiale romane **N.-D.-de-la-Major**, l'un des hauts

> **UNE OASIS DE CALME**
> Dans le quartier silencieux et serein qui s'élève entre la rue Porte-de-Laure et les remparts, des demeures souvent restaurées réservent bien des surprises : ici une gargouille, là une fenêtre géminée, ailleurs une colonne cannelée encastrée dans une façade...

L'amphithéâtre pouvait recevoir plus de 20 000 spectateurs friands des combats de gladiateurs (interdits en 404 après J.-C. sous l'influence du christianisme) et des jeux divers qui s'y déroulaient.

lieux de la confrérie des Gardians. Une terrasse permet d'apprécier la vue, au premier plan sur les toits de tuiles romaines aux teintes rose orangé, au second plan sur l'abbaye de Montmajour, la Montagnette et les Alpilles et, au loin, sur les Cévennes délicatement bleutées.

Poursuivre sur la droite jusqu'aux marches donnant accès à l'amphithéâtre.

Arènes★★

☎ 04 90 49 35 97 - juin-sept. : 9h-18h30 (merc. 14h) ; mai : 9h-18h30 ; mars-avr. et oct. : 9h-18h ; nov.-fév. : 10h-17h (dernière entrée 30mn av. fermeture) - fermé du jeu. saint au lun. de Pâques, 2e w.-end de sept., 1er janv., 1er Mai, 1er nov. et 25 déc. 5,50 €.

◀ L'amphithéâtre date vraisemblablement de la fin du 1er s. et mesure 136 m sur 107 m. L'arène, de 69 m sur 40 m, était séparée des gradins par un mur de protection et recouverte d'un plancher : sous ce dernier se trouvaient les machineries, les cages aux fauves et les coulisses. Il fait l'objet d'une restauration (dans le cadre du Plan patrimoine antique) qui doit s'achever en 2007.

Remontez le long des arènes jusqu'au palais de Luppé, édifice du 18e s. qui abrite la fondation Vincent-Van-Gogh *(voir « visiter »).*

Prendre à droite du palais la rue des Arènes puis la seconde rue à droite.

On passe devant l'ancien grand prieuré des chevaliers de Malte, bel édifice des 15e et 17e s. qui abrite aujourd'hui le **musée Réattu** *(voir « visiter »).* En face, n'hésitez pas à jeter un coup d'œil dans la cour de la commanderie de Sainte-Luce.

Palais Constantin★ (thermes de la Trouille)

◀ *Accès par la rue Maïsto.* ☎ 04 90 49 31 32 - *mêmes conditions de visite que le théâtre antique - 3 €.*

Ces thermes, dont seule une partie a été dégagée, datent du règne de Constantin (4e s.). Ce sont les plus vastes qui subsistent en Provence (98 m sur 45 m). On y pénètre par la salle tiède, le *tepidarium*, avant d'accéder à la salle chaude, le *caldarium*, qui a conservé son hypocauste, fourneau souterrain permettant de transformer la salle en étuve.

Remonter par la rue Maïsto, à gauche, et poursuivre, encore à gauche, par la place et la rue du Sauvage.

Belles demeures dont l'ancien palais des comtes d'Arlatan de Beaumont (15e s.) abritant aujourd'hui l'hôtel d'Arlatan.

Continuer jusqu'à la place du Forum.

Place du Forum

« Place des hommes » : tel était le nom de cette place où les journaliers se regroupaient chaque matin pour se louer aux propriétaires terriens venus embaucher leur personnel temporaire. Animée par des terrasses de cafés, présidée par la statue de Mistral où aiment à se percher des pigeons peu respectueux des valeurs du Félibrige, cette place, malgré son nouveau nom, n'est pas située à l'emplacement du forum de la ville romaine, qui s'étendait plus au Sud. Remarquez, incluses dans la façade du légendaire hôtel Nord-Pinus, deux colonnes corinthiennes, restes de la façade d'un temple du 2e s.

Par la petite rue à gauche, on accède au Plan de la Cour, placette bordée de bâtiments anciens dont l'**hôtel des Podestats** (12e-15e s.) et l'hôtel de ville *(en cours de restauration).*

Hôtel de ville

Lorsqu'il le réédifia en 1675 sur des plans de Hardouin Mansart, l'Arlésien Peytret conserva de l'édifice précédent la tour de l'Horloge (16e s.), inspirée du mausolée du plateau des Antiques. On remarquera dans le vestibule la **voûte★** presque plate, chef-d'œuvre qui faisait l'admiration des compagnons du Tour de France.

La rue Balze sur la gauche permet d'accéder à la chapelle des Jésuites dans laquelle s'ouvrent les cryptoportiques.

UNE VILLE DANS LA VILLE
C'est ce que devinrent les arènes au Moyen Âge. Sous les arcades bouchées, sur les gradins et sur la piste s'élevaient plus de 200 maisons et 2 chapelles, construites avec des pierres prélevées sur l'édifice. Mutilé mais préservé de la destruction par cette utilisation continue, le monument fut dégagé, puis restauré à partir de 1825.

CHEMINS BUISSONNIERS
En contournant les thermes et la place Constantin, on rencontre l'église des Dominicains, puis, accédant au quai Marx-Dormoy, la **place Nina-Berberova**, haut lieu culturel de la ville avec les éditions Actes Sud.

Cryptoportiques★

☎ 04 90 49 36 74 - *fermé pour raisons de sécurité.*
Cette double galerie souterraine en fer à cheval date de la fin du 1er s. avant J.-C. Les deux couloirs voûtés sont séparés par un alignement de piliers massifs et des soupiraux diffusent la lumière du jour. On ignore si ces substructions du forum antique avaient une autre fonction que celle d'en assurer la stabilité : celle de grenier à blé ?

De retour au Plan de la Cour, traversant le vestibule de l'hôtel de ville, on débouche sur la place de la République, où un bel **obélisque** provenant du cirque romain d'Arles complète le décor composé par la façade classique de l'hôtel de ville et le somptueux portail de Saint-Trophime.

Église St-Trophime★

Cette église, vouée à celui qui fut sans doute le premier évêque d'Arles, au début du 3e s., a été bâtie à l'emplacement d'un sanctuaire antérieur, d'époque carolingienne (partie de la façade en petits moellons), puis reconstruite au 11e s. (transept) et dans la première moitié du 12e s. (nef). C'est vers 1180 qu'elle s'est embellie d'un magnifique **portail sculpté★★**, parfait exemple du roman méridional tardif. Il affecte la forme d'un arc de triomphe, influence courante en Provence de l'art antique sur les bâtisseurs romans.

À l'intérieur, on sera surpris par la hauteur du vaisseau et l'étroitesse des bas-côtés, ainsi que par la sobriété romane de la nef qui contraste avec les nervures et les moulures du chœur gothique. Parmi les œuvres d'art, on remarquera des sarcophages du 4e s. (dont celui représentant le Passage de la mer Rouge, servant d'autel à la chapelle de Grignan), et une très belle *Annonciation* de Finsonius, dans le transept gauche.

Impression de fraîcheur appréciée des visiteurs estivaux : la fontaine de l'obélisque.

Magnin G. /MICHELIN

> **SAUVEGARDE**
> Inscrit par l'Unesco sur la liste du patrimoine mondial, le portail de St-Trophime a été restauré selon des procédés sophistiqués, alors que, rongé par les vents, la pluie et la pollution, il était menacé de disparition.

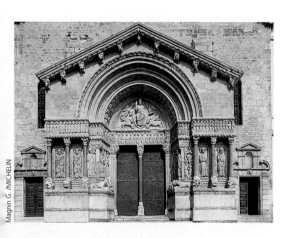

Magnin G. /MICHELIN

Au portail de St-Trophime, on ne se lassera pas d'admirer les sculptures d'aspect archaïque, sans doute liées à la tradition romaine, représentant le thème du Jugement dernier.

Cloître St-Trophime★★

Mêmes conditions de visite que les arènes - fermé 1er janv., 1er Mai, 1er nov. et 25 déc. - 3,50 €.
C'est le plus célèbre de Provence par l'élégance et la finesse de sa décoration sculptée, peut-être due à certains artistes de St-Gilles. Remarquez en particulier les sculptures sur les chapiteaux et les magnifiques piliers d'angle de la galerie Nord *(à gauche en entrant)*. Les chapiteaux et les piliers de la galerie Est évoquent la vie du Christ, ceux de la galerie Sud celle de saint Trophime ; quant à la galerie Ouest, elle est consacrée à des thèmes provençaux, comme sainte Marthe et la tarasque. Depuis la galerie Sud, on découvre le cloître, les anciens locaux du chapitre, la nef de l'église et, dominant le tout, son robuste clocher. Bordant la galerie Est, le réfectoire et le cloître accueillent des expositions temporaires, dont le fameux **Salon des santonniers** *(de fin nov. à mi-janv.)*.

> **NE PAS MANQUER**
> Sur le pilier Nord-Est, une statue de saint Paul aux plis profondément incisés, très longs sous les coudes, œuvre d'un artiste qui, visiblement, connaissait le portail central de St-Gilles *(voir ce nom)*.

Prendre à droite la rue de la République puis la rue du Prés.-Wilson qui conduit à l'ancien Hôtel-Dieu (Espace Van-Gogh, voir « visiter »).

LES ALYSCAMPS★★★

Compter 30mn. Mêmes conditions de visite que le Théâtre antique - 3,50 €.

À l'époque romaine, Arles était entourée de nécropoles, dont une située sur la voie Aurélienne, qui prit plus tard le nom d'Alyscamps.

Prendre la rue Émile Gassin jusqu'à l'allée des Sarcophages.

Kaufmann B. /MICHELIN

Dans cette allée bordée de grands arbres et d'une double rangée de sarcophages, l'émotion subsiste et l'imagination ne peut se défendre d'évoquer les 80 générations qui sont venues se recueillir à cet endroit.

PETITS CADEAUX

Offrir à un défunt, comme marque d'affection, une tombe aux Alyscamps était chose courante : il suffisait d'expédier au fil du Rhône son cercueil muni d'une obole pour les fossoyeurs qui, interceptant le colis au pont de Trinquetaille, se chargeaient de l'inhumation.

Allée des Sarcophages

Passez sous le porche du 12e s. (vestige de l'abbaye St-Césaire). Remarquez que bon nombre de sarcophages sont de type grec (toit à double pente et quatre coins relevés), les autres (à couvercle plat) de type romain. Sur certains sont sculptés un fil à plomb et un niveau de maçon, symbolisant l'égalité des hommes devant la mort, tandis qu'une sorte de hache, la doloire, était censée protéger le sarcophage contre les voleurs.

UNE NÉCROPOLE TROIS ÉTOILES

Les Alyscamps (« Champs Élysées ») ont été, de l'époque gallo-romaine jusqu'à la fin du Moyen Âge, une des plus prestigieuses nécropoles d'Occident. Le voyageur antique, arrivant à Arles par la voie Aurélienne, était accompagné, ici comme dans la plupart des villes du monde romain, par un long cortège de tombeaux et de mausolées gravés d'inscriptions. Mais le grand essor des Alyscamps est venu lors de la christianisation de la nécropole, autour des reliques de saint Trophime et du tombeau de saint Genès, fonctionnaire romain qui, ayant refusé de transcrire un édit de persécution contre les chrétiens, fut décapité en 250. Le déclin allait survenir, après le transfert des reliques de saint Trophime à la cathédrale en 1152. La nécropole, bientôt jugée démodée, sera petit à petit dépecée par les seigneurs et édiles qui offraient en souvenir à leurs hôtes de marque des sarcophages choisis parmi les mieux sculptés, tandis que les moines puisaient dans les pierres tombales pour bâtir des couvents ou enclore leurs jardins. Par bonheur, quelques pièces admirables ont pu être sauvées et recueillies au musée de l'Arles antique.

Église St-Honorat

Reconstruite au 12e s. par les moines de St-Victor de Marseille, gardiens de la nécropole, elle est dominée par un puissant clocher ou tour-lanterne à deux étages percés de huit baies en plein cintre. Outre le clocher, ne subsistent que le chœur, plusieurs chapelles et un portail sculpté.

visiter

Musée de l'Arles et de la Provence Antiques★★

Accès par le bd Georges-Clemenceau que l'on suit jusqu'au Rhône, avant de passer à gauche sous la voie rapide. ☎ *04 90 18 88 88 - www.arles-antique.org - ♿ - avr.-oct. : 9h-19h ; nov.-mars : 10h-17h - fermé 1er janv., 1er Mai, 1er nov. et 25 déc. - 5,50 € (-18 ans gratuit), 1er dim. du mois gratuit.*

En bordure du Rhône, cet audacieux bâtiment bleu de forme triangulaire, conçu par Henri Ciriani, abrite les riches collections arlésiennes d'archéologie, jusqu'alors disséminées en divers lieux de la ville.

Accueilli par le lion de l'Accoule (1er s.), le visiteur découvre la grande statuaire : statues de danseuses, autels dédiés à Apollon, moulage de la fameuse **Vénus d'Arles** hellénistique (l'original est au Louvre) et grand **bouclier votif d'Auguste** (26 avant J.-C.) témoignent de la romanisation rapide d'Arles.

Lacanaud M. /Musée de l'Arles antique

Des **maquettes** illustrent la civilisation romaine à l'époque impériale. Les plans d'urbanisme qui jalonnent l'édification des grands monuments d'époques augustéenne (forum, théâtre), flavienne (amphithéâtre), antonine (cirque) et constantine (thermes) permettent de suivre l'évolution d'Arelate.

La **vie quotidienne** des Arlésiens (équipement domestique, parures, soins médicaux) est présentée en parallèle avec leurs activités traditionnelles (agriculture, élevage, artisanat, industrie) par des objets ou des bas-reliefs provenant de sarcophages. Quant à l'**économie** arlésienne, elle est évoquée par le réseau routier (bornes milliaires) et le commerce terrestre ou maritime (amphores et *dolia*). Une aire est consacrée aux cultes : petit faune en bronze (1er s. avant J.-C.), torse de Sarapis (2e s.) autour duquel s'enroule un serpent.

La statue colossale d'Auguste ornait le mur de scène du théâtre.

Du haut d'une passerelle, on découvre les motifs et les coloris de somptueuses **mosaïques** provenant des riches villas de Trinquetaille, témoignages des fastes de l'époque impériale : décors géométriques ou à thème illustrant l'Enlèvement d'Europe, Orphée ou les Quatre Saisons.

> **AVEC LE TEMPS...**
> Dans le médaillon central de la mosaïque de l'Aiôn, le dieu du temps tient à la main l'inexorable roue du zodiaque.

Mais on s'attachera surtout à l'éblouissante **série de sarcophages★★**, païens ou chrétiens : ces œuvres magnifiques, généralement taillées dans le marbre aux 3e et 4e s. par les sculpteurs arlésiens, proviennent en partie des Alyscamps. Remarquez le sarcophage de Phèdre et Hippolyte, celui de la Trinité ou encore celui des Époux. Le parcours se termine sur l'Antiquité tardive avec la boucle en ivoire de saint Césaire (6e s.) représentant les soldats endormis devant le tombeau du Christ.

Bas-relief de stèles funéraires.

Sauvignier S. /MICHELIN

Museon Arlaten★

R. de la République. ☎ *04 90 52 52 31 - juin-août : 9h30-13h, 14h-18h30 ; avr.-mai et sept. : 9h30-12h30, 14h-18h ; oct.-mars : 9h30-12h30, 14h-17h (dernière entrée 1h av. fermeture) - fermé lun. (oct.-juin), 1ᵉʳ janv., 1ᵉʳ Mai, 1ᵉʳ nov. et 25 déc. - 4 €, gratuit 1ᵉʳ dim. et dernier merc. du mois.*

Installé dans l'hôtel de Laval-Castellane (16ᵉ s.), voilà un passionnant musée dont la visite est indispensable à tous ceux qui souhaitent mieux connaître les traditions de la Provence rhodanienne. Quant au côté désuet de la présentation, avec ses étiquettes soigneusement calligraphiées de la main de **Mistral**, il ne fait que renforcer le charme de l'endroit...

D'innombrables objets sont exposés dans une trentaine de salles, gardées par une Arlésienne revêtue de son inévitable (et magnifique) costume.

Dans la cour, vestiges d'un petit forum qui donnait accès à une basilique du 2ᵉ s.

Meubles, costumes, objets, céramiques, documents, reconstitutions d'intérieurs (voir la « veillée de Noël » dans la salle à manger du mas) évoquent la vie quotidienne, les métiers traditionnels, la batellerie du Rhône, l'habitat, les rites religieux, la musique et les fêtes d'autrefois en pays d'Arles. L'ensemble fait de ce musée ethnographique, aménagé avec ferveur, le plus complet de Provence.

Musée Réattu★

☎ *04 90 49 38 34 - mai-sept. : 10h-12h30, 14h-19h ; mars-avr. et oct. : 10h-12h30, 14h-17h30 ; nov.-fév. : 13h-17h30 (dernière entrée 30mn av. fermeture) - fermé 1ᵉʳ janv., 1ᵉʳ Mai, 1ᵉʳ nov. et 25 déc. - 4 €.*

Il doit son nom au peintre arlésien **Jacques Réattu** (1760-1833) qui habita les lieux et à qui cinq salles sont consacrées.

Outre des peintures italiennes, françaises, hollandaises ou provençales du 16ᵉ au 18ᵉ s., le musée présente une collection de sculptures contemporaines (César, Richier, Bourdelle, Zadkine), des peintures modernes de Dufy, Vlaminck, Sarthou, Prassinos et Alechinsky et surtout la **donation Picasso★**, comprenant 57 dessins et une toile exécutés en 1971.

Les œuvres de l'important **fonds photographique★** (plus de 4 000 clichés), né du don du photographe arlésien **Lucien Clergue**, sans cesse enrichi par des acquisitions et des donations d'artistes invités aux Rencontres internationales de la photographie, sont exposées par roulement.

Un arlequin pour les Arlésiens par un familier des lieux (Pablo Picasso : « Pierrot et Arlequin »).

Espace Van-Gogh

☎ *04 90 49 38 05 - 7h30-19h30 - gratuit.*

C'est dans l'ancien Hôtel-Dieu, à la cour bordée d'arcades, que Van Gogh se fit soigner en 1889. Le lieu abrite aujourd'hui diverses librairies, la médiathèque, les archives de la ville et le collège des traducteurs littéraires, qui tiennent leurs assises à Arles chaque année.

Van Gogh peignit le jardin de l'ancien Hôtel-Dieu, aujourd'hui reconstitué grâce au témoignage de sa toile, « Le Jardin de la maison de santé à Arles ».

Fondation Vincent-Van-Gogh-Arles

13 r. Aristide-Briand. ☎ *04 90 49 94 04 - avr.-oct. : 10h30-20h ; nov.-mars : tlj sf lun. 11h-17h - fermé 1ᵉʳ janv., Pâques, 1ᵉʳ nov. et 25 déc. - 7 €.*

C'est un bel hôtel du 18ᵉ s., le palais de Luppé, qui abrite cette collection d'œuvres créées en hommage à Van Gogh. Tableaux (Bacon, Hockney, Botero, Debré), sculptures (Appel, César), photos (Doisneau, Clergue), œuvres littéraires (Tournier, V. Forrester), musicales (Dutilleux) et créations de mode (Lacroix) revisitent l'œuvre du peintre hollandais. Expositions temporaires consacrées à l'un des donateurs, chaque année, lorsque la collection permanente voyage sous d'autres cieux.

alentours

Abbaye de Montmajour★

À 2 km au Nord d'Arles, en direction de Fontvieille. Voir ce nom.

circuits

LA CRAU

Cette vaste plaine de galets et de graviers, accumulés en certains points sur 15 m d'épaisseur, s'étend sur 50 000 ha entre le Rhône, les Alpilles, les hauteurs de St-Mitre et la mer.

Des cultures sur des cailloux – Deux zones fertilisées se développent simultanément au Nord. L'une, partant d'Arles, dépasse St-Martin-de-Crau ; l'autre fait tache d'huile à l'Ouest de Salon. Ces deux zones, couvertes de prairies, de cultures maraîchères et fruitières abritées par des haies de peupliers et de cyprès, tendent à se rejoindre, si bien qu'en parcourant la N 113, d'Arles à Salon, on n'a qu'une très faible idée de l'aspect désertique de la Crau non irriguée, ou Grande Crau.

> **DU FOIN**
> On récolte chaque année près de 100 000 t de l'excellent **foin de Crau** (AOC), fort réputé, en trois coupes. La 4ᵉ est vendue sur pied aux éleveurs des quelque 100 000 moutons qui peuplent la Crau d'octobre à début juin.

Gourmets, les moutons de la Crau apprécient particulièrement l'herbe fine des « coussouls » qui pousse entre les pierres.

Magnin G. /MICHELIN

Le royaume du mérinos – La Grande Crau est une immense steppe vouée à l'élevage très extensif des moutons, les mérinos d'Arles. Certains éleveurs s'installent chaque printemps en location sur les *coussouls* qui comprennent, outre les espaces de parcours, une « jasse » (de *jaç* : « bergerie ») et un puits constitué d'une couronne de pierre des Alpilles taillée d'un seul bloc.

Le départ pour l'alpage a lieu début juin, quand l'herbe disparaît et l'eau se raréfie. Jadis, la transhumance vers la Savoie et le Briançonnais se faisait par les « drailles », chemins coutumiers le long desquels s'égrenait le cortège des brebis, des chèvres, des chiens et des ânes lourdement chargés, guidé par le bayle-berger assisté de ses pâtres. Il fallait environ douze jours de marche pour arriver dans les Alpes, après avoir traversé maints villages qui attendaient à date fixe le sympathique défilé.

> **JASSES**
> Il subsiste une quarantaine de jasses, toutes construites entre 1830 et 1880 selon un plan identique : bâtiment rectangulaire de 40 m sur 10 m, bâti en pierre de Fontvieille ou en galets disposés en arêtes de poisson, ouvert aux deux extrémités.

Le retour, aux premières neiges, se faisait dans la même ambiance et ce n'était pas sans joie que l'on retrouvait la douceur de la Crau...

Aujourd'hui, le transport se fait par bétaillères et l'élevage, pourtant bien intégré à l'économie rurale locale, rencontre de nombreux problèmes : le mérinos d'Arles n'est pas suffisamment rentable, les bergers se font rares et la superficie des territoires de parcours diminue.

Circuit de 93 km – compter 3h, visite du Vigueirat non comprise. Quitter Arles par la N 453.

Saint-Martin-de-Crau

Le bourg mérite un arrêt pour son **écomusée de la Crau** qui instruit sur les spécificités de cette région originale. Des visites accompagnées dans le domaine de Peau de Meau permettent de découvrir le milieu naturel. *9h-12h, 14h-18h. Fermé dim., 1ᵉʳ janv., 25 déc. 1,50 €. ☎ 04 90 47 02 01.*

Prendre la D 24 au Sud jusqu'à la voie rapide (N 568) qu'on suit en direction de Martigues.

La Grande Crau

Le paysage verdoyant se dégrade progressivement vers le Sud jusqu'à devenir désertique. On ne rencontre ni hameau, ni mas, ni cultures, mais seulement de loin en loin quelques-unes de ces bergeries basses qui témoignent des activités pastorales en déclin. Le développement de la zone portuaire de Fos a fermé l'horizon cher à Mistral. Les cultures et les aérodromes colonisent petit à petit le « désert provençal ».

À la Fossette, prendre à droite la N 268 jusqu'à Port-St-Louis-du-Rhône, puis encore à droite la D 35, et tourner dans la D 24 jusqu'au Mas-Thibert.

La Coustière de Crau

On accède à la Crau humide, ou Coustière de Crau, région marécageuse en bordure du Grand Rhône où subsistent de nombreux élevages de taureaux de combat, race espagnole destinée aux *novilladas* de la région.

Marais du Vigueirat★

Schéma p. 203. ☎ 04 90 98 70 91 - www.marais-vigueirat.reserves-naturelles.fr - visite thématique : avr.-août (2h) tlj sf lun. et vend. 1 dép. par j., pour horaires se renseigner - 7 € (6-17 ans 3,50 €) - randonnée nature : fév.-mars et sept.-nov. : merc., w.-end et j. fériés (5h, prévoir de bonnes chaussures et un pique-nique) dép. 10h - 10 € (6-17 ans 5 €) - visite guidée en calèche : avr.-sept. : tlj sf lun. dép. 10h et 15h ; nov. : w.-end et j. fériés dép. 10h et 14h30 - 13 € (6-17 ans 6,50 €) - visite de la Palunette : avr.-août : tlj sf lun. 10h-16h - 5 € (6-17 ans 1 €) - sentiers de l'Étourneau : tlj 10h-17h - gratuit - fermé déc.-janv.

DRÔLES D'OISEAUX

La visite permet d'observer de nombreux oiseaux tels que hérons pourpres et cendrés, colverts, vanneaux huppés, échasses blanches ou encore percnoptères d'Égypte et luscinioles à moustache.

◄ Ce domaine (propriété du Conservatoire du littoral), qui s'étend entre le canal d'Arles à Bouc, creusé en 1827, et le canal du Vigueirat (1642), est l'œuvre d'un ingénieur hollandais, témoignage émouvant de la lutte séculaire de l'homme contre les éléments. Grâce à des roubines (canaux) et à des pompes, le niveau des eaux et leur salinité sont contrôlés, permettant de maintenir les différents écosystèmes camarguais.

Trois formules de découverte sont proposées : une visite guidée ; ⬚ la visite libre du sentier des Cabanes, animée de jeux et manipulations interactives ; ou encore, à la belle saison, la visite en calèche.

Revenir vers Arles par la D 35. Prendre une petite route à droite (signalée).

Pont de Langlois

L'original, dont Van Gogh fit un tableau fameux, a été détruit en 1926. Identique à celui du tableau, ce pont à bascule a été démonté et réédifié ici, sur le canal reliant Arles à Fos, à quelques dizaines de mètres de son emplacement d'origine.

AUTOUR DU VACCARÈS *(voir la Camargue)*

Aubagne

Dans la vallée de l'Huveaune, aujourd'hui fortement industrialisée, Aubagne doit à ses carrières d'argile une tradition potière, déjà reconnue à l'époque gallo-romaine. Cette vocation a retrouvé un nouveau souffle avec les santonniers qui attirent dans la ville nombre de visiteurs.

La situation

Carte Michelin Local 340 I6 – Bouches-du-Rhône (13). On accède à Aubagne par l'autoroute Marseille-Toulon. La ville, dominée par le massif du Garlaban, est désormais une banlieue de Marseille. Sur les grands cours ombragés du centre, les places de parking sont rares. À défaut, parking public payant : accès à environ 300 m de la mairie. ❏ *Av. Antide-Boyer, 13400 Aubagne,* ☎ *04 42 03 49 98. www.aubagne.com*

Le nom

Non, les Romains n'ont pas cherché à faire trempette dans l'Huveaune, si bien que faire dériver le nom Aubagne d'*ad balnea* (« au bain ») relève de la fantaisie. Il semble qu'un certain Albanius, propriétaire local, soit le seul responsable de l'appellation de la cité, connue vers l'an mil comme Villa Albanea.

Les gens

42 638 Aubagnais. Le plus connu est bien sûr **Marcel** ▶ **Pagnol** (1895-1974 – sa maison natale se trouve 16 cours Barthélémy), écrivain, dramaturge et cinéaste. Sa renommée n'a fait que s'amplifier avec la réalisation des films que Claude Berri (*Jean de Florette* et *Manon des Sources*, 1986) et Yves Robert (*La Gloire de mon père, Le Château de ma mère*, 1990) ont tiré de son œuvre. Comment oublier Yves Montand dans le rôle du « papet » ?

Sauvignier S./MICHELIN

UN ÉCRIVAIN LIÉ À SA TERRE

Créateur de personnages inoubliables, de scènes mémorables, de réparties inénarrables, **Marcel Pagnol** a su jouer de plusieurs registres : le comique, la critique sociale mordante (*Topaze*) ou l'émotion (*Merlusse*). Mais ce sont ses trois volumes autobiographiques (*La Gloire de mon père, Le Château de ma mère* et *Le Temps des secrets*) qui resteront l'œuvre maîtresse de cet écrivain, lié comme peu d'autres à la terre qui l'a vu naître.

découvrir

SANTONNIERS ET CÉRAMISTES

Ici, l'argile est reine : à l'époque gallo-romaine, on y fabri-quait amphores et céramiques ; au Moyen Âge, Aubagne était un grand centre de production de tuiles ; enfin, au 19ᵉ s., l'apparition des crèches domestiques a permis l'essor des santonniers qui, aujourd'hui, perpétuent cet art dans une vingtaine d'ateliers.

On pourra les découvrir dans le petit centre historique qui occupe l'ancienne cité fortifiée, dont seule subsiste la **porte Gachiou** (14ᵉ s.). De boutiques en ateliers, on apercevra au passage le curieux clocher triangulaire de la **chapelle de l'Observance** (fin 17ᵉ s.), le campanile en fer forgé qui coiffe la **tour de l'Horloge** ou la façade baroque de la chapelle des Pénitents Noirs (*chemin de St-Michel*).

Maison natale de Marcel Pagnol

16 cours Barthélémy. ☎ *04 42 03 49 98 (Office du tourisme d'Aubagne) -* ᶀ *Juil.-août : 9h-18h ; sept.-mars : tlj sf lun. 9h-12h30, 14h30-17h30 ; avr.-juin : 9h-12h30, 14h30-18h - fermé 1ᵉʳ Mai - 3 €.*

Dans cette belle demeure bourgeoise de trois étages aux balcons de fer forgé, a été reconstitué l'appartement de l'instituteur (père de l'auteur). D'autre part, un espace muséographique présente l'enfance de Pagnol, photo-graphies, lettres et objets à l'appui.

Ateliers Thérèse Neveu

☎ *04 42 03 43 10 - tlj sf lun. 10h-12h, 14h-18h - fermé 1ᵉʳ janv. et 25 déc. - gratuit.*

Vaste salle installée à l'emplacement des ateliers de cette ancienne santonnière : dans ce lieu voué aux arts

Qu'on les aime ou non, elles sont partout. Elles, ce sont ces cigales en céramique qu'on trouve sur les façades des maisons, ou en applique dans les couloirs... et, sous forme de copies plus ou moins réussies, dans la plupart des magasins de souvenirs. Le responsable ? Un céramiste d'Aubagne, **Louis Sicard**, qui conçut cet objet décoratif en 1895.

carnet pratique

TRANSPORT

Le TER relie Marseille à Aubagne en 15mn.

VISITE

Visite guidée – Visite guidée (2h) du centre historique. *Sam. 10h-12h sur inscription auprès de l'Office de tourisme -* ☎ *04 42 03 49 98 - 5 € (gratuit -12 ans).* L'Office de tourisme a mis en place plusieurs circuits permettant de retrouver les paysages des films et des œuvres de Marcel Pagnol :

Les collines de Marcel Pagnol – Randonnée pédestre commentée (1 journée) de 9 km. Prévoir un pique-nique. À faire de préférence le dimanche qui précède ou suit le jour anniversaire de la mort de Pagnol (18 avr.), lors de la sortie annuelle des fans de Pagnol. *Sept.-juin : dernier dim. du mois. Dép. 9h30 au Petit Monde de Marcel Pagnol (Aubagne). 15 €.*

Voyage avec mon âne au pays de Pagnol – Randonnée pédestre commentée (1 journée) de 9 km dans les pas de Pagnol, avec un âne. Prévoir un pique-nique. *Sept.-juin : dim. Dép. 9h du lieu dit Puits de Raimu, à Aubagne. 32 €.*

Mini-circuit Pagnol – Circuit commenté (2h30) en bus climatisé. *Juil.-août : merc. et sam. Dép. 15h du Petit Monde de Marcel Pagnol. 10 €.*

Une journée d'été au pays de Pagnol – Circuit commenté (1 journée) en bus. Déjeuner terroir inclus. *De déb. juil. à mi-sept. : merc. et sam. Dép. 9h30 du Petit Monde de Marcel Pagnol. 30 €.*

SE LOGER

☺ **Chambre d'hôte Mme Anderegg** – *Chemin des Arnauds -* ☎ *04 42 84 94 43 - www.fleurs-soleil.tm.fr - fermé janv. -* ⊠ *- 3 ch. et 2 suites 50/65 €* ⌂ Dans la campagne aubagnaise, au pied du Garlaban, trois chambres et deux suites dans une véritable maison provençale entourée d'un grand jardin.

☺☺ **Hôtel-restaurant de l'Etoile** – *RN 396 – pont de l'Étoile - 4 km à l'E d'Aubagne -* ☎ *04 42 04 55 54 - perso.wanadoo.fr/hotel-de-letoile -* ▣ *- 39 ch. 52/79 € -* ⌂ *7,50 € - restaurant 12/60 €.* Une adresse incontournable pour qui veut se loger sans soucis à Aubagne. Excellent rapport qualité-prix, pour un établissement familial qui a fait ses preuves depuis longtemps. Goûteuses spécialités locales et barbecue au bord de la piscine.

SE RESTAURER

☺ **Café des Arts** – *10 r. du Jeune-Anacharsis -* ☎ *04 42 03 12 36 - 7,50/8,50 €.* Une des plus sympathiques « brasseries » qui bordent le cours Mar.-Foch. Ambiance jeune, très animée à l'heure du déjeuner. Grande terrasse sur la place et belle salle intérieure. Plats du jour, visiblement appréciés par la clientèle locale. Le dimanche à midi, on y sert les plats du restaurant L'Art des Pâtes, appartenant à la même « maison »

☺ **La Cardeline** – *4 r. Torte -* ☎ *04 42 84 02 99 - www.lacardeline .com - fermé dim. soir et lun. - 10,50/30 €.* Ce restaurant situé dans une ruelle de la vieille ville a tout pour plaire : son cadre à dominante de tons blancs est agréable et sa cuisine sait mettre à profit les richesses des marchés provençaux. Aux beaux jours, la terrasse dressée sur une placette est très vite prise d'assaut.

☺☺ **Ferme-auberge Le Vieux Pressoir** – *St-Pierre-les-Aubagne - 3 km au N d'Aubagne -* ☎ *04 42 04 04 30 - ouv. dim. midi sur réservation -* ⊠ *- 18,50/22 €.* Sur la D 43C, au niveau de l'entrée d'autoroute. Quasiment la dernière ferme-auberge officielle du département ! Dans une ancienne cave à vins, une cuisine provençale authentique, directement issue des produits de la ferme. Bon accueil.

☺☺☺ **La Ferme** – *La Font de Mai, chemin Ruissatel -* ☎ *04 42 03 29 67 - auberge-la-ferme@wanadoo.fr - fermé août, les soirs sf vend. et sam. sam. midi et lun. - 50/120 €.* Maison de pays postée face au mont Garlaban, cher à Marcel Pagnol. On y sert une copieuse cuisine de marché, à l'ombre du chêne vert ou entre les murs ornés d'assiettes.

QUE RAPPORTER

Marché – Marché traditionnel mar. jeu. et w.-end sur le cours Voltaire. Brocante le dernier dim. du mois, à la Tourtelle.

Santons et faïence – On pourra découvrir une vingtaine d'ateliers de santonniers et de céramistes dans le centre-ville (tlj sf dim.). S'adresser à l'Office de tourisme pour en obtenir liste et adresses.

Grand marché potier « Argilla » tous les 2 ans (années impaires) en août. Biennale de l'art santonnier en décembre (années paires) et foires aux santons tous les ans sur le cours Mar.-Foch, en été et en décembre.

Poterie Ravel – *Av. des Goums -* ☎ *04 42 82 42 00 - tlj sf dim. 8h-12h, 14h-18h.* Entrée libre. Poteries de jardin et vaisselle.

Atelier de santons.

Santons Chave – *8 cours du Mar.-Foch -* ☎ *04 42 03 86 33 - www.santons-chave.com - tlj sf dim. apr.-midi 9h-12h30, 14h-19h - fermé 25 déc.* Ami de Marcel Pagnol, Marius Chave a représenté sous forme de santons la célèbre partie de cartes disputée par Raimu et ses amis dans Marius. Aujourd'hui, son petit-fils est dépositaire de ce savoir-faire familial et continue de porter haut les couleurs de la tradition provençale du santon.

Atelier d'art Maison Sicard – *2 bd Émile-Combes -* ☎ *04 42 70 12 92 - www.santons-sylvette-amy.com - ouv. tlj sf dim. 9h-12h, 14h-18h30 (sam. 14h30-18h) - fermé 1 sem. en août, 1 sem. à Noël et j. fériés.* Un des plus emblématiques représentants de la tradition santonnière et céramiste d'Aubagne. Créateur de la cigale en céramique en 1895.

Distillerie Janot – *Av. du Pastre - les Paluds -* ☎ *04 42 82 29 57 - www.distillerie-janot.com - tlj sf w.-end 9h-12h, 14h-17h - fermé j. fériés.* Un incontournable de la tradition provençale, depuis 1928. La boutique vous donnera la possibilité d'acheter toute la gamme des spiritueux maison : le fameux pastis Janot, le marc du Garlaban, la liqueur de la Sainte-Baume...

CALENDRIER

Cavalcade provençale – 3e dimanche d'août, années paires. Attelages de chevaux, défilé haut en couleur.

Argilla – Fête de la céramique, le week-end qui suit le 15 août, années impaires.

Biennale de l'art santonnier – Le 1er week-end de décembre, les années paires.

Foire aux santons et à la céramique – En juillet-août et en décembre.

de la terre, exposition permanente consacrée à l'histoire de la céramique à Aubagne et expositions temporaires de poterie et de santons.

Le Petit Monde de Marcel Pagnol
Espl. De-Gaulle. ☎ *04 42 03 49 98 - 9h-12h30, 14h30-18h - fermé 1re quinzaine de fév., 2e quinzaine de nov. et 1er Mai - gratuit.*
🎦 On y retrouve les personnages les plus connus de l'œuvre pagnolesque sous forme de santons.

alentours

Musée de la Légion étrangère
On y accède par la D 2 en direction de Marseille, puis la D 44A à droite. ☎ *04 42 18 12 41 - juin-sept. : tlj sf lun. et jeu. 10h-12h, 15h-19h ; oct.-mai : merc. et w.-end 10h-12h, 14h-18h - gratuit.*
Indispensable pour les admirateurs de ce corps de durs à cuire : souvenirs des chefs qui ont marqué l'histoire de la Légion, crypte renfermant la liste des légionnaires morts au combat et musée où documents, uniformes, armes et photographies retracent les grandes heures du légendaire régiment qui fit vibrer le cœur des midinettes. Les plus nostalgiques ne manqueront pas la reconstitution, dans la cour d'honneur, de la « Voie sacrée » du quartier Viénot de Sidi-Bel-Abbès, aboutissant au monument aux Morts de la Légion, rapatriés d'Algérie. *Annexe du musée au domaine du Capitaine Danjou (voir la Sainte-Victoire)..*

Chapelle St-Jean-de-Garguier
5,5 km au Nord-Est par la D 2 en direction de Gémenos, la N 396 à gauche, puis la D 43D à droite. Vouée à saint Jean-Baptiste, cette chapelle du 17e s., lieu d'un pèlerinage le 24 juin, émeut par ses ex-voto peints sur bois, sur toile ou sur zinc. Il y en a plus de 300, datant pour la plupart des 18e et 19e s., naïves et touchantes expressions de la piété populaire.

Parc d'attractions OK Corral
🎦 *16 km à l'Est par la N 8. Voir La Ciotat.*

> **HOMMAGE**
> 30 avril 1863, Camerone (Mexique) : 64 légionnaires résistent pendant 9h aux assauts de 2 000 Mexicains. Fait d'armes désespéré, mais qui restera dans la légende : depuis lors, chaque 30 avril, le plus jeune des officiers lit le récit de ce combat homérique devant les soldats au garde-à-vous.

Avignon★★★

Cité des papes et du théâtre, ville d'art à l'origine d'une véritable explosion culturelle, son étincelante beauté illumine le Rhône ; remparts, clochers et toits de tuiles roses s'y reflètent, surplombés par la Vierge dorée de la cathédrale et le majestueux palais.

La situation

Carte Michelin Local 332 B10-C10 – Vaucluse (84). Il faut approcher Avignon le soir, par Villeneuve-lès-Avignon, pour admirer la ville dans toute sa splendeur. Passé le pont puis les remparts, gagner sans hésiter le parking souterrain *(payant)* du palais des Papes.

🖪 *41 cours Jean-Jaurès, 84000 Avignon, ☎ 04 32 74 32 74. www.ot-avignon.fr*

Le nom

Une racine préceltique, *av*, désignant à la fois une hauteur et un cours d'eau semble expliquer le nom d'Avignon : le rocher des Doms et le Rhône justifient l'hypothèse, même si certains font dériver le nom de l'ancienne Avenio du celte *aven*.

Les gens

88 312 Avignonnais. Le Sétois **Jean Vilar** (1912-1971), directeur du TNP jusqu'en 1963, fonda en 1947 le Festival d'Avignon.

comprendre

Ombres et lumières – Il ne reste que de rares vestiges des monuments de la florissante Avenio, cité gallo-romaine. Après les invasions barbares, le renouveau vient aux 11ᵉ et 12ᵉ s. : profitant alors des rivalités entre Toulouse et Barcelone, qui se disputaient la

AVIGNON EN SCÈNE

Difficile, pour le profane, d'imaginer Avignon pendant le festival : une foule énorme envahit la cité, investissant les terrasses des cafés, les restaurants, éphémères ou non ; hôtels, pensions, chambres d'hôtes, campings s'emplissent des lieues à la ronde, alors qu'au petit matin des silhouettes ébouriffées émergent de sacs de couchage sur les pelouses des squares. Dans la cité des Papes, devenue un immense théâtre, chacun mène sa vie : on dîne tranquillement en attendant l'heure du « jingle », qui invite les spectateurs à prendre place, ou on se laisse aller à l'inspiration du moment, explorant salles de fortune, garages ou entrepôts. La clé du succès ? La nouveauté du concept (cadre grandiose de la cour d'honneur, spectacles commençant à l'heure dite) y fut pour beaucoup ; de grandes mises en scène qui ont fait date (Gérard Philipe dans le rôle de Rodrigue a marqué toutes les mémoires), de prestigieux invités, l'explosion du « off » à partir de 1968 ont peu à peu transformé le festival des pionniers en une immense foire théâtrale où quelque 500 spectacles différents sont proposés chaque année.

Provence, Avignon constitue une petite république municipale. Mais son engagement en faveur des Albigeois lui attire des représailles et, en 1226, Louis VIII s'empare de la cité, l'obligeant à raser ses fortifications. Toutefois, la ville se relève bien vite et connaît à nouveau la prospérité sous la suzeraineté de la maison d'Anjou.

Quand le destin bascule – À Rome, les sempiternelles querelles de partis rendent aux papes la vie impossible. Élu en 1305 sous le nom de Clément V, le Français Bertrand de Got, lassé, choisit de se fixer dans ses terres du Comtat venaissin, propriété papale depuis 1274. Mais si Clément V entre solennellement le 9 mars 1309 à Avignon, il n'y réside pas, préférant le calme du prieuré du Groseau, près de Malaucène, ou du château de Monteux, près de Carpentras. C'est Jacques Duèse, élu pape sous le nom de Jean XXII, qui installe durablement

CONSEIL

Ne vous aventurez pas en voiture dans la vieille ville, vous trouverez des places de stationnement gratuites autour des remparts. En période d'affluence, garez-vous sur l'île Piot (parking gratuit, de l'autre côté du Rhône), puis prenez la navette gratuite jusqu'à la porte de l'Oulle.

Sauvignier S. /MICHELIN

À la fois forteresse et palais, l'énorme citadelle dresse ses tours imposantes (certaines dépassent 50 m de hauteur) et ses murailles étayées d'immenses arcs supportant les mâchicoulis.

la papauté en Avignon où, de 1309 à 1377, sept papes, tous français, se succèdent. Parmi eux, Benoît XII fait édifier le palais et Clément VI achète la cité à la reine Jeanne en 1348.

Des pontifes fort édifiants – Avignon devient alors un immense chantier : partout s'édifient des couvents, des églises, des chapelles, de splendides « livrées » cardinalices, tandis que le palais pontifical s'agrandit et s'embellit sans cesse. L'université (fondée en 1303) compte des milliers d'étudiants. Le pape se veut le plus puissant des princes de ce monde. Si sa richesse éblouit, elle ne va pas sans susciter quelques convoitises à une époque où les « routiers » pullulent dans le pays. Ces soldats licenciés vivent de pillages et de rapines, et le pape doit se protéger en faisant de son palais une forteresse et en élevant des remparts pour défendre la ville.

Liberté, tolérance et prospérité, rien d'étonnant à ce que la cité pontificale attire du monde : sa population passe rapidement de 5 000 à 40 000 habitants. Terre d'asile, elle accueille des proscrits politiques (comme le poète Pétrarque), mais aussi des condamnés en fuite, des aventuriers, des contrebandiers, des faux-monnayeurs et des aigrefins en tous genres. Les papes commencent alors à songer au retour à Rome. Urbain V part en 1367 pour la Ville éternelle. Mais les troubles qui secouent l'Italie l'obligent à revenir au bout de trois ans. Grégoire XI quitte Avignon en septembre 1376 et meurt en 1378.

Papes, antipapes et légats – Les réformes du nouveau pape Urbain VI, un Italien, irritent les cardinaux (en majorité languedociens) du Sacré Collège ; en représailles, ils élisent un autre pape, Clément VII (1378-1394), qui retourne en Avignon : c'est le Grand Schisme, qui divise la chrétienté. La France, Naples et l'Espagne prennent parti pour Avignon contre Rome. Papes et antipapes s'excommunient allègrement. Successeur de Clément VII, Benoît XIII n'a plus le soutien du roi de France. Il s'enfuit d'Avignon en 1403, mais ses partisans résistent dans le palais jusqu'en 1411. Le Grand Schisme prend officiellement fin en 1417 avec l'élection de Martin V. Dès lors et jusqu'à la Révolution, Avignon sera gouverné par un légat, puis un vice-légat du pape. Les brimades envers la communauté juive se multiplient : installés dans un quartier à part, la « carrière », dont on verrouille chaque soir les portes, les Juifs doivent porter un chapeau jaune, verser une redevance, écouter des sermons obligatoires, ne pas fréquenter de chrétiens et n'exercer que certaines activités (tailleur, fripier, usurier, commerçant). Quant aux tensions sociales entre riches et pauvres, elles s'exacerbent, et de durs affrontements les opposent entre 1652 et 1659. À la Révolution, l'Assemblée constituante vote la réunion du Comtat venaissin à la France.

découvrir

LE PALAIS DES PAPES★★★

Compter entre 1 et 2h. Visite audioguidée. ☎ 04 90 27 50 00 - www.palais-des-papes.com - juil. : 9h-21h ; août-sept. : 9h-20h ; 15 mars-juin et oct. : 9h-19h ; nov.-14 mars : 9h30-17h45 (dernière entrée 1h av. fermeture) - saison 9,50 €, hors sais. 7,50 €, 9,50 €/11,50 € billet combiné avec pont St-Bénezet.

Cette résidence de 15 000 m² se compose de deux édifices distincts, le Palais Vieux et le Palais Neuf, dont la construction dura au total une trentaine d'années.

Benoît XII, après avoir rasé l'ancien palais épiscopal, confia en 1334 à son compatriote Pierre Poisson, de Mirepoix, l'exécution du **Palais Vieux :** forteresse d'architecture austère, ses quatre ailes ordonnées autour d'un cloître sont flanquées de tours dont, au Nord, la tour de Trouillas, à la fois donjon et prison.

carnet pratique

TRANSPORTS

La **gare TGV** est excentrée mais des navettes (ttes les 10-15mn) vous mèneront au centre-ville.

Pour une escapade, sachez qu'Avignon est à 20mn d'Arles en **TER** et à 30mn de Marseille en TGV.

VISITE

Visite guidée de la ville – Avignon, qui porte le label Ville d'art, propose des visites-découvertes (2h) animées par des guides-conférenciers agréés par le ministère de la Culture et de la Communication. *Avr.-oct. : mar., jeu. et sam. 10h ; nov.-mars : sam. 10h. 7 € et 10 €. Renseignements à l'Office de tourisme ou sur www.vpah.culture.fr et www.avignon-tourisme.com*

Allovisit – Parcours dans la ville en 7 étapes, audioguidé depuis votre téléphone portable. *Carte Allovisit disponible gratuitement à l'Office de tourisme (communication : 0,34 €/mn).*

Carte Pass – Elle permet de visiter Avignon et Villeneuve-lès-Avignon avec d'intéressantes réductions de tarif pendant 15 jours (musées et monuments, visites guidées de la ville, promenades en bateau, excursions en autocar). *Pour l'obtenir, s'adresser à l'Office de tourisme, aux monuments et aux musées. Renseignements aux Offices du tourisme d'Avignon et de Villeneuve-lès-Avignon.*

Petit train touristique – Visite guidée (45mn) au départ de la place du palais des Papes. *☎ 04 50 60 05 55 - www.petittrainavignon.fr - de mi-mars à mi-sept. : 10h-20h ; de mi-sept. à mi-oct. : 10h-19h - 7 € (-9 ans 4 €).*

Avignon en bateau – Visite (45mn) du pont Saint-Bénezet avec audioguide et promenade en bateau sur le Rhône. *☎ 04 32 74 32 74 - juil.-août : 13h-18h (toutes les heures) ; mai-juin et sept. : 13h, 14h, 15h, 15h30 et 16h45 - 8 €.*

Les Grands Bateaux de Provence – *Allée de l'Oulle - ☎ 04 90 85 62 25 - www.avignon-et-provence.com/mireio -* Toute l'année. La compagnie organise de simples promenades sur le Rhône en bateau-bus, des journées complètes avec passages d'écluses et des " croisières " comprenant dîner aux chandelles et spectacle : une façon originale de découvrir Avignon, la Camargue et la Provence. *41 € repas et croisière.*

SE LOGER

☞ Hôtel Le Provençal – *13 r. Joseph-Vernet - ☎ 04 90 85 25 24 - www.hotelleprovencal.com - 11 ch. 35/60 € - ☐ 5 €.* Le Provençal présente l'avantage d'être en plein centre et de ne pas être trop cher, ce qui est rare en Avignon. Aussi ne faut-il pas avoir trop d'attentes : l'adresse est simple et le confort des chambres, honnête.

☞ Hôtel Médiéval – *15 r. de la Petite-Saunerie - ☎ 04 90 86 11 06 - hotel.medieval@wanadoo.fr - fermé 3 janv.- 7 fév. - 34 ch. 53/84 € - ☐ 7 €.* Hôtel simple dans une petite rue du centre-ville, le Médiéval propose une formule de location intéressante pour les séjours d'une semaine et plus : des studios avec cuisinette accueillent ainsi les festivaliers, à deux pas du palais des Papes.

☞ De Blauvac – *11 r. de la Bancasse - ☎ 04 90 86 34 11 - blauvac@aol.com - 16 ch. 60/75 € - ☐ 6,90 €.* L'hôtel particulier du marquis de Tonduly, seigneur de Blauvac au 17ᵉ s. constitue certainement l'un des meilleurs rapports qualité-prix des hôtels d'Avignon. Ses seize chambres ont du caractère, pas mal de confort et la chance d'être au cœur de la ville.

☞☐ Chambre d'hôte La Prévoté – *354 chemin d'Exploitation - 84210 Althen-des-Pauds - 17 km au NE d'Avignon dir. Carpentras - ☎ 04 90 62 17 06 - www.la-prevote.com - fermé de nov. au 1ᵉʳ mars - ☐ - 5 ch. 55/80 € - ☐ 5 €.* Après une nuit paisible passée dans l'une des chambres spacieuses et colorées de ce mas ancien, vous apprécierez le petit-déjeuner servi à l'ombre de la treille ou sous le marronnier. Une fois sustenté, laissez courir votre regard sur les pommiers ou faites un plongeon dans la piscine.

☞☐☐ Hôtel Garlande – *20 r. Galante - ☎ 04 90 80 08 85 - hotel-de-garlande@wanadoo.fr - fermé janv. - 10 ch. 90/115 € - ☐ 6,10 €.* Petit hôtel familial bordant une rue tranquille, à deux pas de l'église St-Didier. La réunion de deux maisons anciennes rénovées a créé cette distribution intérieure sinueuse mais pittoresque. Les chambres, personnalisées dans un discret esprit provençal, sont égayées de tissus fleuris.

☞☐☐☐ Hôtel Cloître St-Louis – *20 r. Portail-Boquier - ☎ 04 90 27 55 55 - hotel@cloitre-saint-louis.com - ☐ - 74 ch. 170/280 € - ☐ 16 € - restaurant 28/32 €.* Décor contemporain de verre et d'acier dans un cloître du 16ᵉ s. et son annexe récente. Chambres au design monacal. Cuisine classico-provençale servie dans les salles voûtées et les galeries. Piscine, solarium sur le toit et jardin aménagé dans la cour intérieure. Messe dominicale dans la chapelle, au cœur de l'hôtel.

SE RESTAURER

☞ Le Mesclun - Le Petit Bistrot de Brunel – *46 r. de la Balance - ☎ 04 90 86 14 60 - fermé le soir, dim. et lun. - 11,50/20 €.* Le Mesclun est en quelque sorte l'annexe du restaurant Brunel. Vous y dégusterez - uniquement à l'heure du déjeuner - une cuisine simple aux accents provençaux, proposée sous la forme d'un plat du jour et de suggestions du chef. Intérieur d'esprit bistrot et agréable terrasse d'été.

☞ Au Coin des Halles – *4 r. Grivolas - ☎ 04 90 82 93 49 - www.aucoindeshalles.com - fermé dim. et j. fériés - 13/25 €.* Ce restaurant fréquenté par les Avignonnais abrite deux petites salles de style bistrot et un espace lecture. Sur la carte : des plats simples, une délicieuse tarte au reblochon, une salade landaise, de la soupe de potiron... L'endroit fait également

Place de l'Horloge.

bar à vins et propose des apéritifs dînatoires le soir.

⊜⊜ **Le Grand Café** – *Cours Maria-Casares, la Manutention -* ☎ *04 90 86 86 77 - fermé janv. dim. et lun. sf juil.-août - réserv. conseillée - 18/33 €.* Cette ancienne caserne adossée aux contreforts du palais des Papes est devenue un lieu incontournable de la vie locale. Avignonnais et touristes s'y retrouvent pour découvrir une cuisine inventive aux accents provençaux. Plaisant décor mariant esprits bistrot et café viennois. Agréable terrasse.

⊜⊜ **Le Jardin de la Tour** – *9 r. de la Tour -* ☎ *04 90 85 66 50 - jeanmarc.larrue@free.fr - fermé 2 sem. en août, dim. et lun. - 18/49 €.* Ce restaurant niché près des remparts a du cachet avec son jardin, ses tonnelles et l'architecture de l'ancienne ferronnerie qu'il fut jadis. Le chef fait entrer en harmonie des saveurs opposées et redonne droit de table à des produits provençaux disparus (aloses, alouettes sans tête, bœuf des mariniers...).

⊜⊜ **Entrée des Artistes** – *1 pl. des Carmes -* ☎ *04 90 82 46 90 - fermé 23 déc.-3 janv., 17 août-8 sept. et w.-end - 20/25 €.* Dans un décor de bistrot parisien où se mêlent affiches et objets de cinéma et vieilles publicités, vous mangerez au coude à coude une cuisine traditionnelle. L'accueil est convivial, et dans l'air flotte un parfum de Méditerranée.

⊜⊜ **L'Olivier** – *8 bd St-Dominique -* ☎ *04 90 80 01 11 - baucherthierry@ wanadoo.fr - fermé w.-end - 20/40 €.* Thierry Baucher, élu Meilleur Ouvrier de France dans la section traiteur, mitonne dans ce restaurant des plats inspirés à la fois du Sud-Ouest et de la Provence. Côté décor, salle à manger assez classique ornée de belles photographies du monde paysan.

⊜⊜ **La Ferme** – *110 chemin des Bois, île de Barthelasse -* ☎ *04 90 82 57 53 - info@hotel-laferme.com - fermé 1ᵉʳ nov.-15 mars - 23/38 €.* Un havre de paix proche du centre-ville. Belle ferme restaurée offrant des chambres spacieuses et fraîches garnies d'un mobilier rustique simple. Salle à manger campagnarde avec poutres apparentes, cheminée et vieilles pierres. Terrasse ombragée.

⊜⊜⊜ **Piedoie** – *26 r. des 3-Faucons -* ☎ *04 90 86 51 53 - piedoie@club-internet.fr - fermé 18-28 août, 17-27 nov. vac. de fév., lun. midi et merc. - 18 € déj. - 26/52 €.* Poutres, parquets et murs blancs agrémentés de tableaux contemporains côté

décor, plats du marché volontiers créatifs côté cuisine. Ambiance familiale.

⊜⊜⊜ **Le Moutardier** – *15 pl. du Palais-des-Papes -* ☎ *04 90 85 34 76 - moutardier@ wanadoo.fr - fermé 6-25 janv., 24 nov.-19 déc. et merc. d'oct. à mars - 27 € déj. - 28/39 €.* Cette bâtisse du 18ᵉ s. offre un cadre exceptionnel à des repas simples et frais. Ambiance sympathique dans sa salle à manger dont les fresques relatent l'histoire du « moutardier du Pape », et sur sa terrasse dressée face au Palais Neuf. Vins servis en bouteille, en carafe ou au verre.

⊜⊜⊜ **Compagnie des Comptoirs** – *83 r. Joseph-Vernet, le Cloître des Arts -* ☎ *04 90 85 99 04 - fermé dim. et lun. - 39/59 €.* Inspiré des comptoirs français de la Compagnie des Indes, ce restaurant aménagé dans un cloître du 14ᵉ s. est la nouvelle adresse « mode » de la ville. Bar en verre et bambou, gravures coloniales dans les salles à manger, palmiers et paillotes en terrasse. La carte dévoile les saveurs de l'Orient et celles du Sud.

EN SOIRÉE

Café In&Off – *Pl. du Palais-des-Papes -* ☎ *04 90 85 48 95 - www.cafeinoff.com - été : 7h30-22h, jusqu'à 3h pdt le festival ; reste de l'année : 7h30-20h - fermé de mi-nov. à fin fév.* S'attabler à la terrasse de ce café est un régal pour l'œil : le palais des Papes est juste en face ! L'intérieur est néanmoins assez plaisant avec ses murs colorés égayés par de nombreux tableaux. Petite restauration.

QUE RAPPORTER

Les Halles Centrales – *Pl. Pie - tlj sf lun. 6h-13h30.* Vues de l'extérieur, les halles centrales n'attirent pas vraiment le regard, mais les commerces installés ici méritent le détour : la boucherie des Alpes et ses viandes de races montagnardes, la Marée provençale et ses magnifiques tellines et fritures de Méditerranée. Enfin, épices, fruits et légumes, fromages, charcuterie, tripes et produits « bio » remplissent les paniers des plus gourmands.

Marchés – Marché aux fleurs samedi matin pl. des Carmes. Marché paysan dimanche apr.-midi (de mai à octobre) île de la Barthelasse. Marché aux puces dimanche matin pl. des Carmes. Brocante professionnelle mardi et jeudi matin pl. Pie XII.

Distillerie de la liqueur de Saint-Michel-de-Frigolet – *26 r. Voltaire -* ☎ *04 90 94 11 08 - www.frigoletliqueur.com - tlj sf w.-end 9h-12h, 14h-18h.* Cette distillerie détient la recette du Frigolet, encore appelé élixir du père Gaucher, son créateur. On y produit aussi de l'eau-de-vie de poire Williams, du marc de Provence ou des confiseries à la liqueur Frigolet. La visite des lieux est très intéressante : découverte du « secret » de fabrication de l'élixir (composé de 30 plantes) et petit musée de l'Alambic.

Terre è Provence – *26 r. de la République -* ☎ *04 90 85 56 45 - terre-provence@ wanadoo.fr - tlj sf dim. 10h-13h30, 14h-19h ; juin-août : 10h-19h.* Avenante boutique tenue par la même famille depuis plusieurs générations et entièrement dédiée à la Provence : arts de la table, nappes aux imprimés provençaux, boutis en fil d'indienne, poteries... De belles idées de décoration pour votre intérieur.

Miellerie des Butineuses – *189 r. de la Source - 84450 St-Saturnin-lès-Avignon - ☎ 04 90 22 47 52 - www.miellerie.fr - tlj sf dim. 10h-12h, 14h-18h - fermé j. fériés.* Pour tout savoir sur la vie des abeilles et l'apiculture, rendez-vous dans ce rucher fort bien aménagé. La visite des installations - diaporama, observation d'une vraie ruche vitrée, exposition de vieux matériels - est très instructive. Dégustation gratuite à la boutique qui regorge de produits à base de miel de Provence : gelée royale, pollen, hydromel, confiseries, pain d'épice, cosmétique, etc.

SPORTS & LOISIRS

Golf – *Chemin Banastière - 84270 Vedène - ☎ 04 90 31 49 94 - www.hotelgolfgrandavignon;com - 8h-18h30.* Parcours de 18 trous dans les environs immédiats d'Avignon ; hôtel et restaurant sur place.

CALENDRIER

Le Festival d'Avignon « In » et « Off » – Depuis 1947, le Festival d'Avignon s'est imposé comme l'événement théâtral européen majeur. Sa vocation est de promouvoir la création française et étrangère en matière de théâtre, danse, lectures, en offrant chaque année une quarantaine de spectacles. Les représentations sont données dans une vingtaine de lieux non conventionnels de la ville d'Avignon, des cloîtres, des églises, le célèbre palais des Papes et aussi dans la périphérie de la ville comme à Villeneuve-lès-Avignon, Châteaublanc où à la carrière Boulbon.

Réservations du Festival – Bureau du Festival d'Avignon - Cloître Saint-Louis - 20 r. du Portail-Boquier - 84000 Avignon. Renseignements ☎ 04 90 27 66 50, réservations ☎ 04 90 14 14 14. Les locations, ouvertes dès le 1re quinzaine de juin, peuvent également être faites par Internet

(www.festival-avignon.com), aux bureaux de location FNAC ou au bureau d'accueil à l'Espace Saint-Louis.
Programme du Festival Off disponible par courrier (envoyer 1 chèque de 5 € avec votre adresse) à Avignon Public Off, BP 5, 75521 Paris Cedex 11, ☎ 01 48 05 01 19 - contact@avignon-off.org - www.avignon-off.org.

Le Festival s'affiche partout !

Cheval Passion – C'est à la mi-janvier que les amateurs d'équitation se donnent rendez-vous en Avignon pour une manifestation consacrée à ce noble équidé : dressage, monte de haute-école, concours, démonstrations et spectacles, le tout au Parc des Expositions. ☎ 04 90 84 02 04. *www.cheval-passion.com*
Les Hivernales d'Avignon – En février, festival consacré à la danse contemporaine, qui allie la création à la formation (spectacles et stages). Les Hivernales proposent également des programmations estivales, au mois de juillet, dans le cadre des festival In et Off. ☎ 04 90 82 33 12. *www.hivernales-avignon.com.*

Clément VI, grand prince d'Église, artiste et prodigue, dut trouver le nid bien sévère : il commanda en 1342 à Jean de Louvres, architecte d'Île-de-France, un nouveau palais, le **Palais Neuf**. La tour de la Garde-Robe et deux nouveaux corps de bâtiments vinrent fermer la cour d'honneur, jusqu'alors place publique. Si l'aspect extérieur ne changeait guère, l'intérieur fut transformé par

Imposant palais des Papes.

une équipe d'artistes, dirigée par Simone Martini, puis par Matteo Giovanetti qui en décora somptueusement les différentes pièces. Les travaux se poursuivirent jusqu'en 1363, avec quelques ajouts ultérieurs.

◀ Quelque peu détérioré après les deux sièges de 1398 et de 1410-1411, le palais fut, après le départ des papes, affecté aux légats, mais, bien que restauré en 1516, il continua à se dégrader. En piteux état lors de la Révolution, il fut livré au pillage : mobilier dispersé, statues et sculptures brisées. Après quelques épisodes sanglants en 1791, le palais dut sa survie à sa transformation en prison et en caserne, même s'il fut encore mis à rude épreuve.

Rez-de-chaussée

Entrez par la porte de Champeaux et prenez à droite dans la salle des Gardes *(accueil et billetterie)* que décorent des fresques du début du 17e s. **(1)**.

Après la **Petite Audience (2)**, décorée de peintures en grisaille représentant des trophées, franchir à nouveau la porte de Champeaux.

Cour d'honneur

Bordée sur la gauche par l'aile du Conclave, actuel palais des Congrès, et sur la droite par une façade gothique percée d'ouvertures irrégulières (à l'étage, fenêtre de l'Indulgence **(15)**, d'où le pape donnait sa triple bénédiction). C'est ici que sont aujourd'hui données les représentations du Festival.

Trésor Bas et Grande Trésorerie

Cette partie abrite le musée de l'œuvre (maquette, portrait des papes, etc.) qui livre les principales informations nécessaire à la compréhension du site et de l'histoire.

Creusée au pied de la tour des Anges, la salle voûtée du **Trésor Bas** constituait en quelque sorte le coffre-fort du palais. Là, dans des caches ménagées sous le dallage, les richesses étaient mises à l'abri tandis que les armoires fixées aux murs renfermaient livres comptables et archives. La **Grande Trésorerie**, dont la remarquable cheminée occupe tout un mur, est contiguë. Par sa partie haute, accès à la salle de Jésus *(escalier)*, autrefois vestibule des appartements privés.

◀ ### Chambre du Camérier

Au 3e niveau de la tour des Anges, cette salle **(3)**, située juste en dessous de la chambre du pape, possède un magnifique plafond à poutres peintes datant du 14e s. Là aussi, méfiance : des caches, aménagées dans le dallage, permettaient de protéger objets et documents précieux. Au 2e niveau de la tour de l'Étude, le **Revestiaire pontifical (4)**, où le pape endossait ses vêtements consistoriaux, fut transformé au 17e s. en chapelle par les vice-légats. Les murs sont recouverts de boiseries du 18e s.

Consistoire

Dans cette vaste salle, rez-de-chaussée de l'aile Est du cloître de Benoît XII, se réunissait le consistoire, assemblée des cardinaux chargée de délibérer, sous la présidence du pape, des affaires, religieuses ou politiques, de l'Église : procès en canonisation, audiences des souverains ; des ambassadeurs s'y tenaient également. C'est ici que sont exposées les **fresques de Simone Martini** qui ornaient autrefois le tympan de N.-D.-des-Doms.

Chapelle St-Jean (ou du Consistoire)

Elle est ornée de fresques peintes entre 1346 et 1348 par **Matteo Giovanetti**, peintre officiel de Clément VI.

En suivant la galerie inférieure du cloître Benoît XII, on emprunte l'escalier qui mène au Grand Tinel. Belle vue sur l'**aile des Familiers ⑧**, où étaient logés les officiers (personnages chargés des divers offices) et les principaux serviteurs, sur la tour de la Campane et la chapelle de Benoît XII.

1er étage

Grand Tinel (ou salle des Festins)

Dans cette salle où se déroulaient les banquets, une des plus vastes du palais (48 m de long sur 10,25 m de large), une immense voûte lambrissée en carène figure la voûte céleste. Aux murs, trois tapisseries des Gobelins.

La visite se poursuit par la **cuisine haute (5)**, avec son immense cheminée en forme de pyramide octogonale, aménagée au dernier étage de la tour des Cuisines. La tour était aussi affectée au garde-manger et au magasin à vivres.

Chapelle du Tinel (ou St-Martial)

En attente de restauration. Superposé à la chapelle St-Jean, cet oratoire doit son nom aux fresques peintes entre 1344 et 1345 par Matteo Giovanetti qui retracent en 35 épisodes la vie de saint Martial, apôtre du Limousin, patrie du pape Clément VI : dans une belle unité chromatique de bleus, gris et bruns, faux-semblants et trompe-l'œil composent un paysage urbain fantasmagorique où évolue une foule de personnages peints avec minutie.

Chambre de parement

Antichambre du pape, attenante à sa chambre à coucher : il y recevait ceux qui avaient obtenu une audience particulière et y tenait les consistoires secrets. Aux murs, trois tapisseries des Gobelins (18e s.). À côté, dans la tour de l'Étude, se trouve le **Studium** ou cabinet particulier de Benoît XII **(6)**, dont on a remis au jour le carrelage

Dans la chambre du Pape, restitution du carrelage sur le modèle du Studium.

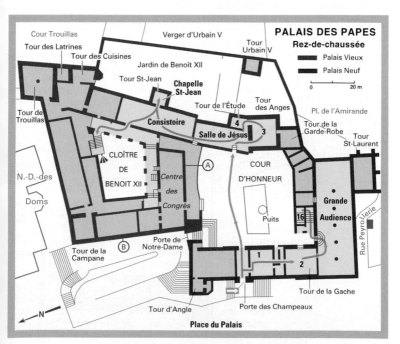

PALAIS DES PAPES — Rez-de-chaussée

d'origine. Accolée au mur occidental de la chambre de parement, se trouvait la salle à manger particulière du pape **(7)** ou Petit Tinel, et, contiguë à celle-ci, la cuisine secrète **(8)** ; cette partie des appartements a été entièrement détruite en 1810.

Chambre du Pape (9)

Cette pièce est remarquable pour les décorations sur fond bleu qui ornent les murs : oiseaux, écureuils, sarments de vigne et branches de chêne s'y enchevêtrent. Volières peintes sur les ébrasements des fenêtres.

Chambre du Cerf (10)

◄ Dans ce cabinet de travail de Clément VI, d'élégantes **fresques**, exécutées sans doute par des artistes italiens, représentent des sujets profanes sur fond de verdure. De cette « chambre » intime et gaie, une fenêtre donne sur Avignon, l'autre sur les jardins.

Pour gagner la Grande Chapelle, on traverse la **sacristie du Nord (11)**, abritant des moulages de personnages ayant compté dans l'histoire de la papauté avignonnaise. Dans la travée orientale aboutissait le pont bâti par Innocent VI, reliant le Petit Tinel à la Grande Chapelle.

Grande Chapelle (ou chapelle Clémentine)

À droite de l'autel, une baie donne accès au **revestiaire des Cardinaux (12)**, situé dans la tour St-Laurent et où le pape changeait d'ornements au cours des cérémonies. Il contient les moulages des gisants des papes Clément V, Clément VI, Innocent VI et Urbain V.

◄ Dans cette chapelle, les cardinaux du conclave venaient entendre la messe ; ils regagnaient l'aile du Conclave Ⓐ par un étroit passage, la **galerie du Conclave (13)**, dont la voûte est un chef-d'œuvre d'élégance.

La **chambre neuve du Camérier (14)** occupe l'extrémité Sud de l'aile des Grands Dignitaires Ⓒ, qui abrite également la **chambre des Notaires** et l'appartement du Trésorier.

Terrasse des Grands Dignitaires

Au 2e étage de l'aile des Grands Dignitaires. Ample **vue**★★ sur les parties hautes du palais des Papes, la tour de l'Horloge, la coupole de N.-D.-des-Doms, le Petit Palais et, dans une perspective plus lointaine, sur le pont St-Bénézet et Villeneuve-lès-Avignon.

En retournant sur vos pas, vous découvrirez la fenêtre de la loggia, parvis de la Grande Chapelle. De son balcon, le

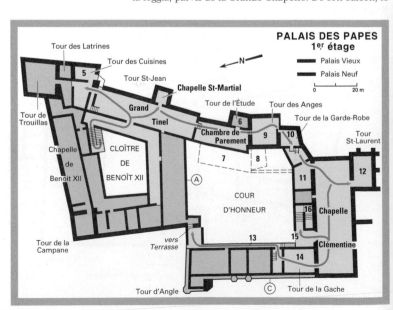

pape bénissait les fidèles massés dans la cour d'honneur, d'où son nom de fenêtre de l'Indulgence **(15)**.

Palais Neuf (rez-de-chaussée)
Descendez par le **Grand Escalier (16)**, dont la rampe droite, nouveauté pour l'époque, conduit vers la Grande Audience.

Grande Audience
Magnifique salle divisée en deux nefs par une colonnade. Cette salle s'appelle aussi « palais des grandes causes ». Là se tenaient les treize juges ecclésiastiques formant le tribunal de la « rote », nom provenant du banc circulaire (*rota*, « roue ») sur lequel ils siégeaient et qui se trouve placé dans la dernière travée Est de la salle. Autour du tribunal se groupaient les gens de loi et les fonctionnaires de la cour. Le reste de la salle servait au public : des sièges étaient adossés aux murs sur tout le pourtour. Sur la voûte, remarquable **fresque des Prophètes**, peinte en 1352 par Matteo Giovanetti sur un fond bleu nuit parsemé d'étoiles.

Traversant ensuite la salle de la Petite Audience **(2)** *et la salle des Gardes, on sort du palais par la porte des Champeaux.*

Matteo Giovannetti : « La fresque des Prophètes » (détail). Ciel étoilé pour prophètes inspirés...

se promener

PLACE DU PALAIS ET QUARTIER DE LA BALANCE ①

Circuit autour de la place du Palais – compter 1/2 journée.

« Promenade des papes »
Contournant le palais, elle permet d'en apprécier, de l'extérieur, les monumentales proportions.
Depuis la place, face au Palais, empruntez l'étroite rue Peyrollerie qui s'amorce à droite, contre les murailles du palais, pour passer sous l'énorme contrefort étayant la chapelle Clémentine, avant de déboucher sur la place de la Mirande bordée d'un très bel hôtel particulier du 17ᵉ s. Par la rue du Vice-Légat, sur la gauche, traversez le verger d'Urbain V qui, après un passage sous voûte, mène à **la Manutention** (cour Trouillas), petit îlot culturel et branché avec son célèbre cinéma d'art et essai, l'*Utopia*. Les escaliers Ste-Anne, offrant de nouvelles vues sur le palais, conduisent au rocher des Doms.

Rocher des Doms★★
Un beau jardin aux essences variées a été aménagé sur le rocher des Doms. Au gré des terrasses, belles **vues★★** sur le Rhône et le pont St-Bénezet, Villeneuve-lès-Avignon avec la tour Philippe-le-Bel et le fort St-André, les dentelles de Montmirail, le mont Ventoux, le plateau de Vaucluse, le Luberon et les Alpilles (table d'orientation).
Redescendre le jardin en direction du Palais.

Petit Palais
Cette ancienne livrée du cardinal Arnaud de Via fut achetée par le pape en 1335 pour y installer l'évêché. L'édifice, qui a subi des dégradations lors des sièges successifs du palais des Papes, a dû être restauré et transformé à la fin du 15ᵉ s., notamment par le cardinal de La Rovère, devenu par la suite le pape Jules II. Il accueille aujourd'hui les peintures du musée du Petit Palais (*voir « visiter »*).

Cathédrale N.-D.-des-Doms
Bâtie au milieu du 12ᵉ s., la cathédrale, maintes fois endommagée et saccagée à la Révolution, a subi de nombreux et importants remaniements. Au 15ᵉ s., le grand clocher fut reconstruit à partir du 1ᵉʳ étage et, depuis 1859, une imposante statue de la Vierge le surmonte. Une discrète tour-lanterne couronne la travée précédant le chœur. Ajouté à la fin du 12ᵉ s., le porche abrite deux tympans superposés (un semi-circulaire surmonté d'un

> **CIRCUITS**
> La ville a mis en place 4 circuits jalonnés de panneaux explicatifs, afin d'aider les visiteurs à découvrir le patrimoine historique d'Avignon. *Plan et guide disponibles à l'Office de tourisme.*

> **HÔTES ILLUSTRES**
> César Borgia en 1498, François Iᵉʳ en 1533, puis Anne d'Autriche et le duc d'Orléans en 1660 (lors de la visite de Louis XIV à Avignon) ont couché au Petit Palais. Et si les murs pouvaient parler...

NE MANQUEZ PAS
À l'entrée du chœur, sur la gauche, beau siège épiscopal du 12ᵉ s. en marbre blanc, orné sur les côtés d'un lion et d'un bœuf symbolisant saint Marc et saint Luc.

autre, triangulaire), jadis peints des magnifiques fresques de Simone Martini que l'on peut maintenant admirer dans le palais des Papes.

À l'intérieur, l'adjonction de chapelles latérales (14ᵉ-17ᵉ s.), la reconstruction de l'abside et l'édification de tribunes baroques au 17ᵉ s. ont quelque peu altéré le caractère roman de l'édifice. Reste la **coupole★** romane, remarquable, qui couvre la croisée du transept. Dans la chapelle attenante à la sacristie s'élève le tombeau gothique flamboyant du pape Jean XXII dont le gisant, perdu pendant la Révolution, a été remplacé par celui d'un évêque.

Hôtel des Monnaies

En face du palais des Papes, arrêtez-vous un instant devant cet hôtel du 17ᵉ s., aujourd'hui conservatoire de musique. **Façade★** richement sculptée de dragons et d'aigles, emblèmes des Borghèse, d'angelots, de guirlandes de fruits.

Par la rue qui s'ouvre sur la droite de l'hôtel des Monnaies, gagner le quartier de la Balance.

Habité par les Gitans au 19ᵉ s., le **quartier de la Balance**, qui s'étend jusqu'aux remparts et au célèbre « pont d'Avignon », a été complètement rénové dans les années 1970.

Rue de la Balance

Principale rue du quartier auquel elle a donné son nom. D'un côté se dressent de vieux hôtels aux belles façades ornées de fenêtres à meneaux ; de l'autre, des immeubles modernes aux lignes « méditerranéennes ».

Sur le pont d'Avignon... La chapelle Saint-Nicolas, bâtie sur deux niveaux.

Pont St-Bénezet★★

Visite audioguidée. ☎ 04 90 27 51 16 - www.palais-des-papes.com - ♿ - juil. : 9h-21h ; août-sept. : 9h-20h ; 15 mars-juin et oct. : 9h-19h ; nov.-14 mars : 9h30-17h45 (dernière entrée 30mn av. fermeture) - 4 € ; 11,50 € billet combiné avec le palais des Papes.

ON Y DANSE ?
N'en déplaise à la chanson, le pont était bien trop étroit pour qu'« on y danse tous en rond... ». C'était au-dessous des arches, dans l'île de la Bartelasse, que les Avignonnais des temps anciens entraînaient les belles dames à « faire comme ça »...

Ce célèbre pont, avec ses 900 m de long et ses 22 arches, aboutissait à Villeneuve-lès-Avignon, au pied de la tour Philippe-le-Bel. Selon la légende, un jeune pâtre, Bénezet, entendit en 1177 des voix lui ordonnant de construire un pont sur le Rhône : un ange le conduisit à l'endroit où il devrait s'élever. Traité de fou par les autorités, Bénezet convainquit le peuple de sa mission en déplaçant des pierres énormes. Des volontaires se joignirent à lui et formèrent la confrérie de l'Œuvre. En huit ans, le pont fut édifié. Reconstruit en 1237, restauré, il fut définitivement brisé par les crues du Rhône au milieu du 17ᵉ s.

Sur une des piles se dresse la chapelle St-Nicolas qui comprend deux sanctuaires superposés, l'un voué à saint Nicolas, patron des bateliers, l'autre *(accès par des marches)* au pâtre saint Bénezet.

La visite se complète par une petite exposition consacrée à l'histoire et à l'iconographie de ce pont emblématique.

Remparts★

Longue de 4,3 km, l'enceinte (14ᵉ s.) n'avait guère de valeur sur le plan militaire : les papes avaient simplement voulu dresser un premier obstacle en avant de leur palais. On en découvre la section la plus intéressante de la rue du Rempart-du-Rhône jusqu'à l'agréable **place Crillon**, qui fut le théâtre de l'assassinat du maréchal Brune, le 2 août 1815.

Rejoindre la place de l'Horloge par la rue Folco-de-Baroncelli, puis, à gauche, la rue St-Étienne que bordent des hôtels particuliers, la rue Racine à droite et la rue Molière à gauche.

LE VIEIL AVIGNON ②

Circuit au départ de la place de l'Horloge – compter 1/2 journée.

Cette promenade dans la vieille ville permet de découvrir les églises, musées et hôtels particuliers de la partie d'Avignon qui s'étend au Sud et à l'Est du palais des Papes, mais aussi de mieux faire connaissance avec une cité pleine de contrastes, jeune et vénérable.

La poterne G. Pompidou.

Place de l'Horloge

C'est là, sur cette vaste place ombragée de platanes et en partie investie par les terrasses des cafés que bat le cœur d'Avignon.

Construit au 19ᵉ s., l'**hôtel de ville** englobe la **tour de l'Horloge** (14ᵉ-15ᵉ s.), ancien beffroi qui abrite une horloge à jaquemart.

Emprunter, à gauche de l'hôtel de ville, la rue Félicien-David et contourner le chevet de l'église St-Agricol. Au passage, on aperçoit les vestiges d'un rempart gallo-romain.

SUR LES MURS
Dans les petites rues avoisinantes, les fenêtres peintes d'effigies de comédiens célèbres rappellent que chaque été, l'espace d'un mois, la cité devient capitale mondiale du théâtre.

Église St-Agricol

Seulement pdt les offices.

Un large escalier conduit au parvis : belle façade sculptée du 15ᵉ s. À l'intérieur, nombreuses œuvres d'art : un bénitier en marbre blanc du milieu du 15ᵉ s., des tableaux de Nicolas Mignard et Pierre Parrocel et, sur le bas-côté droit, près de la porte de la sacristie, le retable des Doni, œuvre en pierre de Boachon (1525) représentant l'Annonciation.

Prendre à gauche la rue Agricol, puis à droite la rue Bouquerie.

La **rue Jean-Viala**, qui s'ouvre sur la gauche, est bordée de deux hôtels du 18ᵉ s. en vis-à-vis (bureaux préfectoraux et conseil général) : au Nord, l'**hôtel de Forbin de Ste-Croix**, ancien collège du Roure et, en face, l'**hôtel Desmarez de Montdevergues**. Sur la gauche de la préfecture, la rue du Collège-du-Roure abrite (au nᵒ 3) le **palais du Roure**, ancien hôtel de Baroncelli-Javon qu'occupe aujourd'hui la fondation de Flandreysy-Espérandieu, centre d'études provençales. ☎ 04 90 80 80 88 - visite guidée (1h) mar. 15h ou sur demande (2 sem. av.) - fermé août - 4,60 €.

Revenez sur vos pas (rue Viala) pour rejoindre en face la rue Dorée où se dresse, au nᵒ 5, l'**hôtel de Sade** aux gracieuses fenêtres à meneaux. Dans la cour, belle tourelle d'escalier.

Poursuivre jusqu'à la rue Bouquerie, prendre à gauche, puis à droite la rue Horace-Vernet pour gagner la rue Joseph-Vernet.

Rue Joseph-Vernet

Sur la droite, deux hôtels abritent l'un le musée Calvet, l'autre le muséum Requien *(voir « visiter »)*.

Prendre sur la gauche la rue Joseph-Vernet.

Rue de la République

Très animée, cette artère rectiligne prolongée par le cours Jean-Jaurès, reliant ainsi la place de l'Horloge aux remparts (en face de la gare), est le véritable axe de la cité.

Par le cours Jean-Jaurès, sur la droite (remarquez dans le square les arcades, seuls vestiges de l'ancienne abbaye St-Martial), puis, à gauche, la rue Agricol-Perdiguier, vous

AVIGNON

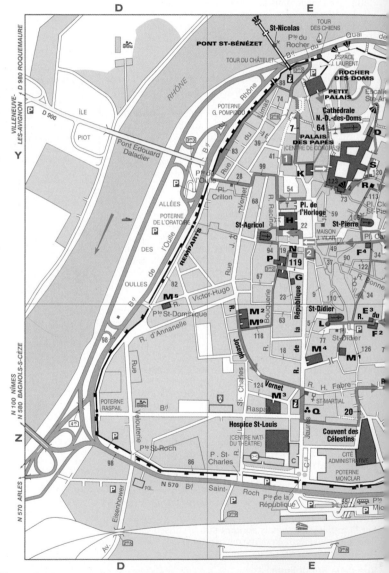

F   G   A 7 CARPENTRAS, ORANGE

S BARBENTANE   F   A 7 AIX-EN-PROVENCE   APT   G

Quelques-unes des grandes roues à aubes qui actionnaient jusqu'à la fin du 19ᵉ s. les fabriques d'indiennes ont été préservées dans la rue des Teinturiers et font de cette artère un des lieux les plus pittoresques de la ville.

arrivez au **couvent des Célestins**, construit dans le style gothique nordique. L'église, qui présente un beau chevet, et le cloître (devenu un haut lieu du festival) ont été restaurés.

Remonter au Nord vers la rue des Lices (2ᵉ à droite).

Comme son nom l'indique, la rue des Lices correspond au tracé de l'enceinte du 13ᵉ s. Sur la gauche, l'école des Beaux-Arts (étages de galeries en façade) est installée dans l'ancienne Aumône générale (18ᵉ s.).

Au bout de la rue des Lices, sur la droite, la **rue des Teinturiers**, pavée de galets et bordée de platanes, longe la Sorgue, ici à ciel ouvert. Sur la droite, se dresse le clocher des Cordeliers, restes d'un couvent dans lequel aurait été enterrée la Laure si longtemps pleurée par Pétrarque. Plus loin, un ponceau jeté sur la rivière donne accès à la **chapelle des Pénitents Gris** (au nº 8), qui abrite des tableaux de Mignard et Parrocel et, au-dessus de l'autel, une belle gloire dorée de Péru (17ᵉ s.). ☎ *04 90 86 58 80 - 10h-12h, 14h-18h.*

Continuez pour le plaisir de la flânerie et pour voir les grandes roues.

Revenir sur ses pas et poursuivre jusqu'à la rue de la Masse, à gauche.

Beaux hôtels dont celui de **Salvan Isoard** (au nº 36) du 17ᵉ s., avec ses fenêtres encadrées de moulures, et celui de **Salvador** (au nº 19), vaste demeure en équerre du 18ᵉ s.

LES PÉNITENTS D'AVIGNON

Apparues dès le 13ᵉ s., les confréries de pénitents, sociétés à la fois d'entraide et « à but humanitaire », ont connu leur apogée aux 16ᵉ et 17ᵉ s. Si le phénomène a touché nombre de cités provençales, comme Aigues-Mortes, Avignon en fut particulièrement riche, avec des confréries de pénitents gris, blancs, bleus, noirs, violets et rouges, nommées selon la couleur du sac de toile dont se revêtaient leurs membres, qui, lors des processions, souvent nocturnes, défilaient coiffés d'une cagoule à la lueur des torches, portant reliquaires et emblèmes. Chacune possédait une chapelle et, si la Révolution porta un coup à leur activité, plusieurs ont néanmoins survécu.

Rue du Roi-René

La **maison du roi René** subsiste à l'angle de la rue Grivolas : le souverain y habitait lors de ses séjours en Avignon. Plus loin, quatre hôtels forment un remarquable **ensemble**★ des 17ᵉ et 18ᵉ s. : les hôtels d'Honorati et de Jonquerettes (nᵒˢ 10 et 12) avec leurs façades simples ornées de frontons triangulaires ou en anse de panier ; l'hôtel Berton de Crillon (nº 7) avec son imposante façade ornée de médaillons à personnages, de masques, de guirlandes de fleurs et d'un gracieux balcon en fer forgé, sans oublier son très bel escalier à balustres de pierre dans la cour ; en face, l'hôtel Fortia de Montréal (nº 8), dont les frontons reposent sur des visages grimaçants.

Église St-Didier

Du plus pur style provençal, cette église contient un dramatique **retable**★ du Portement de la Croix (15ᵉ s.), qu'on surnomme parfois N.-D.-du-Spasme tant la douleur vécue par les personnages s'exprime de manière saisissante dans cette œuvre de Francesco Laurana. Un ensemble de fresques, attribuées à des artistes de l'école de Sienne, décorent la chapelle des fonts baptismaux.

Livrée Ceccano

Au Sud de l'église s'élève la tour de l'hôtel (ou livrée) du cardinal de Ceccano, englobée plus tard dans le collège des Jésuites, qui abrite aujourd'hui la médiathèque *(accès par la rue des Laboureurs).*

De la place St-Didier, prendre à gauche la rue des Fourbisseurs jusqu'à la place Carnot.

À l'angle de la rue des Marchands et de la rue des Fourbisseurs, belle demeure à encorbellement du 15ᵉ s., l'**hôtel de Rascas**.

De qui ricane-t-il ce méphistophélique diablotin, qui ne dépare pas dans la capitale du théâtre ? (Livrée Ceccano).

De la place Carnot, prenez à droite vers la petite place Jérusalem où s'ouvre la synagogue, autrefois au cœur du ghetto, ou « carrière ». Ensuite rejoignez la **place St-Jean-le-Vieux** : la haute tour carrée qu'on aperçoit à un de ses angles est le seul vestige de la commanderie St-Jean-de-Jérusalem.

Continuer jusqu'à la place Pignotte.

Remarquez la façade délicatement sculptée de l'**église de la Visitation** avant de prendre à gauche dans la rue P.-Saïn, et de remontez jusqu'à la rue Carreterie, qui conduit à la place des Carmes.

Place des Carmes

Au Sud de la place, le **clocher des Augustins** se dresse, coiffé depuis le 16e s. d'un campanile en fer forgé, seul vestige d'un couvent fondé en 1261. L'**église St-Symphorien** (ou des Carmes) mérite une visite pour les trois belles statues en bois peint du 16e s. exposées dans la première chapelle, à gauche. Dans les chapelles suivantes, tableaux de Pierre Parrocel, Nicolas Mignard et Guillaume Grève. Sur la gauche de l'église, une grille permet d'apercevoir le **cloître** du 14e s.

Emprunter, au Nord de la place, la rue des Infirmières (à gauche), puis la rue des Trois-Colombes (2e à droite).

> **INFATIGABLES**
> Peintres d'église, on retrouve un peu partout en Provence les tableaux de Pierre Parrocel et Nicolas Mignard.

Chapelle des Pénitents Noirs

☎ 06 08 06 36 73 - avr.-sept. : vend. et sam. 14h-17h ; oct.-mars : sam. 14h-17h.

Ornant l'exubérante façade, la tête de saint Jean-Baptiste rappelle que la confrérie fut fondée sous l'emblème de la Décollation. L'intérieur baroque présente un bel ensemble de boiseries et de marbres, ainsi que des peintures de Levieux, Nicolas Mignard et Pierre Parrocel.

Rue Banasterie

Elle doit son nom à la corporation des vanniers (*banasta* en provençal désigne un panier d'osier). Au n° 13, **hôtel de Madon de Châteaublanc** (17e s.), à la façade ornée de guirlandes de fruits, d'aigles et de masques.

Place Manguin, prendre à droite l'étroite rue de Taulignan.

Hôtel d'Adhémar de Cransac

N° 11. ☎ *04 90 86 13 28 ou 01 30 59 42 71 - visite guidée (1h) sur réservation, 14h-18h - 8 €*

Ce petit hôtel particulier du 17e s. (demeure privée) redécoré au 18e s. (salons tendus de soieries, cheminées à trumeaux avec décors peints ; seules deux pièces ont conservé leur plafond à la française) fait partie de l'ancienne livrée cardinalice de St-Martial. C'est ici que vécut Amélie Palun, comtesse René d'Adhémar de Cransac (1873-1955), qui, avec ses amis poètes et gardians camarguais, consacra sa vie à l'essor du folklore provençal. Ainsi pourrez-vous découvrir des objets et documents évoquant Frédéric Mistral, Joseph Roumanille et le marquis de Baroncelli-Javon, ainsi que deux crèches avec des santons des 18e et 19e s.

Continuer tout droit jusqu'à la place St-Pierre.

Église St-Pierre

En façade, beaux **vantaux**★ Renaissance. Traitées en perspective, les sculptures exécutées en 1551 par Antoine Valard représentent, à droite, la Vierge et l'ange de l'Annonciation, à gauche, saint Michel et saint Jérôme. Dans le chœur, élégantes boiseries du 17e s. encadrant des panneaux peints et belle chaire de la fin du 15e s.

Par la place Carnot et, à gauche, la rue des Marchands, rejoindre la place de l'Horloge.

visiter

Petit Palais★★

Pl. du Palais-des-Papes. ☎ *04 90 86 44 58 - juin-sept. : 10h-13h, 14h-18h ; oct.-mai : 9h30-13h, 14h-17h30 - fermé mar., 1er janv., 1er Mai, 14 Juil., 1er nov. et 25 déc. - 6 €.*

La **collection Campana**, ensemble de toiles italiennes du 13e au 16e s., constitue le trésor de ce musée. La pré-

Arrêtez-vous donc un instant devant *La Vierge et l'Enfant*, chef-d'œuvre de jeunesse de Botticelli, le grand maître florentin.

sentation des œuvres, par école et par période, permet au long de cette promenade d'apprécier l'évolution des styles en Italie : on s'attardera notamment devant les œuvres du 13e s. influencées par l'art byzantin, l'école siennoise représentée par Simone Martini et Taddeo di Bartolo, le style gothique international (Lorenzo Monaco, Gherardo Starnina), la peinture florentine et la finesse du tracé, particulièrement chez Bartolomeo della Gatta *(L'Annonciation)*, et la redécouverte de l'Antiquité (autour de 1500).

Dans la section de **sculptures romanes et gothiques**, remarquez le « transi » qui formait la base du tombeau du cardinal de Lagrange (fin du 14e s.) : le réalisme du cadavre décharné anticipe sur les représentations macabres des 15e et 16e s.

À noter également les **peintures** et **sculptures avignonnaises**, sorte de synthèse entre le réalisme flamand et la stylisation italienne. *Le Retable Requin* (1450-1455), dû à **Enguerrand Quarton**, est l'une des pièces maîtresses. Les sculptures de Jean de la Huerta et d'Antoine le Moiturier *(Anges)*, qui travaillèrent tous deux pour les ducs de Bourgogne, font pendant à une remarquable *Vierge de Pitié* datée de 1457.

Musée Calvet★

65 r. Joseph-Vernet. ☎ 04 90 86 33 84 - tlj sf mar. 10h-13h, 14h-18h- fermé 1er janv., 1er Mai et 25 déc. - 6 € (enf. gratuit).
Cet illustre musée doit son nom au médecin Esprit Calvet, créateur de la fondation qui rassemble dans des salles aujourd'hui rénovées de nombreuses œuvres d'art. Ses points forts ? Une collection très hétéroclite de sculptures, une belle collection de pièces d'orfèvrerie et de faïences (donation Puech) et des peintures françaises, italiennes et flamandes du 16e au 19e s. Remarquez notamment une pathétique *Mort de Joseph Bara* par David, des œuvres de Nicolas Mignard *(Les Quatre Saisons)*, Élisabeth Vigée-Lebrun, Victor Leydet, Corot et, bien sûr, de grandes marines du peintre avignonnais Joseph Vernet (1714-1780).

Musée Angladon★

5 r. des Laboureurs. ☎ 04 90 82 29 03 - www.angladon .com - avr.-oct. : tlj sf lun 13h-18h ; nov.-mars : tlj sf lun. et mar. 13h-18h - 6 € (7-14 ans 1,50 €).
Cet hôtel particulier du 18e s. fut acquis en 1977 par un couple de peintres avignonnais, Jean Angladon-Dubrujaud (1906-1979) et Paulette Martin (1905-1988) afin d'y exposer leurs deux collections. Celle d'art moderne, qui leur fut léguée par le couturier parisien Jacques Doucet, exposée au rez-de-chaussée où l'on a tenté de reconstituer l'ambiance de son « studio » cubiste de Neuilly, comprend quelques peintures remarquables de Cézanne *(Nature morte au pot de grès)*, Sisley, Manet, Derain, Picasso, Modigliani et Foujita. Les *Wagons de chemin de fer*, de Van Gogh, peints lors de son séjour arlésien, n'est sûrement pas la plus grande œuvre de Vincent... mais c'est le seul tableau de l'artiste en Provence.

À l'étage, la collection rassemblée par le maître de céans présente, entre mobilier et tableaux, un condensé de l'art du Moyen Âge à nos jours : salle à manger Renaissance, bibliothèque 18e s. avec une toile de Joseph Vernet, salon chinois fameux pour sa collection de porcelaines de l'époque Kangxi (fin du 17e s.) et atelier où sont exposés les travaux du couple, tous deux paysagistes, de styles fort différents : tenté par l'expressionnisme (Paulette Martin) ou flirtant avec le surréalisme (Jean Angladon).

Musée lapidaire★

27 r. de la République. ☎ 04 90 85 75 38 ou 04 90 86 33 84 - ♿ - tlj sf mar. 10h-13h, 14h-18h - fermé 1er janv., 1er Mai et 25 déc. - 2 € (gratuit -12 ans).

SEREINS
Matin à la mer et *Soir à la mer* de Joseph Vernet : mer étale, lumière diffuse et grands voiliers, par le maître du genre.

Modigliani, « La Blouse rose » (1919) : un des nombreux moments forts d'une collection de choix.

Installé dans l'ancienne chapelle du collège des Jésuites (superbe façade baroque), dont la nef unique est flanquée de tribunes latérales, il présente les vestiges des civilisations qui se sont succédé dans la région : bestiaire de tradition celtique, en particulier la « Tarasque » de Noves, statues grecques, gréco-romaines (remarquable copie de l'*Apollon Sauroctone* de Praxitèle) et régionales (guerriers gaulois de Vachères et de Mondragon). Plusieurs portraits d'empereurs (Tibère, Marc Aurèle) ou de simples quidams, bas-reliefs (remarquez celui, trouvé à Cabrières-d'Aigues, qui représente une scène de halage), sarcophages et un remarquable ensemble de masques provenant de Vaison complètent une collection qui passionnera tous les amateurs d'archéologie.

Musée Louis-Vouland★

17 r. Victor-Hugo. ☎ 04 90 86 03 79 - www.vouland.com - mai-oct. : tlj sf lun. 10h-12h, 14h-18h, dim. et j. fériés 14h-18h ; nov.-avr. : tlj sf lun. 14h-18h - fermé 1ᵉʳ janv., 1ᵉʳ Mai et 25 déc. - 4 €.

Les arts décoratifs sont à l'honneur dans cet hôtel particulier. Important ensemble de **mobilier** (surtout 18ᵉ s.) : une commode signée Migeon, un bureau de changeur de monnaie et un amusant service de voyage aux armes de la comtesse Du Barry retiennent l'attention. Belle collection de porcelaines et de **faïences** (Moustiers et Marseille), **tapisseries** des Flandres, d'Aubusson ou des Gobelins (*Le Retour de chasse de Diane*), et, pour les orientalistes, vases, plats chinois et statuaires d'ivoire polychrome. Deux salles présentent des peintures provençales.

> **À DÉGUSTER**
> Avec gourmandise et une pointe de jalousie, un petit tableau de l'école de Joos Van Cleve : *Enfant mangeant des cerises.*

Muséum Requien

67 r. Joseph-Vernet. ☎ 04 90 82 43 51 - tlj sf dim. et lun. 9h-12h, 14h-18h - fermé j. fériés - gratuit.

Botanistes amateurs ou... en herbe, ne manquez sous aucun prétexte la visite de ce musée d'histoire naturelle : véritable éden, son herbier contient 200 000 échantillons du monde entier !

Collection Lambert

Hôtel de Caumont, 5 r. Violette. ☎ 04 90 16 56 20 - www.collectionlambert.com - juil. : 11h-19h ; août-juin : tlj sf lun. 11h-18h - fermé 1ᵉʳ janv., 1ᵉʳ Mai et 25 déc. - se renseigner - 5,50 €.

Ce bel hôtel du 18ᵉ s., ancien collège, a été rénové pour accueillir la collection d'art contemporain d'Yvon Lambert. La plupart des courants de l'avant-garde artistique défendus par ce collectionneur (art conceptuel, Land Art, art minimal, nouvelle figuration) sont représentés par un ensemble d'œuvres, parfois créées pour le lieu, où l'on retrouve les noms de Cy Twombly, Christian Boltanski, Nan Goldin, Sol LeWitt, Anselm Kiefer, Daniel Buren, Robert Combas ou Bertrand Lavier, présentées par roulement selon des accrochages historiques ou thématiques.

alentours

Villeneuve-lès-Avignon★

Sur la rive droite du Rhône. Quitter Avignon par le pont Édouard-Daladier, N 100 direction Nîmes. Voir ce nom.

Château de Barbentane★★

9,5 km au Sud-Ouest par la N 570, puis à droite par la D 35. Voir ce nom.

Montfavet

6 km à l'Est par la N 100 et la N 7ᵉ à droite. Imposante **église**, reste d'un monastère construit au 14ᵉ s. par le cardinal Bertrand de Montfavet. Des sculptures intéressantes ornent le linteau du portail ; nef très sobre, soutenue par de belles voûtes gothiques.

circuit

ENTRE ALPILLES ET DURANCE
Compter 2h. Quitter Avignon par la D 571.

Châteaurenard
La petite cité s'est établie en contrebas du château situé sur la colline du Griffon. Elle cultive une tradition agricole (elle accueille un Marché d'Intérêt National) : venez donc le dimanche matin, jour de marché.

LES CHARRETTES RAMÉES

Tirées par des chevaux de trait, somptueusement décorées de végétation et de produits du terroir, les charrettes défilent dans les rues de Châteaurenard trois dimanches matin dans l'année : pour la **Saint-Éloi** (début juillet), elle est garnie de blé ; pour la **Madeleine** (début août), elle se pare de glaïeuls, fruits et légumes ; pour la **Saint-Omer** (mi-septembre), elle est garnie de buis, cannes, fleurs et surmontée d'une enclume.

Flâner dans le centre ancien, réhabilité, où se trouve le petit **musée des Outils agraires**. ☎ *04 90 24 25 50 - mai-sept. : tlj sf dim. et lun. 10h-12h, 14h30-18h30 - 2 €, 5 € billet combiné avec le musée Benoît-XIII.*

Du château du seigneur Reynard (13e-15e s.) ne subsistent que quatre tours, dont une seulement est encore entière. Montez-y à pied à travers le jardin des Tours *(escalier à droite de l'église)*. Les salles de gardes abritent le **musée Benoît XIII**. ☎ *04 90 24 25 50 - mai-sept. : visite guidée (30mn) tlj sf lun. 10h-12h, 14h30-18h30, dim. et j. fériés 14h30-18h30 ; oct.-avr. : tlj sf vend. 15h-17h - fermé 1er janv. et 25 déc. - 4 €, 5 € billet combiné avec le musée des Outils agraires.*

Poursuivre vers l'Est par la D 28.

Noves
Le village a conservé deux portes, vestiges de son **enceinte médiévale**. Sur les bases d'un premier édifice religieux du 10e s., que les évêques d'Avignon jugeaient indigne, l'**église** a été édifiée au 12e s., puis remaniée au fil du temps, d'où sa forme composite.

Quitter Noves par la N 7 en direction d'Avignon puis, après avoir franchi l'autoroute, prendre à droite vers Cavaillon. La chartreuse de Bonpas est bientôt signalée sur la gauche de la route.

Chartreuse de Bonpas
☎ *04 90 23 09 59 - avr.-oct. : 9h-12h30, 13h30-19h ; nov.-mars : 9h-12h30, 14h30-17h - 4 €.*

◀ Couvent créé par les Hospitaliers au 13e s., la chartreuse connut la prospérité au 17e s., époque à laquelle fut élevée la salle capitulaire. Les bâtiments très bien restaurés abritent aujourd'hui une exploitation agricole (côtes-du-rhône fort apprécié) où l'on fera quelques emplettes après avoir parcouru les jardins à la française.

Le retour vers Avignon peut s'effectuer par la N 7.

IMPRENABLE
La vue depuis les jardins : certains pourront y méditer sur la faculté de l'homme à bouleverser son environnement.

Bagnols-sur-Cèze

Le vieux Bagnols ne manque pas de charme avec sa ceinture de boulevards et ses demeures anciennes ou son musée d'Art moderne figuratif. Quant aux amoureux de la nature, ils trouveront leur bonheur tout au long de la paisible vallée de la Cèze.

La situation

Carte Michelin Local 339 M4 – Gard (30). Au Sud des gorges de l'Ardèche (25 km) et au Nord du Pont du Gard (32 km), on y accède par la N 86.
Bagnols offre une bonne base de départ pour sillonner le bas Vivarais, à l'Ouest.
‖ *Espace St-Gilles, av. Léon-Blum, 30200 Bagnols-sur-Cèze,* **☎** *04 66 89 54 61. www.ot-bagnolssurceze.com*

Le nom

Banhols en provençal évoque les thermes qu'appréciaient les Romains établis à proximité.

Les gens

18 103 Bagnolais aujourd'hui, en comptant la cité nouvelle née avec la centrale de Marcoule. Si **Auguste Renoir** ne mit sans doute jamais les pieds à Bagnols, il mériterait d'en être citoyen d'honneur : car c'est lui qui, par ses dons à son ami Albert André, conservateur en détresse d'un musée vide, permit à la cité gardoise d'accueillir le premier musée d'Art moderne jamais ouvert en province.

> **Découvrir**
> **☒** *45mn ou 1h30.* Dans le vieux Bagnols, suivez le circuit fléché et ponctué de panneaux explicatifs. *Plan disponible à l'Office de tourisme.*

visiter

Musée d'art moderne Albert-André★

Pl. Mallet, 2ᵉ étage de l'hôtel de ville. **☎** *04 66 50 50 56 - tlj sf lun. 10h-12h, 14h-18h - fermé fév., 1ᵉʳ-2 janv., Pâques, 1ᵉʳ et 8 Mai, Ascension, Pentecôte, 14 juil., 1ᵉʳ et 11 Nov., 24-25 et 31 déc. - 4,30 €, gratuit 1ᵉʳ dim. du mois (oct.-juin).*
Ce bel édifice du 17ᵉ s. contient des collections figuratives d'art moderne réunies par le peintre Albert André, conservateur de 1918 à 1954. Des peintres amis tels que Monet,

carnet pratique

Se loger
⌣ Camping Domaine des Fumades – *À proximité de l'établissement thermal - 30500 Allègre-les-Fumades - 17 km au NE d'Alès par D 16 puis D 241 -* **☎** *04 66 24 80 78 - domaine.des.fumades@wanadoo.fr - ouv. 7 mai-4 sept. - réserv. conseillée - 230 empl. 30,60 € - restauration.* Au bord de l'Alauzène, un camping installé autour d'une belle bâtisse et de son magnifique patio. Dans une nature bien préservée, trois piscines, des restaurants et des commerces contribuent au confort des vacanciers... Mini-club pour les enfants.
⌣⌣ Chambre d'hôte La Tonnelle – *Pl. des Marronniers - 30200 La Roque-sur-Cèze - 10 km au NO de Bagnols-sur-Cèze par N 86 puis D 298 dir. Barjac et D 166 -* **☎** *04 66 82 79 37 - latonnelle30@aol.com - 6 ch. 62/72 €.* Maison ancienne entourée d'un jardinet et d'une parcelle de vigne. Chaque chambre a emprunté son nom à une fleur. Vous savourerez, en même temps que votre petit-déjeuner sous la tonnelle, la vue en contre-plongée sur le village et la « roque » couronnée de cyprès.

Se restaurer
⌣⌣ Paul Itier – *30300 Connaux - 13 km au S de Bagnols-sur-Cèze par N 86 -* **☎** *04 66 82 00 24 - imbert30@aol.com - fermé vac. de fév. - 18/40 €.* Petit restaurant situé en léger retrait de la route nationale. Sobre salle à manger campagnarde prolongée d'une terrasse d'été coiffée d'un auvent. Cuisine classique.

Sports & Loisirs
Cap Canoë – *Rte de Barjac - 30500 St-Ambroix -* **☎** *04 66 24 25 16 - www.canoe-france.com - 9h-19h - fermé oct.-mars - 13 à 20 €.* Ce loueur de canoës et de kayaks propose des balades, accessibles à tous les niveaux, sur les méandres tranquilles de la Cèze. Les circuits sont élaborés à la carte : mini-descente pour les enfants, journée ou randonnée de deux jours avec bivouac. À vos pagaies !

Marquet, Signac, Bonnard et surtout Renoir enrichirent cette collection que compléta la donation Besson, fort bel ensemble de peintures, aquarelles, dessins et sculptures signés Renoir, Valadon, Matisse ou Van Dongen.

LES POMPIERS AU SERVICE DE L'ART

Si les pompiers bagnolais n'avaient pas trop arrosé la Sainte-Barbe en 1923, Bagnols n'aurait peut-être pas aujourd'hui de musée d'Art moderne. Mais voilà : ils firent tant et si bien qu'ils... mirent le feu au musée Léon-Alègre qui présentait dans un agréable désordre peintures, animaux empaillés, pièces archéologiques et outils agricoles. Albert André, à la tête d'un musée sans collection, fit alors appel à ses amis peintres... et les dons affluèrent, permettant de constituer la collection du premier musée d'Art moderne de province.

Musée d'archéologie Léon-Alègre

Maison Jourdan, 24 r. Paul-Langevin. ☎ 04 66 89 74 00 - ⏸ - mar., jeu. et vend. 10h-12h, 14h-18h - fermé fév., 1er-2 janv., Pâques, 1er et 8 Mai, Ascension, Pentecôte, 14 juil., 1er et 11 Nov., 24-25 et 31 déc. - 4,30 €, gratuit 1er dim. du mois (oct.-juin).

> **PAR TOUTATIS !**
> Unique, cette enseigne d'un tailleur de pierre ornée d'un niveau, d'un marteau et de deux ciseaux. Obélix n'en avait pas une si belle !

◀ Collections d'origine rhodanienne illustrant différentes périodes de l'Antiquité : la civilisation celto-ligure et ses liens avec les Grecs de Marseille (6e au 1er s. avant J.-C.) évoquée par des poteries et des objets en bronze, la civilisation gallo-romaine avec des céramiques, amphores, verrerie et objets usuels, et une évocation de la naissance du vignoble local. Une salle est consacrée à l'oppidum de St-Vincent-de-Gaujac avec une reconstitution d'un angle de la salle chaude des thermes.

circuits

LE BAS VIVARAIS

130 km – compter 1 journée. Quitter Bagnols à l'Ouest par la D 6 puis tourner à gauche dans la D 166.

Sabran

Charmant village perché... Du pied de la statue colossale de la Vierge, au milieu des vestiges du château fort, vaste **panorama**★.

Revenir à la D 6 que l'on traverse pour suivre la D 166.

Sur une crête empanachée de vieux cyprès se dresse le village de **La Roque-sur-Cèze**, couronné d'une chapelle romane, dans un **site**★ d'une sereine beauté. Un pont ancien à plusieurs arches et avant-becs pointus franchit la Cèze.

Suivre le chemin sur la rive gauche, sans franchir le pont.

Cascade du Sautadet★

Le site est accessible mais dangereux : suivre les consignes de sécurité indiquées sur les panneaux.

Cette chute est surtout curieuse par son profil en creux dans le lit de la rivière et par le réseau complexe de cre-

Les eaux de la Cèze ont profondément fissuré un large banc calcaire qui leur faisait obstacle : d'où un enchevêtrement de marmites, de cascatelles et de biefs naturels d'un aspect singulier (cascade du Sautadet).

vasses où s'enfonce la Cèze. De l'extrémité Sud de la chute, jolie vue.

Revenir à la D 166 et continuer jusqu'à la D 980 que l'on prend à gauche. Après 3 km, prendre à droite.

Cornillon
Cet ancien site fortifié offre une agréable promenade sous ses remparts. Depuis la cour du château, **panorama★** sur la vallée de la Cèze (table d'orientation).

Poursuivre sur la D 298. Après St-André-de-Roquepertuis, tourner à gauche dans la D 167 qui court à travers un plateau d'une farouche solitude. Prendre la D 16 en direction de Rochegude, puis la D 7 jusqu'à Brouzet-les-Alès.

Guidon du Bouquet★★
Point culminant de la serre du Bouquet, avec sa silhouette en forme de bec, il domine un vaste horizon entre le Gard et l'Ardèche. L'accès se fait par une route en forte montée au cours de laquelle on apercevra, parmi les taillis de chênes verts, les ruines du château du Bouquet. Du sommet, le **panorama★★** s'étend sur les causses cévenols, l'enchevêtrement des serres du bas Vivarais, le Ventoux et les Alpilles. Depuis la statue de la Madone, à-pic vertigineux dominant la garrigue de l'Uzège. À l'arrière du relais de télévision, jolie vue sur la serre du Bouquet.

De retour à Brouzet, rebrousser chemin sur la D 7. Après 8 km, tourner à droite dans la D 37.

Le parcours offre à la montée une vue sur les **ruines★** du château d'**Allègre**, avant de se poursuivre à travers la garrigue jusqu'au site de **Lussan**, juché en acropole.

Prendre la D 143 puis, à gauche, la D 643 qui mène aux gorges de l'Aiguillon, désignées sous le nom de Concluses. Laisser la voiture au terme de la route, de préférence au second parc de stationnement : aménagé sur un terre-plein, en contre-haut, il forme un belvédère sur la partie amont des gorges ; de là, on distingue nettement les marmites de géant qui parsèment le lit du torrent.

Les Concluses★★
⏱ *1h AR.* Le torrent de l'Aiguillon, à sec en été, seul moment de l'année où la promenade est possible, a eu beaucoup de mal à se frayer un passage dans le plateau calcaire, d'où son tracé sinueux.

Emprunter à droite le sentier signalé vers le Portail. Observez en descendant les cavités ouvertes dans les parois de la rive opposée, notamment la Baume de Biou (grotte des Bœufs). Un promontoire rocheux marque l'entrée du plan de Beauquier, élargissement boisé encadré d'escarpements magnifiques : au flanc de la falaise, trois nids d'aigles abandonnés.

Au bas du sentier, on atteint le **Portail**. Les parois des gorges se referment à leur sommet ; leur base s'arrondit en forme de goulet, par où l'Aiguillon s'écoule en période de crue. Passant sous le Portail, on pénètre dans les détroits rocheux et l'on suit le lit du torrent sur 200 m environ : une profonde impression de solitude s'empare du visiteur...

De retour sur la D 143, gagner Goudargues.

Goudargues
Entouré de platanes gigantesques, le bourg est dominé par son église, ancienne abbatiale dont la haute abside romane s'orne intérieurement d'un double étage d'arcatures.

Tourner à droite dans la D 298 et rentrer à Bagnols.

LA CÔTE DU RHÔNE GARDOISE
50 km – environ 3h. Quitter Bagnols par la N 86 au Sud (direction Remoulins) jusqu'à Gaujac ; prendre à droite la D 310 qui passe en contrebas du village puis un chemin de terre (fléchage) peu carrossable en montée.

Oppidum de St-Vincent-de-Gaujac
Ce site de hauteur en pleine forêt a été occupé par intermittence du 5e s. avant J.-C. au 6e s. de notre ère, puis

L'arbousier, dit aussi arbre aux fraises, porte des fruits rouges à chair farineuse dont le goût rappelle celui des fraises. Signe particulier, il porte à la fois ses fleurs et ses fruits de novembre à mars.

Corbel R. /MICHELIN

▶ **C**'est à cause des cuvettes et des conques, les *conclusas* en occitan, que les gorges de l'Aiguillon ont fini par s'appeler Concluses.

▶ **O**n appelle Goudargues, avec une emphase toute méridionale, « la petite Venise gardoise »... De canaux en petits ponts, c'est en tout cas une halte pleine de charme et de fraîcheur.

entre le 10e s. et le 14e s. À l'époque romaine, ce fut un sanctuaire rural avec temples et thermes. Une porte fortifiée (vestige d'une enceinte) donne accès aux ruines de l'essart médiéval avec sa citerne, puis aux fouilles gallo-romaines, ensemble du Haut-Empire (1er-3e s.) : en haut, un *fanum*, petit temple indigène romanisé ; en contre-bas, les thermes (restes de canalisations). Le sanctuaire fut abandonné au 3e s. pour une raison inconnue.

Reprendre la N 86 puis, après Pouzilhac, tourner à gauche dans la D 101.

La route, étroite et sinueuse, traverse un paysage caractéristique de garrigues et de forêt. Peu avant St-Victor se dressent les ruines d'un imposant château féodal, **le Castella**, démantelé lors de la croisade contre les Albigeois.

St-Victor-la-Coste

À la limite de la garrigue et des vignobles, le vieux village de pierres sèches se blottit au pied des ruines de son château.

St-Laurent-des-Arbres

Autrefois propriété des évêques d'Avignon, le village conserve quelques vestiges médiévaux dont une **église romane**, fortifiée au 14e s. : les murs ont été surélevés et munis d'un parapet crénelé ; à l'intérieur, coupoles ornées des symboles des évangélistes. Près de l'église, **donjon** rectangulaire de l'ancien château : la partie inférieure, surhaussée au 14e s. d'un étage en retrait, remonterait à la fin du 12e s. Toute proche, une **tour romane**, dite tour Ribas, abrite l'Office de tourisme.

Au carrefour avec la N 580, prendre à gauche. À l'Ardoise, prendre à gauche la D 9.

Laudun

Le village est dominé par son imposante église gothique (14e s.), d'où vous pourrez gagner, en empruntant le GR 42 en direction d'Orsan, le plateau du **Camp de César** offrant une belle vue sur la vallée du Rhône. Jules César n'est sûrement jamais allé à Laudun – en tout cas, il n'a pas jugé bon de mentionner sa visite dans ses écrits ; le Camp de César est un important oppidum occupé du 5e s. avant J.-C au 6e s. après J.-C., où l'on a mis au jour les vestiges d'un forum et d'une basilique. ☎ 04 66 50 55 79 - *visite guidée sur demande (1 sem. av.) - 3,05 € (billet combiné avec la salle d'exposition)*

Le matériel recueilli sur place est exposé à la **mairie** de Laudun. ☎ 04 66 50 55 79 - *www.ville-laudun.fr - juin-sept. : mar.-vend. 9h-12h, 15h-18h, sam. 9h-12h, dim. 10h-13h ; oct.-mai : se renseigner - fermé j. fériés - 1,83 €.*

De Laudun, gagner Orsan par la D 121 au Nord, puis prendre à droite pour traverser la N 580.

Belvédère de Marcoule★

Difficile de ne pas apercevoir l'usine de retraitement de déchets nucléaires de Marcoule, avec ses hautes cheminées qui se dressent dans un cadre de garrigues et de vignobles. De la terrasse séparant les deux salles d'exposition, vous pourrez apercevoir Orange et le mur du théâtre antique, le Ventoux, les Alpilles et le bas pays gardois.

Les passionnés pourront visiter le **centre d'information de Marcoule** et satisfaire leur curiosité quant au cycle du combustible ou aux différents types d'énergie. *Carte d'identité obligatoire.* ☎ 04 66 79 52 97 - *fermé temporairement suite au plan Vigipirate.*

Retour sur Bagnols par Chusclan, puis la N 580, à droite.

🏛 Surplombant la commune de Chusclan, **le château de Gicon**, qui a fait l'objet d'une restauration, se voit de loin. Passé la chapelle romane, on arrive à la porte d'entrée qui débouche sur une calade et des constructions de diverses époques (maison forte, donjon, tour de guet, bergerie, etc.).

Accès libre. Possibilité de visite guidée : ☎ 04 66 90 14 04 ou 04 66 90 03 15

POUR LES AMATEURS DE VIN

Au Sud de St-Laurent-des-Arbres, par la D 26, on gagne **Lirac** (vins rouges ou rosés assez corsés) et **Tavel** (fameux pour son rosé), occasion sans doute de quelques achats.

Barbentane

Au pied de la tour Anglica, ce village, tout imprégné des senteurs de la Montagnette, a conservé quelques vestiges de l'époque médiévale. Mais c'est avant tout le château qui retiendra votre attention.

La situation
Carte Michelin Local 340 D2 – Bouches-du-Rhône (13). À 14,5 km au Nord de Tarascon *(voir ce nom)* par la D 35. Barbentane est adossé au versant Nord de la Montagnette, au-dessus de la plaine maraîchère située près du confluent du Rhône et de la Durance.
🚹 *Le Cours, 13570 Barbentane,* ☎ *04 90 90 85 86.*

Le nom
Pour les uns, il viendrait d'un certain Barbus, Romain qui aurait possédé quelques arpents à cet endroit. Mais pour d'autres, il dériverait d'une *Insula* (île) *Barbentina* formée alors par la Durance et aujourd'hui rattachée à la terre ferme : c'est là que les autochtones, précurseurs de Robinson, se seraient réfugiés pour échapper aux bar-bares. La chose se discute encore, paraît-il, à l'heure du pastis.

Les gens
3 645 Barbentanais, dont un ambassadeur à Florence, au 18ᵉ s., Joseph-Pierre Balthazar de Puget, ancêtre du mar-quis actuel, qui contribua à donner au château son style italianisant.

visiter

Château★★
☎ *04 90 95 51 07 -* ♿ *- de Pâques à Toussaint : visite guidée (45mn) tlj sf merc. 10h-12h, 14h-18h (juil.-sept. : tlj) ; mars et nov. : dim. 10h-12h, 14h-18h - 6 €.*
Façade classique (17ᵉ s.), terrasses, balustrades en pierre décorées de lions ou de corbeilles de fleurs s'ouvrent sur une pièce d'eau et un parc à l'italienne. L'intérieur de ce château, édifié par Louis-François de Valfenière, pré-sente une riche décoration du 18ᵉ s. d'inspiration très italienne. Les plafonds de voûtes plates, utilisant une technique de taille des pierres très particulière, les gyp-series, les médaillons peints, les marbres de couleur, les meubles Louis XV et Louis XVI, les porcelaines de Chine, les faïences de Moustiers confèrent à l'ensemble un charme indéniable.

se promener

Vieux village
Il a conservé de son enceinte fortifiée la porte Calendale et la porte Séquier. La **maison des Chevaliers**, du 12ᵉ s.,

> **CALENDRIER**
> **Feux de la St-Jean –** Des bûchers sont dressés dans tous les villages de Provence. La fête patronale de Barbentane est réputée, avec ses courses de taureaux, concours de boules, groupes folkloriques du village. Vêpres et feu sur la place de l'église.

L'apparition inattendue d'un château d'Île-de-France sur les versants de la Montagnette.

Magnin G./MICHELIN

possède une belle façade Renaissance composée d'une tourelle et de deux grandes arcades surmontées d'une galerie à colonnes. En face, l'église du 12ᵉ s. a été souvent remaniée. La **tour Anglica**, donjon du château féodal disparu, domine le village. Une courte promenade dans la pinède mène au **moulin de Bretoule** (18ᵉ s.), dernier des nombreux moulins de la région : jolie vue sur la plaine rhodanienne.

Les Baux-de-Provence★★★

Un éperon dénudé (900 m de long sur 200 m de large) qui se détache des Alpilles, bordé de deux ravins à pic, un château fort détruit et des vieilles maisons constituent l'extraordinaire **site★★★** minéral du village des Baux, fier héritier d'un passé glorieux.

La situation

Carte Michelin Local 340 D3 – Schéma p. 119 – Bouches-du-Rhône (13). Arrivant par la D 78ᶠ, depuis Fontvieille, on aperçoit soudain, dans un lacet, les premières maisons perchées du vieux village. *On pourra laisser la voiture sur l'un des parkings (stationnement illimité 4 €, horodateur 3 €), mais à la belle saison, il sera sûrement nécessaire de se garer au bord de la route, et de gagner le village à pied.* ◪ *R. Porte-Mage, 13520 Les Baux-de-Provence, ☎ 04 90 54 34 39. www.lesbauxdeprovence.com*

Le nom

Du provençal *bàus* qui désigne un rocher escarpé, devenu par un pluriel abusif les Baux. La cité allait plus tard donner son nom à la **bauxite**, découverte en 1822 sur son territoire.

Les gens

434 Baussencs. Les lecteurs de la presse du cœur noteront avec intérêt que le hasard de l'histoire a fait des Baux un fief de la famille Grimaldi : en effet, Caroline, Stéphanie et Albert sont bel et bien les enfants de l'actuel marquis des Baux, le prince Rainier de Monaco.

comprendre

Au hasard Balthazar – Telle était la fière devise des seigneurs des Baux qui affirmaient descendre du Roi mage Balthazar... Mistral les décrivait comme une « race d'aiglons jamais vassale ». Dès le 11ᵉ s., ils comptent parmi les plus puissants féodaux du Midi. De 1145 à 1162, ils entrent en guerre contre la maison de Barcelone, dont ils contestent les droits sur la Provence ;

Où finit la roche, où commence le château ? Les Baux, une forteresse du vertige.

Sauvanier S. /MICHELIN

appuyés un moment par l'empereur allemand, ils devront finalement se soumettre après avoir subi un siège dans leur fief. Les uns deviennent alors princes d'Orange, d'autres vicomtes de Marseille, d'autres encore, ayant suivi en Italie du Sud l'expédition des princes d'Anjou, sont faits comtes d'Avellino, puis ducs d'Andria. L'un d'eux épouse Marie d'Anjou, sœur de Jeanne Ire, reine de Sicile et comtesse de Provence, la première reine Jeanne. Très belle, très aimée des Provençaux, celle-ci connaîtra un destin tragique : trois fois veuve, elle meurt en 1382, étouffée par un ambitieux et fort oppressant cousin.

Un charmant garçon ! – « Le fléau de la Provence », tel était l'affectueux sobriquet du vicomte Raymond de Turenne. Devenu en 1372 tuteur de sa nièce, Alix des

carnet pratique

Visite

Vignoble des Baux – Il s'étend autour du village, dans l'aire d'appellation « Les Baux de Provence ». Grâce au micro-climat dont il bénéficie et à la nature du sol, ce vignoble, déjà connu dans l'Antiquité, mais amélioré depuis grâce à des soins vigilants, donne des vins de caractère et d'excellente qualité. L'encépagement est à dominante de rouge et de rosé. Produits en plus faible quantité, les blancs demeurent d'excellent niveau. *Possibilité de visite guidée des domaines viticoles ; s'adresser aux Offices du tourisme des Baux-de-Provence et de St-Rémy.*

Se loger

⊖⊜⊜⊜ **Auberge de la Benvengudo** – *2 km au SO des Baux sur D 27 -* ☎ *04 90 54 32 54 - contact@ benvengudo.com - fermé 15 nov.-20 déc. -* 🅿 *- 23 ch. 137/187 € ⌧ - restaurant 40/45 €.* Charmante bastide tapissée de vigne vierge au pied de la citadelle. Chambres rénovées ou un brin mûrissantes, toutes ouvertes sur un joli jardin fleuri. Menu unique composé selon le marché et servi dans une salle à manger provençale ou en terrasse au bord de la piscine.
⊖⊜⊜⊜ **Hôtel Mas de l'Oulivié** – *2,5 km au SO des Baux sur D 27 -* ☎ *04 90 54 35 78 - contact@masdeloulivie.com - fermé 15 nov.- 18 mars -* 🅿 *- 25 ch. 160/245 € - ⌧ 11 €.* Ce joli mas niché au cœur d'une oliveraie séduira les amateurs de farniente. Au crépuscule, à l'heure où les grillons s'éveillent, peut-être paresseront-ils au bord de l'étonnante piscine à débordements. Accueil personnalisé, décor provençal, tons vert amande et magnifique jardin.

Que rapporter

Castelas – *Moulin Castelas - Mas de l'olivier - Aux pied du château des Baux- de-Provence -* ☎ *04 90 54 50 86 - www.castelas.com - 9h-18h - fermé j. fériés hors sais.* Ce moulin produit chaque année entre 20 et 30 000 litres d'huile d'olive AOC de la Vallée des Baux. Sa qualité est telle que la famille Hugues a remporté de nombreuses médailles d'or au Concours Général Agricole. Vous trouverez également à la boutique de

la tapenade, de la pâte d'olives et des olives vendues en vrac.

Sauvignier S. /MICHELIN

Mas de la Dame – *RD 5 -* ☎ *04 90 54 32 24 - masdeladame@ masdeladame.com - 8h30-19h - fermé 25 déc. et 1er janv.* Cette propriété du 16e s. immortalisée en 1889 par Van Gogh est une des rares exploitations à produire à la fois du vin (rouges et rosés sous l'appellation « Les Baux-de-Provence », deux vins blancs AOC coteaux-d'aix-en-provence) et de l'huile d'olive d'origine contrôlée vallée-des-baux.

Sports & Loisirs

Golf – *Domaine Manville -* ☎ *04 90 54 40 20 - golf-provence.com - 7h- 20h en été ; 9h-17h en hiver - de 34 à 50 €.* Ce très beau parcours 9 trous offre une vue exceptionnelle sur le château des Baux et les Alpilles.

Calendrier

Noël aux Baux – À Noël, ne manquez sous aucun prétexte la messe de minuit dans l'église St-Vincent, où est installée une crèche vivante : devant une foule considérable, les bergers drapés dans leurs grands manteaux et précédés par des joueurs de tambourins et de galoubets font l'offrande d'un agneau nouveau-né placé dans une petite charrette tirée par un bélier (cérémonie du pastrage).

Baux, ses ambitions déchaînent une terrible guerre civile. La distraction favorite de cet agréable personnage est d'obliger les prisonniers à se précipiter dans le vide du haut du château des Baux : leurs hésitations et leur angoisse l'amusent énormément. Le pape et le souverain de Provence recrutent des mercenaires pour se défaire de ce fâcheux dont le sens de l'humour leur échappe totalement. Mais les routiers engagés ne font guère de distinction entre territoires amis ou ennemis ; il faut les licencier et les éloigner, prime à l'appui. Bien entendu, la lutte renaît bientôt. Le roi de France se joint aux adversaires du vicomte qui, en 1399, finit par être cerné dans son repaire des Baux d'où il parvient à s'échapper et à fuir en France.

Une terre turbulente – Alix est la dernière princesse des Baux. À sa mort, en 1426, la seigneurie, incorporée à la Provence, n'est plus que simple baronnie. Le roi René la donne à sa femme Jeanne de Laval, la seconde reine Jeanne. Réunie à la couronne de France avec la Provence, la baronnie se révolte en 1483 : Louis XI fait alors démanteler la forteresse. À partir de 1528, le connétable Anne de Montmorency, qui en est titulaire, entreprend d'importantes restaurations et la ville connaît à nouveau une période faste. Les Baux deviennent un foyer de protestantisme sous la famille de Manville, qui administre la baronnie pour la couronne. Mais en 1632, Richelieu, fatigué de ce fief turbulent et indocile, fait démolir le château et les remparts. C'est la fin des Baux.

UN COMBLE
Non seulement les habitants voient leur fief réduit à l'état de ruines, mais ils doivent encore payer une amende de 100 000 livres et les frais... de démolition !

se promener

LE VILLAGE★★★

Compter 1h. Une promenade dans les ruelles des Baux constitue un véritable enchantement, du moins quand elles ne sont pas trop envahies par la foule et les étals des vendeurs de bibelots...

On pénètre dans le village par la porte Mage, pour prendre la rue à droite vers la place Louis-Jou.

L'ancien **hôtel de ville**, chapelle désaffectée, a conservé trois salles voûtées où se niche un **musée des Santons** *(entrée libre).*

Une ruelle à droite permet d'atteindre la porte Eyguières, jadis seule entrée de la ville.

Revenir sur ses pas. Au bout de la rue de la Calade, prendre vers la droite la rue de l'Église.

De la **place St-Vincent★**, jolie vue sur le vallon de la Fontaine et le val d'Enfer. Au coin de la place, l'**hôtel de Porcelet** abrite aujourd'hui le musée Yves-Brayer *(voir description dans « visiter »).* Le peintre a décoré de scènes pastorales (paysages des Alpilles et du val d'Enfer) les murs de la **chapelle des Pénitents Blancs**, bâtie au 17e s., et un vitrail a été réalisé selon un dessin de l'artiste.

Flanquée sur le côté gauche d'une gracieuse « lanterne des morts », l'**église St-Vincent★**, en partie creusée dans le rocher, émeut par sa simplicité lumineuse (vitraux de Max Ingrand).

Remontant par la rue de l'Église, puis celle des Fours, prenez à gauche la rue du Château, pour passer devant l'**ancien temple protestant**, vestige d'un logis de 1571. En face, l'**hôtel de Manville** (belle façade ornée de fenêtres à meneaux) abrite la mairie.

En remontant la Grande Rue, vous passez devant les **fours banaux** où les habitants venaient cuire leur pain. La rue du Trencat, creusée dans la roche, mène au château *(voir description dans « visiter »).*

LUMINEUX
Au linteau d'une des fenêtres du temple, la devise calviniste :
Post tenebras lux
(« Aux ténèbres succède la lumière »).

En redescendant la Grande Rue, remarquez la **maison Renaissance** Jean de Brion : ce fut celle de **Louis Jou** (1881-1968), graveur, éditeur et imprimeur qui a consacré sa vie à l'art du livre. La **fondation Louis-Jou** renferme incunables, reliures anciennes, gravures de Dürer et de Goya, admirables suites de bois gravés et d'ouvrages édités par Louis Jou. ☎ *04 90 69 88 03 ou 04 90 54 34 17 - visite guidée mars-déc. : tlj sf mar. et merc. 11h-13h, 14h-18h ; janv.-fév. : 13h-17h - 3 €, gratuit 1ᵉʳ dim. du mois d'oct. à avr. 14h-17h.*

Rejoindre la porte Mage.

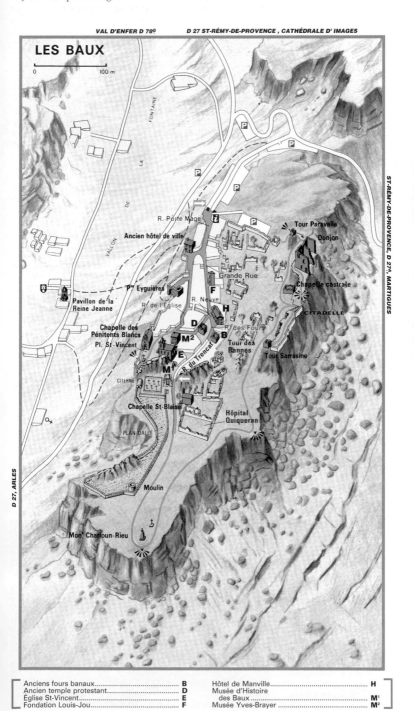

LES BAUX

0   100 m

ST-RÉMY-DE-PROVENCE, D 27ᴬ, MARTIGUES

D 27, ARLES

R. Porte Mage

Ancien hôtel de ville

Tour Paravelle

Donjon

Grande Rue

Chapelle castrale

Pᵗᵉ Eyguières

R. Neuve

R. de l'Église

F

H

CITADELLE

Pavillon de la Reine Jeanne

Chapelle des Pénitents Blancs

D

Rᵉ des Fours

Pl. St-Vincent

M²

B

Tour des Bannes

E

Rᵉ du Trencat

M¹

Tour Sarrasine

CITERNE

Chapelle St-Blaise

Hôpital Quiqueran

PLAN D'ALLE

Moulin

Monᵗ Charloun-Rieu

Sauvignier S. /MICHELIN

Depuis le donjon, la vue est imprenable ! Elle embrasse le pays d'Aix et la Sainte-Victoire, le Luberon, le mont Ventoux et les Cévennes, ou, plus proches, les formes tourmentées du val d'Enfer au Nord, contrastant avec le riant vallon de la Fontaine, à l'Ouest.

visiter

Château★

À l'extrémité de la rue du Trencat. Visite : 1h mini. Audioguides gratuits. Animations en été. ☎ 04 90 54 55 56 - www.chateau-baux-provence.com - juin-août : 9h-19h30 ; mars-mai et sept.-nov. : 9h-18h30 ; déc.-fév. : 9h-17h - 7,30 € (7-17 ans 3,50 €).

Depuis 1991, le château fait l'objet d'un vaste projet de sauvegarde et de mise en valeur. L'ancienne demeure de la puissante famille de la Tour du Brau accueille dans la belle salle basse le **musée d'Histoire**. Cette exposition a le mérite de relater brièvement les grandes heures des Baux. Deux maquettes de la forteresse aux 13ᵉ et 16ᵉ s. permettent de suivre l'évolution du site.

Dans la **Chapelle St-Blaise**, siège de la confrérie des cardeurs de laine et des tisserands (12ᵉ s.), vous pourrez visionner un diaporama sur le thème de « Van Gogh, Gauguin, Cézanne au pays de l'olivier ». Non loin, l'**hôpital Quiqueran** fut édifié au 16ᵉ s. par Jehanne de Quiqueran.

Sur le vaste terre-plein ont été installées les reconstitutions de **machines de guerre médiévales** : baliste, bélier et trébuchet. Après le moulin banal (chaque fois qu'on l'utilisait, le seigneur des Baux percevait une taxe), qui borde un plan dallé destiné à recueillir les eaux de pluie conduites dans une citerne creusée dans le roc, vous arrivez à l'extrémité du plateau. De là, **vue★** très étendue sur l'abbaye de Montmajour, Arles, la Crau, la Camargue (par temps clair, on distingue les Stes-Maries-de-la-Mer et Aigues-Mortes) et la plaine jusqu'à l'étang de Berre.

Remarquez le **Monument Charloun-Rieu** à la mémoire du poète du Paradou *(voir les Alpilles)*, avant de vous diriger vers la **citadelle**. Ses ruines imposantes longent le flanc Est de l'éperon rocheux. Au Sud subsistent la **tour Sarrasine** et la **tour des Bannes**, dominant un groupe d'habitations du 16ᵉ s. La **chapelle castrale** (12ᵉ-16ᵉ s.) conserve une belle travée d'ogives. Un escalier assez difficile *(visiteurs sujets au vertige s'abstenir)* permet d'accéder au sommet du donjon qui ouvre sur magnifique **panorama★★**. Adossée au rempart Nord, la tour Paravelle offre une jolie **vue★** sur le village des Baux et le val d'Enfer.

Musée Yves-Brayer★

☎ 04 90 54 36 99 - www.yvesbrayer.com - avr.-sept. : 10h-12h30, 14h-18h30 ; oct.-déc. et de mi-fév. à fin mars : tlj sf mar. 10h-12h30, 14h-17h30 - 4 €.

Très attaché aux Baux, le peintre figuratif **Yves Brayer** (1907-1990) y repose aujourd'hui. Dans le musée, toiles consacrées à l'Espagne, à l'Italie et au Maroc avec des tons contrastés de noir, de rouge et d'ocre ; scènes tauromachiques, aquarelles de voyage... Mais c'est sans doute la lumière des paysages provençaux qui lui a inspiré ses tableaux les plus réussis : sa palette s'éclaircit alors dans des œuvres telles que *Les Baux*, ou *Le Champ d'amandiers*.

Recroquevillées autour du château et surplombant le val d'Enfer, les maisons des Baux.

alentours

Cathédrale d'Images★

Au bord de la D 27, à 300 m au Nord du village, dans les carrières de pierre des Baux. ☎ 04 90 54 38 65 - www.cathe-drale-images.com - avr.-sept. : 10h-19h ; oct.-déc. : 10h-18h - fermé 8 janv.-mi fév. - 7,30 € (enf. 3,50 €).

🎥 Ce décor colossal, oublié pendant plus d'un siècle, a été « inventé » par Albert Plécy (1914-1977), qui a trouvé là un espace pour sa recherche de « l'image totale© ». Dans la pénombre, les parois calcaires immaculées des hautes salles et des piliers servent d'écrans à trois dimensions pour une projection audiovisuelle féerique et géante où le spectateur est immergé dans un univers magique. Ce spectacle de 30mn change de thème chaque année.

Panorama★★★

Poursuivre la D 27 sur environ 1 km et prendre à droite une route en montée (signalisation, parking) De cette avancée rocheuse (table d'orientation), vous pourrez contempler le village des Baux dans son étrange cadre minéral. La vue porte loin et de tous les côtés : vers Arles et la Camargue, la vallée du Rhône et les Cévennes, le pays d'Aix, le Luberon et le mont Ventoux.

Val d'Enfer

🚶 *Accès à partir de la D 27 par la D 78ᴳ.* À l'entrée du val d'Enfer, un sentier *(15mn AR)* permet de parcourir cette curieuse gorge au relief tourmenté, dont les grottes ont servi d'habitations.

> **L'ENFER !**
> De nombreuses légendes ont fait de ce lieu un univers de sorcières, de fées, de lutins et autres créatures merveilleuses.

Pavillon de la reine Jeanne

Sur la D 78ᴳ. Un sentier permet d'y accéder directement du village par la porte Eyguières. À l'entrée du vallon de la Fontaine, ce joli petit édifice Renaissance est un kiosque de jardin construit par Jeanne des Baux vers 1581. Mistral en a fait exécuter une copie pour son tombeau de Maillane.

Beaucaire★

Fièrement dressée face à Tarascon l'impériale, et fameuse dans toute l'Europe pour sa foire qui des siècles durant draina les foules, la citadelle des comtes de Toulouse a aujourd'hui tout d'une belle endormie. Il ne tient qu'à vous d'aller la réveiller...

La situation

Carte Michelin Local 339 M6 – Gard (30). Qu'on arrive de Tarascon en traversant le Rhône, de Nîmes par la D 999, d'Arles (14 km au Sud) par la D 15, ou d'Avignon (24 km au Nord) par la D 2, on aboutit le long du canal du Rhône à Sète où a été aménagé un port de plaisance. Parking sur les deux rives du canal. En été, on préférera l'ombre des platanes sur le cours Gambetta.
🛈 *24 cours Gambetta, 30300 Beaucaire, ☎ 04 66 59 26 57. www.ot-beaucaire.fr*

Le nom

L'antique Ugernum a été peu à peu supplanté par le nom de Castrum Bellicadri, qui en occitan donna naturellement *bèu caire*, le *caire* désignant une pierre de taille (et, donc, le château qui domine la ville).

Les gens

13 748 Beaucairois. Il existe à Beaucaire une association fort active, le Cercle des amis de Goya, qui commanda une statue... de taureau. Redoutable « cocardier », Goya, car tel était son nom, fit en effet régner la terreur dans les arènes entre 1967 et 1980.

Le redoutable taureau Goya.

Magnin G. /MICHELIN

comprendre

La foire de Beaucaire – On a peine aujourd'hui à imaginer ce que représentait, à son apogée (18ᵉ s.), la foire de Beaucaire : durant tout un mois, 300 000 visiteurs se retrouvaient dans la cité pour vendre, acheter et se distraire. Son prestige était tel que les prix alors négociés devenaient la référence pour tout le royaume. Chaque rue était spécialisée : rues du Beaujolais (vins), des Bijoutiers, des Marseillais (huiles, savons) en témoignent aujourd'hui ; ici, on vendait laine, soie, draps, indiennes, dentelles, rouennerie, là, vêtements, armes ou quincaillerie, plus loin, cordages, sellerie, bourrellerie. Sur les quais, poissons en saumure, sucre, cacao, café, cannelle, vanille, citrons, oranges, dattes. Au champ de foire, jouets, bagues, pipes, parfumerie, chapeaux, chaussures, faïences, porcelaines, paniers, bouchons et outils ; chevaux, ânes et mulets étaient également marchandés. D'où vient ce succès ? Sans doute la position de Beaucaire, au carrefour de voies commerciales, terrestres et fluviales, y fut-elle pour beaucoup, aidée par le décret de Louis XI faisant de la cité un « port franc ». Le déclin vint au 19ᵉ s., avec la révolution industrielle et l'avènement du chemin de fer qui modifièrent profondément les courants d'échange.

De nos jours, la foire ne vit plus que dans les « Estivales » de Beaucaire qui, depuis quelques années, drainent une foule, plus modeste, vers des activités placées sous le signe de la fête. L'artisanat, lui, demeure, grâce aux nombreux artistes installés dans le centre ancien.

carnet pratique

VISITE

Visite guidée – Beaucaire, qui porte le label Ville d'art et d'histoire, propose des visites-découvertes (1h30) animées par des guides-conférenciers agréés par le ministère de la Culture et de la Communication. *4 €. Renseignements à l'Office de tourisme ou sur www.vpah.culture.fr*

SE LOGER

⊖⊜⊜ **Hôtel Les Vignes Blanches** – *67 rte de Nîmes -* ☎ *04 66 59 13 12 - lesvignesblanches@wanadoo.fr - fermé 7-30 janv. -* 🅿 *- 57 ch. 73/99 € - ⊑ 9 € - restaurant 17/39 €.* Cet hôtel bordant un axe passant a bénéficié d'une rénovation complète : hall original, chambres (plus calmes sur l'arrière) joliment colorées et dotées d'une literie neuve. Espace bistrot ou salle à manger traditionnelle ; cuisine du marché.

SE RESTAURER

⊖ **Auberge l'Amandin** – *Quartier St-Joseph - 3 km au S du centre-ville de Beaucaire par D 15 dir. Fourques puis Z.I. Sud Domitia -* ☎ *04 66 59 55 07 - lamandin@tiscali.fr - fermé 15-30 août, dim. soir et lun. - 14/23,50 €.* Meubles rustiques et tableaux président au cadre provençal de cette petite salle à manger aménagée dans les anciennes écuries d'un authentique mas. La carte propose une cuisine concoctée selon le marché et des grillades. Terrasse face au jardin.

QUE RAPPORTER

Marché – ☎ *04 66 59 26 57.* Marché traditionnel jeu. et dim. Marché artisanal et musical (les Beaux Quais du vendredi) en juil.-août ven. 17h30-0h.

LOISIRS

Les Aigles de Beaucaire – *Château de Beaucaire -* ☎ *04 66 59 26 72 - www.aigles-de-beaucaire.com - mars et sept.-nov. 14h30, 15h30, 16h30 ; avr.-juin sf j. fériés 14h, 15h, 16h30 ; juil.-août 15h, 16h, 17h, 18h – 8,50 € (enf. 5,50 €).* Sur l'esplanade du château, de fin mars à début novembre. Les fauconniers en costume font évoluer, sur un fond musical et sur un thème renouvelé chaque année, milans, buses, aigles et autres vautours. À la fin du spectacle, rendez-vous à la volière, au pied de la tour polygonale, pour apercevoir de plus près les « artistes ».

CALENDRIER

Les Fêtes de la Madeleine – Les 10 derniers jours de juillet, les **Fêtes de la Madeleine** rappellent l'époque glorieuse de la foire de Beaucaire. Programme varié, placé sous le signe de la bouvine : *abrivados* dans les rues, courses camarguaises aux arènes (les raseteurs s'y disputent le prestigieux trophée de la Palme d'or), *novillada* et corrida le dernier week-end de juillet, fête foraine, bals, feux d'artifice, bodegas. Se déroulent également **Les Rencontres méditerranéennes de l'art équestre et des cultures latines**, concours équestres et soirées musicales, et **Les Beaux Quais**, marché artisanal sur les quais du port tous les vendredis soir en été.

BEAUCAIRE

se promener

LE VIEUX BEAUCAIRE★

Prendre, à droite du cours Gambetta, la rue de l'Hôtel-de-Ville qui conduit à la place Georges-Clemenceau.

Hôtel de ville

Ce bel édifice classique, édifié à la fin du 17ᵉ s. sur des plans de Mansart, ne manque pas de noblesse. Outre sa façade (des guirlandes de fleurs encadrent les fenêtres), la cour, avec son double portique à colonnes précédant le grand escalier, mérite un coup d'œil.

Église N.-D.-des-Pommiers

Façade incurvée, caractéristique du style « jésuite » en vogue au 18ᵉ s. ; à l'intérieur, majestueuse coupole sur pendentif s'élevant à la croisée du transept.
En empruntant la rue Charlier, on aperçoit une frise, encastrée dans la partie supérieure du mur, seul vestige de l'église romane à laquelle l'édifice actuel a succédé. Elle représente la Cène, le Baiser de Judas, la Flagellation, le Portement de la croix et la Résurrection.
Un arceau donne accès à la rue de la République qu'on prendra sur la droite.

Façade classique de l'**hôtel des Clausonnettes** (18ᵉ s.) adossé au château *(entrer si possible dans la cour)* et, attenant, au n° 23, l'**hôtel des Margailliers**, avec sa belle façade sculptée qui lui a valu son surnom de « maison des cariatides ». Quelques mètres plus loin, en face, l'**hôtel de Roys de Saint-Michel** (18ᵉ s.) a, lui aussi, belle allure.
La rue débouche sur la sympathique **place de la République** avec ses arceaux abritant de nombreux

Il n'y a pas qu'à Aix-en-Provence que les atlantes soutiennent les linteaux des portes.

Magnin G. /MICHELIN

LE DRAC

Tarascon a la *tarasque*. Beaucaire, lui, a le redoutable *drac*, monstre surgissant du fond des eaux pour dévorer ses proies. Un jour, le monstre s'empare d'une jeune lavandière et l'entraîne dans sa grotte. Mais, alors que la malheureuse s'attend au pire, le drac lui explique ce qu'il attend d'elle : il cherche une nourrice pour son fils, le *draconnet*. Et c'est ainsi que la lavandière beaucairoise nourrit pendant sept ans le petit monstre avant d'être relâchée. Mais un jour de foire, le drac vient faire son marché, en prenant une apparence humaine... La lavandière reconnaît son geôlier et ameute la foule. Furieux d'être ainsi démasqué, le drac crève les yeux de la pauvre lavandière qui, affirme Gervais de Tilbury, auteur en 1214 de ce conte, resta « aveugle jusqu'à la fin de ses jours ».
À noter : fête du Drac le 3ᵉ w.-end de juin.

artisans. Au centre, effigie du « drac » sur qui, hélas, le temps ne passe pas en vain.

Revenir sur ses pas rue de la République et prendre à droite la montée du Château.

Château★

⌖ *Les Aigles de Beaucaire : voir le « carnet pratique ».*
Avr.-août 1ᵉʳ et 3ᵉ merc. du mois à partir de 10h15, sur demande au service culturel, Maison du tourisme, 24 cours Gambetta, ☎ 04 66 59 71 34.

Bâti au 11ᵉ s. à l'emplacement d'un castrum romain, remanié au 13ᵉ s. (à la suite du siège mémorable de 1216 au cours duquel le jeune Raymond VII obtint la capitulation de la garnison française), le château fut démantelé par Richelieu. Il se dressait sur le sommet de la colline, protégé par une enceinte que l'on peut suivre, découvrant au passage la curieuse **tour polygonale** (dite aussi tour triangulaire), de plan très rare, posée sur un éperon rocheux, les **courtines** dominant l'à-pic et la belle **tour ronde** d'angle. La petite **chapelle** romane possède un charmant tympan sculpté.

> **JOLIE PROMENADE**
> L'enceinte du château est ombragée de pins, de cyprès, fleurie d'iris et de genêts d'Espagne.

Rejoindre le cours Gambetta par la place Raimond-VII, puis par la rue du Château et, dans le prolongement, la rue Denfert-Rochereau.

visiter

Musée Auguste-Jacquet

Au château. ☎ 04 66 59 47 61 - avr.-oct. : 10h-12h, 14h-18h ; nov.-mars : 10h-12h, 14h-17h15 - fermé mar., j. fériés et 25 déc.-2 janv. - 4,35 € (enf. 1,25 €).

Installé dans l'enceinte du château, il abrite une section archéologique regroupant des pièces allant de la préhistoire à la période gallo-romaine. Il présente aussi une évocation intéressante du Beaucaire d'autrefois : reconstitution d'un intérieur bourgeois, costumes, coiffes, ustensiles, céramiques de St-Quentin-la-Poterie *(voir Uzès)* et documents concernant la foire.

alentours

Abbaye de Saint-Roman★

5 km au Nord-Ouest par la D 999 et une route à droite. Laisser la voiture au parc de stationnement (gratuit et surveillé) et emprunter l'agréable chemin d'accès (15mn à pied AR) qui s'élève dans un paysage de garrigue jusqu'à l'entrée du site. ☎ 04 66 59 19 72 - www.abbaye-saint-roman.com - juil.-août : 10h-18h30 ; avr.-juin et sept. : 10h-18h ; oct.-mars : w.-end 14h-17h - 5 €.

Au sommet d'un piton calcaire dominant la vallée du Rhône, au confluent du Gardon, cet étonnant monastère troglodityque, qui dépendait de l'abbaye de Psalmody, fut abandonné au 16ᵉ s. Une forteresse, bâtie en partie avec les pierres de l'abbaye, lui succéda. Elle fut démantelée en 1850 et seuls quelques vestiges des fortifications sont encore visibles.

Un circuit balisé mène à la chapelle taillée dans le roc, qui abrite le tombeau de saint Roman. Depuis la terrasse, belle **vue★** sur le Rhône, Avignon, le Ventoux, le Luberon, les Alpilles et, au premier plan, Tarascon et son château. On découvre en redescendant une vaste salle (elle comptait à l'origine trois niveaux) et les cellules des moines : également rupestres, elles viennent compléter cet ensemble, d'une envoûtante simplicité.

Magnin G./MICHELIN

Tombes de l'abbaye St-Roman, taillées dans la roche.

Mas gallo-romain des Tourelles

4 km à l'Ouest. Quitter Beaucaire par la route de Bellegarde. À 4 km, prendre à droite vers le mas des Tourelles. ☎ 04 66 59 19 72 - www.tourelles.com - ⅊ - juil.-août : 10h-12h, 14h-

19h, dim. et j. fériés 14h-19h ; avr.-juin et sept.-oct. : 14h-18h ; nov.-mars : sam. 14h-18h - fermé janv. - 4,80 €.
Autour d'une jolie cour fleurie s'ordonnent les bâtiments de cette ferme, établie au 17e s. à l'emplacement d'une villa gallo-romaine qui comprenait une exploitation agricole et un atelier de poterie. La bergerie, la cave et la maison du fermier abritent du matériel archéologique trouvé sur place et des informations sur la fabrication du vin à l'époque gallo-romaine. Dans la *cella vinaria,* cave romaine reconstituée, un fouloir *(calcatarium)*, un cuvon *(lacus)*, un pressoir *(torcula)* et des jarres *(dolia)* permettent de se faire une idée du travail des vignerons d'antan *(journée des vendanges le 2e dim. de sept.)*. Une promenade à travers le vignoble romain mène au site archéologique en cours de fouille.

Nunc est bibendum ?
Pourquoi ne pas compléter cette visite par une dégustation de vins « archéologiques » produits par le mas ? Un *mulsum*, au goût de miel renforcé d'épices, un *turriculae*, élaboré selon les préceptes édictés par un agronome du 1er s., Columelle, ou, plus sagement, un *defrutum* (jus de raisin) ?

Croix Couverte

1,5 km au Sud, à l'angle de la D 15 (route de Fourques) et d'une petite route vicinale à droite. Il s'agit d'un petit oratoire du début du 15e s. que surmonte une fine balustrade ajourée.

Le Vieux Mas

6,5 km au Sud par la D 15 (route de Fourques), puis une petite route à droite vers le mas Taraud que l'on suit sur 2 km jusqu'au mas de Végère. ☎ 04 66 59 60 13 - www.vieux-mas.com - ♿ - juil.-août : 10h-19h ; avr.-juin et sept. : 10h-18h (dernière entrée 1h av. fermeture) ; oct.-mars : merc., w.-end, j. fériés et vac. scol. 13h30-18h - fermé janv. et 25 déc. - 5,50 € (enf. 4 €).
☺ Dindons, oies, canards, vaches... évoluent dans ce mas (18e s.) où la vie semble être revenue quelque 100 ans en arrière. Les outils utilisés par des personnages en costume d'époque permettent de faire revivre les métiers, comme les savoir-faire, aujourd'hui disparus. Une douce nostalgie règne en ce lieu, celle d'un pays rural vivant au rythme des saisons.

Étang de Berre★

Depuis des temps immémoriaux, les rives de cet immense plan d'eau salée, naguère royaume des pêcheurs, ont attiré les hommes. De nos jours, une industrialisation intensive en a profondément transformé le paysage. Si de nuit les raffineries avec leurs lumières offrent un spectacle scintillant, il n'en reste pas moins une ombre au tableau : elles ont provoqué une pollution alarmante.

Traces du passé
Villes dont le cœur a conservé son aspect de village provençal d'antan, oppidums témoignant de la civilisation celto-ligure, traces de l'occupation romaine, murailles médiévales : autant de surprises bienvenues dans un monde qui s'est presque tout entier donné à la modernité.

La situation

Carte Michelin Local 340 F5 – Bouches-du-Rhône (13). Avec leurs 15 530 km² et leur circonférence de 75 km, les eaux de l'étang (dont la profondeur n'excède pas 9 m) sont adoucies par les apports de la Touloubre, de l'Arc et du canal d'EDF. Elles communiquent avec la mer par le canal de Caronte. Enchâssé dans des montagnes d'altitude modeste (la chaîne de Lançon au Nord, celle de Vitrolles à l'Est, celle de l'Estaque au Sud, les hauteurs de St-Mitre à l'Ouest), le paysage industriel laisse subsister par endroits quelques vestiges du passé.

Le nom

L'étang de Berre doit son nom à la ville attestée au 11e s. sous le nom de Berra, mot qui, en bas latin, signifie « plaine » ou « vallée ».

Les gens

Istréens, Marignanais, Vitrollais, mais avant tout Berrois (ou Berratois, suivant l'inspiration du jour).

Sauvignier S./MICHELIN

Depuis l'accord de San Remo, l'étang de Berre est un lieu où le raffinement n'est pas un vain mot !

DRÔLES DE PÈLERINS
Pour se débarrasser des innombrables volatiles qui entrent en collision avec les avions, la base aérienne d'Istres a dressé faucons et vautours : régime alimentaire régulé afin que la faim les pousse à chasser (phase du « réclame »), familiarisation à l'homme (phase de « l'affaitage ») et exercice à la voix. Bref, trois mois de dressage plusieurs heures par jour, mais le jeu en vaut la chandelle : le nombre des accidents sur la base a diminué de 70 %.

comprendre

Des avions... – Vaste plan d'eau et grande plaine déserte de la Crau, tel était le cadre idéal qui attira les aviateurs dans la région. Berre fut longtemps une importante base d'hydravions. Marignane accueille aujourd'hui l'aéroport international de Marseille-Provence, 2ᵉ de France en terme de trafic passager.

... et du pétrole – À l'issue de la guerre de 1914-1918, l'accord de San Remo attribuait à la France une bonne part de la production du pétrole brut d'Irak... et l'étang de Berre apparut comme le lieu idéal pour implanter des raffineries. C'est ainsi que, successivement, la société française des pétroles BP (à Lavera), Shell-Berre (à la pointe de Berre), la Compagnie française de raffinage (à la Mède) et Esso (à Fos) s'installèrent, entre 1922 et 1965, à proximité de l'étang. L'immense port pétrolier de Lavera fut quant à lui réalisé au lendemain de la Seconde Guerre mondiale afin de remplacer les installations privées devenues obsolètes, tandis qu'en 1962 entrait en service à Fos le pipe-line Sud européen qui alimente en pétrole brut une douzaine de raffineries européennes. Le choc pétrolier de 1973 entraîna cependant une sensible réduction des capacités des raffineries, obligées de s'adapter à la baisse de la consommation. Autour du pétrole proprement dit, l'industrie pétrochimique n'a cessé de se développer, achevant la transformation du paysage de la région.

circuit

113 km – compter 1 journée.

Martigues *(voir ce nom)*
Quitter Martigues par la D 5.

Saint-Mitre-les-Remparts
Un peu à l'écart de la route, la vieille ville a conservé ses remparts du 15ᵉ s. percés de deux portes. Un lacis de ruelles mène à l'église. Belle vue sur l'étang du Pourra, un des six lacs résiduels, vestiges de l'époque où étang de Berre et mer ne faisaient qu'un. Sous le balcon se trouve la fontaine des Trois-Canons, alimentée par une source qui coule sous l'église. Elle fut aménagée en 1654 et est à l'origine du développement du village. Beau lavoir à côté. À l'extérieur des remparts, ne manquez pas le moulin à vent du 18ᵉ s. *(2mn à pied par la rue Irénée-Sabatier).*
À la sortie de Saint-Mitre, prendre en face la D 51, d'où l'on aura une vue dégagée sur l'étang de Berre.
Après avoir longé l'**étang de Citis**, on passe au pied de la colline qui porte la chapelle Saint-Blaise, dont on devine le chevet entre les pins.

carnet pratique

SE LOGER

⌇ **Le Cigalon** – *37 bd du 14-Juillet - 13500 Martigues -* ☎ *04 42 80 49 16 -* ▣ *- 18 ch. 36/53 € -* ⌇ *6 €.* L'œil est attiré par la façade colorée de cet hôtel familial sis à quelques minutes du centre de la Venise provençale. Les chambres sont simples, mais bien tenues et climatisées.

⌇⌇ **Castellan** – *Pl. Ste-Catherine - 13800 Istres -* ☎ *04 42 55 13 09 -* ▣ *- 17 ch. 47/56 € -* ⌇ *6,50 €.* Établissement moderne à deux pas de l'étang de l'Olivier. Cadre impersonnel compensé par de vastes chambres personnalisées et un accueil irréprochable.

SE RESTAURER

⌇ **La Galinette** – *R. Mireille - 13140 Miramas-le-Vieux -* ☎ *04 90 58 29 02 - michel.gabriello@cegetel.net - fermé merc. soir et jeu. - 14/35 €.* Ce charmant petit restaurant se trouve au pied des ruines du château. Vous y dégusterez une cuisine mi-traditionnelle, mi-régionale, dans un joli cadre provençal.

⌇⌇ **La Bergerie** – *Le Guéby Sud – rte de Marseille - 13250 St-Chamas -* ☎ *04 90 50 82 29 - guillaudhca@aol.com - fermé 2-7 janv. et 14 juil.-7 août - 22/42 €.* Le chef de ce restaurant, aménagé dans une belle bâtisse en pierre, réalise une appétissante cuisine provençale. Agréable salle à manger rustique et terrasse intimiste.

⌇⌇ **Le Saint-Martin** – *Au Port des Heures-Claires - 13800 Istres - 3 km au SE du centre-ville -* ☎ *04 42 56 07 12 - restaurant-le-saint-martin@voila.fr - fermé mar. soir et merc. sf de juin à sept. - 22/28 €.* Ce sympathique restaurant familial domine agréablement l'étang de Berre et le port de plaisance. Séduit par cette perspective, il ne vous reste plus qu'à pousser la porte pour découvrir une salle accueillante agrémentée de meubles anciens. Terrasse sur le toit.

⌇⌇⌇ **Les Deux Toques** – *7 av. Hélène-Boucher - 13800 Istres –* ☎ *04 42 55 16 01 - lesdeuxtoques@ aol.com - fermé 16-31 août, 23 déc.-6 janv., dim. et lun. - 28/155 €.* « Deux toques » pour deux espaces : salle rustique à poutres et pierres apparentes ou courette-terrasse à l'ombre des platanes. Cuisine régionale évoluant au fil des saisons.

FAIRE UNE PAUSE

Glacier Le Quillé – *Pl. du Château - 13140 Miramas-le-Vieux -* ☎ *04 90 50 18 18 - Pâques-15 sept. : 14h30-0h30 ; oct.-nov. : w.-end 14h30-0h30 - fermé de fin nov. à fin fév.* Une référence absolue dans la région en matière de glaces. Les coupes sont superbes et bien présentées. Aux beaux jours, profitez de la magnifique terrasse dressée face aux ruines du château, avec l'étang de Berre en toile de fond.

SPORTS & LOISIRS

Parc aquatique de la Pyramide – ▣ *- Pl. Champollion - 13800 Istres -* ☎ *04 42 56 99 99 - 10h-20h, w.-end 10h-19h.* Pour les petits et les grands, un parc aquatique comprenant des bassins intérieurs et extérieurs, trois toboggans, un jacuzzi, un hammam, un sauna, deux salles de squash, un club de remise en forme et, juste réconfort, des chaises longues !

Miniport de l'Olivier – *Sur l'étang de l'Olivier - 13800 Istres -* ☎ *04 42 55 50 93 ou 04 42 55 51 15 - ot.istres@ visitprovence.com - 10h-12h, 14h-19h suivant les conditions météorologiques - fermé oct.-mai.* Possibilité de balades en bateau électrique ou en pédalo sur ce plan d'eau de 200 ha, à la découverte des oiseaux et des roselières. Location à l'heure ou à la demi-heure.

CALENDRIER D'ISTRES

Fêtes nautiques – Joutes sur l'étang en juil. et août ; "puces nautiques" 3e dim. de mars sur le port des Heures Claires.

Fêtes de la Saint-Étienne – Le 1er week-end d'août, cinq jours de délire en ville, avec corrida dans les nouvelles arènes, concours de joutes nautiques sur l'étang de l'Olivier. Ambiance bandas et bodegas assurées !

Fête des bergers – Début décembre. Foire artisanale, concours de chiens de bergers, défilé, messe.

Chemin des crèches – De mi-décembre à début janvier. Exposition de crèches, procession aux lampions, animations folkloriques.

Les Élancées - Festival des arts du geste – Février. ☎ *04 42 56 48 48.*

Site archéologique de Saint-Blaise *(voir ce nom)*

Istres

🛈 *30 allée Jean-Jaurès, 13800 Istres,* ☎ *04 42 55 51 15.*

Le spectaculaire développement de la commune ne doit pas faire oublier le vieux village d'Istres, qui a conservé son aspect provençal. Le petit **musée** présente des collections consacrées à la région : paléontologie, zoologie, préhistoire, archéologie sous-marine (belle collection d'amphores). ☎ *04 42 55 50 08 - 14h-18h - fermé 1er-2 janv., 1er Mai, 24-26 et 31 déc. - 1,50 € (enf. 0,75 €) gratuit 7 avr., 18 Mai, journées du patrimoine et 15-17 oct.*

Au Nord de la ville, un chemin revêtu mène à la pointe d'une avancée rocheuse qui domine l'étang. C'était le siège d'un **oppidum**, dit « du Castellan ».

Par la D 53, faire le tour de l'étang de l'Olivier, puis prendre à droite la D 16 qui rejoint l'étang de Berre.

> **TOUT SAVOIR**
> Sur le complexe portuaire de Fos et la vie industrielle de l'étang de Berre ? Une section du musée d'Istres est consacrée à la question.

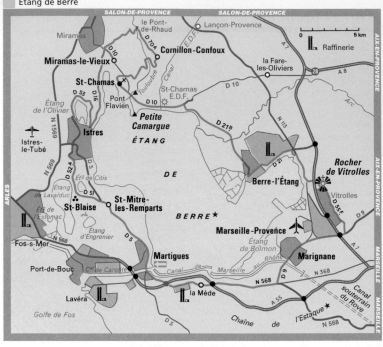

Miramas-le-Vieux

Bâtie sur une table rochcusc, cette bourgade a conservé son enceinte et les ruines d'un château du 13e s.

Revenir à la D 10 pour prendre en face la D 16, puis la D 70D. À Pont-de-Rhaud, tourner à droite dans la D 70A qui s'élève en surplomb de la vallée de la Touloubre.

Cornillon-Confoux

De l'église au clocher à peigne de style roman, éclairée par des vitraux modernes de Frédérique Duran, part une promenade qui contourne le bourg. Du haut de ce petit village perché, belles **vues**★ sur l'étang et les hauteurs de St-Mitre, St-Chamas, le pays salonnais et, au loin, le Luberon et le Ventoux.

Par la D 70 puis, à droite, une route touristique, gagner Saint-Chamas.

Saint-Chamas

C'est le dernier port de pêche (hormis Martigues) de l'étang de Berre. L'église de ce bourg, dominé par un petit aqueduc, possède une belle façade baroque. À la sortie du village se trouve le **pont Flavien** (1er s.) qui franchit la Touloubre d'une seule arche.

Décoré à ses deux extrémités d'arcs triomphaux surmontés de petits lions sculptés, le pont Flavien de Saint-Chamas doit son nom à un patricien romain qui le fit édifier au début du 1er s.

La D 10 longe l'étang. Après la centrale de Saint-Chamas, aménagement final du canal d'EDF, tourner à gauche dans la D 21.

Berre-l'Étang

Autrefois port de pêche, aujourd'hui ville industrielle spécialisée dans les produits chimiques. Dans la chapelle N.-D.-de-Caderot, retable en bois polychrome du 16e s.

Suivre la D 21 puis, à droite, la N 113 et tourner à gauche en direction de Vitrolles.

Rocher de Vitrolles

Laissez la voiture devant la porte principale du cimetière ; il vous faudra ensuite gravir un escalier de 75 marches. C'est à ce curieux rocher ruiniforme que Vitrolles, aujourd'hui dissimulée par une vaste zone industrielle et des lotissements, doit le meilleur de sa notoriété. Du sommet où se dressent une tour sarrasine du 11e s. et une chapelle dédiée à N.-D.-de-Vie, patronne des aviateurs, **panorama**★ étendu sur l'étang. Les amateurs d'architecture industrielle seront comblés : installations pétrolières de Lavéra, port de Fos, raffinerie de la Mède.

Après avoir quitté Vitrolles par la D 55^F, au carrefour avec la N 113, prendre en face la D 9, qui longe l'aéroport de Marseille-Provence.

Marignane

En bordure de l'étang de Bolmont (un étroit cordon sableux, la plage de Jai, le sépare de l'étang de Berre), la ville, érigée en marquisat au 17e s., a conservé de cette époque le **château des Covet**, du nom de la famille de négociants qui transforma et embellit la forteresse fondée au 13e s. par Guillaume des Baux. Le bâtiment (il abrite aujourd'hui la mairie) possède une belle façade classique et, parmi les quelques salles accessibles à la visite, on remarquera les plafonds peints de la chambre à coucher de Jean-Baptiste Covet (devenue la salle des mariages...). ☎ 04 42 77 04 90 - *visite guidée (1h30) de déb. juil. au 15 sept. :* 8h30-12h, 13h30-17h *; reste de l'année :* 8h30-12h, 13h30-17h30 - *fermé w.-end et j. fériés - 1 €.*

Un petit **musée des Arts et Traditions populaires**, avec sa cabane de pêcheur et son évocation de la chasse à la foulque macreuse, ressuscite la vie d'autrefois sur les rives de l'étang de Berre. ☎ 04 42 88 95 36 – *mar., mer. :* 14h-17h *; sam. :* 9h-12h.

Quant à l'**église St-Nicolas**, on pourra jeter un coup d'œil sur son intéressante nef du 11e s.

La N 568 ramène à Martigues en longeant, après l'avoir franchi, le canal de Marseille au Rhône. Belles vues à droite sur l'étang et les étranges rochers qui marquent l'entrée du port de la Mède.

> **PRÉCIEUX VASE**
> Dans une petite niche de la chapelle, un vase romain en cristal passe pour avoir contenu les cheveux de la Vierge.

> **U**ne salle de bains Louis XVI dans une mairie ? C'est effectivement ce qu'on trouve dans celle de Marignane, ancien château des Covet.

Bollène

Ancienne possession papale, Bollène, avec ses rues étroites, les grands platanes de ses boulevards et ses importants marchés de primeurs, a conservé un charme bien provençal.

La situation

Carte Michelin Local 332 B8 – Vaucluse (84). Construit à flanc de coteau et dominant le Rhône, Bollène n'est qu'à quelques kilomètres de l'autoroute du Soleil *(sortie 19)*, à 23 km au Nord d'Orange. Un vaste parking le long du Lez, au Nord-Est de la ville, permet d'aborder la cité par le boulevard Victor-Hugo.
🅱 *Pl. Henry-Reynaud-de-la-Gardette, 84500 Bollène,* ☎ 04 90 40 51 45.

Le nom

On l'appelait, en 640, Abolena et à force de dire « je vais à Abolena », le « a » du début serait tombé... Il semble que la petite cité doive son nom à un certain Abbolenus

carnet pratique

qui y possédait quelques terres. Mais rien n'est jamais
vraiment certain en cette matière et certains rappellent
qu'en occitan, le mot *bolina* signifie « éboulement ».

Les gens
14 130 Bollénois. **Louis Pasteur** séjourna à Bollène en
1882 et y découvrit le vaccin du rouget de porc, maladie
contagieuse qui, lorsqu'elle était décelée, entraînait l'abattage de l'animal.

se promener

*De l'Office de tourisme, continuer tout droit, prendre à droite
la rue de la Paix, puis à gauche la rue du Puy et encore à
gauche pour monter à la collégiale.*

Aujourd'hui lieu d'expositions, l'ancienne **collégiale
St-Martin** possède un portail Renaissance. L'intérieur
est surtout remarquable par l'ampleur de la nef unique
couverte d'une charpente en bâtière (à deux pentes).
Depuis le petit jardin attenant, vue sur les toits de la
ville.

*Aller jusqu'au cours J.-Jaurès, tourner à droite, puis traver-
ser la rue quelques mètres plus loin.*

C'est depuis le **belvédère Pasteur**, petit jardin public
aménagé autour de l'ancienne chapelle romane des Trois-
Croix, que vous aurez le panorama le plus étendu : au
loin, sur les montagnes de l'Ardèche et du bas Vivarais ;
au premier plan, sur l'usine hydroélectrique de Bollène et
le vaste complexe nucléaire du Tricastin.

*Retraverser le cours pour redescendre vers le centre-ville par
la rue du Puy.*

alentours

Site du Barry
5 km au Nord de Bollène par la D 26. 🔓 *Dépliant des trois
circuits de promenade (1,5 à 7 km) disponible à l'Office du
tourisme de Bollène.*

Le village troglodytique, comprenant une quarantaine
d'habitations toutes sur le même modèle (une pièce
principale entourée d'alcôves, qui communique avec
des pièces secondaires), a été restauré par une association. En effet, aménagés au 16ᵉ s., les lieux furent abandonnés à la fin du 19ᵉ s. La remontée dans le temps se
poursuit au-dessus, où se trouvait un village médiéval,
dont seul le système défensif du château détruit au 14ᵉ s.
reste bien visible.

Mornas
*17 km au Sud par la D 26 qui traverse Mondragon, dominé
par les ruines de son château, pour rejoindre ensuite la N 7.*
Portes fortifiées, vieilles maisons accrochées au pied
d'une vertigineuse falaise (137 m d'à-pic), vestiges d'une
puissante forteresse : le village de Mornas a conservé un
aspect médiéval. On y accède par une ruelle en forte
pente *(parking)*, puis par un sentier.
La **forteresse** se compose d'une vaste enceinte de 2 km,
flanquée de tours semi-circulaires ou carrées et, à son

point culminant, des vestiges du donjon et d'une chapelle. Elle doit sa célébrité à un terrible épisode des guerres de Religion : tenue par les catholiques, elle tomba aux mains du baron des Adrets qui ordonna de précipiter du haut de la falaise tous les habitants du lieu. *☎ 04 90 37 01 26 visite guidée (1h15) juil.-août : 11h-17h ; avr.-juin et sept. : dim. et j. fériés 11h-17h - 7 € (enf. 5 €).*

Suze-la-Rousse

7 km à l'Est par la D 994. 🚪 *Av. Côtes-du-Rhône, ☎ 04 75 04 81 41. Brochure sur le village et les environs disponible à l'Office de tourisme. à la halle aux grains, plan du village signalant les principaux bâtiments sur lesquels sont apposés un panneau explicatif.* Principale ville du Tricastin au Moyen Âge, Suze étage ses ruelles sur la rive gauche du Lez. Le bourg, enserré dans des murailles (le « Barri », dont subsistent quelques tronçons), mérite d'être découvert à l'occasion d'une flânerie : « calades », belles demeures Renaissance, église romane massive, halle aux grains du 17ᵉ s. et ancienne mairie avec une jolie façade des 15ᵉ et 16ᵉ s.

Un imposant **château** domine la colline de la Garenne. On y accède par un chemin qui traverse un parc de 23 ha. Si l'ensemble de l'édifice, datant du 14ᵉ s., est un bel exemple d'architecture militaire médiévale, l'intérieur a été réaménagé pendant la Renaissance, comme en témoignent les façades de la cour d'honneur et un escalier monumental à double révolution qui donne accès au 1ᵉʳ étage, qui sert de cadre à des expositions temporaires. On visite différentes pièces dont le salon bleu ou des « quatre saisons », décoré de stucs, et le salon octogonal qui occupe une des tours d'angle et offre une belle vue sur le Ventoux, la montagne de la Lance et les Préalpes du Dauphiné. Dans l'autre aile, la salle des gardes précède la salle des Armes qui conserve un plafond à la française. *☎ 04 75 04 81 44 - juil.-août : 9h30-11h30, 14h-18h ; sept.-juin : 9h30-11h30, 14h-17h30 (nov.-mars : tlj sf mar.) - fermé 1ᵉʳ janv. et 25 déc. - 3,20 €.*

Le château abrite l'**université du vin** qui dispose d'un centre de documentation, d'un laboratoire, d'une salle de dégustation, d'un jardin ampélographique. Outre les formations continues, elle propose des stages d'œnologie. *☎ 04 75 97 21 30.*

> **VOIR SUZE ET MOURIR ?**
> Autour de la cheminée de la salle d'Armes, les fresques représentent le siège de Montélimar de 1587, fatal au seigneur local qui, blessé lors des combats, se fit hisser sur sa jument, elle aussi atteinte, et prit la route du retour en encourageant sa monture en ces termes : « Allons, la grise, allons mourir à Suze. »

Stage d'œnologie ou simple dégustation ? « Allons, la grise, allons boire à Suze-la-Rousse ! »

Bonnieux ★

Juché sur une colline qu'il semble escalader, le village domine la vallée dont il commande l'accès par le Sud. Cette position à la croisée du petit et du grand Luberon en fait une base idéale pour sillonner la région.

La situation

Carte Michelin Local 332 E11 – Schémas p. 252 et 382 – Vaucluse (84). Ce bourg, l'un des grands villages perchés du Luberon, s'adosse à un promontoire surplombant la vallée du Calavon. Arrivant d'Apt (15 km au Nord par la D 3, *voir ce nom*) ou de Lacoste *(voir le Luberon)*, prenez la direction de Cadenet pour accéder au haut Bonnieux et laissez votre voiture place de la Liberté.

🅱 *Pl. Carnot, 84480 Bonnieux, ☎ 04 90 75 91 90.*

Le nom

Est-ce le mot celte *bona* (« base », « fondation ») qui a valu son nom à l'antique Bonilis ? Mistral, lui, affirmait que le nom venait de *bonil* : « de bonne qualité », en vieux provençal. Fantaisie ? Sans doute, même si une flânerie dans Bonnieux donne envie de suivre le poète plutôt que les philologues.

Les hautes maisons de Bonnieux, typiques du Luberon, s'agrippent au rocher, comme attirées par la lumière...

carnet pratique

SE LOGER

🍽🍽 **Chambre d'hôte Le Clos du Buis** – *R. Victor-Hugo -* ☎ *04 90 75 88 48 - www.leclosdubuis.com - fermé de mi-janv. à mi-fév. et de mi-nov. à mi-déc. - 6 ch. 75/102 € ☕ - repas 25 €.* Cette demeure située tout près de l'église occupe une ancienne épicerie-boulangerie : pas étonnant qu'un four à pain orne son petit salon ! Les chambres, au sol en terre cuite, sont climatisées, lumineuses et élégantes. Très agréable jardin doté d'une piscine et jolie vue sur la région.

SE RESTAURER

🍽🍽 **La Flambée** – *Pl. du 4-Septembre -* ☎ *04 90 75 82 20 - fermé janv. - 16,50/23 €.* Grillades, pizzas au feu de bois et autres spécialités (daube provençale, pain de chèvre, truffes, gibier) sont servies dans ce restaurant familial qui n'a pas cédé aux sirènes de la mode. Salle à manger rustique et terrasse avec vue sur la vallée du Calavon et le Ventoux. Prix raisonnables.

🍽🍽🍽 **Le Fournil** – *Pl. Carnot -* ☎ *04 90 75 83 62 - fermé 28 nov.-3 fév., sam. midi, mar. sf le soir d'avr. à sept. et lun. - réserv. obligatoire - 26 € déj. - 37/42 €.* Cette maison adossée à la colline abrite une originale salle à manger troglodytique, meublée dans un esprit bistrot contemporain et bénéficiant d'une fraîcheur certaine. Pour les inconditionnels du soleil : terrasse installée en été sur la place ombragée de platanes. Carte à tendance régionale.

QUE RAPPORTER

Établissement Vernin – *RN 100 - quartier du Pont-Julien -* ☎ *04 90 04 63 04 - www.carreaux-d-apt.com - tlj sf dim. 9h-12h, 14h-18h.* Fabrication artisanale de carreaux d'Apt en terre cuite ou en faïence émaillée et peints à la main. Vous trouverez des reproduction de motifs anciens ainsi que d'originales créations contemporaines.

BONNIEUX

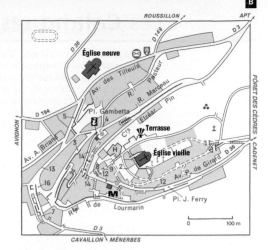

⎡ Musée de la Boulangerie ... **M**⎤

se promener

Depuis la place de la Liberté, rejoignez le **haut Bonnieux** par la rue de la Mairie (passage sous voûte), en forte montée, pour atteindre la terrasse située en contrebas de l'église vieille.

Depuis la terrasse, jolie **vue★** sur la vallée du Calavon, tout à fait à gauche, sur le village perché de Lacoste, plus à droite, sur le bord du plateau de Vaucluse où Gordes *(voir ce nom)*, puis Roussillon *(voir ce nom)* s'accrochent et se confondent avec les falaises rouges. Un escalier mène à l'**église vieille** qu'entourent de très beaux cèdres.

De retour place de la Liberté, prenez sur votre gauche la rue de a République, pour aller visiter l'intéressant **musée de la Boulangerie** qui évoque l'histoire du pain et le travail du boulanger à travers son outillage et les documents se référant à son métier. ☎ *04 90 75 88 34 - juil.-août : 10h-13h, 15h-18h30 ; avr.-juin et sept.-oct. : 10h-12h30, 14h30-18h - fermé mar., nov.- mars, 1ᵉʳ Mai et 25 déc. - 3,50 € (-12 ans gratuit).*

alentours

Forêt de cèdres

À 2 km sur la route de Lourmarin. Parking payant. 🔊 *2h.* Importés de l'Atlas marocain, les cèdres ont été plantés sur le plateau, au-dessus de Bonnieux, en 1862. Un **sentier botanique**, ponctué de 8 stations d'information sur les espèces végétales typiques du Luberon, y a été aménagé.

Le Luberon★★★ *(voir ce nom)*

Les Calanques★★

Paysage calcaire d'une blancheur éclatante, hérissé de roches ruiniformes, le massif des Calanques attire les amateurs de nature par sa beauté sauvage. Mais son originalité, son charme exceptionnel tiennent avant tout aux étroites et profondes échancrures qui cisèlent ses côtes, les calanques, majestueuse union du ciel, de la mer et de la roche.

La situation

Carte Michelin Local 340 H6-I6 – Bouches-du-Rhône (13). Le massif des Calanques, qui culmine à 565 m au **mont Puget**, s'étend sur près de 20 km entre Marseille et Cassis. Si certaines calanques, proches de Marseille et de Cassis, sont facilement accessibles, d'autres ne pourront être atteintes que par des sentiers, parfois escarpés *(se reporter au symbole 🏃 dans la description des calanques).*

Le nom

Il vient peut-être du latin *calanca*, « crique rocheuse à paroi abrupte » ; une *cala* en provençal désigne une pente raide, racine que l'on retrouve dans plusieurs noms de la région (comme Calès) ou dans le mot *calade*, qui s'applique à une rue en pente.

Les gens

« Des fadas ! », commentaient avec un soupir de commisération les *pescadous* qui, devant la porte du cabanon, jouaient le pastis à la pétanque, en voyant passer des hurluberlus munis d'un équipement incongru. Mais certains, comme le Marseillais **Gaston Rebuffat** ou **Isabelle Patissicr**, qui ont effectué leurs premières ascensions dans les Calanques, sont devenus depuis des alpinistes renommés.

Corbel R. MICHELIN

Le « pourpre », monstre sous-marin des Calanques, fort apprécié des gastronomes locaux.

DEVENEZ UN VRAI PÊCHEUR DES CALANQUES...

... en commençant par vous initier au langage des *pescadous*, encore fortement imprégné de provençal. Voici quelques termes courants désignant les prises (à prononcer, bien entendu, *avé l'assen*) : *Arapède* : patelle, coquillage en forme de chapeau chinois accroché aux rochers... D'où l'expression « collant comme une arapède » qui, appliquée à un humain, n'a rien d'élogieux ! *Esquinade* : araignée de mer. *Favouille* : petit crabe. *Fielas* : congre. *Galinette* : rouget grondin. *Pourpre* : poulpe. *Supion* : calmar. *Totène* : seiche. *Violet* : ascidie (délicieux fruit de mer en forme de pomme de terre).

---

comprendre

Le mot « **calanque** » désigne une étroite vallée littorale aux flancs abrupts creusée dans la roche dure par une rivière, guidée généralement par une faille au cours de périodes de retrait de la mer, puis submergée par les flots lorsque le niveau de la mer montait. Ces variations du niveau marin sont dues à l'alternance, pendant les deux derniers millions d'années, de périodes de glaciation et de

carnet pratique

TRANSPORTS

Le bateau est un moyen astucieux de découvrir les Calanques en été. Il permet en même temps d'approcher les îles de l'archipel de Riou : île Maire à laquelle les chèvres n'ont pas laissé un poil sur le caillou, îles de Jarre et Jarron, sites de relégation des navires pestiférés d'où partit la terrible épidémie de peste de 1720, et île de Riou, la plus escarpée, où nichent toujours d'importantes colonies d'oiseaux.

Au départ de Marseille : Groupement des armateurs côtiers marseillais – *1, quai de la Fraternité (quai des Belges) - Vieux Port de Marseille - ☎ 04 91 55 50 09 - promenade commentée (4h) juil.-août : 9h30 et 14h ; reste de l'année : merc. et w.-end 14h - 25 €.* Visite de la plupart des calanques, mais sans arrêt baignade.

Au départ de La Ciotat : Les Amis des Calanques – *Embarquement quai Ganteaume -* ☎ *06 09 35 25 68 ou 06 09 33 54 98 - juil.-août : dép. 10h30, 14h, 15h30 et 18h ; de Pâques à fin juin et de déb. sept. à mi-nov. : dép. 10h30 et 15h. 13 €, 16 €, 19 € ou 22 € selon le parcours.* Visite des calanques de La Ciotat, Cassis et Marseille en bateau de type catamaran à vision sous-marine.

Au départ de Cassis : Les bateliers de Cassis – ☎ *04 42 01 90 83 ou 08 92 25 98 92 (Office municipal de tourisme).* Visite (45mn) en bateau des calanques de Port-Miou, Port-Pin et En-Vau sans escale. 11 €. Autres excursions : 5 calanques (1h) ou 8 calanques (1h30). Vision sous-marine nocturne de mi-juil. à mi-août.

Magnin G. /MICHELIN

VISITE

Calanques, mode d'emploi – Le printemps est probablement la meilleure époque pour découvrir les calanques.

La circulation dans le massif, à pied aussi bien qu'en voiture, est réglementée toute l'année, avec des particularités estivales : se renseigner auprès des offices de tourisme. L'accès peut être interdit en période de risque majeur d'incendie.

Il n'existe pas d'accès direct aux calanques en voiture à l'exception des Goudes et de Callelongue. Le seul moyen d'atteindre les autres est la marche à pied.

Se munir de la carte IGN *Les calanques de Marseille à Cassis* (1/15 000). Emporter des boissons, car il n'y a pas de point d'eau ; s'équiper de chaussures de marche ; se protéger des coups de soleil et des insolations.

Il est bien entendu interdit de cueillir des végétaux, de quitter les chemins et sentiers, de fumer ou d'allumer un feu.

SE LOGER

☺ **République indépendante de Figuerolles** – *Calanque de Figuerolles - 13600 La Ciotat -* ☎ *04 42 08 41 71 - www.figuerolles.com - fermé de mi-nov. à fin fév. - réserv. conseillée - 7 ch. 37/145 € - ☐ 7 € - restaurant 25/45 €.* Descendez les quelques marches qui mènent à cette maison lovée au creux d'une calanque sauvage : vous profiterez de la vue offerte par ses terrasses, et découvrirez les chambres aux couleurs provençales aménagées dans les bungalows du joli jardin. Plage à deux pas et canoës à disposition des hôtes.

SE RESTAURER

☺☺☺ **Château de Sormiou** – *13009 Calanque de Sormiou -* ☎ *04 91 25 08 69 - ouv. d'avr. à fin sept. (attention, accès voiture réglementé) - ⊘ - 35/53 €.* Une situation privilégiée face aux eaux turquoises de la calanque de Sormiou, très fréquentée par les Marseillais. Cet ancien cabanon familial s'est transformé au fil du temps en restaurant proposant une honnête cuisine de la mer : soupe de poisson, zarzuela et bouillabaisse sur commande, etc.

☺☺ **Le Lunch** – *13009 Calanque de Sormiou -* ☎ *04 91 25 05 37 - fermé de nov. à mi-mars - ⊘ - réserv. obligatoire - 35 €.* Si vous avez envie de déjeuner « les pieds dans l'eau » dans un site sauvage, c'est ici qu'il faut venir. Les produits de la mer y sont à l'honneur et leur fraîcheur est garantie. En été, l'accès à la calanque est réglementé : seuls ceux qui ont réservé au restaurant peuvent y descendre en voiture.

SPORTS & LOISIRS

Escalade – Aiguilles aux flancs vertigineux et parois rocheuses parfois en surplomb sur la mer composent de magnifiques voies d'escalade, accessibles pour les unes aux seuls chevronnés, propices pour d'autres à l'initiation. Sorties organisées avec le **Club alpin français Marseille-Provence**, 12 r. Fort-Notre-Dame, 13007 Marseille, ☎ 04 91 54 36 94.

Plongée sous-marine – Il y a seulement 30 ans, les fonds marins des Calanques comptaient parmi les plus extraordinaires de la Méditerranée occidentale. Perturbés désormais par les rejets polluants, les abus de la chasse sous-marine qui menacent particulièrement l'emblématique mérou noir et la prédation d'épaves d'un grand intérêt archéologique, ils conservent beaucoup d'attraits pour les plongeurs qui y rencontreront poissons multicolores, gorgones, éponges, oursins violets, langoustes, nacres, rougets... Voir le "carnet pratique" de Cassis, de La Ciotat et de la Chaîne de l'Estaque.

Randonnée pédestre – Le GR 98-51, de Marseille à Cassis, longe d'immenses falaises et permet d'apercevoir les calanques les plus secrètes. Cependant, vous ne pourrez faire cette incomparable randonnée de 28 km que par tronçon car camping et bivouac sont interdits.

Corbel R. /MICHELIN

Les Excursionnistes Marseillais – *16 r. Rotonde - 13001 Marseille -* ☎ *04 91 84 75 52 - www.excurs.com.* Fournit d'utiles informations.

DÉGEL

La dernière remontée des eaux, d'une amplitude moyenne de 100 m, s'est effectuée il y a 10 000 ans, noyant des grottes fréquentées par les hommes de la préhistoire, telle la fameuse **grotte Cosquer**.

CLÉMENT

Certains jours d'hiver, la température sur le versant Sud du massif est supérieure de près de 10 degrés à celle du versant Nord. Les habitués des Calanques, le sachant parfaitement, viennent s'y mouiller les orteils ou entretenir leur hâle, tandis qu'à deux pas, rue Paradis ou avenue du Prado, Marseille grelotte sous les terribles rafales du mistral.

déglaciation à la surface de la terre. Les calanques, dont la longueur n'excède pas 1,5 km, se prolongent vers le large par d'importantes vallées sous-marines ; si elles peuvent être rapprochées des abers bretons, elles n'ont, malgré les apparences, rien à voir avec les fjords, façonnés, eux, par des glaciers.

Les calanques en danger – La perméabilité du calcaire, l'abondance des failles et la faible pluviosité expliquent l'absence d'écoulements de surface et la sécheresse du lieu. La régulation thermique marine, la réverbération du soleil sur les hautes murailles dénudées et une exposition à l'abri du mistral créent un microclimat exceptionnellement chaud sur le versant Sud du massif. Des espèces végétales tropicales ont pu s'y maintenir malgré les refroidissements de l'ère quaternaire, constituant de nos jours une réserve botanique d'un grand intérêt. Mais l'état de la végétation est hélas extrêmement dégradé. Les responsables ? La sécheresse, l'abattage d'arbres pour les fours à chaux, le pâturage excessif et, surtout, les feux répétés : de l'incendie ordonné par Jules César en 49 avant J.-C. au catastrophique embrasement du 21 août 1990, la forêt du massif des Calanques a souffert un véritable martyre. Si l'espoir de sauver les calanques demeure, pour certains écosystèmes le mal est fait et la menace plane tout au long des mois d'été sur les espaces encore épargnés.

La belle-mère, la couleuvre et le gourmand – Dans cette ambiance semi-aride, s'imposent le plus souvent la garrigue pierreuse à chêne kermès ou la garrigue à romarin et bruyère. La forêt consiste en taillis ou fourrés de chênes verts, viornes, oliviers sauvages, myrtes et len-

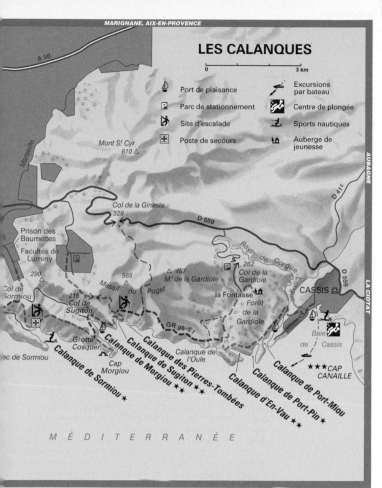

LES CALANQUES

0   3 km

⚓ Port de plaisance   Excursions par bateau

P Parc de stationnement   Centre de plongée

Site d'escalade   Sports nautiques

✚ Poste de secours   Auberge de jeunesse

tisques que viennent çà et là égayer quelques bosquets de pins d'Alep. En bordure du littoral s'accrochent cristes-marines et lavandes de mer, relayées en hauteur par une association de plantes en coussinet comme la rare astragale de Marseille, à qui ses redoutables épines ont valu le nom de « coussin de belle-mère ».

Le plus grand lézard et le plus long serpent d'Europe ont élu domicile dans les Calanques : la taille du lézard ocellé peut atteindre ici 60 cm, celle de la couleuvre de Montpellier, 2 m. Les oiseaux nichent surtout sur les falaises côtières et dans les îles. Le plus commun est le goéland leucophée ou « gabian ». Ce gourmand, particulièrement friand des ordures rejetées par l'agglomération marseillaise, est en pleine expansion, d'autant que l'espèce, qui ne possède pas de prédateur naturel, est protégée.

> **OISEAU RARE**
> L'aigle de Bonelli (une quinzaine de couples) est un beau rapace diurne au plumage brun foncé, blanc et gris.

circuit

Les Goudes
Quitter Marseille par la promenade de la Plage. Ancien village de pêcheurs inscrit dans un grandiose décor minéral. Pas de plage mais nombreuses guinguettes où les Marseillais aiment venir se rafraîchir. Le policier désabusé des romans de Jean-Claude Izzo, Fabio Montale, venait s'y réfugier : une référence...
Continuer jusqu'à Callelongue, où s'arrête la route goudronnée.

Callelongue
Dans un très joli site, cette calanque en miniature regroupe quelques cabanons et abrite une flottille de bateaux.

> **ATTENTION !**
> La circulation à pied aussi bien qu'en voiture dans le massif est réglementée toute l'année, avec des particularités estivales : se renseigner auprès des offices de tourisme. L'accès peut être interdit en période de risque majeur d'incendie.

🚶 *45mn.* De là, vous pourrez rejoindre la **calanque de Marseilleveyre** et sa petite plage de galets.

Sormiou★

🚶 *45mn. Accès à partir de Marseille par l'avenue de Hambourg et le chemin de Sormiou. Garer votre voiture sur le parking à l'entrée de la route goudronnée interdite aux véhicules.* De nombreux cabanons, un petit port, une plage et des restaurants de poissons : c'est, pour les Marseillais, « LA » calanque.

Sormiou est séparée de la calanque voisine de Morgiou par le **cap Morgiou**, belvédère qui offre des vues magnifiques sur les deux calanques et la côte orientale du massif. À ses pieds s'ouvre, par 37 m de fond, la grotte Cosquer *(ne se visite pas).*

Magnin G. /MICHELIN

Un petit cabanon, une barque, le pastis au frais... Sormiou, tout l'art de vivre à la marseillaise.

« UN PETIT CABANON... »

Une journée au « cabanon », un véritable art de vivre ! C'est au retour de la pêche ou tout bonnement du marché que la maisonnée s'assemble sous les ombrages de la terrasse pour « siroter » un pastis glacé ; ce moment s'avère idéal pour faire fuser blagues et galéjades. Le somptueux aïoli servi au repas de midi possède l'inégalable vertu de faire sombrer tout un chacun dans une « petite sieste » réparatrice bercée par le chant des cigales. Mais il faudra être sur pied avant l'angélus, pour ne pas manquer la rituelle partie de pétanque, qui connaîtra inévitablement quelques débordements passionnels ponctués de « té peuchère ! » et de « oh coquin de sort ! ». Au dîner, on aura sagement décidé de « manger léger », autrement dit de renoncer à une seconde assiette de délicieux « pistou », afin de disputer dans sa meilleure forme, « à la fresche », le tournoi de belote, ultime occasion de truculentes controverses.

Morgiou★★

🚶 *1h. Accès depuis Marseille par le même itinéraire initial que Sormiou, puis tourner à gauche et suivre la signalisation (on longe la fameuse prison des Baumettes) avant de garer la voiture à l'entrée de la route goudronnée.* Cadre sauvage et présence humaine discrète à Morgiou : minuscules criques pour la baignade, cabanons regroupés au fond du vallon, restaurant, petit port... Indispensable !

Sugiton★★

🚶 *45mn Accès à partir de Marseille : rejoindre Luminy par le boulevard Michelet : parking des Facultés. Continuer à pied sur la route forestière* Petite calanque aux eaux turquoise, très abritée grâce à son encadrement de hautes murailles ; les naturistes l'ont adoptée, on les comprend...

En-Vau★★ *(voir Cassis⚓)*

Port-Pin★ *(voir Cassis⚓)*

Port-Miou *(voir Cassis⚓)*

Eaux vertes et bleues : il fait bon jeter l'ancre à Port-Miou, port naturel, port éternel.

La Camargue★★★

Vastes étendues où le ciel célèbre chaque jour ses noces avec la mer, manades de taureaux noirs dressant fièrement leurs cornes en lyre, graciles silhouettes des flamants roses prenant soudain leur envol, chevaux blancs au galop, gerbes d'écume : unique au monde, monde à part, la Camargue forme un univers à elle seule.

La situation

Cartes Michelin Local 340 et 339 – Bouches-du-Rhône (13)
Accès par Arles et la D 570 au Sud ; par St-Gilles et la D 37, qui permet de rejoindre la route des Saintes à Albaron. Par Aigues-Mortes et le pont de Sylveréal, ou le **bac du Sauvage** *(gratuit)* ; ou bien par Port-St-Louis-du-Rhône et le **bac de Barcarin** *(payant)* qui traverse le Grand Rhône à hauteur de Salin-de-Giraud.
Au centre de la Camargue s'étend le vaste étang de Vaccarès, séparé de la mer par un étroit cordon littoral que protège la **digue à la mer**, interdite aux véhicules motorisés, mais autorisée aux piétons et aux cyclistes.

Le nom

Les Romains la désignaient du nom d'Insula Camarigas... mais les spécialistes débattent âprement de l'origine du nom : viendrait-il d'un radical *kam-ar* signifiant « arrondi en voûte » par allusion à la courbe du littoral ? Ou bien du nom d'un citoyen romain, Annius Camars, riche propriétaire arlésien, en somme le premier manadier connu ? À moins qu'on ne fasse dériver ce nom du *caló* (langue des gitans), où *kam* signifie « soleil » et *arakar* « protéger ».

Les gens

Pêcheurs, sauniers, riziculteurs, gardians ou manadiers camarguais, tous unis dans un même amour de leur terre singulière. Celle-ci inspira de nombreux films dans les années 1920, à l'instigation d'un pittoresque personnage, Joë Hamann, cow-boy émérite et (presque) authentique, ou du frère du *marqués*, Jacques de Baroncelli, réalisateur de cinéma. Si ses œuvres n'ont guère laissé de souvenirs, on notera que durant cette période, un jeune inconnu, Charles Vanel, faisait ses débuts dans un film tourné en 1921, *La Fille de Camargue*.

Sauvignier S./MICHELIN

Dessinée à la demande de Folco de Baroncelli, la **croix camarguaise** se compose d'une ancre que surmonte une croix dont chaque extrémité se termine en trident. Ainsi sont symbolisés les Saintes-Maries, les pêcheurs et les gardians.

UN PARC POUR SAUVER LA CAMARGUE

La création en 1927 de la Réserve nationale, puis en 1970 du Parc naturel régional a permis de préserver le milieu naturel camarguais. Le Parc naturel régional occupe une superficie de 85 000 ha. Objectif : sauvegarder l'écosystème camarguais, permettre aux habitants de vivre dans leur cadre naturel tout en favorisant le maintien des exploitations agricoles, enfin, contrôler l'équilibre hydraulique, ainsi que l'afflux touristique...

Parc naturel régional de Camargue

Les cornes en lyre du fier taureau de Camargue, symbole du Parc naturel régional de Camargue.

comprendre

Un pays difficile à domestiquer – Immense plaine alluvionnaire, la Camargue est le produit de l'action conjuguée du Rhône, de la Méditerranée et des vents. À la fin de l'ère tertiaire et au début de l'ère quaternaire, alors que la mer recule, des cours d'eau charrient d'immenses quantités de galets qui s'empilent sur des dizaines de mètres d'épaisseur. Sur cette base caillouteuse se déposent ensuite des couches de sédiments marins : la mer s'étend alors jusqu'à la rive Nord de l'étang de Vaccarès. Mais le paysage ne va cesser de se modifier : le Rhône, qui divague pendant des siècles, transporte d'énormes masses d'alluvions ; des bourrelets se forment et isolent

Paysage de Camargue...

DÉVASTATRICES

Les tempêtes ont successivement démoli les saillants du Vieux Rhône et du Petit Rhône, puis le **phare de Faraman** qui, construit à 700 m à l'intérieur des terres, a été englouti en 1917.

des marais ; des cordons littoraux modelés par les courants côtiers apparaissent et ferment des lagunes. Chaque année, le Grand Rhône (9/10e du débit total) apporte à la Méditerranée environ 20 millions de m³ de gravier, de sable et de limon ! La construction de la digue à la mer et l'endiguement du Rhône sous le Second Empire a permis de maîtriser partiellement ces phénomènes. Cependant, l'avancée du littoral (10 à 50 m par an) continue en plusieurs endroits (pointe de l'Espiguette, *voir Le Grau-du-Roi*). Inversement, la mer progresse sur d'autres points. Les Stes-Maries-de-la-Mer *(voir ce nom)*, jadis à plusieurs kilomètres de la côte, doivent aujourd'hui être protégées par des digues.

Les trois Camargue – Dans le Nord du delta et le long de son double tracé, le Rhône a construit des levées de fines alluvions – les lônes – qui portent les meilleures terres. Cette **haute Camargue**, sèche et utile, a commencé à être bonifiée au Moyen Âge. L'homme a dû lutter contre l'eau et la salinité des sols, accrue par une intense évaporation estivale. Depuis 1945, de grands travaux de drainage et d'irrigation ont permis d'accroître considérablement la superficie agricole où domine la grande exploitation. Le blé, la vigne, les cultures fruitières et maraîchères, le maïs, le colza et les plantes fourragères occupent des superficies variables suivant les années. Mais c'est surtout pour le **riz** que la Camargue est connue, même si les superficies allouées à cette culture ont fortement diminué. Çà et là émergent de petites forêts de chênes blancs, de frênes, d'ormes, de peupliers, de robiniers et de saules.

La **zone des salins**, qui s'étend près de Salin-de-Giraud (11 000 ha) et d'Aigues-Mortes (10 000 ha), présente un quadrillage de bassins d'évaporation et de montagnes de sel, les « camelles ». L'eau prélevée en mer de mars à septembre circule par pompage sur les surfaces préparatoires ou « tables », vastes étendues préservées par des digues et cloisonnées, où la hauteur d'eau ne dépasse guère 35 cm. Pour les amener à saturation en chlorure de sodium, les eaux parcourent ainsi environ 50 km avant d'être dirigées vers les surfaces saunantes, ou « cristallisoirs », séparées par des levées de terre appelées « cairels ». La récolte du sel se fait de fin août à début octobre. Le sel est d'abord assemblé le long des surfaces saunantes, puis lavé et stocké, formant une colline de 21 m de haut dont la longueur varie suivant la récolte. À nouveau lavé, essoré, séché, le sel est distribué pour la consommation domestique et l'alimentation du bétail, ou utilisé dans la production de composés chimiques. La Compagnie des Salins du Midi est actuellement la principale entreprise de récolte du sel.

La **zone naturelle** occupe le Sud du delta. C'est une plaine stérile, trouée d'étangs et de lagunes qui communiquent avec la mer par de nombreuses passes (les « graus »), véritable désert de sable et de marécages bordés de petites dunes sur le littoral. Des routes et des pistes permettent de la sillonner, mais pour l'apprécier pleinement, mieux vaut effectuer les parcours pédestres. Ces plates étendues, craquelées par la sécheresse et blanchies par le sel, sont couvertes d'une maigre végétation, la « **sansouire** ». Des plantes halophiles (aimant le sel) – saladelles et salicornes, vertes au printemps, grises l'été et rouges l'hiver – s'y développent et servent de nourriture aux troupeaux de taureaux, parmi de maigres tamaris. Les roseaux fournissent la *sanha* (« sagne »), avec laquelle on confectionne les canisses pour protéger les cultures, et dont les gardians recouvrent leurs cabanes. Dans les **îlots des Rièges**, au Sud de l'étang de Vaccarès, s'épanouit une flore exubérante, merveilleusement colorée au printemps : chardons bleus, tamaris, marguerites, iris jaunes, genévriers de Phénicie, lentisques, asphodèles, narcisses...

Magnin G. /MICHELIN

Une barque, une roubine, des roseaux : la Camargue secrète des pêcheurs d'anguilles.

Une faune exceptionnelle – Avec les ragondins, les loutres et les castors, les oiseaux règnent sur cet immense domaine marécageux. On en dénombre plus de 400 espèces différentes, dont environ 160 migratrices. L'avifaune change au fil des saisons : migrateurs venant d'Europe du Nord (depuis la Finlande et la Sibérie) pour hiverner, comme les sarcelles, ou faisant escale au printemps et à l'automne, comme les hérons pourprés. Souvent perché sur l'échine d'un taureau ou d'un cheval, le héron garde-bœuf, aussi surnommé pique-bœuf, raffole des insectes qui fourmillent sur le dos des mammifères. Également : l'élégante aigrette, le héron cendré, le canard plongeur, l'échasse blanche, le gravelot, sans oublier les habitants traditionnels du littoral, mouettes rieuses au caractère agressif, « gabians », goélands argentés, et grands cormorans, multitude de passereaux, un rapace, le busard des roseaux et, enfin, incontestable vedette, le **flamant rose** : reconnaissable à son plumage

LE RAGONDIN, ENNEMI PUBLIC NUMÉRO UN
Il n'y a pas de crocodiles en Camargue. Aussi le ragondin, charmant rongeur apparenté au castor et qui peuple depuis environ 30 ans les roubines camarguaises, a une fâcheuse tendance à proliférer (on en compterait 100 000) en l'absence d'autre prédateur que les automobiles, auxquelles il paie cependant un lourd tribut. Voilà donc ce pauvre ragondin, apprécié pour sa chair (on le nomme lièvre des marais) comme pour sa fourrure, accusé de tous les maux : ses terriers et galeries fragilisent les digues et, qui plus est, il a l'outrecuidance d'adorer le riz. L'état d'urgence a donc été décrété afin de « réguler » la population.

Corbel R./MICHELIN

L'ennemi public numéro un... Il a pourtant une bonne tête, ce pauvre ragondin, accusé de tous les maux !

blanc rosé et à son long cou terminé par un gros bec coudé, il vit en colonies de plusieurs milliers d'individus et se nourrit de crustacés et de coquillages. L'eau est poissonneuse : sandres, carpes, brèmes et surtout anguilles, abondantes dans les roubines d'eau douce, que l'on pêche à l'aide de « trabaques », sortes de longs filets composés de trois poches séparées entre elles par des goulets qui vont en se rétrécissant. La cistude des marais (petite tortue aquatique) et les couleuvres hantent également ces zones humides.

Taureaux et chevaux – Héros des courses camarguaises, *abrivados* et autres *bandidos*, les **taureaux camarguais**, noirs, agiles, aux cornes en lyre, vivaient jadis à l'état sauvage avant d'être peu à peu rassemblés en « manades », mot désignant un troupeau, souvent d'environ 200 têtes. Ils occupent de grandes propriétés, dirigées par le bayle-gardian, régisseur du manadier. De grands moments ponctuent la vie de la manade : au printemps, c'est la **ferrade** qui consiste à marquer au fer rouge les « anoubles », ou taureaux d'un an. Ces derniers sont écartés du troupeau par les gardians qui les poursuivent à toute allure vers le lieu de marquage. Là, des jeunes gens les saisissent, les renversent sur le flanc et leur imposent sur la cuisse gauche le fer rouge à la marque de l'éleveur tout en pratiquant l'« escoussure », découpe de l'oreille caractéristique de la manade, tout cela dans une ambiance de fête baignant dans l'odeur du poil et du cuir brûlés. Au début de l'été, c'est la **transhumance** vers les « prés » de Petite Camargue, où les villages multiplient les fêtes votives. En hiver, après le retour au mas, c'est le « bistournage », qui consiste à castrer les taureaux qui seront destinés à la course et qui deviennent ainsi des *bious*.

carnet pratique

La gardiane (daube de taureau).

Sauvignier S./MICHELIN

SE RESTAURER

Outre les tellines (voir Le Grau-du-Roi) et le saucisson de taureau, la « gardiane » de taureau est omniprésente : c'est une marinade à base de vin rouge, d'herbes et d'épices (thym, laurier, persil, cayenne, clous de girofle...), de zestes d'orange et d'ail dans laquelle trempent des morceaux de taureau de Camargue (viande classée AOC depuis 1996) ; elle se déguste avec du riz blanc et un bon vin rouge de la région.

⊜⊜ **Domaine de la Tour de Cazeau** – *13200 Le Sambuc - 24 km au SE d'Arles par D 570 puis D 36 - ☎ 04 90 97 21 69 - fermé 1er-15 fév., sem. de Noël et merc. - ⊠ - réserv. obligatoire - 18/26 €*. Cette ferme camarguaise du 18e s. se niche au milieu des rizières, des taureaux et des chevaux... De sa tour, on surveillait autrefois les bateaux sur le Grand Rhône. Allez-y jeter un coup d'œil avant de vous attabler autour de plats typiquement régionaux, dans l'ancienne écurie. Deux chambres.

⊜⊜ **Le Mas Saint-Bertrand** – *Rte de Vaccarès, D 36c - 13129 Salin-de-Giraud - Près de Salin-de-Giraud, D 36c, rte de Vaccarès - ☎ 04 42 48 80 69 - fermé nov.-fév. - ⊠ - 20/25 €*. Les Giran ont transformé ce mas en un lieu magique où les anciens engins agricoles, dispersés parmi les lauriers roses, prennent des allures d'animaux chimériques. On y déguste assiettes camarguaises, charcuteries, tellines, gardianes et côtes de taureau. Vente de produits à emporter, promenades à cheval et location de vélos.

⊜⊜⊜ **Chez Marc et Mireille** – *Cabanes de Beauduc - 13129 Salin-de-Giraud - 5 km de Salin-de-Giraud par digue non revêtu - ☎ 04 42 48 80 08 - fermé dim. soir, lun., mar., merc. - ⊠ - 35 €*. Pour déguster des poissons grillés (muges, loups...) tandis que le soleil se couche sur les étangs et que le calme revient dans ce lieu hors du temps qu'est Beauduc. Une adresse culte.

SPORTS & LOISIRS

Attention aux nombreuses promenades à cheval qui consistent à faire le tour d'un étang asséché sur une monture désabusée promise à l'abattoir. Pour ne pas vous laisser piéger, renseignez-vous à l'**Association camarguaise de tourisme équestre** (☎ 04 90 97 10 40).

Vous trouverez également d'autres adresses dans le carnet pratique du Grau-du-Roi.

Randonnée équestre en Camargue – *13460 Stes-Maries-de-la-Mer - ☎ 04 90 59 49 36 - www.visitprovence.com - tlj sf w.-end 9h-12h30, 13h30-18h - fermé j. fériés*. En Camargue, pays du cheval par excellence, on s'adressera au service Loisirs-Accueil des Bouches-du-Rhône qui propose une découverte approfondie de cette région de la meilleure façon possible : en selle sur un petit cheval camargue, pour un week-end ou une semaine, avec hébergement en gîte et dîner en table d'hôte...

Randonnée pédestre – L'idéal pour observer la faune et la flore, c'est de marcher : chose possible sur le GR 653, la digue à la mer et les sentiers de découverte du domaine de La Palissade, de La Capelière et de Salin-de-Badon.

Observation des oiseaux – Pour bien voir les oiseaux, il faut partir tôt le matin (tout se passe avant 10h) ou au crépuscule, entre mars et oct. On prendra soin de rester immobile, d'être silencieux, car les oiseaux détestent la conversation, et de se munir d'une

Corbel R./MICHELIN

paire de jumelles (louées sur certains sites). Sites d'observation des oiseaux : sentiers de découverte de la Capelière et du domaine de la Palissade, Digue à la mer et parc ornithologique du Pont-de-Gau.

VTT – Nombreuses propositions de circuits de découverte en fonction du niveau des pratiquants : digue à la mer, Vaccarès, marais salants... Renseignements aux offices du tourisme d'Arles et des Saintes-Maries-de-la-Mer.

Sur cinq grands circuits : la digue à la mer (16 km dont une partie dans le sable), la route du Vaccarès (46 km autour de Villeneuve et Gageron), la route du Sel et des Flamants (29 km autour de Salin-de-Giraud), la route du Cheval camargue et du Riz (29 km autour du Sambuc), la route des Taureaux et de la Vigne (31 km autour de Gimeaux).

Baignade – Immenses plages, zone de baignade et de naturisme sur les plages des Saintes-Maries et de Piémanson, au Sud de Salin-de-Giraud.

Méjanes - Domaine Paul-Ricard – ⊡ Prom. à cheval : 13 €/h ; poney : 4 €/15mn ; prom. en petit train : 4 € (enf. 3 €) ; ferrades, démonstrations de dressage et jeux gardians dim. et j. fériés. Centre d'attractions avec arènes, promenades à cheval et petit train effectuant un circuit de 3,5 km en bordure du Vaccarès.

CALENDRIER

Spectacles taurins – Aux Saintes-Maries, en Arles, à Salin-de-Giraud et à Méjanes : corridas et novilladas, corridas de rejoneo (à cheval), corridas portugaises (à cheval mais sans mise à mort et avec l'intervention des forcados qui arrêtent les bêtes à mains nues). Nombreuses courses camarguaises. Jeux gardians dans les arènes de Méjanes, le dimanche matin. De juillet à fin août, courses camarguaises aux arènes d'Arles, le mercredi à 17h.

Reconnu depuis 1977 par les haras nationaux, le **cheval camargue** est un cheval de travail remarquable par son endurance, sa sûreté de pied et sa maniabilité. Les poulains naissent avec un poil sombre qui ne prend que progressivement la couleur blanche au bout de quatre ou cinq ans. Sa petite taille et son caractère débonnaire en font un excellent cheval de promenade.

Le gardian de Camargue – C'est l'âme de la manade, celui qui surveille les bêtes malades, prodigue les soins, trie les taureaux choisis pour les courses, les accompagne et conduit les *abrivados* avant de retourner dans son humble cabane au sol de terre battue... Si la cabane devient résidence secondaire et le costume de plus en plus réservé aux jours de cérémonies, le cheval reste l'inséparable compagnon du gardian. Parmi ses outils : le trident (ou *ferri*) et le lasso en crin de cheval *(seden)*. De nos jours, la plupart des manades n'emploient qu'un bayle-gardian, assisté de gardians amateurs, bénévoles passionnés qui viennent aider aux travaux dès qu'ils en ont le loisir, en échange d'un gîte pour leur cheval. Fondée en 1512, la confrérie de Saint-Georges a établi les premiers statuts du métier.

Pazery D/MICHELIN

Le gardian.

circuit

AUTOUR DU VACCARÈS
Circuit de 160 km au départ d'Arles. Quitter Arles au Sud-Ouest (D 570) en direction des Saintes-Maries.

Musée camarguais★
☎ 04 90 97 10 82 - RD 570 Mas du Pont-de-Rousty - 13200 Arles - musee@parc-camargue.fr - www.parc-camargue.fr - juil.-août : 10h-18h ; avr.-juin et sept. : 9h-18h ; oct.-mars : tlj sf mar. 10h-17h - fermé 1er janv., 1er Mai et 25 déc. - 5 €.
Installé dans l'ancienne bergerie du mas du Pont de Rousty, ce musée passionnant constitue une excellente introduction à la découverte de la Camargue. Panneaux, dioramas et objets présentent le cadre naturel (formation du delta), l'histoire et, surtout, la vie quotidienne traditionnelle au 19e s. Loin d'un folklore souvent rebattu et largement idéalisé, c'est la véritable Camargue qui se dévoile avec les travaux et les peines d'une vie qui n'était pas toujours rose...
🚶 3,5 km. Tracé parmi les canaux d'irrigation, un sentier fait découvrir cultures, pâturages et marais composant les terres d'un mas camarguais.

> **INSTRUCTIVE**
> Une maquette reflète l'organisation sociale fort hiérarchisée du mas traditionnel, avec le bayle (régisseur) en bout de table servi par la *tanto*, les gardians et, en bas de l'échelle, les *ràfis*, ouvriers agricoles.

Albaron
Autrefois place forte (il en subsiste une tour), c'est aujourd'hui une station de pompage pour le dessalement des terres.

Château d'Avignon
☎ 04 90 97 58 60 - visite guidée (1h) avr.-oct. : tlj sf mar. 10h-17h - fermé 1er Mai - 3 €.
Vaste demeure classique, réaménagée à la fin du 19e s. par l'industriel marseillais Louis Prat. Pièces lambrissées et meublées (tapisseries d'Aubusson ou des Gobelins) témoignent du goût bourgeois de l'époque.
🚶 Un sentier botanique de 500 m tracé dans le parc permet d'en découvrir les essences.

Mas de la Cure - Maison du cheval camargue
Fermé pour travaux.
L'ancien domaine agricole du Mas de la Cure accueille désormais cette institution destinée à promouvoir, en liaison avec le Parc naturel régional et les haras nationaux, le cheval de race camarguaise. Des stages de formation aux métiers du cheval, des expositions, un sentier de découverte permettent de découvrir plusieurs types de milieux naturels, tout en évoluant parmi les chevaux, quelques taureaux et des mérinos d'Arles.

Départ de sentier balisé
Rizière
Marais

BEAUCAIRE   NÎMES   AVIGNON   LES-BAUX-EN-PROVENCE

Montmajour ★

ARLES ★★★

St-Gilles ★

★ Musée Camarguais

Albaron ★

PARC   NATUREL

Villeneuve

Avignon ★

Mas de la Cure

Méjanes

Réserve nationale

la Capelière

Etang de Vaccarès

de

RÉGIONAL   DE   CAMARGUE

Musée des Roulottes anciennes

Réserve

Musée du Riz

Ginès ★

Etg de Malagroy   Camargue

St-Seren

Îlots des Rièges

Mas de Cacharel

Salin-de-Badon

des

Etg du Fournelet

Pont-de-Gau ★

Impériaux

la Gacholle

le Paradis

Digue à la mer

Stes-Maries-de-la-Mer ★

Tombeau de Baroncelli-Javon

Etg de Galabert

Salin-de-Giraud

Golfe de Beauduc

Beauduc

Salin de Giraud

la Palissade

Pointe du Sablon

Etg de Faraman

Beauduc

Faraman

Plage de Piémanson

Bassins de Fos

Port-St-Louis du-Rhône

PLAINE DE LA CRAU

Marais du Vigueirat ★

6 km

Musée des Roulottes anciennes

À Pioch-Badet. ☎ 04 90 97 52 85 - été : 10h-20h ; hiver : 10h-17h (téléphoner av.) - 3,50 €.

⬚ En hommage aux Gitans, un passionné a réuni sept authentiques roulottes ayant conservé leur ameublement, délicieusement kitsch, d'origine. Les découvrir, c'est entrer, un peu par effraction, dans ce monde des gens du voyage qui fait tant rêver : roulottes habitables et roulottes de cirque (« attention aux animaux féroces » !) convient petits et grands à un voyage plein de fraîcheur vers les territoires de l'enfance.

Maison du Parc naturel régional de Camargue

Avr.-sept. : 10h-18h ; oct.-mars : tlj sf vend. 9h30-17h - fermé 1er janv., 1er Mai et 25 déc.

Situé au Pont-de-Gau, en bordure de l'**étang de Ginès**, le centre a pour mission de sensibiliser les visiteurs à la fragilité de l'écosystème camarguais. Des bornes présentent à l'aide de photos le milieu naturel, les activités traditionnelles ainsi que la faune et la flore ; de larges baies vitrées donnant sur l'étang permettent d'apercevoir quelques spécimens de l'avifaune locale. Au premier étage, montages audiovisuels sur les activités du parc, la vie des salins et les flamants roses.

Parc ornithologique du Pont-de-Gau

☎ 04 90 97 82 62 - &. - avr.-sept. : de 9h au coucher du soleil ; oct.-mars : de 10h au coucher du soleil - fermé 25 déc. - 6,50 € (enf. 4 €).

🚶 Mitoyen avec le Centre d'information, il offre la possibilité, à travers un parcours de panneaux explicatifs et de postes d'observation, de découvrir dans leur milieu naturel un certain nombre d'espèces d'oiseaux vivant en Camargue, ou seulement de passage. Indispensable pour

Volant en formation vers quelque étang chimérique ou debout les pieds dans l'eau, les flamants roses font la Camargue !

Corbel R. /MICHELIN

être certain de reconnaître du premier coup d'œil un huî-trier-pie ou une avocette.

Les Stes-Maries-de-la-Mer★ *(voir ce nom)*

Emprunter devant les arènes la D 38 vers l'Ouest. À 1 km sur la gauche, prendre un chemin revêtu.

Sur la gauche, **tombeau du marquis de Baroncelli-Javon**, édifié à l'emplacement de son mas du Simbèu, détruit en 1944.

Revenir aux Stes-Maries et prendre au Nord la D 85ᴬ. À Pioch-Badet, prendre à droite la D 570 en direction d'Arles puis, à l'entrée d'Albaron, encore à droite la D 37. Possibilité de faire un détour par Méjanes (voir la rubrique Sports et loisirs dans le « carnet pratique »).

On traverse une vaste étendue semée de rares touffes d'arbres, de roseaux et de quelques mas isolés. Sur la droite, un petit **belvédère** permet d'apercevoir le Vaccarès et, au loin, les **îlots des Rièges**.

Prendre ensuite la petite route qui, à Villeneuve, porte l'indication « étang de Vaccarès ».

Après un petit bois, la route longe le Vaccarès dégageant de très belles **vues★** sur la Camargue, dans toute sa splendeur sauvage et solitaire.

La Capelière

☎ *04 90 97 00 97 - www.reserve-camargue.org - avr.-sept. : 9h-13h, 14h-18h ; oct.-mars : tlj sf mar. 9h-13h, 14h-17h - fermé 1ᵉʳ janv. et 25 déc. - 3 € (-12 ans gratuit).*

🚶 Centre d'information de la Réserve nationale de Camargue. La réserve s'étend sur 13 000 ha au cœur du delta, autour de l'étang de Vaccarès. Les espèces animales et végétales y sont protégées. Le centre propose à ses visiteurs une petite exposition, des sentiers pédestres *(1,5 km, à éviter les jours de forte affluence)*. En période plus calme, trois observatoires permettent de guetter les oiseaux.

On apercevra sur la gauche, dans le marais de St-Seren, une cabane de gardian, avant de longer l'étang du Fournelet.

Salin-de-Badon

☎ *04 90 97 00 97 - 3 observatoires ouverts du lever au coucher du soleil. Autorisation à retirer à La Capelière (centre d'information de la Réserve nationale de Camargue) - 3 € (enf. 1,50 €).*

🚶 Des sentiers pédestres, agrémentés de panneaux didactiques et d'observatoires, ont été aménagés par la Réserve nationale sur cette ancienne saline royale où nombre d'oiseaux ont élu domicile.

Après Le Paradis, emprunter la D 36ᶜ. Après La Bélugue, prendre à droite le chemin de Beauduc (chemin, plus ou moins carrossable, tracé sur une digue entre les étangs).

Beauduc

Posé en bordure de la plage, ce « village », entassement hétéroclite de caravanes, vieux autobus, à qui une haie de canisses et quelques briques entassées confèrent peu à peu le statut de cabanon, témoigne d'une forme de civilisation méditerranéenne exempte de toute sophistication... mais pas de convivialité. Et les poissons (mulets, loups) que prépare le petit restaurant local font courir les amateurs, parfois de fort loin !

Revenir sur ses pas et poursuivre jusqu'à Faraman, puis vers Salin-de-Giraud.

Salin-de-Giraud

Magnin G. /MICHELIN

Quand la Camargue célèbre le printemps : les iris jaunes illuminent les îlots des Rièges.

INATTENDUE
Une église grecque orthodoxe a été édifiée à l'attention des travailleurs des salins, dont beaucoup avaient été recrutés en Grèce.

◄ Pays du sel, cette petite localité posée en bordure du Grand Rhône s'est développée sous l'impulsion de deux sociétés : Pechiney, qui exploitait les salines pour son usine de Salindres, et la société belge Solvay qui, à partir du chlorure de sodium, fabriquait la soude caustique nécessaire à la fabrication du savon de Marseille.

L'arrivée sur Salin, avec ses maisons de briques roses et ses jardins ouvriers, donnerait un instant l'étrange impression de s'être aventuré par quelque coup de baguette magique en Flandres... sans les platanes, les catalpas et les acacias qui ombragent les rues perpendiculaires, et, bien sûr, les arènes.

Suivre la route qui longe le Grand Rhône en direction des « Plages d'Arles ».

Point de vue sur le salin

Aménagé près d'une montagne de sel, il procure une belle vue sur l'ensemble du salin de Giraud. Venez le soir, au couchant : avec le soleil qui teinte les marais de longues lueurs fauves ou mordorées, vous vivrez un moment magique.

Domaine de La Palissade★

☎ *04 42 86 81 28 - de mi-juin à mi-sept. : 9h-18h ; de mi-sept. à mi-juin : 9h-17h (dernière entrée 45mn av. fermeture) - fermé lun. et mar., de mi-nov. à fin fév., 1ᵉʳ janv., 1ᵉʳ Mai, 11 nov. et 25 déc. - 3 € (-12 ans gratuit) - découverte du site à cheval et en calèche : d'avr. à oct.*

Propriété du Conservatoire du littoral, ce domaine de 702 ha est le seul du delta à ne pas avoir été endigué. On y découvre les paysages d'origine de la basse Camargue : bourrelets d'alluvions, ripisylve ou « bois des rives », « montilles » (dunes), sansouires et prairies à saladelles, roselières.

🔎 Trois sentiers de découverte ont été aménagés : un sentier d'interprétation de 1,5 km destiné au grand public et muni de panneaux explicatifs, deux autres sentiers, de 3 km et de 7,5 km, moins aménagés mais permettant véritablement d'« entrer » dans la Camargue et de découvrir, au gré du hasard et des saisons, faune, flore et activités traditionnelles des « paluniers », les gens qui vivent du marais.

Superbe, la route passe sur une digue entre les étangs, permettant d'aller piquer une tête dans la Méditerranée sur l'immense **plage de Piémanson** (25 km de sable fin).

Prendre la direction d'Arles par Salin-de-Giraud.

Musée du Riz

☎ *04 90 97 29 44 - ᵴ - 10h-17h30 - 3,50 €.*

Pour tout connaître sur la culture du riz en Camargue, la visite de ce petit musée créé par la famille Bon (riziers depuis trois générations) s'impose. Exposition de maquettes et ustensiles, présentation des différentes variétés de riz (complet, rond, blanc, etc.), de la faune et de la flore régionales. Petite boutique contiguë ; accueil des plus charmants assuré par un cultivateur passionné.

Par la D 36 puis la D 570 sur la droite, regagner Arles..

randonnée

Digue à la mer

La digue à la mer est interdite aux véhicules à moteur. Entre le parking de la Comtesse et Les Saintes-Maries-de-la-mer : 20 km de sentier pédestre et cyclable.
Centre d'information au phare de la Gacholle durant les week-ends et les vacances scolaires : exposition sur le littoral, observatoire, aire de pique-nique - gratuit.

L'exploitation des salins remonte à l'Antiquité et fit, au Moyen Âge, la prospérité des « abbayes du sel » comme Ulmet et Psalmodi ; elle prit une tournure industrielle au 19ᵉ s. (salin de Giraud).

🚶 *20 km.* Depuis la sortie Est des Stes-Maries-de-la-Mer, empruntez cette digue, exclusivement réservée aux piétons et aux VTT, pour rejoindre le **phare de la Gacholle** où se trouve un centre d'information avec observatoire (longue-vue) et exposition sur le littoral.

En chemin, on découvre de nombreux oiseaux (dont des flamants) et des paysages typiquement camarguais, à condition que le temps soit au sec...

Arrivé au Pertuis de la Comtesse, continuer vers le Sud : la digue sépare l'**étang de Galabert** de celui du **Fangassier** : l'îlot de Galabert est le seul lieu de nidification en France du flamant rose. Environ 8 000 poussins noirs y naissent chaque année... Il faudra 3 ou 4 ans à ces petits « becaruts » pour devenir aussi roses que leurs parents...

Carpentras ★

Cité d'art, capitale du Comtat : il fait bon vivre et flâner dans les rues animées du centre ancien, qui fait l'objet d'une réhabilitation, où demeures et monuments viennent rappeler une brillante histoire.

La situation

Carte Michelin Local 332 D9 – Vaucluse (84). C'est en venant d'Orange (24 km au Nord-Ouest), par la D 950, que l'arrivée sur Carpentras est la plus belle : la porte d'Orange se dresse dans l'axe de la route, avant de traverser la vallée verdoyante de l'Auzon pour emprunter les boulevards, à l'ombre des platanes. Sur l'allée des Platanes précisément, vaste parking gratuit, d'où vous pourrez partir à la découverte de la cité.

🛈 *Hôtel-Dieu, pl. A.-Brand, 84200 Carpentras, ☎ 04 90 63 00 78. www.ville-carpentras.fr*

Sauvignier S. /MICHELIN

Le célèbre berlingot de Carpentras reconnaissable à sa forme à trois pointes : mélange de sucre et d'arôme de menthe poivrée né en 1844.

Le nom

La ville s'appelait Carpentoracte (elle devrait ce nom à une citadelle en bois qu'avaient édifiée les Celto-Ligures), quand les Romains la désignèrent sous le nom de Forum Neronis (du nom du général qui l'administra en 46 avant J.-C.) ; par la suite, la ville reprit le nom de Carpentras.

Les gens

26 090 Carpentrassiens veillent jalousement sur leurs traditions, notamment lors des fêtes de Noël. La ville a vu naître **François-Vincent Raspail** (1794-1878), qui mena de front une vie scientifique et politique, et **Édouard Daladier** (1884-1970), illustre député plusieurs fois ministre.

comprendre

UN SAINT TRAFIC

La mère de l'empereur Constantin aurait fait forger un mors pour le cheval de son fils avec un clou de la croix du Christ. Conservé à Ste-Sophie de Constantinople, le saint mors disparut lors du pillage de la ville par les croisés en 1204... pour réapparaître dès 1260 à Carpentras, dont il devint l'emblème.

◄ **Une cité papale** – Carpentras connaît sa période la plus brillante lorsque le pape Clément V décide de s'établir dans ses terres provençales et s'installe, en 1313, à Carpentras. Lorsqu'il meurt en 1314, son successeur donne sa préférence à Avignon. Cependant, **capitale du Comtat venaissin** en 1320, la ville profite de la munificence pontificale : administrée par l'évêque et un recteur, Carpentras s'agrandit et s'entoure d'une seconde enceinte de remparts, dont il ne reste aujourd'hui que quelques tronçons et la tour de la porte d'Orange. Au cours des siècles suivants, la cité connaît de belles réalisations : nouveau palais épiscopal (17e s.), nombreuses fontaines liées au nouvel aqueduc, Hôtel-Dieu et bibliothèque Inguimbertine (18e s.) fondés sur l'initiative de l'évêque Malachie d'Inguimbert.

Le marché retrouvé – Avec la réunion à la France (1791), Carpentras retrouve la prospérité grâce à l'essor de la **garance**, introduite en 1768, et surtout lorsque la garrigue se transforme en jardin de primeurs après le creusement en 1860 d'un canal dérivé de la Durance qui permet de l'irriguer. Carpentras redevient ville de marché et, de nos jours, cette activité a conservé sa place première dans l'économie de la cité.

Une ville en sucre

C'est le maître-queux du pape Clément V qui aurait eu la bonne idée d'inventer le **berlingot**. Le petit tétraèdre strié de blanc fut rouge et mentholé à ses débuts, puis s'est vite laissé tenter par d'autres saveurs : anis, orange, citron ou café. Autre star, le **fruit confit**, qui connut ici son apogée aux 18e et 19e s. La fabrication artisanale a peu à peu cédé au procédé industriel, mais quelques confiseurs perpétuent la tradition : dix à douze cuissons successives, étalées sur deux ou trois mois selon les fruits ! Les douceurs naturelles sont représentées par la **fraise de Carpentras** (déclinée en quatre variétés : Pajaro, Ciflorette, Garriguette et Cigoulette), une marque déposée depuis 1987. Avec 5 000 tonnes commercialisées, le Comtat venaissin représente toujours la plus importante production de Provence.

se promener

LE CŒUR DE LA CITÉ

Compter 3h. Au départ de la place A.-Briand.

Hôtel-Dieu

Ce bâtiment majestueux du milieu du 18e s. a été édifié à la demande de Mgr d'Inguimbert. Il fut construit en dehors des remparts, au Sud, afin d'éviter aux malades les miasmes de la cité. Remarquez le fronton triangulaire surmonté de pots à feu baroques et la statue du bienfaiteur dressée sur la place.

Une gracieuse rampe en fer forgé borde l'escalier d'honneur. Remarquez sur les murs du couloir de nombreux donatifs (petites peintures sur toiles). L'**apothicairerie**★ a conservé son état d'origine : singes apothicaires et paysages décorent les panneaux et placards qui contiennent une remarquable collection de pots à pharmacie en faïence (canons et chevrettes) et en verre. *Visite guidée uniquement - se renseigner à l'Office de tourisme.*

Traverser la place du 25-Août-1944 et pénétrer dans la cité par la rue de la République (piétonnière).

De la place Ste-Marthe, admirez, à droite, les **belles demeures classiques** des 17e et 18e s. de la rue Moricelly, puis, à gauche, la **chapelle du collège**. Élevée au 17e s.

carnet pratique

Visite

Visite guidée – La communauté d'agglomération Ventoux - Comtat Venaissin, qui porte le label Pays d'art et d'histoire, propose des visites-découvertes (1h30) de Carpentras, de ses monuments et des villages, animées par des guides-conférenciers agréés par le ministère de la Culture et de la Communication. *Avr.-sept. : tlj à 10h30, 15h30 et 17h30. 4 €. Renseignements à l'Office de tourisme ou sur www.cc-ventoux-comtat-venaissin.fr*

Pour obtenir le dépliant permettant de suivre le circuit découverte du patrimoine balisé par des berlingots, s'adresser à l'Office de tourisme.

Se loger

⊖⊖ **Forum –** *24 r. du Forum - ☎ 04 90 60 57 00 - reception@hotelduforum.fr - P - 28 ch. 54/61 € - ☕ 7 €.* La façade sans charme de cet hôtel situé dans une rue calme dissimule des chambres spacieuses à la fois modernes et « cosy », disposant d'une bonne literie. Celles du dernier étage et le solarium offrent une belle vue sur le vieux Carpentras et le mont Ventoux. Patio avec olivier quinquacentenaire.

⊖⊖ **Chambre d'hôte Bastide de Ste-Agnès –** *1043 chemin de la Fourtrouse - 3 km au NE par D 974 dir. Bédoin et D 13*

*dir. Caromb - ☎ 04 90 60 03 01 -
www.sainte-agnes.com - 5 ch. + 1
appartement 70/115 € ☲.* La pierre sèche
est à l'honneur dans cette vieille bastide. Ses
chambres aux couleurs ocre, ses carrelages
anciens, la douceur de son jardin aux
senteurs provençales et son atmosphère
sereine vous séduiront sans aucun doute.
Belle piscine dans l'ancienne citerne à eau.

SE RESTAURER

⌣ **La Cuisine de Pierre** – *13 pl. du Col.-
Mouret - ☎ 04 90 60 77 83 - kinderc@
wanadoo.fr - fermé 2 sem. en janv., dim.
et lun., jeu. et sam. soir en sais. - 10/25 €.*
Ce restaurant abrite au rez-de-chaussée une
boutique traiteur et quelques tables. À l'étage,
petite salle à manger décorée de quelques
peintures sur le thème de la Provence. Cuisine
traditionnelle et agréable terrasse bercée par
le murmure d'une fontaine.

⌣ **Les Petites Ya-Ya** – *41 r. Galonne -
☎ 04 90 63 24 11 - fermé dim. et lun. -
12/23 €.* Sur une charmante placette du
centre-ville, à l'écart du bruit, bistrot ancien
dont l'avenante terrasse est dressée près de
la fontaine de pierre. Vous profiterez de son
atmosphère paisible en prenant un repas
simple fleurant bon l'anchoïade et le pistou.

⌣ **Le Marijo** – *73 r. Raspail -
☎ 04 90 60 42 65 - fermé 10 j. en janv.,
1 sem. en fév. et 10 j. en nov. - 12/26 €.*
Dans une ruelle du vieux Carpentras, décor
banal et service poussif. Cela dit, l'assiette
rattrape tout : lapin fagoté au thym, tian de
Carpentras (morue aux épinards), agneau à
l'ail, etc. On apprécie le « déjeuner froid »
avec des spécialités provençales.

⌣ **Chez Serge** – *90 r. Cottier -
☎ 04 90 63 21 24 - www.chez-serge.com -
fermé dim. et lun. - 14/35 €.* Ici, le décor,
comme l'assiette, oscille entre le
contemporain branché (acier, zinc et verre)
et le provençal rustique (osier, bois patiné
et terrasse ombragée). Le menu ne déçoit
pas, avec d'honnêtes plats du jour à midi
et des plats plus élaborés le soir.

FAIRE UNE PAUSE

L'Épicurien – *36 pl. Maurice-Charretier et
48 passage Boyer - ☎ 04 90 60 38 28.*
Quelques tables posées sous la verrière
d'un passage couvert du milieu du 19ᵉ s.
composent l'atmosphère surannée de ce
salon de thé. Vous trouverez d'autres tables
à l'intérieur, dans une boutique à deux
entrées, l'une bouquiniste (passage Boyer),
l'autre caviste (pl. Charretier).

QUE RAPPORTER

Marché – *Vieille ville - ven. mat.* Le marché
de Carpentras (un peu partout au cœur de
la ville) propose des produits d'une qualité
remarquable, qui lui valurent d'être élu
« marché exceptionnel » en 1996. De plus,
il y règne une ambiance haute en couleur,
propice aux meilleures affaires.

Marché aux truffes – *Pl. Aristide-Briand -
de mi-nov. à mi-mars : ven. 9h.* C'est
l'un des plus importants du Vaucluse.

Confiserie Bono – *280 allée Jean-Jaurès -
☎ 04 90 63 04 99 - www.confiseriebono.fr -
tlj sf dim. 9h-12h30, 14h15-18h - fermé juin
et j. fériés.* Cette maison créée en 1925
perpétue la tradition des maîtres confiseurs de

Provence. Outre les fruits confits,
fabriqués artisanalement, vous trouverez
un grand choix de confitures dont une,
délicieuse, au citron. Belle présentation des
produits : coffrets, vanneries, poteries...

Confiserie du Mont-Ventoux – 🖵 - *288
av. N.-D.-de-Santé - ☎ 04 90 63 05 25 –
www.berlingots.net - tlj sf dim. 8h-12h, 14h-
18h50 - fermé fév. et j. fériés sf 25 déc.* Le
berlingot de Carpentras, friandise parfumée
à la menthe, reste la vedette de cette
vénérable maison, rescapée des entreprises
de confiserie qui firent la renommée de la
ville. Pour les passionnés, visite possible de la
fabrique, le matin et sur rendez-vous.

Fruits confits artisanaux Bono.

Clavel – *30 r. Porte-d'Orange -
☎ 04 90 63 07 59 - tlj sf dim. apr.-midi et
lun. mat. 9h30-19h - fermé 3 sem. en janv.
et 1 sem. en nov. et apr.-midi des j. fériés.*
Adresse gourmande incontournable ! Vous
pourrez déguster - entre autres - berlingots à
la menthe, à la fraise ou au meulon, rocailles
de Provence, truffes à la lavande, sujets en
pâte d'amandes... René Clavel, le maître des
lieux, détient le record du plus gros berlingot
du monde (56,7 kg !).

Nougats Silvain – *Rte de Venasque - 84210
St-Didier - ☎ 04 90 66 09 57 - silvain.freres
@free.fr - 9h-12h, 15h-19h - fermé janv.*
Face à l'écomusée des Appeaux, les frères
Silvain vous font partager leur passion en
ouvrant leurs ateliers à la visite (diaporama
et dégustation). Ils se définissent volontiers
comme « paysans-nougatiers » puisqu'ils
cultivent les amandes et récoltent leur miel.

CALENDRIER

Corso de nuit – Autour du 14 juillet.

Estivales – Ce festival pluridisciplinaire
(musique, danse, théâtre, expositions)
a lieu durant la 2ᵉ quinzaine de juillet.
*Renseignements : 4 pl. du Marché-aux-
Oiseaux - ☎ 04 90 60 46 01.*

Festival de Musique juive – Début août,
en alternance à la synagogue et à la cour
carrée de l'Hôtel Dieu de Carpentras.
Renseignements : ☎ 04 90 63 39 97.

Foire Saint-Siffrein – Foire agricole et
artisanale durant 4 j., fin nov.

Fête de la truffe et du vin – Sous le
patronage de la confrérie de l'Ordre de la
truffe, concours de truffes, recettes à base de
truffe, ateliers de cuisine, démonstration de
cavage, stands de dégustation-vente, etc., le
1ᵉʳ dim. de fév.

Sauvignier S./MICHELIN

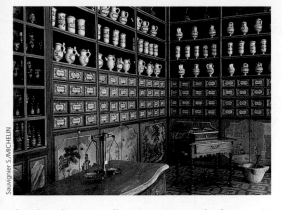

À l'Hôtel-Dieu, une armoire à pharmacie à faire pâlir d'envie les hypocondriaques les plus endurcis.

dans le style jésuite, elle mérite un coup d'œil, ne serait-ce que pour ses expositions d'art contemporain.

Poursuivre la rue de la République qui débouche sur la place du Gén.-de-Gaulle.

Ancienne cathédrale St-Siffrein★

L'édifice constitue un bon exemple de gothique méridional. Commencée en 1404 sur l'ordre du pape Benoît XIII, la cathédrale ne fut achevée qu'au début du 16ᵉ s. Le mur de façade, laissé brut, fut revêtu au début du 17ᵉ s. d'une façade dans le goût italien.

Dans les chapelles, tableaux de Mignard et de Parrocel, ainsi que du peintre local Duplessis. Dans le chœur, plusieurs œuvres du sculpteur provençal Bernus, dont une gloire en bois doré qui doit beaucoup au Bernin ; à gauche, retable de la fin du 15ᵉ s. représentant un Couronnement de la Vierge.

Palais de justice

Attenant, l'ancien palais épiscopal abrite le **palais de justice**, du 17ᵉ s. L'ancienne chambre d'apparat des évêques de Carpentras et l'ancienne salle de réunion des états du Comtat venaissin sont ornées de plafonds à la française et de frise de toiles peintes du 17ᵉ s. ☎ 04 90 63 00 78 - 2 visites guidées (1h30) par mois de déb. avr. à déb. sept. - se renseigner - 4 €.

Prendre à droite et longer le flanc méridional de la cathédrale. Au passage, attardez-vous sur le portail flamboyant (fin 15ᵉ s.) de la cathédrale, appelé « **porte juive** »★, souvenir des juifs convertis qui l'empruntaient pour recevoir le baptême.

Contourner le chevet de l'église par la rue de la Poste afin de gagner la place d'Inguimbert. Près du chevet de l'église actuelle, découvrez les **vestiges** de la première cathédrale romane surmontée d'une coupole (de la grille, en levant la tête, remarquez une colonne torse surmontée d'un chapiteau historié). En face se dresse l'**arc de triomphe**. Contemporain de celui d'Orange (début 1ᵉʳ s.), il a conservé une partie de son décor : deux captifs vêtus l'un d'une tunique, l'autre d'une peau de bête, sont enchaînés à un trophée d'armes.

Prendre à gauche la rue d'Inguimbert, passer la place du Col.-Mouret, puis tourner à droite dans la rue Raspail. Le tracé de cette rue perpétue le souvenir des anciens remparts. 50 m plus loin, tourner à gauche dans la rue des Frères-Laurens.

Après avoir longé la chapelle des Visitandines (16ᵉ s.), la rue débouche sur des escaliers, du haut desquels vous pouvez admirez la **vallée de l'Auzon** et distinguer, au loin, les dentelles de Montmirail *(voir ce nom)*.

En bas des escaliers, prendre à droite le boulevard Leclerc.

Au centre du gâble de la « porte juive », remarquez cette énigmatique « boule aux rats », symbole du temps qui ronge le monde et nous pousse vers la mort... à méditer !

Porte d'Orange

Située au Nord de la cité, elle constituait l'une des quatre portes fortifiées permettant l'accès à Carpentras. Haute de 26 m, c'est l'unique témoignage d'un ensemble défensif, murailles jalonnées de 32 tours, construit à la fin du 14ᵉ s.

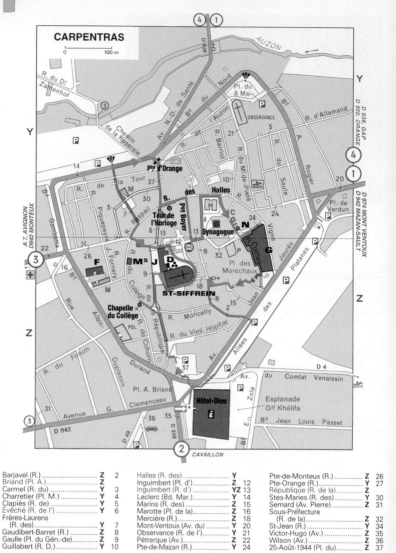

CARPENTRAS

Reprendre la rue de Porte-Orange, puis tourner à gauche dans la rue des Halles.

Rue des Halles

Bordée de couverts où s'abritent de nombreuses boutiques, elle est idéale pour venir se rafraîchir lors des chaleurs d'été. Remarquez sur la droite, à l'entrée de la rue, un beffroi, ou **tour de l'Horloge**, vestige de la première maison communale (15ᵉ s.). Plus loin, le **passage Boyer** s'ouvre sur la droite ; couvert par une haute verrière (d'où son nom local de « rue Vitrée »), il fut édifié par les chômeurs des Ateliers nationaux en 1848.

Au bout du passage Boyer, tourner à gauche, rue d'Inguimbert.

On débouche sur la place Maurice-Charretier, percée sur l'emplacement d'une partie de l'ancien ghetto.

Synagogue★

☎ 04 90 63 39 97 - *tlj sf w.-end 10h-12h, 15h-17h (vend. 16h) - fermé j. fériés et j. de fêtes juives.*

Édifiée en 1367, elle fut reconstruite au 18ᵉ s. Salle de culte au 1ᵉʳ étage, à la fois très simple et richement décorée : une forte émotion se dégage du lieu, qui dépasse le

LE MIKVÉ
Ce bassin, de 13 à 15 m² de superficie et profond de plus de 2 m, devait être approvisionné par une eau naturelle, lien direct avec les eaux d'Éden. Chaque mois, après leur menstruation, les femmes venaient s'y immerger.

point de vue strictement artistique. Au rez-de-chaussée et en sous-sol, le Mikvé, piscine du 14ᵉ s., et les boulangeries où l'on fabriquait le pain azyme jusqu'au début du 20ᵉ s.

Rejoindre la rue des Halles et contourner la mairie pour emprunter la rue Bidauld.

La rue descend vers la **chapelle des Pénitents Blancs** (17ᵉ s.) percée d'une porte à fronton triangulaire, puis la rue Cottier longe le bâtiment de la **Charité**, édifié en 1669 pour accueillir les nécessiteux, abritant aujourd'hui des expositions dans ses caves *(accès r. Vigne).*

De la place des Maréchaux, prendre à droite pour rejoindre la rue des Marins.

Cette rue est bordée de beaux hôtels, dont celui de Bassompierre, avec ses cariatides.

Prendre à gauche la rue Gaudibert-Barret que prolonge la rue Barjavel. Traverser l'avenue Jean-Jaurès pour rejoindre l'allée des Platanes et l'Hôtel-Dieu.

visiter

Musée Sobirats
☎ 04 90 63 04 92 - tlj sf mar. 10h-12h, 14h-18h (oct.-mars : 16h) - fermé j. fériés - 2 €, gratuit 1ᵉʳ dim. du mois.
Reconstitution d'un hôtel particulier du 18ᵉ s. : meubles, faïences et tapisseries.

Musée Comtadin-Duplessis
Mêmes conditions de visite que le musée Sobirats.
Au rez-de-chaussée sont rassemblés différents souvenirs évoquant les traditions populaires et les savoirs faire régionaux : sonnailles, coiffes, monnaies, ex-voto... À l'étage, collection de peintures (16ᵉ-20ᵉ s.) : Parrocel, Rigaud et les artistes carpentrassiens Duplessis et Laurens.

circuit

INCURSION DANS L'EST DU COMTAT
Circuit de 50 km – environ 1/2 journée. Quitter Carpentras au Sud-Ouest, direction Monteux.

Monteux
Cette petite ville maraîchère est la patrie de saint Gens *(pèlerinage le 16 mai)*, qui avait le pouvoir de provoquer la pluie : on comprend que les agriculteurs provençaux en aient fait leur patron... Dans le bourg, la **tour Clémentine** est le seul vestige du château où le pape Clément V aimait venir se reposer. Deux portes des anciens remparts du 14ᵉ s. ont également survécu.
Quitter Monteux par le Nord et prendre à droite la D 87.

Pernes-les-Fontaines★ *(voir ce nom)*
Quitter Pernes à l'Est, par la D 28.

Saint-Didier
Naguère destinés à la chasse, les appeaux, petits instruments siffleurs, ont trouvé un second souffle avec l'apparition d'une nouvelle génération d'amoureux de

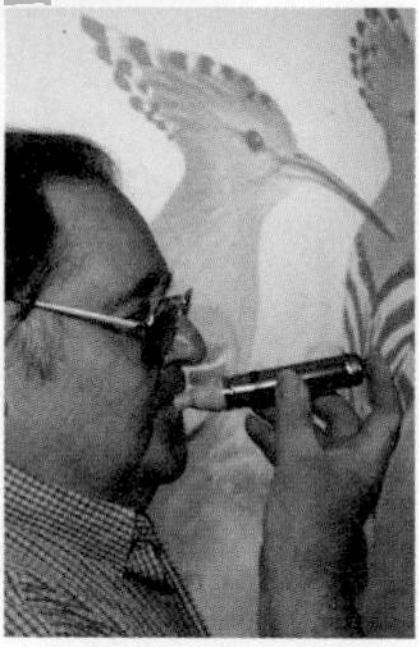
Sauvignier S./MICHELIN

Bernard Raymond soufflant dans l'un de ses appeaux.

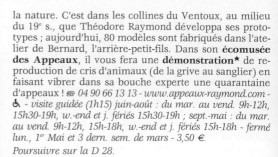

la nature. C'est dans les collines du Ventoux, au milieu du 19e s., que Théodore Raymond développa ses prototypes ; aujourd'hui, 80 modèles sont fabriqués dans l'atelier de Bernard, l'arrière-petit-fils. Dans son **écomusée des Appeaux**, il vous fera une **démonstration★** de reproduction de cris d'animaux (de la grive au sanglier) en faisant vibrer dans sa bouche experte une quarantaine d'appeaux ! ☎ *04 90 66 13 13 - www.appeaux-raymond.com - ♿ - visite guidée (1h15) juin-août : du mar. au vend. 9h-12h, 15h30-19h, w.-end et j. fériés 15h30-19h ; sept.-mai : du mar. au vend. 9h-12h, 15h-18h, w.-end et j. fériés 15h-18h - fermé lun., 1er Mai et 3 dern. sem. de mars - 3,50 €.*

Poursuivre sur la D 28.

Venasque★ *(voir ce nom)*

Suivre la D 4 vers le Nord, puis prendre à droite la D 77 jusqu'à la D 942, que l'on prend à droite.

Mormoiron

Route de Carpentras *(sur la droite avant le fléchage du centre-ville)*, ne manquez pas le **Moulin à musique** qui rassemble une collection d'instruments de musique mécanique. Petit historique, explications techniques (les plus curieux jetteront un œil dans l'atelier de restauration) et, surtout, démonstrations. Vous pourrez entendre jouer une serinette datant de 1740, un grand orchestrion de 1900 (9 instruments), un orgue de manège, et tourner vous-même la manivelle des orgues de Barbarie. ☎ *04 90 61 75 91 - visite guidée (1h) de Pâques à fin sept. : 10h, 11h15, 15h, 16h15 et 17h30 ; de déc. à Pâques : dim. 15h, 16h15 et 17h30 - fermé 1er janv. et 25 déc. - 5 €.*

Reprendre la D 942 en direction de Carpentras.

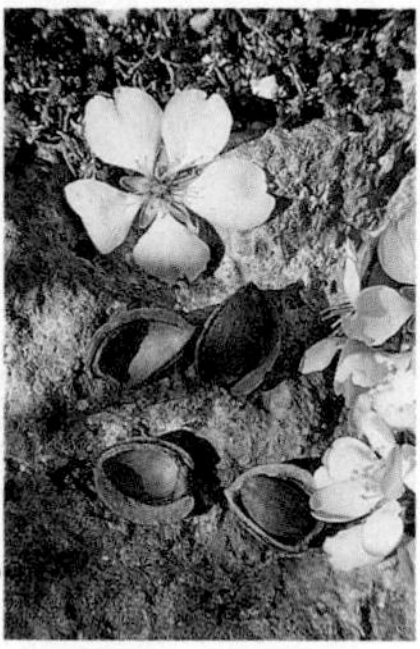
Sauvignier S./MICHELIN

Les amandiers sauvages bordent les routes : vous êtes au pays du nougat !

Mazan

Petite localité de la vallée de l'Auzon connue pour son gypse exploité près de Mormoiron, dans le plus important gisement d'Europe, elle est aussi le pays natal du sculpteur **Jacques Bernus** (1650-1728).

Le **château**, qui fut le théâtre de quelques frasques du marquis de Sade, coseigneur du lieu, s'est reconverti en hôtel-restaurant. Installé dans la chapelle des Pénitents Blancs, le **Musée communal** évoque la vie locale (mobilier, costumes, outils agricoles). Une sculpture de Bernus et, surtout, des vestiges de l'âge de la pierre trouvés lors des fouilles sur la face Sud du Ventoux complètent la visite. Dans la cour, four banal du 14e s. ☎ *04 90 69 74 27 - de mi-juin à mi-sept. : tlj sf mar. 14h-19h ; reste de l'année sur demande - gratuit.*

Le **cimetière** *(aller pl. du 8-Mai, avant la sortie du village en direction Villes-sur-Auzon, et suivre la montée)* est clôturé par 66 sarcophages gallo-romains qui jalonnaient l'ancienne voie romaine de Carpentras à Sault ; chapelle mi-souterraine de N.-D.-de-Pareloup (12e s). Belle **vue★** sur les dentelles de Montmirail, le mont Ventoux et la montagne de Lure.

Poursuivre sur la D 942 qui ramène à Carpentras.

Cassis

Bâti en amphithéâtre entre le cap Canaille et les Calanques, baigné d'une lumière qui inspira Derain, Vlaminck, Matisse et Dufy, ce port de pêche animé est en outre une agréable station estivale où baigneurs, plongeurs et plaisanciers se retrouvent à la belle saison.

Le dicton du jour
« Qui a vist Paris, se noun a vist Cassis a ren vist ! », s'écriait Calendal, le héros de Mistral. (« Qui a vu Paris, s'il n'a pas vu Cassis, n'a rien vu ! »). Exagération ? Les Cassidens vous affirmeront que non !

La situation

Carte Michelin Local 340 I6 – Schéma p. 195 – Bouches-du-Rhône (13). À l'extrémité d'un vallonnement débouchant au fond d'une baie entre les hauteurs arides du massif du Puget, à l'Ouest, et les escarpements boisés du cap Canaille, à l'Est, Cassis occupe un très joli **site★**. On y

accède par la D 559 ou, depuis l'autoroute, par la D 41ᴱ.
En saison, parking extérieur payant *(aux Gorguettes, 2 km au Nord)* et liaison gratuite par bus-navette pour le centre-ville. Le TER relie Marseille à Cassis en environ 20mn *(navette de bus payante entre la gare et le centre de Cassis)*.

🖪 *Quai des Moulins, 13260 Cassis,* ☎ *04 42 01 71 17. www.cassis.fr*

Le nom

Kar et *sit*, désignant l'un comme l'autre la pierre, se sont unis pour donner Carsitis. La prononciation locale a fait le reste pour en arriver à Cassis dont on se gardera bien, sous peine de passer pour un « Parisien », de prononcer la consonne terminale !

Les gens

8 001 Cassidens dont un plongeur maintenant célèbre, **Henri Cosquer**. Il explorait depuis 1985 une grotte sous-marine qu'il avait découverte dans les falaises du cap Morgiou *(voir Les Calanques)*. Soudain, le 3 septembre 1991, la lumière de sa torche éclaira une paroi où il discerna l'image d'une « main négative » datant de 27 000 ans avant J.-C. Des dessins d'animaux antérieurs d'un à deux millénaires à ceux de Lascaux et des représentations inhabituelles de faune marine (phoques, pingouins, poissons) finirent par faire de cette découverte l'une des plus importantes dans l'art pariétal.

Un port paisible ou animé, c'est selon : idéal pour déguster la pêche du jour avec un blanc du terroir.

Magnin G. /MICHELIN

séjourner

Un séjour cassiden ne se conçoit pas sans promenade en bateau permettant de découvrir les calanques ou d'explorer les fonds marins. Deux petites **plages** entourées de rochers (une de sable, Grande Mer, et une de galets, Bestouan) attirent la foule des baigneurs (plages surveillées), qui se retrouvent volontiers le soir sur les quais du port pour déguster poissons, crustacés et fruits de mer, dont la qualité est réputée.

les calanques

Voir ce nom.
Port-Miou – ⏱ *15mn. Parking de Bestouan ou de la presqu'île puis chemin balisé en vert.* La plus longue des calanques provençales, qu'une ancienne carrière de pierre de Cassis dénature. On y exploita longtemps une pierre de taille blanche et dure qui servit à la construction du tunnel du Rove, de certains quais du canal de

carnet pratique

VISITE

Cassis en petit train – *De mi-avr. à mi-nov. : 14h-19h ; de mi-mars à mi-avr. : w.-end 14h-19h - 5 € (enf. 2,5 €). Promenade (40mn) du port de Cassis jusqu'à la calanque de Port-Miou.*

Visite des Calanques en bateau : Les bateliers de Cassis – *Voir le « carnet pratique » des Calanques.*

Embarquement pour les calanques.

SE LOGER

Clos des Arômes – *10 r. Paul-Mouton - ☎ 04 42 01 71 84 - fermé du 4 janv. à fin fév. mar. midi, merc. midi et lun. - 14 ch. 48/75 € - ☲ 8 € - restaurant 25/39 €.* Au centre du village, bâtisse ancienne possédant le charme d'une maison de maître. Vous y apprécierez sa cuisine aux accents provençaux, servie sur la terrasse fleurie en été. Ses chambres, plutôt petites, sont colorées et intimes. Ambiance méditerranéenne.

Hôtel du Grand Jardin – *2 r. Pierre-Eydin - ☎ 04 42 01 70 10 - 🄿 - 26 ch. 62/71 € - ☲ 8 €.* Bon d'accord, le jardin que vous apercevez n'est pas celui de l'hôtel mais celui jouxtant la poste et la mairie, en face. Reste que cette adresse chaleureuse et familiale n'est qu'à 2mn du port. Les chambres sont confortables, la salle à manger est grande et lumineuse, et la terrasse, fleurie.

Cassitel – *Pl. Clemenceau - ☎ 04 42 01 83 44 - cassitel@hotel-cassis.com - 31 ch. 63/80 € - ☲ 7 €.* Hospitalité et convivialité vous attendent dans cet hôtel situé près du port. Chambres confortables et décorées dans un style provençal sobre ; certaines profitent de la vue sur la mer mais celles qui donnent sur le village sont plus au calme.

Le Golfe – *3 pl. Grand-Carnot - 24 mars-3 nov. - ☎ 04 42 01 00 21 - 30 ch. 64/89 € - ☲ 9 €.* Ravissante villégiature située face au port, au dessus d'un bar-glacier. Toutes les chambres sont pratiques et colorées, mais préférez celles dont le balcon ouvre côté mer.

Les Jardins de Cassis – *R. Auguste-Favier - ☎ 04 42 01 84 85 - contact@hotel-lesjardinsde-cassis.com - 🄿 - 36 ch. 112 € - ☲ 13 €.* Ce joli mas provençal s'ordonne autour d'un patio et d'une piscine. Entouré de verdure, de pins et de palmiers, il propose des chambres douillettes à l'écart du centre-ville.

SE RESTAURER

Le Bonaparte – *14 r. du Gén.-Bonaparte - ☎ 04 42 01 80 84 - fermé nov. dim. soir et lun. hors sais. - 11/21 €.* On vient ici pour déguster des recettes à base de poisson, comme la bouillabaisse (à commander la veille). À l'intérieur, les couleurs des nappes et des serviettes, respectivement bleu, blanc et rouge, sont un clin d'œil aux uniformes des soldats impériaux. Ambiance familiale et clientèle plutôt locale.

La Vieille Auberge – *14 quai Jean-Jacques-Barthélemy - ☎ 04 42 01 73 54 - fermé fév. et merc. - réserv. conseillée - 22/30 €.* Agréable auberge où l'on se transmet, de père en fils, les recettes à la fois traditionnelles et provençales. Intérieur d'esprit marin, véranda tournée vers le port et terrasse d'été.

Fleurs de Thym – *5 r. La Martine - ☎ 04 42 01 23 03 - fermé 1ᵉʳ-20 janv. - 27,50/42 €.* Une salle intime avec cheminée l'hiver et une petite terrasse devant la façade fleurie l'été. Rien n'est laissé au hasard : nappes Souleiado, vaisselle de Moustiers et verres en cristal. La cuisine est raffinée. Goûtez le braisé de St-Jacques ou le filet de loup. Cave des vins de Cassis et Bandol.

Nino – *Port de Cassis - ☎ 04 42 01 74 32 - fermé janv. dim. soir hors sais. et lun. - 33/50 €.* Cette maison daterait de 1432. Plaisant décor nautique ; la terrasse surplombant le port est très prisée en saison. Produits de la mer (bouillabaisse) et vins régionaux.

EN SOIREE

Bar de la Marine – *5 quai des Baux - ☎ 04 42 01 76 09 - 7h-2h - fermé de mi-janv. à mi-fév.* L'enseigne annonce la couleur : ce bar est installé sur le port. De sa terrasse très prisée, vous pourrez contempler le ballet des embarcations, mais aussi celui des Cassidains et des touristes qui déambulent sur les quais. Atmosphère simple et conviviale malgré la présence de quelques artistes et comédiens fréquentant la maison.

Casino de Cassis – *Av. du Prof.-Leriche - ☎ 04 42 01 78 32 - juil.-août : 10h-4h ; hors sais. : 10h-3h, w.-end et veilles de j. fériés jusqu'à 4h.* Ce casino compte 250 machines à sous, 17 tables de jeux (boule, roulettes française et anglaise, stud poker, black-jack, etc.) et abrite deux bars et deux restaurants.

QUE RAPPORTER

La Maison des Vins – *Rte de Marseille -* ☎ *04 42 01 15 61 - www.maisondesvinscassis.com - tlj sf dim. 9h-12h30, 14h30-19h30, dim. 9h-12h30 - fermé j. fériés en hiver.* Bénéficiant de l'AOC depuis 1936, le vignoble de Cassis couvre environ 170 ha et se compose de 13 domaines où prime le blanc (80 % de la production). La Maison des Vins vend les bouteilles de 11 d'entre eux, ainsi qu'une sélection de crus hexagonaux. Vente de fruits de mer à la même adresse (Maison des Coquillages).

Le Mas de l'Olivier – *2 r. de la Ciotat -* ☎ *04 42 01 92 41 - fév.-mars : lun.-merc. 14h30-18h, jeu.-dim. 10h30-12h30, 15h-18h30 ; avr.-déc. : mar.-dim. 10h30-12h30, 15h-18h30, lun. 15h-18h30 ; janv : vend.-dim. 10h30-12h30, 14h30-18h.* Cette petite boutique située dans une ruelle du centre-ville propose des herbes de Provence, des huiles d'olive soigneusement sélectionnées, plusieurs variétés d'olives, de l'anchoïade, de la tapenade et un joli rayon de friandises. Savons, tissus colorés, poteries, bois d'olivier et huiles essentielles complètent l'offre.

SPORTS & LOISIRS

Équipement des plages – Plage de la Grande Mer : douches, WC, consignes, location de pédalos, de kayaks, planches à voile et matelas, restauration.

Plage du Bestouan : douche, WC, restauration.

Cassis Services Plongée - Henri Cosquer – *3 r. Michel-Arnaud -* ☎ *04 42 01 89 16 - www.cassis-services-plongee.fr – de mi-mars à mi-nov. : tlj sur RV dép. 9h et 15h ; mi-juin à mi-sept. : sortie de nuit dép. 21h.* Localisée sur le port, l'équipe d'Henri Cosquer (le découvreur de la fameuse grotte aux peintures rupestres de - 27 000 ans) vous propose une gamme complète de prestations : baptêmes (prêt du matériel et assurance inclus : 55 €), passage de brevets ou tout simplement sorties en mer pour tous les niveaux (une plongée, prêt de matériel inclus : 45 €). Une façon insolite de découvrir les calanques.

Navigation de plaisance – *Capitainerie du port -* ☎ *04 42 01 96 24 - www.cassis.fr.* 30 places sont réservées aux visiteurs dans le port de Cassis. Une autre zone d'escale est aussi à la disposition des plaisanciers à Port-Miou, ☎ *04 42 01 04 10.*

CALENDRIER

Le **Ban des vendanges** des vins de Cassis et la **fête de la St-Éloi** (défilé d'attelages et de personnages en costume) ont lieu le 1er dimanche de septembre : voilà l'occasion de déguster et d'acheter d'excellents vins (blancs en particulier) issus d'un terroir que se partagent 12 viticulteurs.

Suez, de plusieurs portes du Campo Santo de Gênes et de la statue de Calendal, que l'on peut voir sur le port. L'abri est aujourd'hui apprécié par les plaisanciers, comme hier par les Romains qui l'avaient baptisée Portus Melius.

Port-Pin★ – 🏊 *Accès par Cassis en longeant la calanque de Port-Miou : 45mn, ou par le col de la Gardiole (route Gaston Rebuffat débutant en face du camp militaire de Carpiagne ; laisser la voiture au parking de la Gardiole, interdit en été) : 1h30.* Assez spacieuse, flancs moins abrupts que ceux d'En-Vau et plage (non surveillée) de sable et de galets entourée de pinèdes : idéale pour se baigner en famille.

En-Vau★★ – 🏊 *Accès par Cassis en passant par Port-Miou puis Port-Pin : 1h, ou le col de la Gardiole (voir ci-dessus) : 1h15.* Avec ses parois verticales et ses eaux couleur émeraude, c'est la plus pittoresque et la plus célèbre des calanques, cernée d'une forêt de pinacles que commande le « Doigt de Dieu ». Plage (non surveillée) de galets et de sable.

visiter

Musée des Arts et Traditions populaires

☎ *04 42 01 88 66 - avr.-sept. : 10h30-12h30, 15h30-18h30 ; oct.-mars : 10h30-12h30, 14h30-17h30 - fermé lun., mar., dim. et j. fériés - gratuit.*

Installé dans un ancien presbytère du début du 18e s., ce petit musée contient des pièces archéologiques trouvées dans la région et dans la mer (cippe du 1er s., monnaies romaines et grecques, poteries, amphores), des manuscrits relatifs à la cité, des tableaux et des sculptures d'artistes régionaux.

ATTENTION !
La circulation dans le massif, à pied aussi bien qu'en voiture, est réglementée toute l'année, avec des particularités estivales : se renseigner auprès des offices de tourisme. L'accès peut être interdit en période de risque majeur d'incendie.

215

circuit

LA CORNICHE DES CRÊTES★★

De Cassis à La Ciotat – 19 km – compter 45mn aller en voiture.

Sur cette courte portion de littoral, les montagnes du massif du Cap Canaille surplombent la mer en d'impressionnantes falaises, les plus hautes de France : 363 m au cap Canaille, 394 m à la Grande Tête. Une très belle route touristique, parsemée de belvédères aménagés, permet de les parcourir et de découvrir les vertigineux à-pics.

Quitter Cassis à l'Est par la route de Toulon (D 559) et, dans la montée, prendre sur la droite une route signalée. Au pas de la Colle, tourner à gauche.

Mont de la Saoupe

De la plate-forme qui supporte l'émetteur de télévision, beau **panorama★★**, à l'Ouest, sur Cassis, l'île de Riou, le massif de Marseilleveyre et la chaîne de St-Cyr ; au Nord, sur la chaîne de l'Étoile, le Garlaban et le massif de la Ste-Baume ; au Sud-Est, sur La Ciotat, les caps de l'Aigle et Sicié.

Revenir au pas de la Colle pour emprunter la route en montée.

Au hasard des lacets et des belvédères, belles vues sur Cassis et La Ciotat.

Cap Canaille★★★

Depuis le garde-fou, remarquable **vue★★★** sur l'abrupt impressionnant de la falaise, le massif de Puget et les Calanques, le massif de Marseilleveyre et les îles.

Après la Grande Tête, que la route contourne, prendre à droite vers le sémaphore.

Sémaphore

Vue★★★ plongeante sur La Ciotat et les chantiers navals, le rocher de l'Aigle, les îles des Embiez et le cap Sicié, le cap Canaille (longue-vue).

Revenir à la route de corniche pour tourner à droite et gagner La Ciotat.

Au cours de la descente, on rencontre d'importantes carrières de pierre et des plantations de résineux sur les versants. Remarquez aussi le « pont naturel », arche de calcaire reposant sur un socle de poudingue.

CANAILLE ?

C'est ce que pourrait laisser injustement croire son appellation actuelle qui dérive tout simplement de du latin *Canalis mons*, « la montagne des eaux », à cause des aqueducs que les Romains avaient construits pour canaliser ses eaux douces.

Entre cap Canaille et Calanques, une lumière qui ne pouvait qu'inspirer les peintres !

Cavaillon

Cavaillon, synonyme de melon ? De fait, la cité est aujourd'hui la capitale mondiale de cette délicieuse cucurbitacée qui, pour beaucoup, symbolise l'été. Mais le melon n'est pas tout, et la production de fruits et légumes cultivés aux alentours fait du marché des primeurs de Cavaillon (réservé aux professionnels des fruits et légumes) le plus important de France.

La situation

Carte Michelin Local 332 D10 - Schéma p. 252 - Vaucluse (84). Bien des visiteurs ne garderont de Cavaillon qu'une image ingrate : celle de la zone artisanale et commerciale en bordure du boulevard périphérique, qu'ils empruntent pour gagner la montagne du Luberon. Pour accéder au centre, de larges avenues conduisent aux abords de la place Gambetta *(tenter de se garer à proximité ou bien sur les parkings de la place François-Tourel).*

i *79 pl. François-Tourel, 84300 Cavaillon, ☎ 04 90 71 32 01. www.cavaillon-luberon.com*

L'emblème

La colline St-Jacques, où s'était installé l'antique oppidum Cabellio et qui domine aujourd'hui la ville, est restée l'emblème de Cavaillon et figure sur ses armoiries.

Les gens

24 563 Cavaillonnais auxquels il faut rajouter près de 300 citoyens d'honneur, les grands chevaliers de l'Ordre du melon de Cavaillon, personnalités des arts, de la littérature et de la vie économique qui marchent sur les traces d'**Alexandre Dumas** : l'auteur des *Trois Mousquetaires* avait en effet fait don en 1864 à la bibliothèque de la ville de la totalité de son œuvre publiée, en échange d'une rente viagère de douze melons par an. Le conseil municipal prit un arrêté en ce sens et la rente fut servie au romancier jusqu'à sa mort en 1870.

LE SAINT ET LA BÊTE

Originaire de Fontaine-de-Vaucluse (bien que les Cavaillonnais le revendiquent comme un des leurs), **saint Véran**, nous apprend la légende, aurait débarrassé le pays du Coulobre, un terrible dragon : enchaînée par le saint homme, la bête se serait envolée et aurait atterri dans les Hautes-Alpes, là où se trouve aujourd'hui le plus haut village d'Europe : Saint-Véran, bien entendu !

se promener

LA VILLE BASSE

Depuis la place Tourel, gagnez la place du Clos, contiguë, qui fut longtemps le principal lieu du marché aux melons. Les vestiges d'un petit **arc romain** y ont été placés en 1880.

Prendre le cours Sadi-Carnot, puis, à droite, la rue Diderot.

Cathédrale St-Véran

Elle honore le patron des bergers qui fut évêque de Cavaillon au 6e s. Édifice roman à l'origine, elle a été très remaniée, en particulier au 18e s. On y accède par le flanc ▶

carnet pratique

TRANSPORTS

Cavaillon se situe à 25 km au Sud-Est d'Avignon (par la N 7 puis la D 973, pour ceux qui sont en voiture). Le **TER** relie les deux villes en environ 40mn.

VISITE

Visite guidée de la ville – S'adresser à l'Office de tourisme, qui propose également des circuits thématiques : visite d'une melonnière, découverte du canal St-Julien. Soirée "Parcours gourmands" ts les jeu.

SE LOGER

Chambre d'hôte Mas du Tilleul – *12 quartier Grand-Grès - 3 km de Cavaillon, rte d'Avignon, prendre à droite (fléché) - ☎ 04 90 71 29 92 - www.toutnet.com/lemasdutilleul/ - fermé oct.-mai - 2 ch. 45/50 € - repas 22 €.* À deux pas des zones industrielles, cette maison d'hôte à la ferme vous catapulte pourtant au cœur de la campagne cavaillonnaise et de ses melonnières (spécialité de l'exploitation : le melon bio). Jusque-là table d'hôte, le mas du Tilleul a ouvert deux chambres en juillet 2003. Pavées de pierres crème du haut Vaucluse, spacieuses et claires, elles ouvrent sur les champs de fruits et légumes, chant du coq en prime.

⊜⊜ **Hôtel du Parc** – *Pl. François-Tourel - ☎ 04 90 71 57 78 - reception@ hotelduparccavaillon.com – 40 ch. 48/66 € - ⌂ 8 €.* Sans conteste le meilleur rapport qualité-prix de Cavaillon dans sa catégorie (deux étoiles). Accueil agréable, tout comme le décor, à la manière d'une vieille maison bourgeoise provençale. L'extension, plus moderne, a moins de charme. Belle cour arborée à l'arrière, avec une fontaine, où prendre le petit-déjeuner en été.

⊜⊜ **Chambre d'hôte Le Mas du Souléou** – *5 chemin St-Pierre-des-Essieux, les Vignères - 3 km au N de Cavaillon par D 938 dir. Carpentras, D 16 puis VC 25 des Châteaux - ☎ 04 90 71 43 22 - www.souleou.com - ⊠ - 4 ch. 69/84 € ⌂ - repas 24 €.* Isolé en pleine campagne, ce joli petit mas du 19e s. bien restauré accueille ses hôtes dans d'élégantes chambres, spacieuses et bien meublées. Beau salon-bibliothèque avec cheminée. En été, la générosité de la table s'apprécie encore davantage sous la treille. Piscine.

SE RESTAURER

⊝ **Fin de Siècle** – *46 pl. du Clos (1er étage) - ☎ 04 90 71 12 27 - fermé 16 août-4 sept. - 13 € déj. - 10/28,50 €.* Le décor de ce restaurant installé dans une maison datant de 1899 s'inspire du style Empire et vaut vraiment le coup d'œil : chaises en velours, lustres de cristal, cadres à l'effigie de Napoléon III, verres ciselés, couverts en argent... Cuisine traditionnelle et service efficace. Patio-terrasse à l'étage.

⊝ **Côté Jardin** – *49 r. Lamartine - ☎ 04 90 71 33 58 - cotejard@club-internet.fr - fermé mar. soir en hiver, lun. soir et dim. - 12/26 €.* Vous serez ravi de découvrir ce pimpant restaurant de poche à façade ocre et murs égayés de frises. L'été, les tables sont dressées dans la jolie cour-jardin, autour d'une petite fontaine. Cuisine ensoleillée.

⊝ **Restaurant de la Colline** – *Ermitage St-Jacques - 4 km de Cavaillon, dir. Avignon-Carpentras, suivre dir. St-Jacques et St-Baldou puis fléché - ☎ 04 90 71 44 99 - lacolline-stj@wanadoo.fr - fermé janv., lun. d'oct. à juin et mar. - 13,50/28 €.* Un restaurant au calme, sur les hauteurs de la colline St-Jacques. Plats honnêtes avec une pointe d'exotisme (morue à la portugaise, poulet à l'estragon) et vins étrangers. À côté de la terrasse ombragée, une piscine à disposition des clients en été, avec douche, vestiaire et transats. Apporter vos serviettes. Formule « après-midi piscine » (assiette salée/sucrée/glacée + boisson).

⊝⊜ **Les Gérardies** – *140 cours Gambetta - ☎ 04 90 71 35 55 - www.lesgerardies.com - fermé jeu. midi et mer. - 16/40 €.* Malgré sa situation, sur un boulevard très passant, l'adresse est au calme, grâce au patio intérieur. Un jeune chef et son épouse revisitent les classiques de la cuisine provençale (agneau bio à l'ail et aux fèves, minestrone de fruits frais), avec une touche de raffinement plus ou moins bien maîtrisée selon les plats.

FAIRE UNE PAUSE

Auzet – *61 cours Bournissac - ☎ 04 90 78 06 54 - tlj sf mar. 7h-19h30 - fermé 1 sem. en fév.* Les habitants de Cavaillon s'approvisionnent dans cette belle boulangerie depuis cinq générations. L'actuel patron perpétue la tradition du bon pain fabriqué et cuit à l'ancienne et en propose 30 différents : à l'ail, aux noix, au roquefort, au vin rouge, aux olives, au chèvre, etc. Petit salon de thé ouvert toute la journée.

Sauvignier S./MICHELIN

QUE RAPPORTER

Choisir son melon – Pour éviter de tomber sur une « cougourde », deux méthodes : celle, empirique, consistant à se fier à sa bonne étoile, ou bien la scientifique : le melon doit être lourd, le pécou (pédoncule) prêt à se détacher. Et si votre melon est fendu et semble prêt à éclater, c'est sûr, vous allez vous régaler !

Marché – Marché traditionnel lundi matin.

Patissier-chocolatier Étoile du Délice – *57 pl. Castel-Blaze - ☎ 04 90 78 07 51 - www.etoile-delice.fr.* Melon encore, cette fois enrobé de chocolat et baptisé « melonnettes ». Le sorbet au melon (en saison uniquement) est très parfumé (téléphoner à l'avance pour la préparation de portions individuelles).

CALENDRIER

Melon en Fête – Le week-end précédent le 14 Juillet, **Melon en fête** : expositions, dégustations, vente de livres, défilé de charrettes fleuries, reconstitution d'un marché ancien, spectacles. Et comme à Cavaillon on n'est pas sectaire, des confréries venues d'ailleurs sont invitées : celle du muscat de Beaumes-de-Venise, par exemple, ainsi qu'une délégation italienne de Langhirano (et son jambon).

Les Estivales des Taillades – Juillet. Concerts classiques et de jazz au théâtre des carrières. ☎ 04 90 71 09 98.

droit, en traversant un charmant petit cloître. À l'intérieur, on peut voir des tableaux de Mignard et Parrocel.

Prendre la Grand'Rue qui traverse le vieux Cavaillon.

Vous passez alors devant la façade du **Grand Couvent** avant de franchir la **porte d'Avignon**, vestige des fortifications de la ville.

Prendre à droite le cours Gambetta jusqu'à la place du même nom, puis encore à droite la rue de la République, piétonne et commerçante.

Vous entrez dans la « carrière », ancien ghetto juif. À droite s'ouvre la **rue Hébraïque**, au-dessus de laquelle est construite la synagogue *(voir visiter)*.

Retourner place Tourel par la rue Raspail et, à droite, le cours Bournissac.

LA COLLINE ST-JACQUES

Possibilité d'y monter à pied, depuis l'arc romain, par le sentier de découverte (fléché) émaillé de panneaux thématiques (⧖ compter 45mn). Les moins vaillants pourront l'atteindre en voiture par la D 938 (direction Carpentras) puis par une route à gauche après un grand carrefour.

Cyprès, pins et amandiers récompenseront les courageux ascensionnistes de leurs fraîches frondaisons... Depuis la table d'orientation, **vue étendue★** sur la ville et la plaine maraîchère, la vallée de la Durance, le Ventoux et les Alpilles. La **chapelle St-Jacques**, romane à l'origine, se dresse dans un joli jardin.

visiter

Musée de l'Hôtel-Dieu

☎ 04 90 76 00 34 - juin-oct. : tlj sf mar. 9h30-12h30, 14h30-16h30 - 3 €.

Section lapidaire dans la chapelle, histoire de l'Hôtel-Dieu (pots à onguent en faïence et en verre) et, à l'étage, **collection archéologique★** d'objets découverts sur la colline St-Jacques : céramiques, monnaies et urnes funéraires.

Synagogue et Musée juif comtadin

☎ 04 90 76 00 34 - avr.-sept. : tlj sf mar. 9h30-12h30, 14h30-18h30 ; oct.-mars : tlj sf w.-end 9h-12h, 14h-17h - fermé 1er janv., 1er Mai et 25 déc. - 3 € (billet donnant également accès à l'Hôtel-Dieu).

Reconstruite entre 1772 et 1774, c'est, avec celle de Carpentras *(voir ce nom)*, le dernier exemple de synagogue de style baroque provençal du Comtat. Seule la

Musées de Cavaillon

Meuble à Torah du Musée juif comtadin : une étape indispensable sur les traces des « Juifs du pape ».

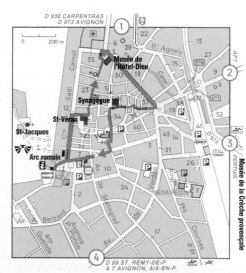

CAVAILLON

tourelle extérieure (15ᵉ s.) atteste d'un bâtiment antérieur au même emplacement. Les lois papales imposant aux édifices cultuels juifs de rester invisibles dans le paysage urbain, toute la magnificence se concentrait à l'intérieur. La salle de prière renferme des boiseries de couleurs, des stucs représentant des rameaux d'olivier et des corbeilles de fleurs, des ferronneries et des colonnes cannelées.

Les parties basses ont été transformées en musée, où sont rassemblés divers objets de la liturgie juive, des manuscrits, des livres de prière et une carte du Comtat venaissin.

Musée du Santon en Provence

Rte de Robion ☎ 04 90 71 25 97 - ᴦ - 9h-12h, 14h30-18h (sf dim. mat.) - fermé dim. en fév., mars et oct., j. fériés sf 1ᵉʳ janv. et 25 déc. - 4 € (enf. 2,50 €).

🎦 Les santons, habillés en costumes traditionnels, y évoluent dans des sortes des paysages de la région : vous reconnaîtrez le moulin de Daudet, les chapelles Saint-Sixte d'Eygalières et Saint-Jacques de Cavaillon, Fontaine-de-Vaucluse...

alentours

Orgon

5 km au Sud de Cavaillon par la D 99, direction St-Rémy et Tarascon, puis, sitôt après avoir franchi la Durance et l'autoroute, la D 26 à gauche. Dans la plaine de la Durance, commandant le seuil qui sépare les Alpilles *(voir ce nom)* du Luberon *(voir ce nom)*, Orgon, où Napoléon Iᵉʳ faillit bien terminer prématurément sa carrière, possède une intéressante **église** du 14ᵉ s. (beaux panneaux peints dans la nef à gauche).

UN MAUVAIS QUART D'HEURE

Tel est celui qu'a vécu **Napoléon** le 25 avril 1814, alors qu'il fuyait vers l'île d'Elbe. Parti d'Avignon, l'empereur déchu eut la malencontreuse idée de s'arrêter à l'hostellerie d'Orgon. Bientôt prévenue, une foule hostile immobilisa la berline et pendit puis brûla un mannequin à l'effigie de l'empereur aux cris de « Meurs, tyran ! ». Il fallut que le maire d'Orgon et un commissaire russe s'interposent pour que Napoléon ne connaisse pas le même sort et puisse reprendre sa route. Prudent, il préféra endosser le costume de son courrier afin de passer inaperçu et c'est dans cette tenue qu'il arriva à l'auberge de la Calade (située sur la N 7) près d'Aix.

Depuis la **chapelle N.-D.-de-Beauregard**, couronnant la colline qui domine le bourg *(route réglementée)*, belle vue sur la vallée de la Durance et le Luberon.

Les Taillades

<table>
<tr><td>

VOUS AVEZ DIT « TAILLADES » ?
Rien de naturel dans l'étrange topographie des Taillades : elle est due aux nombreux carriers qui découpèrent littéralement les assises des maisons de leur village pour en extraire la molasse, grès tendre fort prisé pour la construction.

</td></tr>
</table>

5 km à l'Est par la D 143. Au rond-point, suivre l'indication « Vieux village ». Laisser la voiture sur la place de la mairie. Voir le schéma p. 240. Posé à l'extrême pointe du petit Luberon, voici un village étonnant et qui ne manquera pas de vous charmer ! Les constructions y reposent sur des sortes d'immenses stalagmites de pierre, composant un **site★** aussi saisissant qu'empli de sérénité.

Suivez la rue de l'église qui s'élève en colimaçon et passez devant la **tour**, vestige probable d'un ancien donjon : remarquez à gauche une curieuse sculpture (le « Morvellous », représentant, selon la tradition, saint Véran). En face de l'église Sainte-Luce, un petit enclos, ancien cimetière, domine le village : vieilles demeures, toits de tuiles moussues, constructions troglodytiques, et, partout, parois verticales découpées dans le roc par ces tailleurs de pierre décidément infatigables !

Rebrousser chemin, et prendre à droite la rue des Carrières.

Une arche voûtée donne accès à cette carrière creusée au cœur même du village. Ses parois rocheuses taillées verticalement forment un espace à peu près circulaire, le **théâtre des carrières**, cadre saisissant pour les spectacles qui y sont donnés l'été, sous la voûte étoilée du ciel du Luberon *(voir le « carnet pratique »)*.

En continuant par la D 143, au carrefour vers Cavaillon, le **moulin Saint-Pierre**, sur le canal de Carpentras, a conservé sa grande roue à aubes. Il fut utilisé pour le broyage de la **garance**, avant de devenir un moulin à farine, rôle qu'il assura jusqu'en 1870.

Combe de Vidauque

5 km au Sud-Est. Sortir de Cavaillon par la D 973 et bifurquer à gauche en direction de Vidauque. Circulation à sens unique ; vitesse limitée à 30 km/h, route fermée du 15 juin au 15 sept.

Très raide et en lacets, la route qui longe la combe sauvage de Vidauque offre de magnifiques **vues★★** plongeantes : au Nord, la pointe du plateau de Vaucluse et la vallée du Calavon, au Sud et à l'Ouest, les Alpilles, la vallée de la Durance et, en contrebas, la plaine de Cavaillon.

La descente par la route du Trou-du-Rat mène à la D 973. Prendre à droite, vers Cheval-Blanc, pour revenir à Cavaillon.

Saint-Andiol

10 km à l'Ouest. Quitter Cavaillon par la D 99, direction St-Rémy puis, à Plan-d'Orgon, tourner à droite dans la N 7, direction Avignon. Fondé par les moines défricheurs de Montmajour, ce gros bourg agricole sans charme particulier, d'où était originaire Jean Moulin, mérite un arrêt pour son **église Saint-Vincent**. Fortifiée au 14ᵉ s., elle est couronnée de créneaux et de mâchicoulis qui lui donnent un aspect imposant de forteresse. De l'époque romane, elle a conservé sa nef unique à trois travées et son abside en cul-de-four. À l'intérieur, ciborium de style gothique flamboyant (15ᵉ s.).

Le Luberon★★★ *(voir ce nom)*

La Ciotat ♨♨

Connue pour ses chantiers navals depuis le 16ᵉ s., La Ciotat est, depuis quelques années, à la recherche d'une reconversion. Le tourisme pourrait devenir rapidement son atout majeur : avec ses plages et son petit port de pêche, mais aussi avec ses falaises, ses calanques et l'attrait de ses fonds marins, elle attire du monde toute l'année.

La situation

Carte Michelin Local 340 I6 – Bouches-du-Rhône (13). Après avoir quitté l'autoroute Marseille-Toulon *(sortie 9)*, on accède directement aux plages par la D 40ᴬ, puis l'avenue Émile-Selon. Pour gagner le centre-ville, vous devrez prendre sur la droite, soit par l'avenue Rippert, soit le long des plages, puis des ports de plaisance, par l'avenue Beau-Rivage... Le TER relie Marseille à La Ciotat en environ 30mn *(navette de bus pour rejoindre le centre-ville)*.

🚩 *Bd Anatole-France, 13600 La Ciotat,* ☎ *04 42 08 61 32. www.laciotatourisme.com*

> **Conseil**
> N'hésitez pas à vous garer dès la première place rencontrée, surtout en été...

Le nom

À l'origine prospérait une colonie massaliote du nom de Citharista... mais l'occupation romaine puis les invasions barbares obligèrent les habitants à se réfugier à Ceyreste (qui a conservé son nom d'origine). À la fin du Moyen Âge, elle a pris le nom tout simple de la *Ciutat*, la « cité » en occitan.

Les gens

31 630 Ciotadens. Montrer sur un écran des images animées ? Jouer aux boules alors que notre état nous interdit de nous déplacer ? Ces deux casse-tête peuvent paraître sans rapport aucun. Ils taraudaient pourtant deux Ciotadens. Le premier à résoudre le sien fut le jeune **Louis Lumière** : en 1895, dans sa villa, les notables locaux étaient conviés à la première mondiale de son film, *L'Entrée d'un train en gare de La Ciotat*, qui allait donner naissance au 7ᵉ Art. Le second ne fut résolu qu'en 1910 par **Jules Lenoir**, joueur de *longue* affecté de rhumatismes : il suffisait de rester les pieds « tanqués » dans le sol. Les deux découvertes sont immortalisées, l'une par un monument aux frères Lumière, l'autre par une plaque apposée sur le terrain de la « Boule étoilée », où naquit la **pétanque**.

PLUS SPORTIF ?
Suivez la route en direction des Lecques : des chemins moyennement escarpés vous mèneront à la **plage de Liouquet** (galets et falaises rougeâtres coiffées de pinèdes).

séjourner

Plages

La station balnéaire s'étend au-delà du port de plaisance. C'est le **clos des plages**, où hôtels, villas, restaurants et guinguettes se succèdent, en bordure de plages de sable fin et de faible déclivité, idéales pour une baignade en

carnet pratique

VISITE

Sur les pas des frères Lumière – L'Office du tourisme de La Ciotat a mis en place un circuit permettant de partir à la découverte des lieux et monuments rendus célèbres par Auguste et Louis Lumière, les inventeurs du 7ᵉ Art (gare, Éden Théâtre, Château Lumière...).

Magnin G. /MICHELIN

La gare de La Ciotat.

Visite des calanques en bateau – *Voir le* « carnet pratique » *des Calanques*.

SE LOGER

⌷☺ **Résidence Motel Camping St-Jean** – *30 av. de St-Jean -* ☎ *04 42 83 13 01 - www.asther.com/stjean - fermé 30 sept.- 10 avr. -* 🅿 *- 32 ch. 44/65 € -* ⌷ *6 € - repas 17/25 €.* Une adresse pratique en bord de mer, vous donnant le choix entre l'hébergement classique en hôtel, des studios avec kitchenette loués à la semaine (draps et serviettes fournis) et un terrain de camping de 80 emplacements ombragés, disposant d'un accès direct à la plage.

⌷☺ **La Closeraie** – *8 av. Bellon -* ☎ *04 42 71 32 80 - 17 ch. 52/69 € -* ⌷ *7 €.* Ce petit hôtel tout neuf se trouve

à 6mn à pied de la plage et à 2mn du port St-Jean. L'étroitesse des chambres est compensée par le calme du quartier.

SE RESTAURER

⌷☺ **La Fresque** – *18 r. des Combattants -* ☎ *04 42 08 00 60 - lafresque@aol.com - fermé 15 déc.-10 fév., dim. soir et lun. - 25/35 €.* La plaisante terrasse ombragée de cette ancienne pharmacie domine le pittoresque Vieux Port. À l'intérieur, certains éléments du décor d'origine ont été conservés, telle la jolie fresque qui orne le plafond de la salle à manger et les meubles d'apothicaire du 19ᵉ s.

QUE RAPPORTER

Marchés – Marché artisanal en juil.-août, tous les soirs de 20h à minuit, sur le Vieux Port. Marché traditionnel mar., pl. Évariste-Gras et dim., sur le Vieux Port.

SPORTS & LOISIRS

Centre permanent d'initiatives pour l'environnement côte provençale – *Parc du Mugel -* ☎ *04 42 08 07 67 - www.atelierbleu.fr - tlj sf dim. 9h-18h.* Initiation à la plongée sous-marine (le matériel est prêté) et remise d'un certificat de baptême à l'issu de l'expérience.

Navigation de plaisance – ☎ *04 42 08 62 90.* 13 places sont réservées aux visiteurs dans le nouveau port de plaisance.

Pétanque (le berceau de la pétanque) – *Av. de la Pétanque -* ☎ *04 42 08 08 88 - tlj 11h-21h ; jusqu'à 3h du mat. du 1ᵉʳ juin au 31 août.* La Ciotat étant le berceau de la pétanque, tout un quartier lui a été dédié ; vous pouvez, jusque tard dans la nuit, flâner, jouer, vous restaurer... C'est là que se situent aussi la rue des Pieds-Tanqués et le boulodrome Jules-Lenoir proposant notamment des cours gratuits, pour petits et grands : mer. et sam. 9h-12h. Se renseigner à l'accueil.

famille, tandis que de paisibles retraités musardent au soleil le long de la promenade.

Vieux Port

Bien entendu, une fois séché et rhabillé, tout le monde se retrouve au Vieux Port dont les quais, avec leurs façades aux teintes chaudes et leurs restaurants animés, ont conservé le charme et l'authenticité d'un port de pêche provençal.

Parc du Mugel

Accès par le quai de Roumanie. ☎ *06 23 79 55 92 - avr.-sept. : 8h-20h ; oct.-mars : 9h-18h, visite commentée sur demande - gratuit.*

Ce parc de près de 7 ha, aménagé sous le massif du cap de l'Aigle, ravira les botanistes amateurs. Un chemin conduit au sommet (alt. 155 m), qui offre une **vue**★ imprenable sur La Ciotat et ses environs.

Calanques de La Ciotat

Quitter La Ciotat par le quai de Roumanie, l'avenue des Calanques et prendre à gauche l'avenue du Mugel (1,5 km). Surplombée par le rocher du cap de l'Aigle, la **calanque du Mugel** offre une belle vue sur l'île Verte.

🚶 *15mn AR.* Par un verdoyant vallon, un sentier conduit à la belle **calanque de Figuerolles**★. Ses eaux claires, la découpe parfois bizarre de ses rochers (comme le Capucin, isolé en avant et à droite), les falaises percées d'alvéoles aux arêtes vives confèrent à cette calanque une indéniable personnalité.

> **PARC RÉGIONAL MARIN DE LA BAIE DE LA CIOTAT**
> Fameuse pour ses fonds très variés (roches, sable, tombants, dalles sous-marines, prairies de posidonies qui abritent de nombreuses espèces), la baie de La Ciotat fait l'objet de mesures de protection.

Île Verte★

En bateau (depuis le Vieux Port). ☎ *06 63 59 16 35 ou 06 16 40 83 50 - mai-sept. : tlj ; avr. : w.-end, en fonction du temps - s'adresser aux compagnies à l'embarcadère - 7 € AR (enf. 4 € AR).*

C'est de l'ancien fortin de l'île que vous distinguerez le mieux la silhouette découpée du rocher du cap de l'Aigle, sur la rive en face. Baignade, pique-nique, pêche ou repas au restaurant complèteront agréablement la traversée.

visiter

Église N.-D.-du-Port

Sa belle façade baroque aux tons rosés évoque l'Italie ! Depuis les escaliers, découvrez l'animation du Vieux Port. L'intérieur, moderne, a été décoré par des peintres locaux : une fresque de 22 m de Gilbert Ganteaume, illustrant des scènes de l'Évangile et, au fond de la nef, des peintures de Toni Roux.

> **RESPIREZ...**
> Cet écrin, s'intégrant dans un site classé, recèle de merveilleuses richesses paysagères et botaniques avec une flore riche et des plantes tropicales rares (érythrines ou camphres). On y trouve même une forêt de bambous, des chênes verts et des chataîgniers, à quelques 50 m pourtant de la mer !

> **S'INCLINER**
> Devant une belle *Descente de Croix* de l'artiste lyonnais André Gaudion (1616).

De chantiers navals en cité balnéaire : naissance d'une vocation dans la cité de la pétanque.

Musée ciotaden
☎ 04 42 71 40 99 - juil.-août : 16h-19h ; sept.-juin : 15h-18h - fermé mar. et certains j. fériés - 3,20 €.
Installé dans l'ancien hôtel de ville, il retrace l'histoire locale et le passé maritime de La Ciotat. Une salle est consacrée au cinéma et aux frères Lumière.

Chapelle N.-D.-de-la-Garde
Par le chemin de la Garde, en voiture jusqu'à un lotissement (2,5 km). ⚑ 15mn AR. Une promenade digestive ? Le sentier de 85 marches taillées dans le roc mène à une plate-forme rocheuse dominant la chapelle. Votre récompense : une **vue★★** sur toute la baie de La Ciotat. Quant à la chapelle, elle est décorée d'innombrables ex-voto à la Vierge de la Garde.

alentours

LE « DOUBLE-HUIT »
« Titanic », « tokaïdo express » et « montagnes russes », préludes à un voyage tête en bas dans les voitures du « looping star » : les amateurs de sensations fortes sont gâtés !

Parc OK Corral
19 km au Nord-Ouest par la D 3 puis la N 8 à gauche. ☎ 04 42 73 80 05 - www.okcorral.fr - & - à partir de 10h, de mi-juin à déb. sept. : tlj ; de déb. mai à mi-juin : merc., w.-end et j. fériés ; avr. : merc., w.-end et vac. scol. zone B ; sept. : merc. et w.-end ; mars : w.-end ; oct. : w.-end et vac. Toussaint - fermé nov.-fév. - 16,50 € (enf. 14,10 €).
⬚ En contrebas de la N 8, au cœur d'une immense clairière, dans une pinède que dominent les falaises calcaires de la Sainte-Baume, s'étend un parc aux attractions remarquables. Des jeux paisibles pour tous les âges sont également proposés dans cet espace ludique où l'on se déplace rapidement à bord d'un télésiège et d'un petit train, tandis que snacks, crêperies, buvettes et coins pique-nique permettent aux visiteurs de se restaurer.

La corniche des Crêtes *(voir Cassis)*

Les Calanques★★★ *(voir ce nom)*

Grotte de la **Cocalière**★

SE RESTAURER
😊😊 **La Bastide des Senteurs** – 30500 St-Victor-de-Malcap - 8 km de la grotte de la Cocalière par D 904 et D 51^c - ☎ 04 66 60 24 45 - subileau@bastide-senteurs.com - fermé nov.-mars, le midi en juil.-août sf dim. et j. fériés - 25/73 € - 9 ch. 72 € - ⬚ 8 €. De cette bastide à l'abandon, les jeunes propriétaires ont fait une étape de charme. Vous y apprécierez sa cuisine inventive, la sobriété élégante du décor et l'accueil chaleureux : ici, tout chante les saveurs et les couleurs du Sud ! Jolies chambres personnalisées, piscine et belle terrasse.

La Cocalière, avec sa galerie horizontale de 1 200 m, est sans doute l'une des grottes les plus faciles à visiter. Ce qui n'enlève rien à sa beauté.

La situation
Carte Michelin Local 339 J3-K3 – Gard (30). Lorsqu'on vient de St-Ambroix (à 19 km au Sud-Ouest de Barjac par la D 979, puis la D 51), on accède à la grotte par la D 904, en direction d'Aubenas, puis par une petite route à droite, après l'embranchement vers Courry.

Le nom
Il vient de l'occitan *caucala*, qui désigne la corneille.

Les gens
Sans petit train ni aménagements touristiques, nos ancêtres préhistoriques appréciaient déjà Cocalière puisque le site a révélé une occupation très dense allant du paléolithique (40 000 avant J.-C.) à l'âge du fer (400 avant J.-C.).

visiter

Température : 14 °C. ☎ 04 66 24 34 74 - www.grotte-cocaliere.com - visite guidée (1h) juil.-août : 10h-18h ; de mi-mars à fin juin et sept.-oct. : 10h-12h, 14h-17h - 7 € (enf. 5 €).
La grotte se distingue par la richesse et la variété des concrétions qui se réfléchissent de part et d'autre de la piste dans des plans d'eau ou des petits bassins alimen-

tés par des cascatelles. De nombreux disques (concrétions rares aux diamètres impressionnants) sont suspendus ou rattachés à la paroi en porte-à-faux. Certaines voûtes présentent un cloisonnement géométrique de fines stalactites, blanches s'il s'agit de calcite pure, ou colorées par des oxydes métalliques.
Peu avant le Camp des spéléologues, vous observerez la formation in situ d'une **perle de caverne** et les *niphargus* (petits crustacés cavernicoles) se déplaçant sous l'eau. Après la salle du Chaos, on pénètre sous des voûtes tourmentées par l'érosion, dans le domaine des draperies et des excentriques. On surplombe une imposante cascade de gours aux mille scintillements, ainsi que des puits reliés aux étages inférieurs et à leurs rivières. Le retour au hall d'accueil s'effectue en petit train.
20mn. À l'extérieur, suivez le sentier de découverte pour voir un dolmen, des *tumuli* (amas de terre ou de pierres élevés au-dessus des tombes), des capitelles, des abris préhistoriques et différents phénomènes karstiques (avens, lapiés, failles).

Chaîne de l'Estaque★

Rivages escarpés, découpés en profondes calanques où se nichent de minuscules ports, teintes cobalt ou saphir de la mer étincelante : c'est la Côte Bleue, tant appréciée des Marseillais, superbe façade maritime d'une chaîne calcaire presque désertique qui sépare la Méditerranée de l'étang de Berre.

Préservation
La Côte Bleue est propriété du Conservatoire du littoral, qui a acquis 3 308 ha (englobant 10 km de littoral). Elle compte aussi deux zones marines protégées : Carry-le-Rouet (85 ha) et cap Couronne (210 ha).

La situation

Carte Michelin Local 340 F5-G5 - Schéma p. 186 - Bouches-du-Rhône (13). La chaîne de l'Estaque est coupée par une route transversale qui passe à l'intérieur des terres (sauf entre Carry et Sausset-les-Pins) ; la plupart des ports ne sont accessibles que par des routes en cul-de-sac.

Le nom

La chaîne doit son nom au village de l'Estaque, l'*Estaca* en occitan, signifiant « pieu fiché en terre ».

Les gens

On ne présente plus Fernand Contandin, plus connu sous le nom de **Fernandel** (1903-1971), natif de Carry-le-Rouet.

carnet pratique

Transports

En voiture – Les week-ends d'été, l'accès aux calanques de Niolon ou de la Redonne est interdit aux véhicules, afin de prévenir les risques d'incendie d'un écosystème particulièrement fragile.

Viaduc et port Niolon.

G. Magnin/MICHELIN

En train – Entre Port-de-Bouc et Marseille, un TER (dit « **train bleu** ») circule toujours sur la ligne qui dessert les stations de la Côte Bleue : tunnels, échappées superbes sur la mer et force coups de sifflets pour prévenir les imprudents qui n'hésitent pas à randonner sur la voie malgré l'interdiction formelle !

Se loger

Auberge du Mérou – *Calanque de Niolon - 13740 Le Rove - 5 km de la commune du Rove, par rte de Niolon - ☎ 04 91 46 98 69 - www.auberge dumerou.com - fermé dim. soir et lun. soir hors sais. - 5 ch. 39/43 € - ☐ 6 € - restaurant 27/33 €.* Coup de cœur pour les cinq chambres de cette auberge (aussi réputée pour ses spécialités de poisson). Décorées comme des cabines de bateau (hublots, lambris, bois vernis), ces chambres impeccables dominent le port de Niolon en contrebas (et les îles du Frioul à l'horizon).

Modern' Hôtel – *Pl. Camille-Pelletan - 13620 Carry-le-Rouet - ☎ 04 42 45 00 12 - contact@modernhotel.fr - fermé 15 déc.- 1ᵉʳ janv. - ▣ - 19 ch. 58/76 € - ☑ 6 €.* On aime son élégante façade et ses chambres rénovées, toutes climatisées. On apprécie moins les tarifs, qui se sont emballés ces dernières années comme dans beaucoup d'autres établissements de la zone. Reste que les chambres sont impeccables et tout confort.

SE RESTAURER

L'Hippocampe – *151 plage de l'Estaque - 13016 Marseille - ☎ 04 91 03 83 78 - hipporesto@aol.com - fermé dim. et lun. - 9/30 €.* Vu de l'extérieur, ce restaurant ne paie pas de mine, mais la salle à manger donnant directement sur le vieux port et la terrasse les pieds dans l'eau valent le détour. Salades composées accompagnées de brochettes de bœuf et spécialités provençales. Un chanteur s'y produit le vendredi et samedi soirs et le dimanche à midi.

Le Mange-tout – *8 chemin Tire-Cul - 13820 Ensuès-la-Redonne - ☎ 04 42 45 91 68 - ouv. le midi sf mer. en mars-avr. et oct. ; midi et soir de mai au 15 sept. ; fermé le reste de l'année - 18/32 €.* Il est vraiment mignon ce cabanon aux volets bleus, planté sur le port de la calanque de Méjean. Les Marseillais viennent chaque week-end se régaler en terrasse : fritures de mange-tout (petits poissons), girelles et calamars, poissons à la provençale (loups, sars et daurades).

Le Madrigal – *4 av. Gérard-Montus - 13620 Carry-le-Rouet - ☎ 04 42 44 58 63 - fermé 12 nov.-10 janv., dim. soir et lun. - 27,50/33,50 €.* Les larges baies vitrées des deux salles à manger sobrement décorées s'ouvrent sur une grande terrasse panoramique qui offre une vue digne d'un paysage de carte postale. À cet environnement enchanteur s'ajoute la bonne qualité d'une cuisine qui propose un bel éventail de plats gourmands : poissons frais, recettes provençales, grillades au feu de bois.

Les Girelles – *3 av. Adolphe-Fouque - 13960 Sausset-les-Pins - ☎ 04 42 45 26 16 - fermé 2-24 janv., dim. soir hors sais., lun. midi, mar. midi de juin à août et mer. sf soir en sais. - 28/38 €.* Les gens d'ici aiment bien la terrasse de ce restaurant en bordure de plage : il y fait bon se prélasser face à la mer... À l'intérieur, belle maquette de bateau et grandes baies vitrées pour profiter du spectacle balnéaire. Assiettes joliment présentées.

FAIRE UNE PAUSE

L'Amiral – *15 quai Émile-Vayssière - 13620 Carry-le-Rouet - ☎ 04 42 45 13 51 - tlj sf lun. 8h30-1h (en été).* Ce bar-glacier-brasserie se distingue de ses voisins par sa belle décoration placée sous le signe des bateaux (bois blanc, nœuds marins et hublots) et sa terrasse confortable. Glaces, jus de fruits frais, cocktails et, pour les petites faims, salades, plat du jour, spécialités de moules et pâtisseries maison.

Mich' de Pain – *42 Estaque-Plage - 13016 Marseille - bus 35 - ☎ 04 91 46 25 71 - fermé mar.6h-20h sf juil.-août.* Pour une pause sorbet maison (cassis, framboise, citron, cacao, etc.), à emporter, servi dans une petite coupelle dorée.

QUE RAPPORTER

Sausset-les-Pins – Jeudi matin (quai du Port), dimanche matin (bd Armand-Audibert, perpendiculaire à la corniche). Marché aux poissons tlj à partir de 9h (quai du Port). Port de Carro – Marché aux poissons tous les matins.

Carry-le-Rouet – Mardi et vendredi matin sur la place Alfred-Martin (dans l'av. du Colombier, perpendiculaire au port). Rien le week-end...

Port de Carro – Marché aux poissons tous les matins.

Gaec Gouiran – *17 r. Adrien-Isnardon - 13740 Le Rove - ☎ 04 91 09 92 33 - fév.-oct. : 8h-12h30, 17h-20h.* Pour déguster un fromage bien frais, rendez-vous chez M. et Mme Gouiran. Ils élèvent des chèvres du Rove et produisent ensuite différentes variétés de fromages - de l'extrafrais au très sec - dont les Véritables Brousses du Rove (marque déposée), délicates et parfumées, qui font l'unanimité chez les Marseillais.

SPORTS & LOISIRS

Centre UCPA de Niolon – *18 chemin de la Batterie - Le Rove - 13740 Niolon - ☎ 04 91 46 90 16 - 9h-12h, 16h-18h - fermé de mi-nov. à fin fév., mar. apr.-midi et merc.* C'est le plus grand centre de formation de plongée sous-marine de France. Stages et formations pour tous niveaux (jusqu'au monitorat) et possibilité d'hébergement sur place.

Aqua-Évasion – *31 av. Jean-Bart - 13620 Carry-le-Rouet - ☎ 04 42 45 61 89 - xaviertrubert@aqua-evasion.com - 9h-19h.* Sur la plage du Rouet, ce centre de plongée propose une vaste palette de formations et de stages de tous niveaux. Possibilité d'hébergement sur place. Location de kayaks de mer et de bateaux à moteur.

Club subaquatique – *Les Terrasses du Port n° 5 - 13960 Sausset-les-Pins - ☎ 04 42 44 56 92 - www.clubsausset.com - 7h-19h - plongée 20 €.* Ouvert toute l'année, ce club accueille les amateurs de tous niveaux, avec location possible de matériel. Plongées à la carte, stages d'exploration ou stages de formation aux brevets.

Navigation de plaisance – *Port de Carry-le-Rouet - 13620 Carry-le-Rouet - ☎ 04 42 45 25 13.*

circuit

De Marseille à Port-de-Bouc – 74 km – environ 4h. Quitter Marseille par l'autoroute du littoral, qu'on abandonne à la sortie « St-Henri-L'Estaque ».

L'Estaque

« C'est comme une carte à jouer. Des toits rouges sur la mer bleue. » Ainsi **Paul Cézanne** vantait-il à Camille Pissaro, en juillet 1876, les charmes de ce village de pêcheurs parsemé d'usines, dont une escouade de peintres avant-gardistes (Braque, Dufy, Derain, Marquet...) allait faire la renommée entre 1870 et la Première Guerre mondiale.

Aujourd'hui, l'Estaque peut décevoir le visiteur. Quelques poissonneries et restaurants y attirent les citadins, au même titre que les « baraques » perpétuant la fabrication des « chichi frégi », longs beignets frits un peu lourds à digérer, mais très appréciés.

Toutefois, en montant dans le vieux village, sur la place de l'église, une **vue panoramique** sur la rade de Marseille, avec ses îles et, au premier plan en contrebas, les toits du vieux village, vous permettra de mieux comprendre l'engouement que ce lieu célèbre suscita naguère.

Suivre la N 568 vers l'Ouest en direction du Rove. Avant le pont du chemin de fer, prendre sur la droite le chemin menant à la carrière Chagnaud, pour passer sous la voie ferrée et s'engager dans la rampe qui mène à l'entrée du canal souterrain.

Canal souterrain du Rove

Emprunté par le canal de Marseille au Rhône, ce souterrain faisait communiquer le port de Marseille avec l'étang de Berre à travers la chaîne de l'Estaque. Ce magnifique ouvrage d'art est absolument rectiligne, ce qui permet d'apercevoir parfaitement la tête Nord.

Après être passé au large du **Rove**, fameux pour sa **brousse**, sorte de fromage frais fabriqué à base du lait des chèvres locales *(voir le « carnet pratique »)*, prenez sur la gauche la D 5 puis encore à gauche la D 48. À l'approche de Niolon, la route, en pente assez raide, descend en lacets vers le port.

Niolon★

Centre réputé de plongée sous-marine, au fond de la calanque qui porte son nom et qu'enjambe le viaduc du chemin de fer, ce minuscule port, avec ses eaux d'un bleu intense, et l'à-pic impressionnant sur lequel ses maisons sont accrochées, a su conserver un parfum d'authenticité.

Revenir sur la D 5, que l'on reprend sur la gauche, pour rejoindre Ensuès à travers un paysage aride. À l'entrée du village, prendre sur la gauche la D 48ᴰ.

COLOSSAL

Haut de 15,40 m, large de 22 m, sa section est dix fois plus grande que celle d'un tunnel pour chemin de fer à double voie. Le canal, dont le tirant d'eau était de 4,50 m, permettait à des chalands de 1 200 t d'atteindre directement Marseille, jusqu'à ce qu'un éboulement, en 1963, interrompe la navigation.

Difficile de résister à la tentation d'enfiler ses palmes pour s'immerger dans le « grand bleu » (calanque de Niolon).

La Madrague-de-Gignac

Au fond d'une petite calanque, dans un joli site. Belle vue sur Marseille. Une route étroite *(circulation alternée)* conduit depuis le port jusqu'à l'anse de la Redonne.

*De retour à Ensuès, reprendre à gauche la D 5 qui descend le long du **vallon de l'Aigle**, ombragé de pins et de chênes verts.*

Le Rouet-Plage

Cette jolie crique, bordée d'élégantes demeures disséminées dans la pinède, abrite une plage de gros galets et un petit port.

1,5 km AR. Niveau facile, peu de dénivelé, bien ombragé. 1h30. Départ : port de Carry, plage de Fernandel, au bout du quai P.-Maleville. Un panneau indique le point de départ du sentier baptisé « piste du Lézard ». Cette agréable promenade chemine le long d'un sentier côtier aménagé, en partie bétonné. Vue dégagée sur la rade de Marseille tout au long du chemin, balisé de dix bornes explicatives sur la faune, la flore et la géologie du littoral.

Carry-le-Rouet⌂

Espace Fernandel, av. A.-Briand, 13620 Carry-le-Rouet, ☎ 04 42 13 20 36.

Cet ancien port de pêche est devenu une station balnéaire « chic ». Belles villas éparpillées au fond d'une anse encadrée de pentes boisées de pins... Sur le port, nombreux établissements où l'on ne manquera pas de déguster quelques oursins...

Sausset-les-Pins⌂

Station balnéaire familiale, Sausset possède de vastes plages et un beau front de mer ; agréable promenade qui offre une vue dégagée sur le site de Marseille.

Quittant la grève, la D 49 serpente dans le massif montagneux. Après avoir gagné La Couronne par la D 49ᵇ, prendre, avant l'église, à droite vers le cap.

Cap Couronne

Depuis le cap que surmonte un phare, vue étendue sur les chaînes de l'Estaque et de l'Étoile, sur le massif de Marseilleveyre et sur Marseille. La vaste plage de La Couronne, très populaire, attire notamment la jeunesse des quartiers Nord de Marseille.

Carro

Bien abrité dans une anse rocheuse, ce coquet petit port est le dernier bastion de la pêche sur la Côte Bleue. Quarante-cinq familles vivent toujours autour d'une flottille de vingt embarcations. C'est le 2ᵉ port de Méditerranée occidentale pour la capture du thon selon la méthode artisanale. Chaque matin, sur le port, a lieu le marché aux poissons.

La longue plage bordée de rochers attire les véliplanchistes et les surfeurs ; même si vous n'êtes pas un pro de la glisse, venez profiter du spectacle, les jours de mistral, au bout du port de Carro.

Quitter Carro par la D 49 jusqu'aux Ventrons.

À l'altitude 120 m, depuis une tour d'observation, la vue permet d'apercevoir l'ensemble portuaire de Lavéra, Port-de-Bouc et Fos.

Aux Ventrons, prendre sur la droite la D 5.

Saint-Julien

À la sortie du bourg, un chemin à gauche mène à une **chapelle**. Sur le flanc gauche, scellé dans le mur, un bas-relief gallo-romain (1ᵉʳ s.) représente une scène funéraire composée de huit personnages.

De retour aux Ventrons, prendre à droite la D 5 en direction de Martigues.

Martigues *(voir ce nom)*

Prendre à gauche la N 568.

CALENDRIER

Rien de tel qu'un beau week-end d'hiver (ils ne manquent pas !) pour aller sacrifier au rite de l'**oursinade**, qui a lieu en janvier à Sausset et en février à Carry. Ces jours-là, les rues et les abords des ports sont envahis de tables à tréteaux où l'on s'installe pour déguster oursins et autres fruits de mer, accompagnés de vin blanc. Ambiance et convivialité garanties !
☎ 04 42 13 20 36.

Port-de-Bouc

Excentré par rapport à la Côte Bleue « balnéaire », niché dans un environnement industriel, Port-de-Bouc vaut cependant le détour, en particulier pour son **musée Moralès** (*à la sortie Ouest de Port-de-Bouc, en bordure de la N 568*), qui présente 600 sculptures métalliques de Raymond Moralès, parfois amusantes, souvent inquiétantes ou, selon votre humeur, déroutantes. *Réouverture prévue pour 2006. Se renseigner,* ☎ *04 42 06 49 01.*

Allez flâner dans le port (très animé les soirs d'été car s'y déroulent les fameuses « sardinades »), protégé par un **fort** élevé par Vauban en 1664, sur la rive Sud de la passe. Une tour du 12ᵉ s., incorporée à ces fortifications, a été transformée en phare.

Chaîne de l'**Étoile**★

Bien que son altitude ne soit pas très élevée, la chaîne de l'Étoile, qui sépare le bassin de l'Arc au Nord et celui de l'Huveaune à l'Est, prolongement de la chaîne de l'Estaque, offre des vues spectaculaires sur la plaine de Marseille.

La situation

Carte Michelin Local 340 H5 – Bouches-du-Rhône (13). La chaîne appartient aux « petites Alpes de Provence », appellation qui paraîtra sans doute bien présomptueuse aux alpinistes confirmés...

Le nom

On la nomme ainsi à Marseille parce qu'à la tombée du jour, l'étoile du Berger semble suspendue au-dessus du sommet de la tête du Grand Puech... mais c'est par analogie avec le mot *estèu* qui, en provençal, désigne tout simplement une pointe rocheuse.

circuit

60 km de Gardanne à Aubagne – environ 1/2 journée, ascension au sommet de l'Étoile non comprise.

Gardanne

🚹 *31 bd Carnot - 13120 Gardanne -* ☎ *04 42 51 02 73 - www.ville-gardanne.fr - tlj sf dim. et lun. 9h30-12h, 14h-18h.*
Cézanne a peint cette bourgade dominée par trois moulins du 16ᵉ s., avant qu'elle ne devienne, à la fin du 19ᵉ s., une cité minière (charbonnages et traitement de la bauxite). Aujourd'hui, la mine a rendu son dernier souffle et la ville est en pleine mutation. Venez vous mêler à l'animation des jours de marché (vendredi et dimanche), lorsque les étals envahissent le **cours Forbin**, puis partez à la découverte du centre ancien en suivant le parcours Cézanne (*mis en place par l'Office de tourisme, compter 2h*).

Écomusée de la Forêt méditerranéenne – *Au Nord-Ouest de Gardanne, sur la D 7 en direction d'Aix et de Valabre.* ☎ *04 42 65 42 10 -* ♿ *- juil.-août : 10h-13h, 13h30-18h45 ; sept.-juin : 9h-12h30, 13h-17h45 - fermé sam., 15 août-5 sept., 1ᵉʳ janv. et 25 déc. - 5,30 €.*

🔲 Il a pour vocation de présenter les mesures de protection et de valorisation de la forêt méditerranéenne. Espace interactif, on y découvre les plantes et les animaux de Provence, ainsi que les vieux métiers et le travail du bois. Dix salles thématiques, des expositions et, à l'extérieur, 13 ha de forêt aménagés en sentiers de découverte, parcours botaniques et aires de jeux.

Du parking de l'Écomusée par le « sentier du mur de Gueydan (🔲 *3h. Informations sur le détail du parcours à l'Office de tourisme*).

carnet pratique

SE LOGER

😊😊 **Les Cigales** – *Rte Enco-de-Botte - 13190 Allauch -* ☎ *04 91 68 17 07 - www.hotel-lescigales.fr -* 🅿 *- réserv. conseillée - 10 ch. 60/90 € -* ☑ *7 € - restauration 15/17 €.* Entre Marseille et Allauch, dix chambres tranquilles, dans un cadre familial. Jardin avec piscine. Etablissement récent.

😊😊 **L'Eau des Collines** – *45 rte de La Treille à Camoins-les-Bains - 13011 Marseille -* ☎ *04 91 43 06 00 - 14 ch. 48 € -* ☑ *5 €.* Atmosphère un brin surannée pour cet établissement familial, sur la route de La Treille. Calme et on ne peut plus simple. Accueil courtois.

SE RESTAURER

😊 **La Grignote** – *22 r. Mignet - 13120 Gardanne -* ☎ *04 42 58 30 25 - lagrignote2@wanadoo.fr - fermé 1er-15 août - 12 €.* Ce restaurant situé à deux pas du cours Forbin vous propose une cuisine tradtionnelle. Salle à manger climatisée et terrasse d'été ombragée.

😊😊 **Hostellerie du Puech** – *8 r. St-Sébastien - 13105 Mimet -* ☎ *04 42 58 91 06 - fermé dim. soir et lun. - 19,50/30 €.* Ce restaurant situé au cœur du vieux village de Mimet sert des spécialités... florentines ! Beau choix de pâtes sur la carte. L'une des salles à manger ménage une vue imprenable sur le Pilon du Roi.

😊😊 **Le Relais de Passe-Temps** – *Vallon de Passe-Temps - 13190 Allauch - 5 km d'Allauch dans les collines, village de la Treille -* ☎ *04 91 43 07 78 - www.lepassetemps.com - fermé dim. soir, lun. et mar. - 20/38 €.* Aux Bellons, dans le prolongement du village de la Treille, une adresse rare. Cuisine extrêmement soignée, servie avec un tact remarquable. Superbe terrasse ombragée et piscine, dans un vallon perdu au pied du Garlaban. Notre coup de cœur !

FAIRE UNE PAUSE

Le Salon Provençal – *Pl. Benjamin-Chappe - 13190 Allauch -* ☎ *04 91 68 39 92 - 10h-19h - 6,60/15 €.* Sur une adorable petite place du vieil Allauch, un sympathique salon de thé-glacier, qui propose aussi des formules repas à prix doux. Une terrasse et trois petites salles, pour manger au calme.

QUE RAPPORTER

Au Moulin Bleu – *Cours du 11-Novembre - 13190 Allauch -* ☎ *04 91 68 19 06 - tlj sf lun. mat. 9h-12h30, 14h-19h.* Voici l'unique et dernier fabriquant des fameux suce-miel qui enchantaient les enfants autrefois, mais toutes les spécialités locales sont également proposées : nougats, croquants, casse-dents, etc. Salon de thé au fond de l'immense espace de vente. Le week-end, le personnel est habillé en costume provençal.

Santons de Provence Gilbert Orsini – *Pl. de la Mairie - 13190 Allauch -* ☎ *04 91 07 46 11 - 9h-12h, 15h-19h.* Tous les personnages de la tradition santonnière sont ici représentés. C'est lui qui crée tous les ans à Noël la crèche de 500 santons exposée au Vieux Bassin.

Savonnerie du Pilon du Roi – *62 av. de Nice - 13120 Gardanne -* ☎ *04 42 58 36 64 - ouv. merc.-sam. 9h-12h, 14h30-18h30.* Des savons, des parfums, des huiles essentielles, le tout au naturel !

CALENDRIER

Fête de la Saint-Jean – *Autour du 24 juin à Allauch :* feux, groupes folkloriques, défilé de chars.

Toujours sur la D 7, après l'écomusée de la Forêt, on pourra voir le **pavillon de chasse du roi René** : une bastide carrée flanquée de quatre tours rondes et construite au 16e s... et qui n'a donc jamais accueilli le bon roi !

Revenir au centre-ville de Gardanne et prendre au Sud la D 58 que prolonge la D 8. Au bout de 7 km, prendre à droite vers Mimet.

Mimet

Ce village perché a connu ces dernières années une expansion considérable. De la terrasse de son quartier ancien, **vue★** sur la vallée de la Luynes, Gardanne et ses hauts fourneaux. Si vous désirez prolonger la promenade, suivez le circuit de découverte « Les drailles des moulins d'Aigues » (🚶 *1h. Départ au parking de l'Office de tourisme).*

Revenir à la D 8 et tourner à droite. La D 7 puis la D 908 (à droite) contournent la chaîne de l'Étoile. Au Logis-Neuf, prendre à gauche en direction d'Allauch.

Allauch

Magnin G. /MICHELIN

Allauch, cité des moulins et de la « nougate » : une crèche provençale dans la banlieue de Marseille.

Grande banlieue de Marseille, Allauch (prononcez « Allau ») étage ses maisons provençales et ses moulins sur les premiers contreforts de la chaîne de l'Étoile. Allauch permet également d'atteindre les collines du Garlaban, chères à Marcel Pagnol *(voir Aubagne).* Depuis l'**esplanade des Moulins** (cinq moulins à vent s'y dressent), belle **vue★** sur la ville de Marseille.

⊡ Le **musée d'Allauch**, installé dans l'ancien hôtel de ville, est dévolu à l'art sacré. Il présente les fondements de la culture chrétienne occidentale à travers trois espaces (religions, sanctuaires, sacrements), et accueille des expositions temporaires. Une salle est consacrée à l'histoire d'Allauch. La muséographie moderne et adaptée au jeune public rend le lieu intéressant. *☎ 04 91 10 49 00 - http://musee.allauch.com - ⌖ - tlj sf lun. 9h-12h, 14h-18h - fermé j. fériés sf w.-end - 3 €.*

⊡ Des fourmis dans les jambes ? 30mn à pied suffisent pour atteindre la **chapelle N.-D.-du-Château** qui offre un panorama sur Marseille et les massifs environnants. *Prendre la D 44ᶠ au Nord-Ouest d'Allauch.*

Après Plan-de-Cuques, dont le nom occitan (Plan de Cuèch) évoque les collines environnantes, on arrive à **Château-Gombert**, quartier de Marseille (13ᵉ arr.) qui a préservé son aspect de village.

Musée du Terroir marseillais

☎ 04 91 68 14 38 - tlj sf lun. 9h-12h, 14h-18h30, w.-end 14h30-18h30 - fermé j. fériés - 3,80 €.

Situé sur une grande place ombragée de platanes, le musée retrace les modes de vie provençaux aux 18ᵉ et 19ᵉ s. Dans la cuisine, avec sa hotte de cheminée et sa « pile » (évier), faïences de Marseille, étains, *terralhas*, *tian* en terre cuite, mortiers d'aïoli... Dans la salle de séjour et la chambre, meubles régionaux dont un long canapé, le *radassier*. Notez également la belle collection de santons et de crèches.

Quitter Château-Gombert en direction de Marseille et prendre à droite la traverse de la Baume-Loubière. Laisser la voiture aux grottes.

Sommet de l'Étoile

⊡ 4h. Après un parcours sinueux dans un passage rocheux, on atteint la **Grande Étoile** (alt. 590 m) où se dresse une tour de télécommunications, puis l'**Étoile Sommet** (alt. 651 m). Du seuil séparant ces deux cimes, **panorama★★** sur le bassin de Gardanne au Nord et les « barres » qui échancrent le versant Sud de la chaîne.

Reprendre la voiture pour regagner Allauch par le même chemin. Poursuivre vers le Sud par la D 4ᴬ. Aux Quatre Saisons, prendre à gauche, puis bientôt encore à gauche.

Camoins-les-Bains

Agréable et modeste station thermale nichée dans un site verdoyant. Au-delà, les fans de Marcel Pagnol ne manqueront pas de se recueillir sur la tombe du maître, au cimetière de la **Treille**.

Regagner Camoins-les-Bains et la D 44ᴬ pour rejoindre Aubagne (voir ce nom).

Fontaine-de-Vaucluse

En hiver ou au printemps, lorsque le niveau de l'eau atteint le figuier accroché à la paroi rocheuse et que la Sorgue, d'un profond vert émeraude, se déverse par-dessus le talus en une masse tumultueuse et bondissante, écume et vapeurs éclaboussant les rochers, le spectacle, à lui seul, justifie amplement une visite à Fontaine.

La situation

Carte Michelin Local 332 D10 – Vaucluse (84). On arrive à Fontaine depuis l'Isle-sur-la-Sorgue (7 km à l'Ouest) par la D 25, en longeant la rivière. Nombreux parkings *(payants)* aménagés : vue l'affluence, en particulier les week-ends, mieux vaut y laisser votre voiture dès qu'une possibilité de stationnement se présentera.

🛈 *Chemin de la Fontaine, 84800 Fontaine-de-Vaucluse, ☎ 04 90 20 32 22.*

SE RESTAURER
⊜⊜ **Philip** – *Au pied des cascades - ☎ 04 90 20 31 81 - fermé 1er oct.-31 mars et le soir sf juil.-août - 24/33 €.* La cuisine est simple et fraîche et l'établissement, qui date des années 1920, fonctionne dans une ambiance familiale, mais surtout, quel site ! Sur le chemin de la Fontaine, au pied des cascades, parmi les rochers, au cœur d'une végétation luxuriante... Bar-glacier sur l'avant, pour simplement prendre un verre.

ACHAT-VISITE
Centre Artisanal Vallis Clausa – *Chemin de la Fontaine - ☎ 04 90 20 34 14.* Dans le prolongement du musée Casteret, ce centre permet de visiter un moulin à papier, alimenté par les eaux de la Sorgue, où l'on voit fabriquer du papier à la main suivant les procédés utilisés au 16e s.

SPORTS & LOISIRS
Kayak Vert – *Quartier de la Baume - ☎ 04 90 20 35 44 - www.canoefrance.com - 9h-19h. Se renseigner sur les départs - fermé de fin oct. à fin fév.* Au choix : descente en canoë-kayak de la Sorgue (entre Fontaine-de-Vaucluse et L'Isle-sur-la-Sorgue) ou du canal de Carpentras. Tous les parcours sont encadrés par des accompagnateurs diplômés. Petite restauration de type snack.
Golf – *Domaine du Goult - 84800 Saumane-de-Vaucluse - ☎ 04 90 20 20 65.* Parcours 18 trous près de Fontaine-de-Vaucluse.

CALENDRIER
Musidances – Cette association organise une fois par mois, durant l'hiver, des concerts de musique classique au château de Saumane-de-Vaucluse. *Renseignements :* ☎ 04 90 20 33 10.

Le nom
Vallis Clausa, la vallée close, a donné en provençal *vaù clusa,* francisé en « Vaucluse », devenu plus tard le nom du département.

Les gens
610 Vauclusiens qui entretiennent le souvenir de leur hôte le plus fameux, Francesco Petrarca, dit **Pétrarque** (1304-1374) : le poète y vécut seize ans pour essayer (en vain) d'oublier Laure de Noves (ou de Sade).

Musée-bibliothèque Pétrarque

Pétrarque et Laure : quand amour rime avec toujours (frontispice de l'édition de « Il Petrarca sonetti e canzoni » de 1547).

LES INFORTUNES DE LA VERTU
Pétraque fut un immense poète et le premier des grands humanistes. Né à Arezzo en 1304, il fréquentait en Avignon la cour pontificale lorsque son chemin croisa en avril 1327 celui de la belle Laure de Noves. Le coup de foudre fut immédiat, mais non réciproque... La flamme du poète était vouée à demeurer idéale : Laure était mariée et vertueuse. Il en naquit son *Canzoniere,* sans doute le premier des grands poèmes lyriques, écrit pendant le séjour de Pétrarque en Vaucluse, où il s'était retiré afin de chercher l'apaisement. Comble d'infortune, en 1348, Laure meurt de la peste en Avignon. Pétrarque s'éteindra, lui, en 1374, à Arquà Petrarca, près de Padoue.

UNE SOURCE ?
Non, car il s'agit en fait d'une résurgence, c'est-à-dire le débouché d'un fleuve souterrain qu'alimentent les pluies tombées sur le plateau de Vaucluse à travers ses nombreux avens. Cependant, les recherches menées par les spéléologues sont restées vaines : à ce jour, la Sorgue souterraine garde tout son mystère.

découvrir

◀ La fontaine de Vaucluse★★
Depuis la place de la Colonne, gagnez les bords de la Sorgue et suivez le chemin qui s'élève, en pente relativement douce, vers la fontaine.

Quand la Sorgue jaillit soudain du rocher : une source on ne peut plus vauclusienne...

Sauvegrain S. / MICHELIN

Au fond d'un cirque rocheux aux parois impressionnantes, derrière un talus de pierres et de rochers où les
eaux s'infiltrent habituellement, la fontaine apparaît soudain : bassin d'eau verte, d'apparence paisible et propice
à la rêverie. Il en émane un halo de mystère et de vieilles
légendes qui reviennent confusément en mémoire,
comme c'est souvent le cas devant un gouffre. Car cette
claire fontaine en est un ; de quelle profondeur ? Nul ne
le sait exactement : le dernier record, 308 m, a été établi
le 2 août 1985, à l'aide d'un petit sous-marin téléguidé
équipé de moyens vidéo.

visiter

Église St-Véran★
Petit édifice roman à nef unique couverte d'une voûte
en plein cintre et d'une abside en cul-de-four. La crypte
abrite le sarcophage de saint Véran, vainqueur du Coulobre, un terrible dragon.
En face, demeure provençale aux vieilles pierres rose
orangé, décorées de grappes de raisins.

Musée-bibliothèque Pétrarque
☎ *04 90 20 37 20 - juin-sept. : 10h-12h30, 13h30-18h ; avr.-
mai et 1ʳᵉ quinz. oct. : 10h-12h, 14h-18h ; du 16 oct. au
1ᵉʳ nov. : 10h-12h, 14h-17h - fermé mar., du 2 nov. au 31
mars et 1ᵉʳ Mai - 3,50 € (12-16 ans 1,50 €).*
Installé dans une maison bâtie, pense-t-on, à l'emplacement de celle qu'habitait le poète, ce musée expose des
dessins et des estampes consacrés au thème de Pétrarque
et Laure ainsi que des éditions anciennes des œuvres de
l'auteur du *Canzionere* et de ses successeurs.

Musée de Spéléologie
☎ *04 90 20 34 13 - & - visite guidée (45mn) de déb. fév. au
15 nov. : 9h30-12h30, 14h-18h30 (dernière entrée 1h av. fermeture) - 5,50 € (enf. 4 €).*
Lui-même souterrain, ce qui est la moindre des choses,
il présente la **collection Casteret★** : les plus belles
concrétions calcaires (calcite, gypse, aragonite) recueillies par le spéléologue en cinquante ans d'explora-
tions. En complément, le visiteur chemine parmi une
reconstitution de sites : grottes à stalactites et stalagmites, avens, rivières, cascades, gours... en font le précis du parfait petit spéléologue.

Musée d'Histoire 1939-1945
Sur la gauche, à hauteur du centre artisanal Vallis Clausa.
☎ *04 90 20 24 00 - & - juin-sept. : 10h-18h ; avr.-mai et 1ʳᵉ
quinz. oct. : 10h-12h, 14h-18h ; du 16 au 31 oct. et vac. de
Toussaint : 10h-12h, 14h-17h ; nov.-déc. : w.-end 10h-12h,
14h-17h ; mars : w.-end 10h-12h, 14h-18h - fermé mar.,
1ᵉʳ Mai et 25 déc. - 3,50 € (enf. 1,50 €).*
Dans un bâtiment sobre et fonctionnel, il propose une
approche historique, littéraire et artistique des années
1939-1945 : une première partie est consacrée à la vie quotidienne sous l'Occupation ; la seconde aborde le thème de
la Résistance dans le Vaucluse, retracée par des acteurs et
témoins de cette épopée, tandis qu'un support audiovisuel
aide à situer ces événements dans le contexte national.

Musée du Santon et des Traditions de Provence
☎ *04 90 20 20 83 - juil.-sept. : 10h-20h ; reste de l'année :
10h-18h - 4 € (enf. 2 €).*
Il abrite une collection de santons et de crèches d'hier
et d'aujourd'hui (petits villages, vieux métiers animés,
scènes de Pagnol).

alentours

Saumane-de-Vaucluse
*4 km au Nord. Quitter Fontaine par la D 25 puis prendre à
droite la D 57.* Taillée à flanc de coteaux sur les pentes calcaires des monts de Vaucluse, la route aboutit à ce village
perché au-dessus de la vallée de la Sorgue, et à l'ancien

château (15e s.) des **marquis de Sade**. C'est ici que le petit Donatien Alphonse François, qui allait devenir le Divin Marquis, passa son enfance. L'église St-Trophime, élevée au 12e s., mais largement remaniée depuis, est couronnée par un clocher-arcade. Depuis la place, vue sur la vallée de la Sorgue, le Luberon et les Alpilles.

Cabrières-d'Avignon

5 km au Sud par la D 100ᴬ. Laisser la voiture au parking de la mairie, cours Jean-Giono. Le château des Adhémar, construit au 11e s. et en partie refait au 17e s. dans un style Renaissance plus aimable *(on ne visite pas)* fut le théâtre des tragiques événements des 20 et 21 avril 1545, lorsque les Vaudois, qui s'y étaient retranchés sous la direction du Cabriérois **Eustache Marron**, y furent massacrés par l'armée levée par Meynier d'Oppède. Le tour du château *(par la rue du Vieux-Four, puis, à gauche, le chemin Eustache-Marron qui court en lisière de la campagne)* vous permettra de détailler les remparts reliant les cinq tours, vestiges de la forteresse des origines.

◄ **Mur de la peste** – ⏱ *1h AR. Accès sur la gauche du château par le chemin des Muscadelles, puis un sentier rocailleux balisé qui part à l'assaut d'une colline.* Arrivé sur la crête (petit monument commémoratif), redescendre droit devant soi (borne) puis prendre à droite. Bien restauré, le mur de pierres sèches, édifié pour protéger le Comtat de la peste arrivée à Marseille en 1720, épouse les ondulations du terrain, parmi une dense végétation d'oliviers sauvages et de pins, et d'inextricables buissons de cade. Les plus endurants pourront suivre le tronçon restauré du mur, le long d'un chemin quelque peu rocailleux (GR 6) qui leur ménagera de jolies vues sur Gordes, et retourner à Cabrières par le chemin de Vaucluse. Les autres reviendront sur leurs pas jusqu'au village.

> **HALTE À LA CONTAGION !**
> Ce mur de six pieds (1,90 m environ) fut élevé en toute hâte entre mars et juillet 1721, sur une longueur de 25 km environ, entre Cabrières et Monnieux. Équipé de guérites et de bastions, il était gardé jour et nuit par un millier de gardes qui avaient ordre de tirer sur quiconque tenterait de le franchir. Il n'empêcha cependant pas la terrible maladie d'atteindre le Comtat venaissin à peine un mois après l'achèvement de la muraille.

Fos-sur-Mer

Campé sur son rocher, dominé par les ruines de son château, à quelques encablures de la mer, Fos évoque irrésistiblement le village provençal tel qu'on l'idéalise dans les crèches.

La situation

Carte Michelin Local 340 E5 – Schéma p. 186 – Bouches-du-Rhône (13) Chassant les élevages de taureaux et les troupeaux de moutons qui régnaient en maîtres sur les « coussouls », l'immense port industriel, énergétique et commercial, ainsi que le complexe industriel ont apporté à la région, sinon la prospérité, du moins une certaine notoriété. Mais pour qui circule sur la voie rapide, Fos passe à peu de chose près inaperçu.
🛈 *Pl. de-l'hôtel-de-Ville, 13270 Fos-sur-Mer,* ☎ *04 42 47 71 96. www.fos-tourisme.com*

Le nom

Rien à voir avec les Phocéens : ce sont les *Fossae Marianae*, ou Fosses Mariennes, canal creusé à l'embouchure du Rhône en 102 avant J.-C. par les légions de Marius, qui ont donné leur nom à la ville, puis au port.

Les gens

13 922 Fosséens. N'en déplaise à Pagnol, ce **Marius** (157-86 avant J.-C) n'était pas le fils de César mais une grande figure politique et militaire, qui, pour avoir vaincu les Cimbres et les Teutons, ouvrait ainsi la voie à la romanisation de la région. Quant à ses démêlés avec Sylla, ils allaient entraîner une longue période de troubles dont la République romaine ne devait pas se relever.

se promener

Le village★
Il a conservé des vestiges du **château** du 14ᵉ s., propriété des vicomtes de Marseille, ainsi qu'une **église** à nef romane. De-ci, de-là, des belvédères et une terrasse aménagés dans le jardin des remparts offrent une vue étendue.

Le port
Certains souhaiteront sans doute faire plus ample connaissance avec les installations portuaires.

Visite du port – *Visite en bateau. S'adresser 10 à 15 J. av. à l'Office du tourisme de Fos, pl. de l'Hôtel-de-Ville, BP 528,* ☎ *04 42 47 71 96.*. Circuit qui permet de découvrir le môle Graveleau, le terminal minéralier et le port pétrolier de Fos.

Fos-sur-Mer et l'église St-Sauveur, accrochée au rocher.

Pazery D. /MICHELIN

alentours

Port-St-Louis-du-Rhône
15 km au Sud-Ouest. La ville et le port se sont développés à l'embouchure du Grand Rhône, dans l'ombre de la **tour St-Louis**, élevée au 18ᵉ s. Rattaché au port autonome de Marseille, le bassin de Port-St-Louis, créé en 1863, reçoit aussi bien les navires de mer que les barges empruntant le Rhône. Grâce à son écluse et au canal grand gabarit Fos-Rhône, il est le point clé des trafics fluvial et fluvio-maritime entre l'Europe et la Méditerranée, accueillant hydrocarbures, produits chimiques liquides, bois et vins.

Port-de-Bouc (*voir chaîne de l'Estaque*)

> **PLAGE**
> Au Sud de Port-St-Louis, la petite D 36ᴰ *(7 km)* mène à la grande **plage Napoléon** (sable fin), qui préfigure les plages voisines de la Camargue.

Gordes★★

Planté sur sa falaise à l'extrémité du plateau de Vaucluse qui domine les vallées de l'Imergue et du Calavon, face au Luberon, Gordes offre au soleil ses pierres dorées par le temps, ses calades où il fait bon se perdre, ses maisons et son château mêlés à une végétation méditerranéenne. Pas étonnant qu'il soit classé parmi les « plus beaux villages de France ».

La situation
Carte Michelin Local 332 E10 – Schéma p. 252 – Vaucluse (84). Il faut aborder Gordes depuis Cavaillon (17 km au Sud-Ouest) par la D 15, afin de découvrir le **site**★★ de ce village perché dont les maisons en pierres sèches s'étagent et se pressent jusqu'aux contreforts du château.
🅱 *Pl. du Château, 84220 Gordes,* ☎ *04 90 72 02 75. www. gordes-village.com*

Le nom
Une tribu celto-ligure, les Vordenses, habitait le pays. Vorda (qui signifiait « village perché ») se prononçait à peu près « gworda », d'où l'évolution du nom en Gorda.

Les gens
2 092 Gordiens. Le peintre **Victor Vasarely** est pour beaucoup dans la réputation de Gordes : nombre de visiteurs se souviennent du Musée didactique qu'il avait installé dans le château. Si certains aléas ont entraîné la disparition du musée, le nom de l'artiste n'en reste pas moins lié à la cité qu'il avait choisie.

Paysan D. /MICHELIN

Maisons serrées autour de l'imposante masse du château : la magie gordienne opère.

Sauvignier S. /MICHELIN

De calades en escaliers, parmi les murets de pierres sèches : un enchantement.

se promener

Le village★

Les **calades**, ces ruelles pavées bordées de caniveaux à deux rangées de pierres, s'achèvent parfois en escalier ou, enjambées par des passages voûtés, se faufilent entre de vieilles et hautes maisons qui prennent appui sur les vestiges des fortifications. Çà et là, on découvre une échappée sur la garrigue écrasée de soleil en contrebas, tandis que les foules se pressent dans les échoppes d'artisans et les boutiques de souvenirs. En effet, littéralement envahi à la belle saison, Gordes est victime de son succès. Une suggestion : visitez le village au début du printemps ou de l'automne, la magie opère alors sans aucune restriction.

visiter

Château

Bâti à la Renaissance par Bertrand de Simiane sur l'emplacement d'une forteresse médiévale, sa silhouette monumentale présente une allure austère que contredit l'intérieur, délicatement orné : ainsi, la porte Renaissance de la cour, la splendide **cheminée★** de la grande salle du 1er étage, ornée de frontons, coquilles, décor floral et pilastres. Ses trois étages abritent aujourd'hui un **musée** consacré au peintre flamand **Pol Mara** (1920-1998), au style souvent assez lourdement symbolique. ☎ *04 90 72 02 75 - 10h-12h, 14h-18h - fermé 1er janv. et 25 déc. - 4 €.*

Caves du palais Saint-Firmin

Accès depuis la place Genty-Pantaly par la petite rue de l'Église, puis la rue du Belvédère, en direction du « point de vue ». ☎ 04 90 72 02 75 - juil.-août : 10h30-19h ; avr.-juin et sept.-oct. : tlj sf mar. 11h-18h - 4 €.

La visite des souterrains de ce « palais » vous permettra de découvrir un aspect méconnu de Gordes : il règne dans ces vastes caves voûtées creusées dans le rocher une atmosphère un peu irréelle. Vous y découvrirez des citernes, des escaliers et les vestiges d'un très ancien moulin à huile, datant probablement du 15e s. et témoignant de l'activité artisanale gordienne de jadis.

alentours

Abbaye de Sénanque★★ *(voir ce nom)*

Village des Bories★★

3 km au Sud par la D 15 en direction de Cavaillon. Peu après l'embranchement de la D 2, prendre à droite le chemin

carnet pratique

SE LOGER

⊜⊜ **Chambre d'hôte La Badelle** – *7 km au S de Gordes par D 104 dir. St-Pantaléon et Goult -* ☎ *04 90 72 33 19 - www.la-badelle.com - réserv. obligatoire en hiver - 5 ch. 74/80 € □.* Les chambres sont aménagées dans les anciennes remises de cette ferme ancestrale. Leur sobre décor et leur carrelage de terre cuite mettent en valeur le mobilier ancien. Pratique, une cuisine est disponible en été.

⊜⊜⊜⊜ **Chambre d'hôte Le Mas de la Beaume** – ☎ *04 90 72 02 96 - www.labeaume.com -* ✉ *- 5 ch. 115/165 €.* La tranquillité, la vue sur le village de Gordes et le chant des cigales... Voilà bien de quoi séduire plus d'un citadin ! Ce joli mas provençal niché dans un jardin où poussent l'olivier, l'amandier et la lavande, abrite de spacieuses chambres aux tonalités provençales. Piscine et jacuzzi.

SE RESTAURER

⊜ **La Farigoule** – *Les Imberts (D 2, entre Gordes et Cabrières-d'Avignon) - 4 km de Gordes -* ☎ *04 90 76 92 76 - lafarigoule@wanadoo.fr - fermé mer. soir et jeu. - 12,50/26 €.* Ce restaurant propose une savoureuse cuisine provençale dans une sympathique salle à manger méridionale. Agréable terrasse couverte et prix raisonnables pour la région. Il est préférable de réserver.

EN SOIRÉE

Le Renaissance – *Pl. du Château -* ☎ *04 90 72 02 02 - 8h-24h.* Atout majeur de ce bar-restaurant-hôtel : sa belle terrasse tournée vers les ruelles du vieux village et le château, bâti à la Renaissance.

QUE RAPPORTER

Marché des Tisserands – Le w.-end de Pâques, dans la salle des fêtes.

Annie Sotinel – *Rte de Goult, hameau des Pourquiers - D 156 ; derrière la Ferme de la Huppe -* ☎ *04 90 72 05 71 - anniesotinel@yahoo.fr - visite tous les apr.-midi 15h-20h (18h l'hiver) - fermé de mi-janv. à mi-fév.* Création textile et tissage à la main à découvrir dans l'atelier de cette artiste travaillant la soie, le cachemire, le mohair et l'alpaga.

CALENDRIER

Festival Soirées d'été de Gordes – 1re quinzaine d'août, au théâtre des Terrasses. Divers spectacles : théâtre, musique, danse.

---

goudronné qui, entre des murettes de pierres sèches, conduit après 2 km environ, au parking aménagé. ☎ 04 90 72 03 48 - tlj de 9h au coucher du soleil - fermé 1er janv. et 25 déc. - 5,50 € (enf. 3 €).

Ce hameau d'une vingtaine de bories restaurées, vieilles de 2 à 5 siècles, est organisé en musée d'habitat rural. Une vingtaine de bâtiments, habitations, bergeries ou granges de formes variées, bâties avec les matériaux trouvés sur place (pour l'essentiel des lauzes, feuilles de calcaire se détachant du rocher et assemblées sans mortier ni eau), s'ordonnent autour d'un four à pain. Si l'on sait qu'elles ont été occupées jusqu'au début du 19e s., de nombreuses questions se posent quant à leur origine, et, surtout, leur utilisation : habitat permanent ou saisonnier ? Lieu de refuge au cours d'époques troublées ? Le mystère demeure.

Les gorges de Véroncle

4 km à l'Est. Suivre la D 102 (direction Joucas), passer l'embranchement de la D 156 vers Goult, puis un peu plus loin prendre à gauche un chemin de terre (fléché). 🚶 *Environ 1h AR. Niveau moyen (quelques à-pics et passages en échelle).* Une boucle (1,5 km) balisée en jaune

> **ÉTRANGES BORIES**
> On éprouve à parcourir ce hameau (du moins, lorsque l'affluence n'y est pas trop importante), l'étrange impression de se retrouver hors du temps.

Pierres sèches patiemment entassées : le village des Bories, une forme originale d'habitat.

Sauvignier S. /MICHELIN

permet de remonter jusqu'au moulin Cabrier, avec retour par le ruisseau de Véroncle.

Du 16e au 19e s., plusieurs moulins ont fonctionné dans les gorges de Véroncle pour produire de la farine. Construits dans des conditions extrêmement délicates, dans un site où l'eau était rare, l'ingéniosité des hommes aura permis de capter le précieux liquide et de pouvoir améliorer l'ordinaire. Le moulin Cabrier, lieu empreint d'ombre et de mystère, permet de jauger le talent de ces bâtisseurs : resclause (bassin), canal d'amenée, puits venaient alimenter en eau la roue, ici horizontale. Cabrier était un des seuls moulins habités des gorges, avec grenier, écurie et poulailler.

Musée du Moulin des Bouillons

5 km au Sud par la D 15, la D 2 puis la D 103, à gauche, vers les Beaumettes. Tourner encore à gauche dans la D 148 vers St-Pantaléon ; la suivre sur 100 m jusqu'au lieu dit « Moulin des Bouillons ». ☎ *04 90 72 22 11 -* ♿ *- avr.-oct. : tlj sf mar. 10h-12h, 14h-18h - 4,50 € ; 5 € billet combiné avec Musée de l'Histoire du Verre et du Vitrail.*

AUTRE GENRE
À proximité, un bâtiment vitré semi enterré abrite le **musée du Vitrail et de l'Histoire du verre.**
Mêmes conditions de visite que le moulin.

◄ Cette bastide des 16e et 17e s. a été transformée en musée consacré à l'huile d'olive : l'histoire de l'éclairage pendant cinq millénaires y est évoquée à l'aide de lampes à huile. Des outils nécessaires à la culture de l'olivier, des récipients et mesures illustrent les usages de l'huile d'olive à travers les âges. Mais l'attraction reste l'impressionnant **pressoir**★ à olives fait d'une seule pièce de chêne de 10 m de long et pesant 7 t !

Saint-Pantaléon

7 km au Sud-Est par la D 104 puis à droite la D 148.
Minuscule **église romane** construite à même le roc. Des tombes l'entourent, également creusées dans la roche ; beaucoup ont la taille d'un enfant : s'agissait-il d'un de ces « sanctuaires de répit » dont on trouve quelques exemples en Provence ? On y amenait les enfants morts avant le baptême : ils ressuscitaient le temps d'une messe au cours de laquelle on les baptisait, avant d'être inhumés sur place.

Le Grau-du-Roi ♨♨

Construite de part et d'autre d'un grau (brèche dans le cordon littoral ouverte naturellement vers 1570, au lieu-dit Gagne-Petit), entre l'embouchure du Vidourle et celle du Rhône, cette station offre 18 km de plages de sable fin aux adeptes des bains de mer. Quant aux plaisanciers, ils disposent avec Port-Camargue de marinas leur permettant d'accéder directement à leur bateau.

La situation

TERRE INSALUBRE
Entre mer et marais, où seuls vivaient quelques pêcheurs, souvent d'origine italienne, établis dans d'humbles cabanes, Le Grau-du-Roi, au milieu du 19e s., ne présentait pas grand attrait, avant que la vogue des bains de mer n'en fasse la plage des Nîmois.

◄ *Carte Michelin Local 339 J7 – Gard (30).* Deux façons d'arriver au Grau : par la D 62^A qui traverse l'étang du Repausset, vous permettant d'admirer flamants et aigrettes ou, peut-être, d'apercevoir une manade de taureaux ; ou bien par la D 979 depuis Aigues-Mortes *(voir ce nom)*, en longeant les salins et le chenal.
📧 *30 r. Michel-Rédarès, 30240 Le Grau-du-Roi,* ☎ *04 66 51 67 70. www.ville-legrauduroi.fr*

Le nom

Un roi, mais lequel ? Pas saint Louis en tout cas : le « Grau Gagne-Petit » devint « Grau Henri » en hommage au Vert Galant, puis « Grau Le Peletier » sous la Révolution, « Grau Napoléon » sous l'Empire, et cette valse des noms aurait pu continuer ainsi au gré des changements de régime… Du reste, sur place, on dit « Le Grau », et tout le monde comprend.

carnet pratique

TRANSPORTS

Autorail – Pour ceux qui n'ont pas de voiture, le sympathique autorail mène, depuis Nîmes, parmi les étangs, jusqu'à la gare du Grau-du-Roi - ☎ 04 66 51 67 70.

SE LOGER

☒ **Camping Le Boucanet** – *Rte de la Grande-Motte* - 1 km au NO du Grau-du-Roi - ☎ 04 66 51 41 48 - contact@campingboucanet.fr - ouv. 16 avr. au 24 sept. - réserv. conseillée - 458 empl. 34,50 € - restauration. Pour qui aime avoir les pieds dans l'eau, certains emplacements sont à 5 m de la mer ! La piscine a aussi son charme. Détente assurée pour petits et grands : tennis, planche à voile, club enfants... Location de bungalows toilés et mobile homes.

☒☒☒ **Oustau Camarguen** – *3 rte des Marines* - 30240 Port-Camargue - 3 km au S du Grau-du-Roi par D 62⁸ - ☎ 04 66 51 51 65 - oustaucamarguen@wanadoo.fr - fermé 13 oct.-25 mars - ▣ - 39 ch. 99 € - ☲ 11 € - restaurant 27/31 €. Petit mas camarguais sur la route de la plage Sud. Chambres spacieuses décorées dans l'esprit provençal ; certaines sont dotées de jardinets privatifs. Restaurant avec terrasse en bord de piscine. Cuisine classique, grill le midi. Hammam et jacuzzi.

SE RESTAURER

☒☒☒ **L'Amarette** – *Centre commercial Camargue 2000* - 30240 Port-Camargue - 3 km au S du Grau-du-Roi par D 62⁸ - ☎ 04 66 51 47 63 - fermé déc.-janv. et merc. hors sais. - piscine à - 34/60 €. Restaurant aménagé au 1ᵉʳ étage d'un centre commercial où vous pourrez déguster poissons, coquillages et crustacés de très grande fraîcheur, tout en ne manquant rien du spectacle qui s'offre à vos yeux de la terrasse dominant le littoral.

EN SOIRÉE

Bon à savoir - Au Grau du Roi, le développement du tourisme a su, malgré tout, préserver une certaine authenticité et mettre en valeur les traditions de ce vieux port de pêche en proposant des espaces de loisir, comme le Palais de la mer, et des lieux de commerce, comme la Maison méditerranéenne des vins, de l'olive et des produits régionaux.

Bar de la Marine – *31 quai Colbert* - ☎ 04 66 51 40 33 - été 7h-1h ; reste de l'année : 8h-20h. Cette institution locale constitue, en été, un des points stratégiques de la station. Son décor en bleu et blanc est fort agréable et sa terrasse dressée sur un ponton surplombant le canal permet d'admirer le retour au port des chalutiers cernés par les gabians.

Casino du Grau-du-Roi – *3 av. du Ceinturion - Port Camargue* - ☎ 04 66 53 40 95 - www.groupe tranchant.com - 10h-3h. Ce casino propose des jeux de black-jack, roulettes anglaises, boule, stud poker et 80 machines à sous. Dîners-spectacles, soirées musicales et dansantes.

QUE RAPPORTER

Maison méditerranéenne des vins, de l'olive et des produits régionaux – *Domaine de l'Espiguette - Suivre le panneau "plage de l'Espiguette"* - ☎ 04 66 53 07 52 - www.mdv30.com – de mi-juin à mi-sept. : 9h-13h, 14h30-20h ; de mi-sept. à mi-juin : 9h-12h30, 14h30-18h - fermé 25 déc. et 1ᵉʳ janv. Vaste espace consacré à la dégustation et à la vente de nombreux produits régionaux : vins méditerranéens (plus de 2 000 références de Nice à Collioure), huiles d'olive, plats cuisinés, miels, riz, sel de Camargue et savons de Marseille. Vous y trouverez également une librairie et des objets artisanaux.

SPORTS & LOISIRS

Thalassa Port-Camargue – *Rte des Marines - Plage Sud - Port-Camargue* - ☎ 04 66 73 60 60. Cures de remise en forme, de beauté, séjour post-natal, forfait spécial jambes, « masculin tonic », « équilibre et harmonie ». Il existe également un forfait week-end de remise en forme.

Ranch du Phare – *2075 rte de l'Espiguette* - ☎ 04 66 53 10 87 - fév.-oct. : 8h-12h, 15h-21h - fermé 30 oct.-1ᵉʳ fév. Que vous soyez débutants ou cavaliers confirmés, vous aurez plaisir à chevaucher à travers les dunes et au bord de la mer, pour des balades de une, deux ou trois heures. Poneys pour les enfants de moins de 6 ans. Repas sur réservation et accueil sympathique.

Ranch Lou Seden – *1820 rte de l'Espiguette* - ☎ 04 66 51 74 75 - été : 8h-21h ; le reste de l'année : 9h-19h - 15 €/h ; 25 €/2h. En 1950, Jean Vedel eut le premier l'idée d'organiser des excursions équestres à travers la Camargue. Aujourd'hui, ses enfants ont pris le relais et mettent à votre disposition 50 chevaux et 6 poneys.

L'Écurie des dunes – *1745 rte de l'Espiguette* - ☎ 04 66 53 09 28 - ecurie-des-dunes@wanadoo.fr - 8h-19h. La Camargue à cheval avec l'Écurie des dunes : stages d'équitation tous niveaux, randonnées dans les marais, les dunes, sur les plages...

Mas de l'Espiguette – *Rte de l'Espiguette* - ☎ 04 66 51 51 89 - 8h-21h - fermé 25 déc - 15 €/h, 45 € la demi-journée. Toutes les disciplines sont enseignées par une monitrice diplômée, sous forme de cours à l'année ou de stages. Le temps d'une promenade à cheval, laissez-vous charmer par la beauté de la Camargue dans les plaines et les marais. Un galop dans l'écume des vagues sous un soleil couchant vous laissera des souvenirs inoubliables.

CALENDRIER

Spectacles taurins – D'avr. à oct. : courses camarguaises réputées aux arènes (en particulier lors de la fête votive mi-septembre lorsqu'est mis en jeu entre les raseteurs le Trophée de la mer). *Abrivados* dans les rues, sur le pont tournant et (hors saison) sur la plage du Boucanet. Corridas et novilladas aux arènes (l'été). Toros-piscine (courses autour d'un bassin) juil.-août : lun. merc. et vend.

Magnin G. /MICHELIN

Bonne pêche ? Il suffit de voir si les gabians (goélands) accompagnent les chalutiers : poissons bleus, thons, loups et daurades... Le Grau est, après Sète, le 2ᵉ port de pêche de la Méditerranée.

Les gens

5 875 Graulens, surnommés les « Pes-Descauç » (« Va-nu-pieds ») par leurs voisins aiguesmortains.

À la fin des années 1950, un jeune danseur de claquettes gardois faisait ses débuts sur la scène de l'ancien casino. L'événement se devait d'être immortalisé : le palais des Sports et de la Culture flambant neuf a reçu en 1997, en présence de l'artiste, le nom d'**espace Jean-Pierre-Cassel**.

séjourner

Village

C'est un quadrillage de rues bordées de maisons basses, envahies en saison par des boutiques d'artisanat et d'innombrables restaurants, et dont le centre névralgique reste le canal, avec son pont tournant, ses pontons et le vieux fanal, symbole de la cité. Depuis le bout de la jetée, vue sur le golfe d'Aigues-Mortes, avec, à gauche, la pointe de l'Espiguette (et Port-Camargue), à droite, La Grande-Motte que semble surplomber le pic Saint-Loup, la montagne de La Gardiole et le mont Saint-Clair qui domine Sète.

Plages

Avis aux baigneurs : 18 km de sable fin vous attendent, entre la passe des Abymes et Les Baronnets, tant sur la rive droite du canal (Le Boucanet) que sur la rive gauche.

Seaquarium et musée de la Mer

Accès par le boulevard du Front-de-Mer (mars-juin) puis la promenade piétonne. ☎ *04 66 51 57 57 - www.seaquarium.fr -* ♿ *- juil.-août : 10h-0h (dernière entrée 1h av. fermeture) ; mai-juin et sept. : 10h-20h ; oct.-avr. : 10h-19h - 9,50 € (enf. 6,50 €).*

🖼 Requins, méduses et poissons de Méditerranée amuseront ou impressionneront petits et grands, qui ne se lasseront pas de contempler les phoques et les otaries venus les rejoindre dans un bassin de 1 000m³ depuis leur Patagonie natale. Le petit musée mérite une visite : maquettes de navires (« nacelles » et « mourres de porcs »), formes de pêche abandonnées (au globe, la « seinche ») et histoire de la cité maritime.

Port-Camargue

◄ *Accès par la D 62ᴮ, au Sud-Est.* Entre Le Grau et l'Espiguette, la station a été créée en 1969 autour d'un port de 170 ha, pouvant abriter 4 300 bateaux : bassins d'escale et d'hivernage sont entourés par la capitainerie, le chantier naval, les services nautiques et les marinas conçues par l'architecte Jean Balladur.

LES TELLINAÏRES

Armés de leur tellinier (trois manches en bois, une lame et un filet à mailles serrées, la couffe), ils raclent les fonds sableux à la recherche des tellines, ces petits coquillages au goût délicat – ainsi nommés du grec tellinos, « bout de sein » –, fort appréciés entre Le Grau et Beauduc.

Phare et plages de l'Espiguette

6 km au Sud par la route partant du rond-point marquant l'entrée de Port-Camargue. Parking payant l'été. Tracée entre plages et étangs, la route permet de découvrir un paysage camarguais et d'apercevoir quelques oiseaux *(observatoire en bordure de l'étang des Baronnets, face à la Maison méditerranéenne des vins, de l'olive et des produits régionaux)*. Posé à l'origine à 150 m de la mer, le **phare** se dresse aujourd'hui à 1,5 km du rivage au milieu de dunes où poussent tamaris, chardons, roquettes de mer et cakiles. Plages immenses où le port du maillot relève de l'excentricité.

Grignan★

Dressé sur une butte rocheuse isolée, l'imposant château des Adhémar de Monteil domine ce vieux bourg du Tricastin que Madame de Sévigné a rendu célèbre.

La situation

Carte Michelin Local 332 C7 – Drôme (26). On arrive à Grignan en quittant l'autoroute A 7 au Sud de Montélimar et en prenant la D 941 en direction de Valréas. Vous pourrez laisser votre voiture aux parkings de la rue du Grand-Faubourg ou de la place du Jeu-de-Ballon, avant de partir à l'assaut du château. Pour découvrir les villages environnants, reportez-vous au *Guide Vert Lyon et la vallée du Rhône.*

🛈 *Pl. Sévigné, 26230 Grignan,* ☎ *04 75 46 56 75.*

Le nom

Beaucoup de noms provençaux terminés par *-an* dérivent de celui d'un colon romain. Ici, ce pourrait être un certain Gratius ou Gratinius ; la cité se nomma successivement Gratignan, Gradignan, puis Grignan.

Les gens

1 353 Grignanais. Leur concitoyen François de Castellane-Adhémar de Monteil, comte de Grignan (1629-1714), lieutenant-général de Provence, s'illustra en s'emparant d'Orange en 1673 et en sauvant Toulon en 1707, alors menacé par le duc de Savoie. Faits d'armes qui ont moins fait pour sa gloire posthume que son troisième mariage, en 1669, avec Françoise-Marguerite de Sévigné, fille de la marquise de Sévigné.

GIRAUDON

« Portrait de Marie de Rabutin-Chantal, marquise de Sévigné » par Robert Nanteuil.

carnet pratique

comprendre

◄ **Madame de Sévigné et Grignan** - On ne sait ce que François, qui, selon les mots de sa jeune épouse, « abusait de la permission qu'ont les hommes d'être laids », pensait de cette belle-mère envahissante. Toujours est-il qu'après le mariage de sa fille, qui comblait ses vœux (« La plus jolie fille de France, écrit-elle à son cousin, épouse, non pas le plus joli garçon, mais un des plus honnêtes hommes du royaume. »), Mme de Sévigné entama une correspondance de vingt ans avec la jeune « exilée » à qui elle contait par le menu tous les potins de Paris. Sa liberté de ton et de style en font un chef-d'œuvre de la littérature du 17e s. Cependant, la marquise séjourna souvent à Grignan. C'est d'ailleurs là qu'elle mourut, en 1696, alors qu'elle était venue soigner sa fille atteinte d'une maladie de langueur ; elle fut enterrée dans la collégiale.

découvrir

SUR LES PAS DE LA MARQUISE

Château★★

☎ 04 75 91 83 55 - visite guidée (1h) juil.-août : 9h30-11h30, 14h-18h ; reste de l'année : 9h30-11h30, 14h-17h30 - fermé 1er janv., 25 déc. et mar. de nov. à mars - 5,20 €.

Château médiéval, il fut transformé une première fois au 16e s. par Louis Adhémar, gouverneur de Provence, puis, plus tard, par le gendre de Mme de Sévigné, entre 1668 et 1690. En grande partie détruit pendant la Révolution, il a retrouvé sa fière allure après une campagne de restauration et de reconstitution (mobilier 17e-18e s.) initiée par sa nouvelle propriétaire au début du 20e s. et poursuivie par le conseil général de la Drôme.

◄ En parcourant les extérieurs, vous découvrirez la grande façade Renaissance du Midi, puis la cour du Puits avec son bassin, ouverte sur une terrasse encadrée à gauche par la galerie gothique, à droite et au fond par des corps de logis Renaissance.

À l'intérieur, de l'office médiéval vous accèderez aux étages par l'escalier d'honneur (17e s.), pour visiter les appartements de Mme de Sévigné et du comte de Grignan, la salle du Roi, puis l'oratoire, avant de redescendre, par un escalier gothique, à la grande galerie aux belles boiseries. Remarquable **mobilier★**, en particulier deux magnifiques cabinets (l'un florentin, l'autre en ébène), et **tapisseries** d'Aubusson représentant des scènes mythologiques.

Mme de Sévigné trouvait son gendre fort laid mais appréciait son château, « très beau et très magnifique ».

Église St-Sauveur

Été : visite guidée sur demande. S'adresser à l'Office de tourisme.

À l'intérieur de cette église du 16ᵉ s., dont la petite tribune communiquait avec le château, **buffet d'orgue** du 17ᵉ s. et, dans le chœur, belles boiseries. Au pied du maître-autel, à gauche, une dalle de marbre désigne l'emplacement de la tombe de Mme de Sévigné, morte à Grignan le 18 avril 1696.

Beffroi

Cette ancienne porte de la ville, datant du 12ᵉ s., a été transformée au 17ᵉ s. en tour de l'horloge.

Atelier-musée Livre & Typographie

☎ *04 75 46 57 16 - juil.-août : 10h-18h30 ; reste de l'année : tlj sf lun. 10h-12h30, 14h-18h - 2,30 € (enf. 1,50 €).*
Dans ce village qui cultive le goût des belles lettres et de la correspondance, il faut s'arrêter à la maison du Bailli (15ᵉ s.). Elle regroupe des salles d'expositions, l'atelier d'impression des éditions Colophon, une librairie et un musée qui présente l'histoire de l'imprimerie ainsi qu'une reconstitution d'un atelier de typographe.

Grotte de Rochecourbière

Prendre la route partant de la D 541, à la sortie Sud de Grignan, à hauteur d'un calvaire. Après environ 1 km, laisser votre voiture au parc de stationnement pour revenir à l'escalier de pierre, à droite. Cet escalier donne accès à la grotte de Rochecourbière. Mme de Sévigné aimait se retirer dans cette grotte, fraîche et silencieuse, parfumée de toutes les herbes de Provence, pour se reposer ou écrire son abondante correspondance.

alentours

Taulignan

7 km au Nord-Ouest par les D 14 et D 24. À la limite du Dauphiné et de la Provence, ce vieux bourg a gardé son enceinte médiévale : circulaire et presque continue, elle conserve onze tours (neuf rondes et deux carrées) reliées par des courtines (restes de mâchicoulis en plusieurs endroits), où s'intègrent des habitations. Au Nord-Est, la porte d'Anguille est la seule porte fortifiée ayant subsisté. Au hasard des ruelles, vous apprécierez les façades anciennes avec leurs portes en accolade et leurs fenêtres à meneaux (rue des Fontaines).
Atelier-musée de la Soie★ – ☎ *04 75 53 12 96 - juil.-août : 10h-18h ; sept.-juin : 10h-12h30, 13h30-17h30, w.-end 10h-18h - fermé déc.-janv. - 5 € (-12 ans 3 €).* Grâce à une présentation didactique autour de l'outillage et des machines (certaines en état de marche) nécessaires à la confection des tissus, vous découvrirez l'aventure de la soie, qui faisait vivre les magnaneries de la région au 19ᵉ s., et son processus de fabrication : la sériciculture, la filature et le tissage.

L'Isle-sur-la-Sorgue

Les bras de la Sorgue, les grands platanes, les avenues, les roues à aubes donnent à cette localité un aspect riant et frais où il est particulièrement agréable de chiner le week-end, lorsque les antiquaires l'investissent.

La situation

Carte Michelin Local 332 D10 – Vaucluse (84). À 23 km l'Ouest d'Avignon, par la N 100, au pied du plateau du Vaucluse. Parking *(payant)* le long de la rivière.
🛈 *Pl. de la Liberté, 84800 L'Isle-sur-la-Sorgue,* ☎ *04 90 38 04 78. www.oti-delasorgue.fr*

Le nom

Il suffit d'une courte promenade pour comprendre pourquoi cette petite ville entourée d'eau porte le nom d'Isle... Quant à *Sorga*, ce mot occitan désigne une source au débit abondant : nom bien adapté pour cette rivière qui sourd de la fontaine de Vaucluse...

Les gens

16 971 Islois dont le grand poète **René Char** (1907-1988).

Magnin G. /MICHELIN

Les roues à aubes étaient indispensables à l'époque où la ville était un grand centre de tisserands, de teinturiers, de tanneurs et de papetiers.

se promener

L'Isle est une ville de flâneries, plus que de visites : les quais ombragés de la Sorgue qu'enjambent de petits ponts, les ruelles de la Juiverie, les agréables cafés qui ont souvent conservé leur caractère, les nombreux antiquaires en font un lieu privilégié pour les promeneurs.
Vous ne manquerez pas les **roues à aubes**, rescapées parmi toutes celles (il y en avait des dizaines) qui naguère rythmaient la vie de la cité : près de la place Émile-Char, à l'angle du jardin de la Caisse; cours Victor-Hugo ; rue Jean-Théophile et quai des Lices.

visiter

Collégiale N.-D.-des-Anges

Tlj sf dim. apr.-midi et lun. 10h-12h, 15h-17h.
Sa **décoration**★ (17ᵉ s.) d'une extrême richesse rappelle celle des églises italiennes. La nef unique est ornée au revers de la façade d'une immense gloire en bois doré attribuée à Jean Péru, comme les figures des Vertus placées sous les balustrades ; chapelles latérales décorées de belles boiseries et de tableaux de Mignard, Sauvan, Simon Vouet et Parrocel. Dans le chœur, un grand retable encadre une toile de Reynaud Levieux représentant l'Assomption. Orgues du 17ᵉ s.

J. Vatinet/Collégiale N.-D.-des-Anges

Levez les yeux pour découvrir le fabuleux Couronnement de la Vierge.

Hôtel Campredon – maison René Char

R. du Dr-Tallet. ☎ *04 90 38 17 41 - www.campredon-expos.com - pdt les expositions : 10h30-13h, 15h30 -19h - fermé lun., 1ᵉʳ Mai et 25 déc. - 6 € (gratuit -14 ans).*
Ce bel hôtel particulier du 18ᵉ s., représentatif du classicisme français accueille des expositions temporaires d'art moderne et contemporain. Le 3ᵉ étage est consacré à René Char : reconstitution de son cabinet de travail, exposition permanente et centre de documentation.

Hôpital

☎ *04 90 38 04 78 - juil.-août : 10h30-12h30 ; hors saison : visite sur demande à l'Office de tourisme - fermé le w.-end - gratuit.*
S'ouvrant sur la rue Jean-Théophile, longée par un bras de la Sorgue, il est digne d'intérêt à plusieurs titres :

Vierge en bois doré, grand escalier avec rampe en fer forgé (18ᵉ s.), boiseries de la chapelle, collection de pots en faïence de Moustiers de la pharmacie et enfin, dans le jardin, charmante fontaine du 18ᵉ s.

carnet pratique

SE LOGER

Lou Soloy du Luberon – *2 av. Charles-de-Gaulle -* ☎ *04 90 38 03 16 - lousoloy@tiscali.fr - fermé janv. - 8 ch. 40/54 € -* ⌖ *6 € - repas 13/36 €.* Enjambant une bassin de la Sorgue, cet hôtel récemment rénové propose de belles chambres calmes et claires, à la décoration provençale et aux tarifs raisonnables. Les plus chères ont vue sur la Sorgue, les autres sur un boulevard passant. Le restaurant attenant est plus haut de gamme. Plats tendance nouvelle cuisine provençale et jolie terrasse. L'accueil est à la fois attentif et détendu.

Les Névons – *Chemin des Névrons -* ☎ *04 90 20 72 00 - info@hotel-les-nevons.com - fermé 11 déc.-31 janv. -* 🅿 *- 26 ch. 53/69 € -* ⌖ *7 €.* Cet immeuble moderne propose des chambres fonctionnelles et fraîches à la sortie de la ville. Sur le toit, moments de détente offerts par le solarium-piscine.

SE RESTAURER

L'Oustau de l'Isle – *21 av. des Quatre-Otages -* ☎ *04 90 38 54 84 - contact@restaurant-oustau.com - fermé 10 janv.-3 fév., 15 nov.-16 déc., jeu. sf le soir de Pâques à oct. et merc. - 24/34 €.* Niché dans un quartier résidentiel, ce mas protégé d'un luxuriant jardin dissimule une séduisante terrasse ombragée et deux salles épurées, décorées de grandes reproductions d'œuvres de Modigliani. on y déguste des saveurs régionales (gaspacho de tomate et sorbet aubergine, pâtes à la crème de truffe, etc.).

EN SOIRÉE

Café de France – *14 pl. de la Liberté -* ☎ *04 90 38 01 45 - tlj 7h-1h30.* Profitez de la terrasse de ce café idéalement situé face à la collégiale Notre-Dame-des-Anges. L'adresse est membre de l'Association des cafés historiques et patrimoniaux d'Europe. « café philosophique » le premier dimanche du mois. Choix de salades, sandwiches et plats.

QUE RAPPORTER

Foire à la brocante – La plus grande foire à la brocante de Provence se tient à L'Isle-sur-la-Sorgue durant les week-ends de Pâques et du 15 août. Plus de 1 500 exposants dévoilent leurs trésors : boutis anciens, meubles provençaux (commodes, radassiers, panetières...), faïences, tableaux et objets divers. Un déballage-brocante a également lieu tous les dimanches sur l'avenue des Quatre-Otages.

Marché – Ce marché, qui envahit deux fois par semaine les quais le long de la Sorgue et la moindre des ruelles de l'île-ville, possède un charme fou. Créé en 1596, il réunit de nombreux petits marchands venus vendre leurs produits du terroir... Fruits et légumes de saison, miel, tapenade, fromages de chèvres, olives et artisanat local. Vous y goûterez une ambiance délicieusement provençale.

Le Village des antiquaires – *2 bis av. de l'Égalité -* ☎ *04 90 38 04 57 - www.villagegare.com - w.-end et j. fériés 10h-19h.* C'est le plus important des villages d'antiquaires : 80 d'entre eux sont regroupés dans une ancienne manufacture de tisserands.

Magasin d'antiquités.

Les Vergers de la Courtoise – *4440 rte Cavaillon -* ☎ *04 90 06 30 60 - contact@courtoise.fr - tlj sf w.-end 8h-12h, 14h-17h, sam. mat. de juin à sept - fermé j. fériés.* Ce producteur fruitier hors pair est connu de tous les habitants de la région pour la qualité de ses produits et ses prix imbattables. À la boutique, vous trouverez les fruits tout frais cueillis et surtout mûrs à point. Une adresse précieuse et économique !

Les Délices du Luberon – *1 av. du Partage-des-Eaux -* ☎ *04 90 20 77 37 - www.delices-du-luberon.com - 9h30-18h30 ; hiver 9h30-12h30, 14h30-18h30.* Cette entreprise familiale élabore des tapenades noires, vertes, au basilic ou aux amandes de Provence, ainsi que du caviar d'aubergine ou de tomates séchées, de l'anchoïade, de l'olivade de poivrons rouges, etc. Sur place, vous trouverez également de l'huile d'olive, des croquettes Aujoras, du miel et des confitures.

alentours

Le Thor

5 km à l'Ouest sur la N 100, direction Avignon. L'ancienne capitale du raisin de table « chasselas » est aujourd'hui un gros bourg agricole qui se partage entre cultures maraîchères et fruitières et viticulture. Le pont sur la Sorgue et ses alentours, notamment l'église, offrent une perspective rafraîchissante. Du Moyen Âge subsistent également des fragments de remparts et le beffroi.

L'**église**★, achevée au début du 13e s., est romane dans son ensemble, mais sa nef unique est couverte d'une voûte gothique qui compte parmi les plus anciennes de Provence. Extérieur imposant avec sa haute nef qu'étayent de massifs contreforts, son abside ornée d'arcatures lombardes et son lourd clocher central, inachevé. Portails directement inspirés de l'art antique. ☎ *04 90 33 92 31 - 9h30-11h30 - possibilité de visite lors de la visite guidée de la ville, sur demande à l'Office de tourisme.*

Grottes de Thouzon

3 km au Nord du Thor par la D 16, sur laquelle s'amorce (à gauche) le chemin des grottes. ☎ 04 90 33 93 65 - www. grottes-de-thouzon.com - visite guidée (45mn) juil.-août : 10h-19h ; avr.-juin et sept.-oct. : 10h-12h, 14h-18h (dernière entrée 30mn av. fermeture) - 6,70€ (enf. : 4,40€) - prévoir vêtements chauds : température 13 °.

⏱ Les grottes s'ouvrent au pied d'une colline que couronnent les ruines du château de Thouzon et un monastère. Ce fut le hasard d'un coup de mine, sur le site d'une carrière, qui les fit découvrir en 1902. Sur 230 m, on parcourt l'ancien lit de la rivière souterraine qui creusa la galerie, terminée par un gouffre peu profond.

> **ENVOÛTANTE**
> Avec ses nombreuses concrétions colorées, la voûte, qui atteint parfois 22 m de hauteur, supporte des stalactites fistuleuses d'une rare finesse.

Le Luberon★★★

À mi-chemin entre les Alpes et la Méditerranée s'étend la barrière montagneuse du Luberon. Parsemant ces paysages lumineux et accidentés, villages perchés ou mystérieuses bories confèrent à la région une forte personnalité. Ce territoire préservé par le Parc naturel régional a été classé « réserve de biosphère » par l'Unesco.

La situation

Carte Michelin Local 332 E11 à G11 – Vaucluse (84), Alpes-de-Haute-Provence (04). La combe de Lourmarin divise le Luberon en deux parties inégales : à l'Ouest, le **Petit Luberon**, plateau échancré de gorges et de ravins dont l'altitude ne dépasse guère 700 m ; à l'Est, le **Grand Luberon**, qui aligne ses croupes massives s'élèvant jusqu'à 1 125 m au Mourre Nègre. Le versant Nord, aux pentes abruptes et ravinées, plus frais et humide, porte une belle forêt de chênes pubescents, tandis que le versant Sud, tourné vers le pays d'Aix, est plus méditerranéen par sa végétation (chênaie verte, garrigues à romarin).

🛈 ☎ *04 90 04 42 00 - www.parcduluberon.fr - parc naturel régional du Luberon, 60 pl. Jean-Jaurès, 84400 Apt.*

Le nom

La montagne est anciennement citée sous le nom de Luerio ou Luerionis, d'une racine celtique signifiant la « montagne »... C'est sans doute la ressemblance avec *louba*, la « louve », qui a entraîné l'apparition de la forme moderne... et si la deuxième syllabe n'a pas d'accent, seuls les « gens d'en haut » prononcent « Lubeuron » !

Les gens

L'avignonnais **Henri Bosco** (1888-1976) est l'écrivain du Luberon : cette escapade devrait être l'occasion de relire quelques-uns de ses ouvrages, à commencer par *Le Mas Théotime.*

INFORMATIONS

La Maison du Parc – ☎ 04 90 04 42 00 - www.parcduluberon.fr - avr.-sept. : tlj sf dim. 8h30-12h, 13h30-19h ; oct.-mars : tlj sf w.-end 8h30-12h, 13h30-18h - fermé j. fériés.

SE LOGER

⊜⊜ Hôtel L'Oustau dï Vins – *La Font du Pin - 84460 Cheval-Blanc - 7 km à l'O de Mérindol, rte de Cavaillon - ☎ 04 90 72 90 90 - ⊠ ▣ - réserv. obligatoire en hiver - 6 ch. 58 € - ⊊ 7,50 P.* Sur un domaine arboré de 20 ha, au pied du Luberon, ancienne ferme bien restaurée abritant de belles chambres provençales aux tons ocre, toutes personnalisées. Joli poêle et mobilier en fer forgé dans la salle des petits-déjeuners. La propriétaire, œnologue, vous fera découvrir les vins de la région. Piscine.

⊜⊜ Chambre d'hôte Domaine de Layaude Basse – *Chemin de St-Jean - 84480 Lacoste - 1,5 km au N de Lacoste dir. Roussillon et rte secondaire - ☎ 04 90 75 90 06 - www.layaudebasse.com - fermé 1ᵉʳ déc.-1ᵉʳ mars - ⊠ - 6 ch. 60/90 € ⊊ - repas 26 €.* Vos hôtes vous reçoivent dans les jolies chambres de leur mas familial du 17ᵉs. bâti au cœur d'une grande propriété viticole, face au mont Ventoux. Découverte des vins du domaine lors du pot de bienvenue, tandis que miels et confitures maison garnissent les tartines du matin. Demi-pension possible.

⊜⊜ Chambre d'hôte Les Grandes Garrigues – *84160 Vaugines - 3 km à l'O de Cucuron par D 56 et D 45 (rte de Cadenet) - ☎ 04 90 77 10 71 - www.grandes garrigues.com - ⊠ - 5 ch. 75/105 € ⊊.* Bâtie sur un domaine de 11 ha, au pied du Luberon, belle propriété aux murs ocre et aux chambres confortables. Piscine et cuisine d'été à disposition des hôtes. Jolie vue sur les Alpilles et la montagne Ste-Victoire.

⊜⊜ Chambre d'hôte La Maison des Sources – *Chemin des Fraisses - 84360 Lauris - 4,5 km au SO de Lourmarin par D 27 - ☎ 04 90 08 22 19/06 08 33 06 40 - www.maison-des-sources.com - ⊠ - 4 ch. 75/87 € ⊊ - restauration (soir seult) 25 €.* Appuyée contre une falaise où subsistent des vestiges d'habitat troglodytique, ferme rénovée abritant des chambres colorées à la chaux pigmentée ; dans la plus originale sont rassemblés quatre lits à baldaquin ! Au rez-de-chaussée, deux pièces voûtées accueillent le salon et la salle à manger.

SE RESTAURER

⊜ Maison Gouin – *84660 Coustellet - 7 km au NO de Ménerbes par D 103 et N 100 - ☎ 04 90 76 90 18 - fermé 15 fév.-10 mars, 15 nov.-10 déc., merc. et dim. - 12/32 €.* La salle à manger, prolongée d'une terrasse, est aménagée dans l'arrière-boutique de la boucherie familiale, ouverte en 1928 et toujours en activité. Cuisine du marché arrosée de vins que vous irez choisir directement à la cave. Atypique !

⊜⊜ La Table des Mamées – *1 r. du Mûrier - 84360 Lauris - 4,5 km au SO de Lourmarin par D 27 - ☎ 04 90 08 34 66 - s.perdreau@wanadoo.fr - fermé 20 nov.-3 déc., dim. soir et lun. - réserv. conseillée - 19/25 €.* La tradition de la cuisine de femme est cultivée avec passion dans ce restaurant de village où les recettes de grands-mères font le bonheur des convives installés dans deux salles voûtées des 14ᵉ et 15ᵉs. Soirées musicales en fin de semaine... Quelle ambiance !

⊜⊜ Auberge du Cheval Blanc – *La Canebière - 84460 Cheval-Blanc - 5 km de Cavaillon - ☎ 04 32 50 18 55 - fermé vac. de fév., de Toussaint, lun. soir, merc. midi et mar. - 20 € déj. - 23/65 €.* Plaisante étape que cette discrète auberge de bord de route. La salle à manger, couleur soleil, est toute neuve. Les plats, classiques, prennent parfois l'accent provençal.

EN SOIRÉE

La Gare – *Pl. du Marché-Coustellet - En venant de Gordes, dir. A 7 (Marseille) - À Coustellet, grand croisement ; continuer tout droit, puis à 80 m tourner à gauche - 84660 Maubec - ☎ 04 90 76 84 38 - avec.lagare@ wanadoo.fr - ven.-sam. 21h30-2h, dim. 8h-14h - fermé janv. et juil. - 5 à 13 €.* Dûment labellisé scène de musiques actuelles, le lieu tient son nom de sa fonction ferroviaire première et conserve quelques éléments de son décor d'antan, comme une vieille horloge et la pancarte de l'arrêt : « Maubec ». Aujourd'hui concerts, pièces de théâtre, débats et événements inclassables se disputent un programme étonnant et détonnant, où tous les styles de musique sont à l'honneur.

Sauvignier S./MICHELIN

QUE RAPPORTER

Distillerie Bio Lavande 1100 – *84400 Lagarde-d'Apt - ☎ 04 90 75 01 42 - sur demande.* Cette distillerie familiale fabrique des huiles essentielles depuis quatre générations. Vente sur place. Accueil charmant.

La Ferme de Gerbaud – *84160 Lourmarin - ☎ 04 90 68 11 83 - www.lourmarin.com/gerbaud - nov.-mars : w.-end 15h30 ; avr.-oct. : mar., jeu. sam. 17h (visite guidée) ; 14h-19h (boutique).* Un chemin cahoteux mène à ce domaine de 25 ha dédié à la culture des plantes aromatiques et médicinales. La visite vous fera découvrir comment on cultive les plantes, quelles sont leurs propriétés et leurs utilisations. La boutique vend herbes de Provence, miels, huiles essentielles...

SPORTS & LOISIRS

Randonnée à vélo – *84404 Apt Cedex - ☎ 04 90 04 42 00 - contact@parcdu luberon.fr.* Itinéraires touristiques : « Le Luberon en vélo » (235 km) et « les ocres en vélo » (50 km). Les parcours sont jalonnés de panneaux de signalisation (postés à chaque carrefour) et de pancartes d'informations culturelles et pratiques, installées dans une quarantaine de villages... Renseignements auprès du Parc naturel régional du Luberon.

Randonnée pédestre – Guides édités par La Fédération française de la randonnée pédestre : Tour du Luberon, GR 9 et Le Parc naturel régional du Luberon à pied. La collection « Balades en Luberon », éditée par le PNR du Luberon, répertorie les circuits à faire à pied ou en vélo au départ de Roussillon, Buoux, Apt, Les Taillades. La Maison du parc informe sur les promenades pédestres accompagnées (gratuites) et les possibilités d'hébergement en gîtes d'étape.

Randonnée équestre – Itinéraire du Tour du Luberon, adresses de centres équestres et accompagnateurs de randonnée sont réunis dans le Guide des Loisirs de plein air en Vaucluse édité par le Comité départemental de tourisme.

Escalade – *84404 Apt Cedex.* De nombreuses voies ont été aménagées dans les falaises de Buoux. Contacter l'Office du tourisme de Cavaillon, ☎ 04 90 71 32 01, ou l'Office du tourisme d'Apt, ☎ 04 90 74 03 18.

Association vélivole du Luberon – *26 av. de la Fontaine - 13370 Mallemort - ☎ 04 90 57 43 86 - 9h30-19h - fermé sept.-24 juil.* Luberon et vallée de la Durance... vus du ciel grâce à cette association de vol à voile. Seul le souffle du vent accompagnera votre évolution dans la troisième dimension. Dommage qu'on ne puisse en profiter que cinq semaines par an.

CALENDRIER

Festival international de quatuors à cordes – Juillet-août. À Cabrières d'Avignon, Isle-sur-la-Sorgue, Goult, Roussillon et l'abbaye de Silvacane. ☎ 04 90 75 89 60. *www.festival-quatuors-luberon.com*

Parc naturel régional du Luberon

Le logo du Parc naturel régional du Luberon, avec pour symbole une borie.

LE PARC NATUREL RÉGIONAL DU LUBERON

Créé en 1977, il englobe 71 communes couvrant 165 000 ha répartis sur les départements du Vaucluse et des Alpes-de-Haute-Provence, de Manosque à Cavaillon et de la vallée du Coulon (ou Calavon) à celle de la Durance. Il a pour vocation de préserver l'équilibre naturel de la région tout en visant à l'amélioration des conditions de vie des villageois et la promotion des activités agricoles par l'irrigation, la mécanisation et la restructuration foncière. Les principales réalisations dans le domaine touristique concernent l'ouverture de centres d'information et de musées à Apt et La Tour-d'Aigues, le balisage de sentiers de découverte dans la forêt de cèdres de Bonnieux, les falaises d'ocre de Roussillon, les terrasses de culture à Goult, les collines de Cavaillon, la restauration du village de bories de Viens ou encore l'aménagement de routes touristiques thématiques comme « la route des Vaudois » et l'édition d'ouvrages, souvent remarquables.

comprendre

Le milieu naturel – La diversité du tapis végétal comblera les amoureux de la nature. Outre les forêts de chênes, de nombreuses autres essences se développent : cèdre de l'Atlas sur les sommets du Petit Luberon, hêtre, pin sylvestre... Les landes à genêts et à buis, les garrigues, l'extraordinaire palette de plantes odorantes s'agrippent un peu partout sur les pentes rocailleuses. Le mistral se met de la partie et provoque des inversions locales, transportant le chêne vert sur les ubacs (versants exposés au Nord) et les chênes blancs sur les adrets (versants exposés au Sud). En hiver, les contrastes sont frappants entre les feuillages persistants et caducs. La flore du Luberon se distingue par quelques espèces propres comme la leuzée à cône (reconnaissable au cône résineux qui la termine), le ciste cotonneux, aux feuilles pelucheuses, et le chèvrefeuille d'Étrurie, particulièrement odorant. La faune est également très riche : couleuvre (sept espèces différentes), psammodrome d'Edwards (lézard), fauvette, merle bleu, hibou grand duc, aigle de Bonelli, circaète jean-le-blanc, etc.

Vie et survie des villages perchés – Si le Luberon fut habité dès la préhistoire, les villages perchés n'apparaissent qu'au Moyen Âge. Blottis au pied d'un château ou d'une église, ils pressent à flanc de rocher leurs maisons aux murs imposants et aux pièces parfois creusées dans le roc. Les habitants descendaient des villages pour travailler dans la campagne environnante, où, lorsque l'éloignement le commandait, ils s'abritaient quelque temps dans des cabanes de pierres sèches, les bories. Les ressources venaient principalement de l'élevage (moutons), de l'olivier, de maigres céréales et de la vigne ; s'ajoutèrent ensuite la culture de la lavande et l'élevage du ver à soie. Cette économie traditionnelle a été balayée par les mutations agricoles des 19e et 20e s. et la fin de l'insécurité : peu à peu, les villages se sont dépeuplés et sont tombés en ruine. De nos jours, la tendance s'est inversée : les villages sont souvent bien restaurés et une nouvelle population, en augmentation constante, a remplacé les autochtones.

Les bories – Sur les pentes du Luberon et du plateau de Vaucluse se dressent de curieuses cabanes de pierres sèches : les bories. Elles se présentent soit isolées, soit groupées en véritables villages : on en dénombre environ 3 000. Certaines d'entre elles n'étaient que des remises à outils ou des bergeries, mais beaucoup ont été habitées à différentes époques, depuis l'âge du fer jusqu'au 18e s. Les bories étaient bâties avec les matériaux trouvés sur place : feuilles de calcaire se détachant du rocher ou plaquettes provenant de l'épierrage des champs. Ces pierres, appelées « lauzes », d'environ 10 cm d'épaisseur, étaient assemblées sans mortier ni eau. L'épaisseur des murs, obtenue par la juxtaposition de plusieurs rangs de plaquettes, toujours renforcée à la base, varie de 0,80 m à 1,60 m. Pour leur couverture, à mesure que les murs montaient, on prenait soin de faire légèrement déborder chaque assise de pierres sur la précédente de façon que le diamètre diminue jusqu'à la dimension d'un simple orifice que l'on n'avait plus qu'à fermer avec une dalle. Pour éviter les infiltrations d'eau, les différents lits de pierres étaient inclinés vers l'extérieur. À l'intérieur, la voûte se présente souvent comme une coupole hémisphérique sur pendentifs, ces derniers permettant de passer du plan carré au cercle ou au cône. Leurs formes sont très variées. Les plus simples, d'aspect circulaire, ovoïde ou carré, ne comportent qu'une seule pièce et une seule ouverture, la porte située à l'Est ou au Sud-Est. L'agencement intérieur se limite à des cavités aménagées dans l'épaisseur des murs, servant de placards. La température de la cabane reste constante en toutes saisons. Des bâtiments de plus grandes dimensions existent. Ils sont rectangulaires, ont quelques rares ouvertures étroites, et leur toiture à double ou quadruple pente utilise la technique des fausses voûtes en plein cintre, en berceau brisé ou en « carène ». Leur organisation est celle d'une ferme traditionnelle : à l'intérieur d'une cour ceinte d'un haut mur, on trouve, outre l'habitation (sols dallés, banquettes et cheminée pour les plus confortables), le four à pain et les différents bâtiments d'exploitation. *Voir le village des Bories à Gordes.*

> **CULTE DE LA PIERRE**
> Chaque parcelle cultivable était soigneusement épierrée – les pierres étaient rassemblées en tas, les « clapiers » – et bordée de murettes de pierres sèches, pour protéger le terrain du ravinement des eaux de pluie. Les troupeaux étaient aussi parqués dans des enclos de pierre.

Magnin C. /MICHELIN

> ▶ **L**e mot *boria*, en occitan, désigne, au féminin, une ferme. Mais dans le Luberon, bien qu'ayant la même étymologie, on dit un « bori ».

circuits

LE GRAND LUBERON★★ ①

Circuit de 100 km au départ d'Apt – 1 journée, ascension au Mourre Nègre non comprise. Quitter Apt par la D 48 au Sud-Est, par l'avenue de Saignon.

Saignon, charmant village
perché.

La route en montée offre de belles vues sur le site perché
de Saignon, le bassin d'Apt, le plateau de Vaucluse et le
Ventoux.

Saignon

Laisser la voiture sur le vaste parking des Amandiers, à l'entrée du village. Bâti sur un promontoire rocheux dominant
Apt, ce charmant village occupe un **site★** remarquable.
Votre promenade vous conduira sur la charmante **place
de la Fontaine** (petit lavoir sur votre gauche). Plus loin
à droite, sur une place surplombant la vallée, un **moulin
à huile troglodytique** a été conservé. En franchissant le
Portau auròs, qui fait partie des anciennes fortifications,
on accède aux vestiges de l'ancien château (chapelle sur
votre gauche). En haut des marches, **rocher Bellevue**
(table d'orientation) : devant vous, le cône pelé du Ventoux surplombant le plateau de Vaucluse ; en contrebas,
Apt ; derrière vous, à vos pieds, les toits de tuiles roses
de Saignon ; en toile de fond, le Grand Luberon dominé
par le Mourre Nègre.

Dans le quartier de la Molière, **Le Potager d'un curieux**
est le royaume d'un passionné du jardinage, Jean-Luc
Danneyrolles, qui cultive avec amour des plantes oubliées
et des légumes du passé. C'est un véritable enchantement
lorsqu'à la belle saison les massifs se parent de mille couleurs. ☏ *04 90 74 44 68 - mars-oct. : tlj sf w.-end. 9h-12h,
14h-18h.*

Poursuivez sur la D 48 qui atteint un replat cultivé. À
droite, le plateau des Claparèdes parsemé de bories.

*Laisser votre voiture à Auribeau. Ressortir du village au
Nord et prendre à gauche en direction du Mourre Nègre la
route forestière non revêtue jusqu'au GR 92, qui permet
d'atteindre le sommet du Mourre Nègre.*

Le Mourre Nègre★★★

⏱ *5h AR.* Alt. 1 125 m. Le Mourre Nègre (« Visage Noir »)
est le point culminant de la montagne du Luberon. Du
sommet, immense **panorama★★★** sur la montagne de
Lure et les Préalpes de Digne au Nord-Est, la vallée de la
Durance, avec en arrière-plan la montagne Ste-Victoire
au Sud-Est, l'étang de Berre et les Alpilles au Sud-Ouest,
le bassin d'Apt, le plateau de Vaucluse et le mont Ventoux
au Nord-Ouest.

Revenez sur la D 48 qui traverse Auribeau puis le hameau
étagé de **Castellet**, pour atteindre la vallée du Calavon,
qui fait suite aux garrigues.

*Prendre à droite la N 100, puis, juste après avoir franchi le
Calavon, suivre sur 2 km une petite route sur la droite, passant devant l'imposante façade pratiquement aveugle de la
tour d'Embarbe.*

Céreste

On s'attardera volontiers dans cette ancienne cité romaine
située sur la voie Domitienne. Elle a conservé une partie

VOIR PLUS
L'église N.-D.-de-Pitié,
romane, frappe par ses
dimensions. Sur la façade,
belles arcades trilobées sur
pilastres et colonnettes,
et portail de bois sculpté
par Elzéar Sollier (14ᵉ s.).

de ses fortifications et forme un bel ensemble architectural. Le sol est riche en remarquables fossiles (poissons, végétaux) qui se sont formés dans les calcaires schisteux *(il est bien entendu interdit de les ramasser).*

À la sortie du village, le **pont romain** (mais roman), à angle cassé, enjambe l'Encrème. De là, vous pourrez continuer jusqu'au **prieuré de Carluc** *(2 km)*. Il s'agit d'un ancien monastère de l'ordre de Montmajour dont il reste une chapelle et deux églises. *Fermé provisoirement. Possibilité de visite guidée ; se renseigner à l'Office de tourisme,* ☎ *04 92 79 09 84.*

Quitter Céreste au Sud par la D 31. La route serpente sur le versant Nord du Grand Luberon (belles vues sur la vallée du Calavon et le plateau de Vaucluse).

Descendre le versant Sud vers Vitrolles, et prendre la D 33 vers Grambois.

Grambois

L'entrée dans le vieux village, juché au sommet d'une colline *(vaste parking)*, permet de découvrir une charmante place dominée par la silhouette fortifiée de l'**église N.-D.-de-Beauvoir**. À l'intérieur *(1re chapelle à gauche), Vie de saint Jean-Baptiste*, triptyque de l'école gothique d'Aix attribué par certains à un peintre de Pont-St-Esprit, André Tavel.

Quitter Grambois au Sud par la D 956.

La Tour d'Aigues *(voir ce nom)*
Prendre à l'Ouest en direction d'Ansouis.

Ansouis *(voir ce nom)*
Par la D 56 au Nord, rejoindre Cucuron.

Cucuron
L'**église** du village a conservé sa nef romane : Christ assis et enchaîné en bois peint du 16e s. dans la chapelle des fonts baptismaux, chaire en marbre de couleurs variées. En face de l'église, l'hôtel de Bouliers (17e s.) abrite le petit **musée archéologique Marc-Deydier** consacré à la préhistoire, à l'époque gallo-romaine et aux traditions locales. ☎ *04 90 77 25 02 - 10h-12h, 15h-19h - fermé mar. mat. - gratuit.*

De la plate-forme au pied du donjon, belle vue sur le bassin de Cucuron et, à l'horizon, sur la montagne Ste-Victoire.

🏃 *3,5 km et 4 km. Départ de la cave coopérative. Dépliant disponible dans les Offices de tourisme et à la Maison du Parc.* Pour découvrir le vignoble, suivez le **Sentier des vignerons**, ponctué de panneaux d'informations.

Prendre la D 56 en direction de Lourmarin.

Vaugines
À l'entrée du village (quelques vieilles demeures), au creux d'un vallon, dans un cadre romantique, l'église romane **St-Pierre-et-St-Barthélémy★**, que borde un vieux cimetière, compose un **tableau** empreint d'une sérénité

> « **D**éjà vu cette tête quelque part », ne pourront s'empêcher de penser ceux qui, en période calendaire, découvriront dans l'église les santons très expressifs de Pierre Graille. Et pour cause : l'artiste a pris pour modèles les habitants du village !

LE MAI DE CUCURON

Le samedi suivant le 21 mai, une équipe de villageois accompagnée du « coupeur » part couper la « piboulo » parmi les plus grands peupliers qui se dressent sur la commune. L'arbre choisi doit dépasser le faîte de l'église. Un enfant (l'enseigne) portant le drapeau français est juché dessus et « Le Mai » est alors porté à dos d'hommes à travers les rues sinueuses du village, accompagné d'un cortège et de danseurs folkloriques. Arrivé sur le parvis de l'église Notre-Dame de Beaulieu, l'arbre fleuri est dressé le long de la façade où il trônera jusqu'au 14 août.

Cette fête est organisée pour respecter un vœu prononcé en témoignage de reconnaissance à sainte Tulle, patronne de Cucuron, qui fit cesser la terrible peste de 1720.

L'écrivain Henri Bosco a séjourné au château de Lourmarin ; il a rejoint Albert Camus en 1976 au cimetière du village.

Magnin G. /MICHELIN

inouïe. Les cinéphiles reconnaîtront sans peine l'église de *Jean de Florette* et de *Manon des Sources*.

Lourmarin★

Au pied de la montagne du Luberon, Lourmarin est dominé par son château, bâti sur une butte un peu à l'écart du village. Légué par son dernier propriétaire, Robert Laurent-Vibert, à l'Académie des arts et belles-lettres d'Aix-en-Provence afin qu'elle en fît une « villa Médicis de Provence », ce **château★** comprend une partie du 15e s. et une partie Renaissance. Cette dernière est remarquable par son unité de style et de composition. Belles cheminées ornées de cariatides ou de colonnes. Originalité : une fine colonnette soutenant une coupole de pierre parachève le grand escalier. La partie du 15e s. est occupée par la bibliothèque et les chambres des pensionnaires, qui donnent sur d'agréables galeries de pierre ou de bois. ☎ 04 90 68 15 23 - www.chateau-de-lourmarin.com - juil.-août : 10h-11h30, 15h-18h ; mai-juin et sept. : 10h-11h30, 14h30-17h30 ; mars-avr. : 10h30-11h30, 14h30-16h45 ; oct. : 11h-11h30, 14h30-16h30 ; nov.-déc. et fév. : 10h30-11h30, 14h30-16h ; janv. : w.-end 14h30-16h - fermé 1er janv. et 25 déc.- 5 € (-10 ans gratuit).

La D 943 au Nord-Ouest remonte la combe de Lourmarin.. La route, sinueuse, traverse des gorges étroites, aux parois abruptes, ouvertes dans le massif par l'Aigue Brun. Après

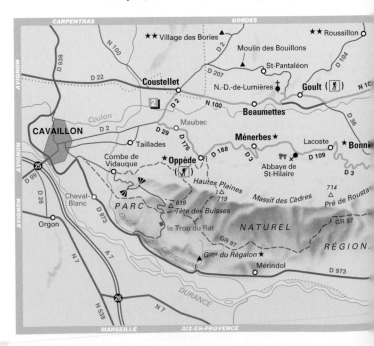

l'ancien château (16ᵉ et 18ᵉ s.), transformé en centre d'accueil pédagogique par le Parc, la route franchit un pont et conduit vers un groupe de maisons. Un peu avant ces dernières, tournez à droite dans le chemin *(parking)*.

Fort de Buoux

2h à pied AR, puis 45mn de visite. Passant la grille, puis sous une roche en surplomb, gagner la maison du gardien. ☎ 04 90 74 25 75 - du lever au coucher du soleil (sf mauvaises conditions météorologiques) - 3 €.

Déjà occupé par les Ligures, puis par les Romains, l'éperon rocheux qui supporte le fort a longtemps conservé sa vocation militaire. Témoin des combats entre catholiques et protestants, il fut démantelé sur ordre de Louis XIV en 1660. Trois enceintes défensives demeurent, avec une chapelle romane, des habitats, des silos taillés dans le rocher, un donjon, une pierre de sacrifice ligure et un escalier dérobé. De la pointe de l'éperon, vue sur la haute vallée de l'Aigue Brun.

Revenir au château pour prendre à droite la D 113 qui traverse Buoux et prendre sur la droite la D 569, puis encore à droite la D 114.

Sivergues

À l'écart des routes, ce bourg perché sur les pentes du Grand Luberon fut peuplé par des **Vaudois** qui, mettant à profit l'isolement de leur village, échappèrent à la répression, avant de rallier le protestantisme officiel *(voir « Un peu d'histoire » – 1545 – dans la partie. Invitation au*

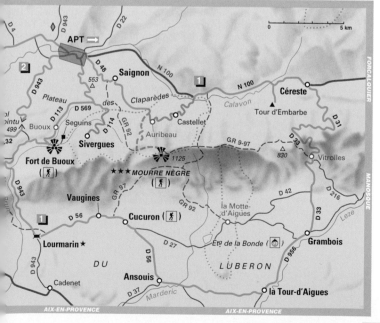

voyage). C'est peut-être ici, sur ce site que Henri Bosco qualifiait de « bougrement perché », que vous toucherez au plus près l'âme du Luberon, pour peu que vous sachiez vous abandonner à la solitude et au silence.

Faire demi-tour vers Apt par la D 114.

LE PETIT LUBERON★★ ②

Circuit de 101 km au départ d'Apt – environ 1 journée. Quitter Apt par la D 943, puis prendre immédiatement à droite la D 3.

Sillonnant à travers le vignoble, c'est l'occasion de vous arrêter chez quelques producteurs de côtes-du-luberon.

Bonnieux★ *(voir ce nom)*

Quitter Bonnieux au Sud par la D 3 et prendre à gauche la D 109. La route serpente sur le flanc du Petit Luberon, à l'arrière de Bonnieux ; en face apparaît le village de **Lacoste** et les murailles déchiquetées de l'imposant château en ruine, partiellement relevées, qui appartenait à la famille de Sade.

Continuer vers Ménerbes par la D 109. Après les carrières de Lacoste où l'on extrait une pierre de taille renommée, dans un joli site face au Luberon, l'ancienne **abbaye de Saint-Hilaire**, occupée par les Carmes du 13e au 18e s. et aujourd'hui propriété privée, conserve trois chapelles, respectivement des 12e, 13e et 14e s., ainsi que des bâtiments claustraux du 17e s. *De Pâques à fin oct. : 10h-19h - gratuit.*

Ménerbes★ *(voir ce nom)*

Emprunter la D 3 au Sud, puis la D 188.

Oppède★

Laisser la voiture sur le parking aménagé après le village pour partir à sa découverte à pied. Étagé dans un **site★** remarquable sur un éperon rocheux, le village taillé dans le roc, naguère en grande partie ruiné, a retrouvé vie grâce à l'intervention d'artistes et d'hommes de lettres qui s'emploient, tout en le restaurant, à préserver son authenticité. Depuis l'ancienne place du bourg, on accède au village supérieur, couronné par la **collégiale** et les ruines du château, en passant sous une ancienne porte de ville. De la terrasse devant la collégiale, belle **vue★** sur la vallée du Coulon, le plateau de Vaucluse et Ménerbes. Derrière le château (fondé par les comtes de Toulouse et reconstruit aux 15e et 16e s.), vue dégagée sur les ravins qui sillonnent le flanc Nord du Luberon. ⓘ *1h30. Départ près de l'oratoire Saint-Joseph. Dépliant disponible dans les offices de tourisme et à la Maison du parc. Circuit similaire à Cucuron, versant Sud.* L'itinéraire, balisé de petits panneaux représentant une grappe de raisin, s'enfonce à travers le **vignoble**, au pied du vieil Oppède.

Après avoir traversé la région de Maubec (D 176, D 29), tourner à droite dans la D 2.

Coustellet

Le **musée de la Lavande** *(sur la droite)* rassemble différents alambics anciens en cuivre rouge (à feu nu, à vapeur, au bain-marie, pour concrètes et pour l'absolue), dont le plus ancien date de 1626. On y fait connaissance avec le lavandin, hybride issu de la pollinisation de la lavande fine (la « vraie ») et de la lavande aspic. C'est de la lavande fine qu'on tire les parfums les plus subtils. Mais le rendement du lavandin est bien plus important. Les produits proposés sont obtenus à partir de lavande cultivée au château du Bois à Lagarde-d'Apt, sur le plateau d'Albion. *Visite audioguidée.* ☎ *04 90 76 91 23 – www.museedelalavande.com - &. - juil.-août : 10h-19h ; juin et sept. : 9h-12h, 14h-19h ; oct.-mai : 10h-12h, 14h-18h - fermé janv. et 25 déc. - 5 € (-15 ans gratuit).*

Prendre la N 100 en direction d'Apt.

Beaumettes

Le village est dominé par des vestiges d'habitations creusées dans la roche. Désormais à l'écart de la route, il a retrouvé sa tranquillité.

De la N 100, prendre à gauche la D 60 vers Goult.

Sauvignier S./MICHELIN

En chemin vers la collégiale d'Oppède.

DIVIN MARQUIS

Plusieurs fois emprisonné, condamné à mort par contumace, Sade vint se réfugier en 1774 dans son château de Lacoste. Passionné de théâtre, il y avait fait aménager une luxueuse salle de spectacles.

Dans son parc agréable, **N.-D.-de-Lumières** *(sur la gauche)*, lieu de pèlerinage célèbre en Provence, conserve une importante collection d'ex-voto.

Goult

Ce village perché est dominé par son château et un moulin qui a retrouvé ses ailes.

⏱ *1h. Départ en haut du village.* Le **Conservatoire des terrasses** a pour vocation de préserver et mettre en valeur ce système de construction en pierres sèches *(restanques* ou *bancaus)*, plus complexe qu'on ne l'imagine, qui permettait de mettre en culture et d'irriguer les terrains accidentés. Un agréable sentier de découverte à faire en famille.

Revenir à Apt par la N 100 qui remonte la vallée du Calavon. Sur la gauche s'étend le **pays de l'ocre** *(voir Roussillon et Apt).*

Marseille★★★

Rivé à un port qui accueillit ses premiers habitants, fier de ses 2 600 ans d'histoire, Marseille perpétue une tradition d'intégration mais se montre parfois intolérant... Voilà une ville pleine de contradictions, qui ne manqueront pas de vous surprendre, et prompte à l'exubérance, qui ne vous laissera pas indifférent. Marseille, c'est avant tout un art de vivre dont il faut sans doute quelques années pour apprendre les règles.

La situation

Carte Michelin Local 340 H6 – Bouches-du-Rhône (13). Avant de vous immerger dans la ville, prenez le temps d'admirer son site exceptionnel. Notre-Dame-de-la-Garde offre le meilleur observatoire. Du parvis, on découvre un extraordinaire **panorama★★★** sur les toits, le port et les montagnes environnantes. À gauche, les îles du Frioul et, au loin, le massif de Marseilleveyre ; en face, le port, avec, au premier plan, le fort St-Jean et le parc du Pharo, plus à droite, la ville, et au fond, la chaîne de l'Estaque ; en arrière, le sommet pelé de la chaîne de l'Étoile.

🚉 *4, La Canebière, 13001 Marseille,* ☎ *04 91 13 89 00. www. marseille-tourisme.com*

Le nom

Massalia des Phocéens, Massilia des Romains, Marselha/Marsiho des Provençaux, Marseille des Français... et pourtant, la ville pourrait ne pas s'appeler du tout : en effet, en 1793, afin de la punir de sa révolte fédéraliste, la Convention lui retira son nom et, comme il fallait bien la désigner, l'affubla du sobriquet de « Ville Sans Nom »... Mais d'où vient Massalia ? Mystère qui a donné lieu à bien des hypothèses. La plus délirante : les Grecs l'auraient baptisée ainsi, car c'était le mas des Salyens...

Les gens

1 349 772 Marseillais dont **Zinedine Zidane**, qui a conduit l'équipe de France de football à la victoire en Coupe du monde (1998) et en Coupe d'Europe (2000). Une particularité : cet enfant du quartier de la Castellane, Marseillais bon teint, n'a jamais porté le maillot blanc et bleu de l'OM.

comprendre

La bosse du commerce – Vers 600 avant J.-C., quelques galères, montées par des Phocéens (Grecs d'Asie Mineure), abordent dans la calanque du Lakydon, l'actuel Vieux Port.
Les Grecs, commerçants avisés, rendent vite la cité prospère. Après la destruction de Phocée par les Perses

Sauvignier S. /MICHELIN

Plus qu'un simple club de football, l'**OM** est l'âme de la ville, sa fierté et une part de son identité.
De triomphes en désastres et en scandales, tout y est excessif : l'antre du stade Vélodrome avec son public aussi enthousiaste que sévère, la presse qui décortique chaque jour les états d'âme des joueurs, l'effectif où se sont souvent bousculées les stars. Le club centenaire passionne et soude les Marseillais de toutes origines autour de ses couleurs blanc et bleu et de sa devise, « Droit au but ».

Magnin G. /MICHELIN

Ici, les Phocéens sautèrent sur la rive de la calanque du Lakydon, créant ainsi Massalia.

carnet pratique

TRANSPORTS

La navette de l'aéroport arrive à la **gare Saint-Charles**, l'unique gare marseillaise où aboutissent également les TGV, les trains grandes lignes et les TER.

Voiture – Il faut s'armer de patience, de philosophie et de courage : embouteillages incessants, conducteurs irascibles dénués de la moindre indulgence envers ceux qui semblent chercher leur chemin, n'hésitant pas à accompagner d'un assourdissant concert d'avertisseur ponctué d'invectives les manœuvres de stationnement dès lors qu'elles sont jugées trop longues, quasi impossibilité de se garer en dehors de parkings souterrains parfois complets, l'expérience peut relever, pour un public non averti, du calvaire.

Métro – ☎ 04 91 91 92 10 - www.rtm.fr - C'est le transport en commun le plus commode ; les deux lignes fonctionnent de 5h à 21h et jusqu'à 0h30 vend. et w.-end. En semaine, elles sont remplacées de 21h à 1h par les "fluobus". Les titres de transport sont vendus en station sous forme de cartes magnétiques valables pour 1h de déplacement (carte solo : 1,60 €), une journée (carte journée : 4,50 €) ou plusieurs trajets (cartes liberté : 7,10 € ou 13 €). Plan du réseau distribué gratuitement aux guichets.

Ferry-boat – *8h-18h30, w.-end en été 8h-20h30. De la place aux Huiles à l'hôtel de ville. 0,80 € AR, 0,50 € aller.* Escartefigues, le célèbre personnage de Marcel Pagnol, n'officie plus comme capitaine mais le trajet garde un charme fou. Les minots adorent, les grands aussi et surtout, le "ferry boate" permet d'économiser 800 m de marche à pied, avantage non négligeable sous le cagnard estival.

Sauvignier S./MICHELIN

VISITE

Visite guidée – Marseille, qui porte le label Ville d'art et d'histoire, propose des visites-découvertes (2h) animées par des guides-conférenciers agréés par le ministère de la Culture et de la Communication. *6,50 €. Renseignements à l'Office de tourisme ou sur www.marseille-tourisme.com*

Visite des Calanques en bateau – *Voir le « carnet pratique » des Calanques.*

« Le Grand Tour » en bus – Visite guidée avec commentaires sur cassette audio (1h30 sans compter les arrêts que vous choisirez de faire). Mis en place par une compagnie privée, ce bus à impériale a l'avantage de permettre de monter ou descendre à chacun des seize arrêts. *16 € (20 € pour 2 J). Jusqu'à 8 dép. s.t., dép. quai du Port, fréquence max. de déb. avr. à fin oct.*

Taxis Tourisme – Visite guidée avec commentaires sur cassette audio (3h). *Réservation et renseignements à l'Office de tourisme, ☎ 04 91 13 89 00.*

Petit train touristique – Deux circuits proposés : vers N.-D.-de-la-Garde par la basilique St-Victor ou dans le Vieux Marseille (quartier du Panier et Vieille Charité). *Dép. quai du Port. Le train de N.-D.-de-la-Garde fonctionne toute l'année sf du 1er au 25 déc., celui du Vieux Marseille fonctionne d'avr. à oct. 5 € par circuit (enf. 3 €).* ☎ 04 91 40 17 75.

City Pass Marseille – Ce passeport touristique et culturel permet de découvrir Marseille grâce à une formule "tout compris". Il donne accès à 14 musées, aux visites guidées de l'Office de tourisme, au réseau bus-métro-tramway, au petit train touristique de N.-D.-de-la-Garde et à celui du musée de la Faïence, au bateau pour le château d'If, à la visite du château d'If et offre des réductions dans certaines boutiques. *16 €/1 J, 23 €/2 J - en vente à l'Office de tourisme et des Congrès.*

SE LOGER

🛏 **Hôtel Saint-Louis** – *2 r. des Récollettes (cours St-Louis) - M° Vieux Port -* ☎ *04 91 54 02 74 - www.hotel-st-louis.com - 22 ch. 36/52 € -* 🍽 *6 €.* Au pied du marché des Capucins et de la Canebière, ce deux-étoiles se niche dans un bâtiment du 19e s. à la façade rose et blanche. Patines chaudes, couleurs provençales et tomettes lui donnent du caractère. En sortant, on retrouve l'atmosphère du quartier de Noailles, une sorte de grand souk à ciel ouvert.

🛏 **Hôtel Benidorm** – *734 chemin du Littoral (Estaque) - bus 35 -* ☎ *04 91 46 12 91 - 26 ch. 38/44 € -* 🍽 *6 €.* Seul hôtel de l'Estaque, ce bâtiment blanc tout simple abrite des chambres avant tout pratiques (parfois sans toilettes privatives) et dotées de double vitrage ; la moitié d'entre elles ouvrent côté mer. Prix raisonnables.

🛏 **Le Richelieu** – *52 corniche Kennedy - bus 83 -* ☎ *04 91 31 01 92 - www.lerichelieu-marseille.com -* 🖵 *- 19 ch. + 2 suites 39/100 € -* 🍽 *7 €.* Charmant hôtel installé sur la Corniche, près de la plage des Catalans. Sept types de chambres (et de prix), avec ou sans vue sur mer. Double vitrage côté rue. Les moins chères ont un cabinet de toilette privé mais des WC communs. Coup de cœur pour la suite n° 5 qui possède une terrasse dominant la rade.

🛏 **La Maison du Petit Canard** – *2 imp. Ste-Françoise - M° Vieux-Port -* ☎ *04 91 91 40 31 - http://maison*

.petit.canard.free.fr - 🚭 - 4 ch. et 4 studios 30/46 € ⌷ - repas 14 €. Une adresse au cœur du Panier, plébiscitée pour son ambiance chaleureuse. Une chambre et quatre studios à prix raisonnables, dans deux maisons anciennes avec poutres apparentes et sols en tomettes. Décoration très Sud, avec meubles chinés, joli salon oriental et table d'hôte. Accueil sympathique.

⌷ **Hermès** – *2 r. Bonneterie - M° Vieux-Port -* ☎ *04 96 11 63 63 - hotel.hermes @wanadoo.fr - 29 ch. 47/89 € - ⌷ 8 €.* Cet hôtel propose un hébergement simple et confortable. Sur le toit, superbe terrasse et exceptionnelle « chambre nuptiale » avec de grandes baies vitrées et un panorama cinq étoiles sur le Vieux Port et N.-D.-de-la-Garde.

⌷ **Hôtel Azur** – *24 cours Franklin-Roosevelt - M° Réformés -* ☎ *04 91 42 74 38 - www.azur-hotel.fr - 18 ch. 49/65 € - ⌷ 7 €.* À deux pas du haut de la Canebière, un deux-étoiles familial dans un immeuble « trois fenêtres » typique de Marseille. Les chambres climatisées s'articulent sur quatre étages, autour d'un grand escalier baigné de lumière. Certaines donnent sur le jardin où vous pourrez prendre le petit-déjeuner. Accueil attentif.

⌷ **Hôtel Le Corbusier** – *280 bd Michelet - bus 21, 22 -* ☎ *04 91 16 78 00 - www.hotelcorbusier.com - fermé 1 sem. en janv. -* ⊞ *- 21 ch. 50/100 € - ⌷ 8 €.* Griffé Le Corbusier, cet hôtel niche ses chambres quasi monacales à la Cité radieuse, un vaisseau de béton qui s'élève depuis 50 ans bd Michelet, une banlieue chic excentrée. Depuis le toit-terrasse, vue à 360° sur la rade de Marseille. Décriés à la conception, les appartements de la « Maison du fada » se vendent à prix d'or. L'hôtel, lui, reste abordable. Un regret : le mobilier vétuste. À quand la rénovation ?

⌷ **Relax** – *4 r. Corneille -* ☎ *04 91 33 15 87 - 21 ch. 50/55 € - ⌷ 6 €.* Détendez-vous, vous êtes au Relax, hôtel familial entièrement refait pour assurer à ses hôtes des nuits sans souci dans de petites chambres bien tenues, insonorisées et climatisées.

⌷ **Chambre d'hôte M. et Mme Schaufelberger** – *2 r. St-Laurent - M° Vieux-Port puis bus 49 -* ☎ *04 91 90 29 02 - schaufel@wanadoo.fr -* 🚭 *- 3 ch. 55/65 €* ⌷. Nichées au sommet d'une grande tour moderne du Panier, ces chambres d'hôte (deux chambres à louer, possibilité d'une troisième en suite pour les groupes qui se connaissent) offrent une vue exceptionnelle sur le Vieux Port, les forts et la rade. Petits-déjeuners en terrasse aux beaux jours. Belle vue depuis le salon commun, qui est aussi celui de la famille Schaufelberger.

⌷ **Chambre d'hôte Villa Marie-Jeanne** – *4 r. Chicot -* ☎ *04 91 85 51 31 -* 🚭 *- 3 ch. 60/75 €.* Adresse rare à Marseille que cette bastide du 19ᵉ s. désormais englobée dans un quartier résidentiel : aménagée avec goût, elle mêle élégamment couleurs provençales traditionnelles, meubles anciens, fer forgé et toiles contemporaines. Jardin ombragé de platanes et d'un micocoulier.

⌷⌷⌷⌷⌷ **New Hôtel Vieux Port** – *3 bis r. de la Reine-Élisabeth - M° Vieux-Port -* ☎ *04 91 99 23 23 - marseillevieux-port @new-hotel.com - 42 ch. 150/170 € - ⌷ 11 €.* Cet immeuble ancien idéalement situé sur le Vieux Port a bénéficié d'une récente rénovation. Les chambres sont personnalisées par différents décors empreints d'exotisme : Mille et une nuits, Pondichery, Vera Cruz, Soleil Levant et Afrique noire.

Magnin G. / MICHELIN

SE RESTAURER

Spécialités – À l'illustre bouillabaisse, le plat des pêcheurs à base de poissons de roche qu'on trouvera proposé un peu partout, et au célébrissime aïoli, on ajoutera les pieds-et-paquets, à base de tripes. Enfin, outre la brousse du Rove et les chichis frégis, la région de l'Estaque propose les panisses, pâtes à base de pois chiches que l'on découpe en rondelles et que l'on frit.

⌷ **La Cantine du Marseillais** – *13 r. Glandevès - M° Vieux-Port -* ☎ *04 91 33 66 79 - stk.lemarseillais @wanadoo.fr - fermé dim. soir, lun., mar. et sam. - 6/30 €.* Au cœur du centre commerçant, cette petite adresse toute neuve met la Méditerranée à l'honneur, avec une cuisine qui navigue de l'Espagne à la Grèce, de l'Italie à la Provence. Sur les tables défilent artichauts, supions, parlourdines et rougets, arrosés de vins du Sud. Une bonne escale déjeuner entre deux boutiques.

⌷ **Lina's** – *11 La Canebière - M° Vieux-Port -* ☎ *04 96 11 54 16 - fermé 3 sem. en août et dim. - 7,50 €.* Occupant en partie le rez-de-chaussée du musée de la Mode, à deux pas du musée de la Marine et de l'Économie, cette sandwicherie de chaîne réconcilie chic et restauration rapide. Farines semi-bio, produits primeurs, salades variées... Le décor design attire même les branchés, qui ne dédaignent pas d'y grignoter, sur les grandes chaises rouges, oranges et jaunes.

⌷ **La Cloche à Fromage** – *27 cours d'Estienne-d'Orves -* ☎ *04 91 54 85 38 – fermé dim. - 8,90/29,90 €.* Envie d'un plateau de fromages et d'un verre de vin ? Ici, vous pourrez vous resservir de toutes les variétés conservées sous la grosse cloche : des plus délicates aux plus corsées, il y en a pour tous les goûts ! À savourer sur la terrasse, formidable en été. Également, quelques plats sans fromage.

⌷ **Le Resto Provençal** – *64 cours Julien - M° Cours-Julien -* ☎ *04 91 48 85 12 - ouv.*

du mar. midi au ven. soir et sam. soir, 12h-14h, 19h45-22h30 (23h le w.-end) - 9/13 €. Une adresse douillette où les spécialités provençales ensoleillent les assiettes : daurade en bouillabaisse, seiches au basilic, tarte aux figues. Une note détaillant les apéritifs provençaux est posée sur chaque table, on trinque à l'idée !

⊖ **La Table à Denise** – *63 r. Sainte - ☎ 04 91 54 19 74 - fermé le soir sf ven. et sam. et veille de fête - réserv. conseillée - 9,95/19 €.* L'ardoise extérieure annonce les plats qui varient selon le marché. L'esprit ? Provençal créatif, souvent sucré-salé (veau au miel épicé, jarret d'agneau sur confiture d'oignons, tian de canard). La toute petite salle à manger est très conviviale, avec ses meubles patinés et sa vaisselle chinée.

⊖ **Le Bistrot à vin** – *17 r. Sainte - M° Vieux-Port - Hôtel-de-Ville - ☎ 04 91 54 02 20 - fermé août - 10/12,20 €.* Dans un cadre chaleureux à souhait (poutres au plafond, murs tantôt couverts de briques, tantôt orangés, tables en fer forgé et chaises en bois), vous dégusterez une cuisine provençale bien inspirée. La carte, présentée sur ardoise, propose en entrée 4 ou 5 assiettes. Les plats s'avèrent copieux. Pour le dessert, vous hésiterez entre la tarte maison et le fondant au chocolat.

⊖ **Toinou** – *3 cours St-Louis - M° Noailles - ☎ 04 91 33 14 94 - www.toinou.com - 10/25 €.* Huîtres, crustacés, oursins ou violets extra-frais campent sur les plateaux de fruits de mer servis aux trois étages, dans un décor de bois blond et métal poli. Le service est 100 % efficace, plébiscité par les nombreux Marseillais qui s'y régalent. La terrasse est bruyante mais on peut y observer les écaillers au travail.

⊖ **Couleur des Thés** – *24 r. Paradis - 1ᵉʳ étage - ☎ 04 91 55 65 57 - mai-oct. : tlj sf w.-end 12h-18h ; nov.-avr. : tlj sf dim. et lun. 12h-18h ; fermé 15 j. en août - 12/19 €.* Salon de thé agréablement décoré, installé dans l'intimité d'un appartement cossu (climatisé), au 1ᵉʳ étage d'un immeuble du centre-ville. Au programme : buffet de salades, charcuteries, tartes salées et pâtisseries maison. Cinquante variétés de thés, vendues en vrac, à emporter.

⊖ **Le Bord'Eau** – *Quai d'Honneur, îles du Frioul - bateau du Vieux-Port - ☎ 04 91 59 01 45 - patricia.ely @wanadoo.fr - fermé nov.-avr. - 12,50/30 €.* Chaises en plastique et parasols composent le décor de ce restaurant-bar-glacier installé face au port du Frioul. Il se distingue par un service attentionné et des prix raisonnables. Glaces, pâtisseries et, pour les grosses faims, poissons grillés et fruits de mer.

⊖ **La Part des Anges** – *33 r. Sainte - M° Vieux-Port - Hôtel-de-Ville - ☎ 04 91 33 55 70 - la.part.des.anges@fnac.net - fermé 25 déc. et 1ᵉʳ janv. - 15/30 €.* Ce bar à vins très animé le soir propose plus de 250 références à déguster sur place, en bouteille et au verre, ou à emporter. Pour les accompagner, vous aurez le choix entre des assiettes de charcuterie et de fromage et des petits plats préparés selon le marché. Décor mi-rustique, mi-contemporain et long comptoir en zinc.

⊖⊖ **Chez Vincent** – *23 r. de Glandevès - M° Vieux-Port - ☎ 04 91 33 96 78 - fermé août et lun. - ⊟. - 30 €.* Façade modeste, décor simple et désuet de style bistrot, et Rose, la patronne, aux fourneaux depuis les années 1940 caractérisent cette institution prisée des Marseillais. La cuisine, copieuse et soignée, visite le répertoire régional ; on se régale également avec des pizzas cuites au feu de bois.

⊖⊖ **Chez Madie les Galinettes** – *138 quai du Port - M° Vieux-Port - ☎ 04 91 90 40 87 - fermé sam. midi en juil. et dim. - 15 € déj. - 22/27 €.* Près des musées du Vieux Marseille, un restaurant provençal avec terrasse donnant sur le Vieux Port et la Bonne Mère. Idéal aussi pour épater des copains venus du Nord, avec un beau soleil qui caracole dans l'assiette : artichauts à la barigoule, poivrons anchoiade, alibofis (rognons), pieds et paquets. Madie détaillera la carte parfois mystérieuse avec le sourire. Deux bémols : des prix qui ont eu un petit coup de chaud et la rumeur des voitures.

⊖⊖ **Shabu Shabu** – *30 r. de la Paix-Marcel-Paul - ☎ 04 91 54 15 00 - fermé 28 juil.-1ᵉʳ sept., lun. midi et dim. - réserv. conseillée le w.-end - 22/28 €.* Tous les poissons de la Méditerranée préparés en sushis sous vos yeux ! Le décor est japonais et le chef, français, se passionne pour la cuisine du Soleil Levant : une table à la personnalité affirmée, dans une ville où les restaurants nippons ne se bousculent pas au portillon !

⊖⊖ **Le Marseillois** – *Quai du Port-Marine, devant la mairie - ☎ 04 91 90 75 52 - gerard.bocca@wanadoo.fr - fermé dim. et lun. - 23/50 €.* Pour un repas presque les pieds dans l'eau, rendez-vous sur cette goélette du 19ᵉ s. amarrée dans le Vieux Port, face à la mairie. Vous y dégusterez sur le pont en été ou dans la cale en hiver, une cuisine provençale privilégiant les produits de la mer.

⊖⊖ **Les Arcenaulx** – *25 cours d'Estienne-d'Orves - M° Vieux-Port - ☎ 04 91 59 80 30 - restaurant@les-arcenaulx.com - fermé 11-19 août et dim. - 28,50/49,50 €.* Dînez parmi les livres : ils tapissent les murs de ce restaurant associé à une librairie et une maison d'édition (Jeanne Laffitte), dans le cadre original des anciens entrepôts des galères (17ᵉ s.). Grande terrasse sur le cours d'Estienne-d'Orves. Cuisine gorgée de soleil. Salon de thé l'après-midi.

⊖⊖ **Une Table, au Sud** – *2 quai du Port - M° Vieux-Port - ☎ 04 91 90 63 53 - unetableausud@wanadoo.fr - fermé dim. et lun. - 30/78 €.* Une table en vue : nage de langoustine à la verveine citronnée et à la fleur de capucine, fricassée de calamars au sésame, crème brûlée à l'artichaut... Le chef Lionel Lévy décline avec brio les saveurs méditerranéennes. Mieux vaut réserver pour etre sur d'obtenir une table avec vue sur le Vieux Port.

⊖⊖⊖ **Chez Fonfon** – *140 r. du Vallon-des-Auffes - ☎ 04 91 52 14 38 - chezfonfon@aol.com - fermé 2-23 janv., lun. midi et dim. - 36/50 €.* La salle à manger de ce restaurant réputé domine le petit port du vallon des Auffes d'où, chaque matin, les « pointus » partent pêcher de quoi régaler les amateurs de poissons et fruits de mer.

😋😋😋 **L'Épuisette** – 156 r. du Vallon-des-Auffes - bus 83 - ☎ 04 91 52 17 82 - contact@l-epuisette.com - fermé 7 août-7 sept., dim. et lun. - 43/90 €. Aux premières loges, les jours de tempête ! Tel un navire, ce restaurant s'avance vers la Méditerranée face aux îles du Frioul, poussé par ses voiles tendues au plafond de la salle à manger. Cuisine régionale actualisée mettant en vedette les produits de la mer.

EN SOIRÉE

Programme - On les trouvera dans la presse quotidienne locale (La Provence, La Marseillaise) et dans l'hebdomadaire Marseille, L'Hebdo vendu dans les kiosques le mercredi. Citons le petit livret In Situ, mensuel, distribué à l'Office et à l'espace Culture.

Bar de la Marine – 15 quai de Rive-Neuve - ☎ 04 91 54 95 42 - 7h-2h. Un bar comme on aimerait en rencontrer plus souvent sur le Vieux Port. Décoration simple faite de vieilles photos et de caricatures. Idéal pour prendre l'apéritif... un pastis bien évidemment !

La Caravelle – 34 quai du Port - ☎ 04 91 90 36 64 - 7h-2h. Superbe vue sur le Vieux Port depuis le minibalcon de ce bar situé au 1er étage d'un immeuble ancien. À l'intérieur, le décor 1930 a un certain charme ; petite restauration à midi et "apéro-tapas" à partir de 18h. Concerts de jazz et expositions d'art.

Le Pelle-Mêle – 8 pl. aux Huiles - ☎ 04 91 54 85 26 - à partir de 17h. Les plus grandes figures du jazz national et international viennent se produire dans ce sympathique établissement situé à deux pas du port. Le cadre, en partie voûté, est chaleureux et intime. Belle carte de whiskies.

Ballet national de Marseille – 20 bd de Gabès - ☎ 04 91 32 72 72 - www.ballet-de-marseille.com - tlj sf w.-end 9h-19h30 - fermé août et j. fériés - 8 à 37 €. Ce ballet, fondé en 1972 par Roland Petit, fait partie aujourd'hui des compagnies internationalement reconnues. Environ 60 représentations par an à Marseille, en France et à l'étranger.

Musiques d'aujourd'hui – Concerts de rock, jazz, reggae, etc. à l'Espace Julien (39 cours Julien). Concerts grand public au Dôme de Marseille, que surplombe une énorme coupole en béton : une immense salle de spectacles de 8 000 places où ne se risquent que les plus grands.

Opéra Municipal de Marseille – 2 r. Molière - ☎ 04 91 55 14 99. Salle de 1 832 places.

Théatre National de Marseille La Criée – 30 quai de Rive-Neuve - ☎ 04 91 54 70 54 - tnmlacriée@wanadoo.fr - horaires selon spectacles - fermé août. Théâtre national de Marseille : deux salles de 780 et 260 places.

QUE RAPPORTER

Marchés, foires – Tous les matins, marché aux poissons quai des Belges ; tous les matins sauf le dimanche, marchés alimentaires cours Pierre-Puget, pl. Jean-Jaurès (la Plaine), pl. du Marché-des-Capucins et av. du Prado.
Marchés aux fleurs mardi et samedi matin en haut de la Canebière et vendredi matin av. du Prado.

Sauvignier S. /MICHELIN

Marché aux livres le 2e samedi du mois cours Julien ; bouquinistes et disques d'occasion devant le palais des Arts (tlj).
Marché aux puces dimanche matin, av. du Cap-Pinède.
Marchés de Noël en novembre et décembre dans divers points du centre ville.
Foire aux santons de fin novembre à fin décembre sur la Canebière, allées de Meilhan.

Navettes Orsoni - Biscuiterie José Orsoni – 7 bd Botinelly - ☎ 04 91 34 87 03 - tlj sf w.-end 8h-17h30 - fermé août et j. fériés. Ne vous fiez pas à sa façade un rien « tristounette » et poussez donc la vieille porte en bois de cette maison : vous voici au cœur d'une fabrique de biscuits ! Autour de vous, tout le monde s'affaire : on travaille la pâte, on met en sachet, on remplit un carton. Passez votre commande et repartez avec un petit sac de navettes, de canistrelli, de croquants au miel et aux amandes ou de macarons.

Four des Navettes – 136 r. Sainte - M° Vieux-Port - ☎ 04 91 33 32 12 - www.fourdesnavettes.com - 7h-20h - fermé 1er janv. et 1er Mai. Point de Chandeleur sans « navette » qui protégera la maison de la maladie et des catastrophes ! Dans la plus ancienne boulangerie de la ville, bénie à cette occasion, on achète ce biscuit parfumé à la fleur d'oranger dont on garde jalousement la recette depuis deux siècles. On y trouve aussi du chocolat à la lavande qui fleure bon la Provence, des canistellis, des croquants aux amandes, des pompes à l'huile d'olive, des gibassiers et toute une gamme de pains spéciaux.

La Maison du Pastis – 108 quai du port - M° Vieux-Port - Hôtel-de-Ville - ☎ 04 91 90 86 77 - www.lamaison dupastis.com - tlj sf dim. 10h-19h ; hors sais. 10h30-14h, 16h-19h ; tlj juil.-août. Cette boutique exigüe jouit d'un emplacement privilégié sur le Vieux Port. À l'intérieur, dans un désordre « organisé », alcools anisés connus ou non, pastis artisanaux et absinthes se côtoient sur des rayonnages en bois blanc. Des produits régionaux haut de gamme s'ajoutent aux spiritueux : huiles d'olive, tapenades, etc.

Magnin G. /MICHELIN

Lei Moulins – *4-6 bd Tellène - M° Vieux-Port - ☎ 04 91 59 49 78 - www.lei moulins.com - tlj sf dim. 10h-12h30, 15h-19h - fermé j. fériés.* Étonnante boutique troglodytique installée dans le quartier St-Victor. Vous y trouverez une intéressante sélection d'huiles d'olive provenant de producteurs méditerranéens, et plus particulièrement provençaux, ainsi que des confitures artisanales fabriquées sur place.

Le Cabanon des Accoules – *24 montée des Accoules - ☎ 04 91 90 49 66 - 9h-13h, 14h30-18h30.* Santonnier d'art installé dans le pittoresque quartier du Panier.

Santons Marcel Carbonel – *49 r. Neuve-Ste-Catherine - ☎ 04 91 13 61 36 - www.santonsmarcelcarbonel.com - boutique : tlj sf dim. 9h30-12h30, 14h-18h30, tlj en déc. ; atelier (visite guidée) : mar. et jeu. sf déc. sur réservation.* Dans cette belle boutique avec vue sur la rade, plus de 600 santons au choix, de 2,5 à 15 cm. La crèche « basique » (la Nativité avec Jésus, Marie, Joseph, l'âne et le bœuf) est à assortir aux personnages tirés de la tradition populaire provençale, sans oublier les accessoires (étables, mas, fontaines, etc.).

Savonnerie de la Licorne – *34 cours Julien - ☎ 04 96 12 00 91 - marseille.soap @wanadoo.fr - tlj sf dim. 8h-17h, sam. 10h-18h - fermé j. fériés.* La façade un peu passe-partout cache non seulement une excellente adresse pour acheter du savon, mais aussi le seul atelier de fabrication artisanale du centre-ville. Une douzaine de parfums proposés : rose, pépins de raisin, violette, etc. Possibilité de visiter la savonnerie (machines centenaires).

La Compagnie de Provence – *1 r. Caisserie - ☎ 04 91 56 20 94 - www.lcdpmarseille.com - tlj sf dim. 10h-13h, 14h-19h - fermé j. fériés.* En maître des lieux, le savon de Marseille est ici présenté sous différentes formes : liquide, gel douche, ficelé avec du chanvre, accompagné d'huiles pour le bain, de linge de toilette... Le tout installé dans une boutique flambant neuf sentant divinement bon !

Au Père Blaize – *4-6 r. Méolan - M° Noailles - ☎ 04 91 54 04 01 - www.pere-blaize.fr - tlj sf dim. et lun. 9h30-12h30, 14h30-18h45 - fermé août.* Cette pharmacie-herboristerie, fondée en 1815,

regorge de plantes aromatiques et médicinales. Anis étoilé, marjolaine, thym, pistou, romarin, boldo, noyer, pariétaire, chiendent, frêne, guimauve, canne de Provence : un inventaire à la Prévert... parfumé ! Le joli décor « tout bois » mérite aussi le coup d'œil. Madame Bonnabel-Blaize, responsable du lieu, a même écrit un ouvrage sur sa passion.

Librairie Maritime – *26 quai de Rive-Neuve - M° Vieux-Port - ☎ 04 91 54 79 26 – tlj sf dim. 9h-12h, 14h-19h.* Navigateurs et amoureux de la mer pourront étancher leur soif de découverte du monde marin en fréquentant cette librairie fort bien fournie en ouvrages, cartes nautiques, maquettes, lithographies et objets divers liés à la mer.

Librairie-Galerie-Restaurant des Arcenaulx – *25 cours d'Estienne-d'Orves, Vieux-Port - M° Vieux-Port - ☎ 04 91 59 80 40 - www.lesarcenaulx.com - 10h-19h ; boutique 10h-0h ; restaurant jusq. 23h - fermé dim. et j. fériés.* Cette librairie abrite le siège des éditions Jeanne Laffitte, spécialisées dans les ouvrages évoquant Marseille et la Provence. De nombreux titres traitent également de voyage, de gastronomie et d'œnologie. On peut aussi y manger (voir détails dans le carnet pratique de « La ville à musées »).

Souleïado – *117 r. Paradis - M° Estrangin - ☎ 04 91 04 69 30 - www.souleiado.com - tlj sf dim. et lun. 10h-12h30, 14h30-19h - fermé j. fériés.* Connaissez-vous la jolie signification du mot souleïado ? Il évoque la percée du soleil à travers les nuages. Cette boutique de la célèbre maison provençale propose toute la gamme de tissus, linge de maison, vêtements et arts de la table pour ramener chez vous les couleurs du pays de Daudet.

Madame Zaza of Marseille – *73 cours Julien - M° Cours-Julien - ☎ 04 91 48 05 57 – tlj sf dim. 10h-13h30, 14h-19h, sam. 10h-19h.* C'est la boutique historique, celle qui a ouvert en 1980. La marque s'est depuis rendue célèbre avec des modèles aux couleurs chatoyantes et aux coupes épicées *(les modèles sont aussi distribués dans la boutique Casablanca de la rue de la Tour).*

La Boule Bleue – *ZI de la Valentine - montée St-Menet - ☎ 04 91 43 27 20 - www.laboulebleue.com - tlj sf w.-end 8h30-18h - fermé j. fériés ; 3 sem. en août ; 2 sem. à Noël.* Les boulistes connaissent bien cette entreprise familiale qui, depuis 1904, fabrique cet article typiquement marseillais. Les boules peuvent être réalisées sur mesure avec marquage des initiales ou du nom. En vente également, de nombreux accessoires : sacoche, mètre... et « Fanny » en bas-relief !

Galeries – Toutes les disciplines artistiques s'expriment dans les anciens entrepôts de la Friche de la Belle-de-Mai, r. Jobin, dans le 3ᵉ arrondissement. Nombreuses galeries dans la rue Sainte, la rue Neuve-Ste-Catherine, le quartier des Arcenaulx, le cours Julien, la r. E.-Rostand.

SPORTS & LOISIRS

Baignade – Plages, privées ou publiques, de Marseille : plage des Catalans, payante (il est de bon ton de s'y jeter à l'eau le 1er janvier au petit matin), plages de Malmousque, du Prado, où se rassemblent les amateurs de cerfs-volants, de la Pointe-Rouge ou de Montredon.

Foot – Adonnez-vous au culte de l'OM les soirs de match au **stade Vélodrome** (bd Michelet) si vous avez pu vous procurer un billet d'entrée ; ou alors au **café OM** sur le quai des Belges, où les matchs sont retransmis en direct, ou encore dans un des multiples cafés qui retransmettent les matchs dans une ambiance passionnée. Les autres jours, allez fureter dans une des **boutiques de l'OM** (bd Michelet, en face du stade ou sur la Canebière) à la recherche de fanions, écharpes, maillots, banderoles et autres colifichets aux couleurs du club.

Thalassa-Form Le Grand Large – *42 av. du Grand-Large -* ☎ *04 96 14 05 40 (apr. 17h) – tlj sf dim. 17h-21h, sam. 9h-18h - fermé août et j. fériés.* Gym, aquagym, bébés nageurs, balnéothérapie, etc.

CALENDRIER

Festival de musique sacrée – Église St-Michel, en mai.

Festival de Marseille – Juin-juillet. Musique, théâtre et danse en divers lieux de la ville. ☎ *04 91 99 02 50 - www.festivaldemarseille.com*

Pétanque – Mondial de La Marseillaise à pétanque (du 3 au 7 juillet) : éliminatoires au parc Borély, finales sur le Vieux-Port. Une manifestation de masse avec beaucoup de célébrités du show-biz qui, après les premiers tours, abandonnent le terrain aux vedettes de la discipline. ☎ *04 91 57 75 00.*

Festival international du folklore – Danses et musiques traditionnelles des cinq continents à Château-Gombert en juillet.

Fiesta des Suds – C'est la grande fiesta du métissage marseillais : musiques, cultures et ambiances de tous les Suds. Il se tient en octobre et certains week-ends de l'année dans le quartier de la Joliette, dans le bel ensemble rénové « dock des Suds ». *12 r. Urbain-V, métro National - www.dock-des-suds.org.*

Pastorales – En janvier, représentations de pastorales (dont la fameuse pastorale Maurel) en provençal aux théâtres Mazenod (88 r. d'Aubagne) et Nau (9 r. Nau). Pastorale Audibert en français au théâtre du Lacydon (Montée du St-Esprit).

Chandeleur – La fête de la Chandeleur est célébrée le 2 février et donne lieu à un grand pèlerinage à la basilique St-Victor où est vénérée une Vierge noire, Notre-Dame de la Confession. Sa statue est portée en procession jusqu'à la mer, les fidèles portant un cierge vert (un privilège royal accordait aux moines de St-Victor de cacheter leurs documents avec de la cire verte). La procession passe par le Four des navettes où les navettes (biscuits de forme allongée) sont bénies, réminiscence du temps où fut créée la boulangerie, sur le territoire de l'abbaye.

RÉFÉRENCES

Lire – La cité d'aujourd'hui est mise en scène dans le roman noir surnommé « polar bouillabaisse » et représenté, outre Jean-Claude Izzo, par Philippe Carrese *(Trois jours d'engatse),* ou encore, en BD, par *Les Aventures de Léo Loden,* un privé marseillais.

Voir – Les films de Robert Guédiguian, l'auteur de *Marius et Jeannette,* mais aussi *Transit* de René Allio ou *Bye-Bye* de Karem Dridi. Et bien sûr, la trilogie de Pagnol, pour les nostalgiques d'une époque révolue.

(540 avant J.-C.), elle se trouve au centre de nombreuses colonies supplémentaires. Les Massaliotes créent des comptoirs le long de la côte (Agde, Arles, Le Brusc, Hyères-Olbia, Antibes, Nice) et dans l'arrière-pays (Glanum, Cavaillon, Avignon et peut-être St-Blaise). Avec les Celto-Ligures, les échanges, intenses, portent sur les armes, les objets en bronze, l'huile, le vin, le sel, les esclaves et la céramique. Maîtres des mers entre le détroit de Messine et les côtes ibères, dominateurs dans la vallée du Rhône après avoir supplanté leurs concurrents étrusques et puniques, les Massaliotes règnent sur le commerce international de l'ambre et surtout des métaux bruts : argent et étain d'Espagne ou de Bretagne, cuivre d'Étrurie. Après une période de défaillance, la cité organisée en République (Platon jugera exemplaire sa constitution) retrouve sa splendeur au 4e s. Le littoral est mis en valeur, planté d'arbres fruitiers, d'oliviers, de vignes.

Marius et César – Les Romains entrent en Provence en 125, dégagent Massalia de l'emprise salyenne et entreprennent la conquête du pays. Massalia reste une république indépendante, alliée de Rome, et se voit reconnaître une bande de territoire le long du littoral. Alors que la rivalité de César et de Pompée est à son point culminant, Marseille choisit malencontreusement de miser sur le second. Assiégée pendant six mois, la ville est prise en 49 avant J.-C. Rancunier, César lui enlève sa flotte, ses trésors, ses comptoirs. Arles, Narbonne, Fréjus

▶ **L**es fouilles de la place des Pistoles (1995) ont mis au jour des vestiges d'habitat datant du 4e s. avant J.-C. : aménagements domestiques, céramiques, ainsi qu'un réseau de rues témoignent d'une intense activité.

VICTOR ET CASSIEN

L'apparition du christianisme à Marseille est précoce : saint Victor y fut martyrisé vers 290, et on a trouvé trace de catacombes sur les pentes de la colline de la Garde. Au 5ᵉ s., le moine arménien Cassien établit dans ce quartier chrétien deux monastères, parmi les premiers fondés en Occident.

s'enrichissent de ses dépouilles. Toutefois, elle reste ville libre et entretient une université brillante, dernier refuge de l'esprit grec en Occident.

Après les invasions, le port, toujours actif, continue à commercer avec l'Orient : avec les cargaisons débarque, un jour de 543, la peste, dont c'est la première apparition en Gaule. Le déclin définitif s'amorce à partir du 7ᵉ s. Les pillages des Sarrasins, des Grecs, de Charles Martel entraînent le repli de la ville dans l'enceinte épiscopale de la butte St-Laurent.

Le renouveau – Dès le 11ᵉ s., la cité phocéenne se réveille, mobilise toutes ses nefs et galvanise ses chantiers de constructions navales. En 1214, elle peut à nouveau s'ériger en république indépendante, pour une courte durée, puisqu'elle doit se soumettre en 1252 à **Charles d'Anjou**. Mais les croisades (12ᵉ-14ᵉ s.) font entrer la ville dans une période faste : elle dispute aux Génois le fret avantageux constitué par les croisés, leur matériel et leur ravitaillement. Ce soutien logistique lui rapporte de gros bénéfices, d'autant qu'à l'instar des grandes républiques italiennes, elle obtient en toute propriété un quartier de Jérusalem avec son église propre. Ses marins pratiquent le cabotage sur les côtes catalanes, vont concurrencer jusque chez eux les Pisans et les Génois, fréquentent le Levant, l'Égypte, l'Afrique du Nord. Après une phase de crise et de repli lorsqu'en 1423 la flotte aragonaise ravage la ville, les affaires repartent sous l'impulsion de deux habiles négociants, les frères Forbin. Jacques Cœur installe ici son principal comptoir.

La grande peste de 1720 – Au début du 18ᵉ s., Marseille compte environ 90 000 habitants. Grand port bénéficiant d'un édit de franchise depuis 1669, la ville jouit du monopole du commerce levantin et devient un gigantesque entrepôt de produits d'importation (matières textiles, denrées alimentaires, drogues et « curiosités »). Elle s'apprête à se lancer à la conquête des Antilles et du Nouveau Monde quand, en mai 1720, un terrible fléau la frappe. Un navire venant de Syrie, le *Grand St-Antoine*, a eu au cours de sa traversée plusieurs cas de peste. À son arrivée à Marseille, il est mis en quarantaine à l'île de Jarre. Mais l'épidémie se déclare en ville ; elle y fait des ravages foudroyants. L'interdiction, sous peine de mort, de toute communication entre Marseille et le reste de la Provence n'empêche pas le fléau de se répandre. Au total, entre 1720 et 1722, environ 100 000 personnes ont péri en Provence dont 50 000 à Marseille.

L'euphorie commerciale – Très vite, Marseille se relève. Le commerce trouve de nouveaux débouchés en direction des Amériques et surtout des Antilles ; on importe du sucre, du café et du cacao, tandis que la ville s'industrialise : savonnerie, verrerie, raffinage du sucre, faïence, textile, manufactures de tabac, etc. De grandes fortunes s'édifient : armateurs et négociants affichent leur opulence au milieu d'un petit peuple d'artisans et de salariés vivant au rythme de l'arrivée des cargaisons au port. La ville accueille la Révolution avec enthousiasme. En 1792, les volontaires Marseillais popularisent le *Chant de guerre de l'armée du Rhin* composé par Rouget de Lisle et bientôt rebaptisé *La Marseillaise*. Marseille est aussi la première ville à demander l'abolition de la royauté. Mais la rude poigne de la Convention lui devient bientôt insupportable. Fédéraliste dans l'âme, elle se révolte. Enlevée d'assaut, elle devient la « Ville Sans Nom ». Sous l'Empire, le commerce maritime est fortement atteint par le blocus continental et Marseille devient farouchement royaliste.

Sous le Second Empire, où d'importants travaux d'urbanisme sont réalisés, la ville, toujours rebelle, est

Magnin G. /MICHELIN

« **S**e faire payer chez Belsunce », c'est ne jamais toucher l'argent qu'on vous doit : Belsunce, passé à l'Histoire pour son dévouement durant la grande peste, serait sans doute navré de l'apprendre... Mais son souvenir n'est pas en cause : il s'agit de sa statue, placée devant la Major, qui semble dire, les bras ballants : « Désolé, je n'ai plus d'argent ! »

RÉPERTOIRE DES RUES ET SITES DE MARSEILLE

MARSEILLE

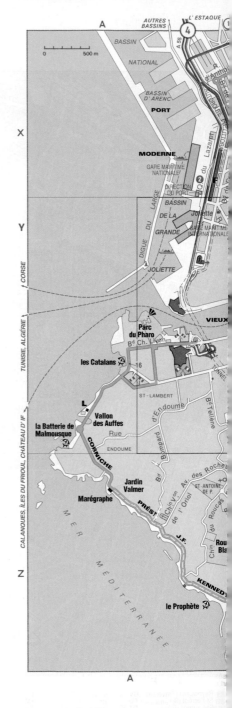

Répertoire des rues et sites, voir page 263.

GASTOUNET
Jeune journaliste héraultais entré en Résistance, **Gaston Defferre** s'empare en août 1944 de l'hôtel de ville... où il restera, hors une brève période, jusqu'à sa mort en 1986. Figure des IVᵉ et Vᵉ Républiques, orateur au débit déconcertant, ce personnage à la haute silhouette coiffée d'un feutre à larges bords symbolisera petit à petit sa ville.

---

républicaine... et cependant prospère, car son activité, déjà stimulée par la conquête de l'Algérie, franchit un nouveau palier avec l'ouverture en 1869 du canal de Suez.

Aujourd'hui et demain – Touché par les bombardements et surtout par la destruction en 1943 du vieux quartier compris entre la rue Caisserie et le Vieux Port, Marseille s'est lancé dès la Libération dans la reconstruction. C'est l'époque où **Fernand Pouillon** reconstruit le Vieux Port, mais la réalisation la plus marquante est la Cité radieuse ou « Maison du fada » : première « unité d'habitation » de **Le Corbusier**, édifiée sur le boulevard Michelet, elle ras-

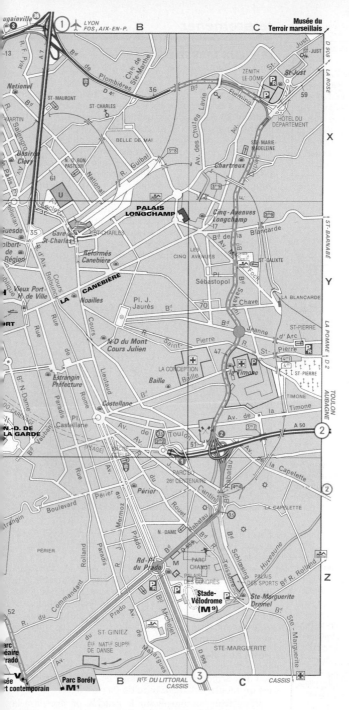

semble en un seul volume les composantes d'une petite ville, avec ses services de proximité, ses espaces de loisirs et de convivialité. Aujourd'hui, durement frappé par la crise économique, Marseille cherche un nouveau souffle : l'édification du « Vaisseau bleu », le futuriste hôtel du département, par Will Alsop, pourrait en être le symbole, tandis que le projet « **Euroméditerranée** », dont la réalisation est programmée sur 25 ans, vise à remodeler la cité entre la Belle de Mai, la gare St-Charles et la Joliette, autour de pôles culturel, économique, commercial et portuaire. Aujourd'hui à 3h30 de Paris en TGV, Marseille devrait profiter de ce rapprochement avec la capitale.

se promener

LE VIEUX MARSEILLE ①
Du Vieux Port au Panier – compter 3h.

Le Vieux Port★★
C'est ici qu'en 600 avant J.-C. débarquèrent les
Phocéens et que toute l'activité maritime se concentra
pendant 25 siècles. Mais au 19ᵉ s., la profondeur de 6 m
devint insuffisante pour les navires de fort tonnage,
obligeant à créer de nouveaux bassins. Il n'empêche, le
Vieux Port reste le vrai cœur de Marseille, là où toutes
les voies convergent, là où les grands événements
rassemblent la foule, où les promeneurs déambulent
autour des cafés et des restaurants vantant leur bouillabaisse, tandis que plus loin on furète parmi les étals du
marché aux poissons du **quai des Belges**. Point de
départ des vedettes proposant des excursions aux îles
ou vers les Calanques, le Vieux Port, dont le plan d'eau
disparaît sous une forêt de mâts, est toujours traversé
par le célèbre et pittoresque **ferry-boat** (prononcez
« boate ») *Le César*, popularisé par Pagnol *(voir le « carnet pratique »)*.

*Le Vieux Port, né d'une
rive marécageuse que
dominait un rocher abrupt,
aujourd'hui dominé par
N.-D.-de-la-Garde.*

Magnin G. /MICHELIN

Face au Vieux Port, au débouché de la rue de la République, l'**église St-Ferréol**, ou des Augustins, dresse sa
façade Renaissance, reconstruite en 1804.
Prendre en face le **quai du Port**, qui longe le « Corps-de-
Ville », quartier emblématique du Vieux Marseille que
les nazis dynamitèrent en 1943 sous prétexte d'insalubrité
après avoir évacué 40 000 personnes. Seuls quelques bâtiments remarquables furent épargnés, dont l'hôtel de
ville qu'encadrent des immeubles construits après la
guerre par Fernand Pouillon.

Hôtel de ville
Intéressante façade de style baroque provençal. L'écusson aux armes royales au-dessus de l'entrée principale
est un moulage d'une œuvre de Pierre Puget.
Après l'avoir contourné sur la gauche, on accède à la
Maison diamantée (16ᵉ s.) qui doit son nom aux pierres
à facettes de sa façade. Elle abrite aujourd'hui le **musée
du Vieux Marseille★** *(voir « visiter »)*.
*Poursuivre jusqu'à la rue Caisserie, qu'on prend sur la
droite, jusqu'à la Grand-Rue où, au n° 27 bis, s'élève l'hôtel
de Cabre.*

Hôtel de Cabre
Construite en 1535, c'est l'une des plus anciennes maisons
de la cité. Son style composite témoigne de l'influence du
gothique tardif sur l'architecture civile marseillaise.
En revenant sur ses pas vers la place Daviel, on rencontre
le **pavillon Daviel** (milieu du 18ᵉ s.), ancien palais de jus-

tice. Remarquez sur sa façade rythmée de pilastres un beau balcon en ferronnerie dont le décor dit « à la marguerite » appartient à la tradition marseillaise. L'imposante masse de l'**Hôtel-Dieu** domine le port, avec son architecture caractérisée par l'agencement des volumes et la superposition de galeries à arcades (18ᵉ s.).

Le **clocher des Accoules**, seul vestige d'une des plus anciennes églises de Marseille, donne accès au quartier du Panier.

Le Panier★

Bâti sur la butte des Moulins à l'emplacement de l'antique Massalia, c'est le dernier vestige du Vieux Marseille. Ses habitants, gens de condition modeste vivant souvent de la mer, ont tiré le meilleur parti de leurs minuscules bouts de terrain en construisant des maisons tout en hauteur dans ce lacis de ruelles qui, avec son animation, son linge séchant en aplomb des rues, ses volées d'escaliers et ses façades colorées n'est pas sans évoquer Naples, la Catalogne, tous les rivages méditerranéens, qui s'associent aux Antilles, au Vietnam, aux Comores... Dans l'air, lorsqu'on le parcourt en fin de matinée, flotte une odeur de basilic mêlé à la ratatouille...

Pazery D. /MICHELIN

Le quartier du Panier : le Marseille des pêcheurs et des « cacòus » prend un air d'Italie.

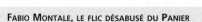

FABIO MONTALE, LE FLIC DÉSABUSÉ DU PANIER

Sur le pas des portes, des cacòus en bleu de Shanghai consultent la presse tout en commentant les résultats de l'OM dans un « français de Marseille » aux tournures parfois étonnantes... C'est le monde de Fabio Montale, un minot du quartier, devenu le policier au grand cœur créé par **Jean-Claude Izzo** (*Chourmo, Total Khéops* et *Solea*, dans la collection « Série Noire ») et incarné au petit écran par Alain Delon...

Empruntez la **montée des Accoules**, symbole du quartier, mais n'hésitez pas non plus à vous fier au hasard : la **rue du Panier**, les rues Fontaine-de-Caylus, Porte-Baussenque, du Petit-Puits, Ste-Françoise, du Poirier, des Moulins (qui mène à la charmante place des Moulins)..., toutes méritent d'être parcourues, dans ce quartier authentique qui a vu sa transformation progressive en ghetto arrêtée par des opérations de réhabilitation, après la restauration de la Vieille Charité. Enfin, ne craignez pas de vous perdre : il suffit de monter !

Vieille Charité★★

Cet ancien hospice, remarquablement restauré, constitue un bel ensemble architectural édifié de 1671 à 1749 sur les plans des frères Puget. Les bâtiments de cet « Escurial de la Misère », conçu pour enfermer les pauvres de Marseille, s'ordonnent autour d'une **chapelle★** centrale au dôme ovoïde, belle œuvre baroque due à Pierre Puget. Donnant sur cour, trois niveaux de galeries à arcades sont construits en calcaire du cap Couronne, aux reflets roses et jaunes.

Le centre abrite aujourd'hui le **musée d'Archéologie méditerranéenne**, le musée d'Arts africains, océaniens, amérindiens **(MAAOA)**, et des expositions temporaires *(voir « visiter »)*.

Après avoir contourné sur la gauche la Vieille Charité, tourner à gauche, puis encore à gauche, dans la rue de l'Évêché et enfin à droite vers la Major.

PUGET DE MARSEILLE

Jeune sculpteur, mais aussi peintre et architecte, Pierre Puget (1620-1694) se rend en Italie pour recevoir l'enseignement de Pierre de Cortone. Après avoir sculpté le portail de l'hôtel de ville de Toulon, il travaille à Gênes, de 1660 à 1668, période la plus brillante de sa carrière. Rappelé par Colbert, qui lui confie la décoration des vaisseaux à l'arsenal de Toulon, il se consacre ensuite à l'ornementation de villes de Provence comme Aix ou Marseille. Sculpteur baroque et expressif à une époque où le classicisme domine en France, il a montré la mesure de son talent dans la construction de l'hospice de la Vieille Charité...

Magnin G. /MICHELIN

Marseille, porte de l'Orient ? On le dirait à voir le « minaret » de la Tourette du fort St-Jean !

Cathédrale de la Major

Colossale, elle a été construite à partir de 1852 dans le style romano-byzantin par l'architecte Espérandieu, à l'initiative du futur Napoléon III qui voulait se concilier d'un seul coup l'Église et les Marseillais. Qu'on apprécie ou non ce pompeux édifice, on regrette tout de même qu'il ait entraîné la destruction d'une partie de l'**ancienne Major★** : bel exemple d'architecture romane dont seuls subsistent le chœur, le transept et une nef flanquée de collatéraux.

Par l'esplanade de la Tourelle, on rejoint la petite **église Saint-Laurent**, vieille paroisse des « gens de mer » du quartier. Depuis le belvédère, belle **vue★** sur le Vieux Port et l'entrée de la Canebière, la chaîne de l'Étoile, la basilique N.-D.-de-la-Garde ; en contrebas, le **fort Saint-Jean** qui, avec son homologue de la rive opposée, le **fort Saint-Nicolas**, fut édifié par Louis XIV afin de tenir la ville en respect. Le fort St-Jean englobe des constructions antérieures, dont la tour du Fanal ou Tourette, qui ressemble à un minaret. Il comporte également un ancien blockhaus : c'est dans ce vestige de l'occupation allemande qu'a été installé le **mémorial des Camps de la mort**, rappelant les grandes rafles de janvier 1943 qui furent suivies par l'évacuation et la destruction des vieux quartiers *(voir « visiter »)*.

Place de Lenche

À l'emplacement présumé de l'agora de Massilia s'ouvre aujourd'hui cette petite place animée aux façades agrémentées de balcons en ferronnerie, avec vue sur le Vieux Port et le théâtre de la Criée, que domine N.-D.-de-la-Garde.

Descendre sur le quai du Port jusqu'à l'embarcadère du légendaire ferry-boat que l'on emprunte pour gagner le quai de Rive-Neuve.

LA RIVE NEUVE ②

Vous aborderez le quai de Rive-Neuve près du buste de Vincent Scotto, face à la place aux Huiles. Bordé d'un bel ensemble d'immeubles au style néoclassique, il fut ainsi nommé car les hauts-fonds encombrant cette partie du port ne furent que tardivement supprimés et la rive aménagée.

On entre par la place aux Huiles dans le **quartier des Arcenaulx**. Sur le vaste **cours Honoré-d'Estienne-d'Orves**, aménagé en place à l'italienne, la façade de l'hôtel (n° 23) et la Librairie-galerie des Arcenaulx (n° 25) sont les derniers vestiges visibles des bâtiments de l'arsenal.

Le **carré Thiars**, autour de la place du même nom (fin 18e s.) s'inscrit sur l'ancien chantier naval de l'arsenal. Dans ce quadrillage de rues, notamment au carrefour de la rue St-Saëns et de la rue Fortia, de nombreux restaurants, véritable tour du monde gastronomique, entretiennent une animation que les boîtes de nuit prolongent jusqu'au petit matin : c'est l'heure où les *gabians* (goélands) viennent chercher leur pâture aux portes de service des cuisines.

Par la rue Marcel-Paul (escaliers) et la rue Sainte, sur la droite, poursuivre vers la basilique.

Basilique St-Victor★

Dernier vestige de la célèbre abbaye, appelée « clef du port de Marseille » et fondée au début du 5e s. par saint Cassien, en l'honneur de saint Victor. Détruite par les Sarrasins, l'église fut reconstruite vers 1040 et puissamment fortifiée. Extérieurement, c'est une véritable forteresse. Le porche, qui s'ouvre dans la tour d'Isarn, est voûté de lourdes ogives ; édifiées en 1140, elles comptent parmi les plus anciennes du Midi.

À l'intérieur, ne manquez surtout pas la **crypte★★**, enterrée quand fut bâtie l'église du 11e s. À côté se trouvent la grotte de saint Victor et l'entrée des catacombes où, depuis le Moyen Âge, on vénère saint Lazare et sainte Marie-Madeleine. Dans les cryptes voisines, remarquable série de sarcophages antiques, païens et chrétiens et, dans la chapelle centrale, près du sarcophage dit « de saint Cassien », martyrium du 3e s., découvert en 1965, qui contenait les restes de deux martyrs. L'abbaye fut édifiée sur leur tombe.

En descendant par la rue Neuve-Ste-Catherine puis, à gauche, par la passerelle et les escaliers qui conduisent au quai de Rive-Neuve, vous passerez ensuite devant le **théâtre de la Criée** : aménagé après le transfert près de l'Estaque de l'ancienne criée aux poissons, il a connu la renommée sous la direction de Marcel Maréchal, entre 1981 et 1994.

À moins de se sentir l'âme d'un alpiniste, reprendre sa voiture ou mieux, depuis le cours Jean-Ballard, l'autobus n° 60 pour monter vers N.-D.-de-la-Garde. Les piétons irréductibles emprunteront le sentier pédestre qui démarre rue du Bois-Sacré, au boulodrome situé au pied de la Bonne Mère. L'ascension se fait à travers d'agréables espaces paysagés (98 marches).

Basilique N.-D.-de-la-Garde

Se garer sur « le plateau de la Croix » (parcs de stationnement). N.-D.-de-la-Garde fut construite par Espérandieu, au milieu du 19e s., dans le style romano-byzantin alors en

> **UN SAINT SUPPLICIÉ**
> Condamné à être broyé entre deux meules, saint Victor ne pouvait dès lors que devenir le saint patron des meuniers...

Kaufmann B. /MICHELIN

La « Bonne Mère » et son « minot » : à Marseille, difficile d'échapper à cette bienveillante surveillance !

vogue. Elle s'élève sur un piton calcaire à 162 m d'altitude et son clocher de 60 m de haut est surmonté d'une énorme statue dorée de la Vierge, la fameuse « Bonne Mère ». L'intérieur de l'église est revêtu de marbres de couleur, de mosaïques et de peintures murales de l'école de Düsseldorf. De très nombreux ex-voto recouvrent les murs. Dans la crypte (église basse), belle *Mater dolorosa* en marbre, sculptée par Carpeaux.

Le principal intérêt de la montée à N.-D.-de-la-Garde réside sans doute dans le **panorama★★★** que l'on découvre de son parvis.

LA CANEBIÈRE ③

Compter 2h. Cette voie, percée au 17ᵉ s., tire son nom d'une corderie de chanvre (*canèbe*, en provençal) implantée autrefois à cet endroit.

Partant du Vieux Port, emprunter le trottoir de gauche. À droite de la rue St-Ferréol, un passage puis des escaliers mécaniques donnent accès au Centre Bourse, vaste complexe commercial dans lequel est aménagé le **musée d'Histoire de Marseille★** *(voir « visiter »)* et qui donne accès au jardin des Vestiges, dégagés lors des travaux d'aménagement du quartier.

SPLENDEUR ET DÉCADENCE

Grâce aux marins qui ont porté son renom aux quatre coins du monde, la Canebière est devenue la plus fameuse artère de la ville – et son symbole. Les célèbres opérettes de Vincent Scotto (*Un de la Canebière*, 1938), les chanteurs populaires de l'entre-deux-guerres ont aussi contribué à la renommée de cette avenue qui, jusqu'à l'Occupation, regroupait cafés prestigieux, commerces de luxe, grands hôtels, cinémas et théâtres. Elle a aujourd'hui perdu de son lustre et, malgré un « plan Canebière » visant à la réhabiliter en y implantant des administrations, elle est encore loin d'avoir retrouvé le prestige et l'animation de naguère... en particulier après la tombée du jour. Un indice de son lent renouveau ? La réouverture récente des Nouvelles Variétés, l'un des grands caf'conc' des années 1930, aujourd'hui réhabilité et transformé en cinéma d'art et d'essai.

Jardin des Vestiges

Les fortifications de la ville grecque, la corne du port antique entourée de ses quais du 1ᵉʳ s. et une voie d'entrée de la ville datant du 4ᵉ s. forment ce jardin archéologique. À l'époque phocéenne, ce site bordait un marécage qui fut progressivement asséché aux 3ᵉ et 2ᵉ s. avant J.-C. Dans la seconde moitié du 2ᵉ s. avant J.-C., on éleva de nouveaux remparts dont subsistent des traces : tours carrées, bastions et courtines édifiés en blocs de grand appareil taillés dans le calcaire rose du cap Couronne. Une voie d'époque romaine entre dans la ville par une porte plus ancienne (2ᵉ s. avant J.-C.) dont une des tours est encore bien identifiable.

SOUVENIRS, SOUVENIRS...

L'Alcazar, ouvert en 1857, fut pendant plus d'un siècle le temple de la variété à Marseille : spectacles de mimes, pastorales, « revues marseillaises », « diseuses à voix », comiques troupiers, fantaisistes locaux et, dans les derniers temps, chefs de file du rock'n roll ou chanteurs yé-yé s'y succédèrent. Les opérettes de **Vincent Scotto** et Sarvil, servies par les estimés Alibert, Rellys ou Charpin, y devinrent un genre à part entière, tandis que l'esprit de l'Alcazar soufflait quelques répliques, et non des moindres, à Pagnol. La salle connut son apogée entre 1920 et 1950, accueillant Mayol, Mistinguett, Maurice Chevalier, fidèle entre tous depuis sa première prestation à l'âge de 16 ans, Rina Ketty... Raimu, Fernandel, Tino Rossi, **Yves Montand** y firent leurs débuts, ce dernier dans un répertoire de style western qui le consacra « jeune vedette swing 1941 ». Passer devant ce public impitoyable ne tolérant aucune fausse note ou faiblesse vocale était une épreuve. Mais les artistes appréciaient sa compétence et les vedettes y testaient leur tour avant d'affronter la capitale. L'Alcazar ferma en 1964 : un des derniers à y triompher fut Johnny Halliday...

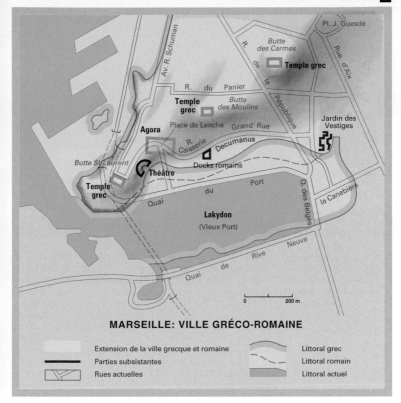

MARSEILLE: VILLE GRÉCO-ROMAINE

Extension de la ville grecque et romaine	Littoral grec
Parties subsistantes	Littoral romain
Rues actuelles	Littoral actuel

En remontant la Canebière, plusieurs immeubles se signalent par la qualité de leur architecture, rappelant la gloire passée de la rue, notamment sur le trottoir de droite : entre la rue St-Ferréol et le cours St-Louis, façades à décor de rocaille du milieu du 18e s. ; à l'angle du cours St-Louis (nos 1-3 du cours), bâtiment de style baroque construit en 1671-1672, qui devait former un des côtés de la place Royale dessinée par Pierre Puget et jamais achevée ; aux nos 53 et 62 (hôtel de Noailles), immeubles caractéristiques du Second Empire.

Sur le cours Belsunce se trouve l'ancien **Alcazar**, scène illustre et devenue mythique qui, dans un immeuble laissé à l'abandon depuis des années, donne accès à la grande **bibliothèque de Marseille**.

Sauf lorsqu'elle accueille, en fin d'année la **Foire aux santons**, mieux vaut négliger la partie haute de la Canebière pour redescendre dans le quartier commerçant qui se développe immédiatement au Sud de la Canebière.

Prendre à droite le boulevard Garibaldi puis immédiatement à gauche.

Cours Julien

Ce fut jusqu'en 1972 le marché maraîcher de Marseille. Rénové et investi de restaurants, magasins d'antiquités ou de vêtements (Madame Zaza of Marseille, Fille de Lune, etc.), de librairies et de galeries, de salles de spectacles (Espace Julien, Chocolat Théâtre...), il constitue un agréable lieu de détente, grâce à un aménagement paysager faisant la part belle aux terrasses de cafés. Les rues débouchant à l'Est du cours (rues Bussy-l'Indien, Pastoret, Crudère, Vian) possèdent un petit côté « alternatif » avec leurs façades recouvertes de tags de facture plus ou moins artistique *(voir la devanture de La Maison hantée, rue Vian)*, leurs clubs et leurs cafés qui s'animent à la tombée de la nuit.

Sauvignier S./MICHELIN

*Dans le « souk »
de Marseille, la rue
Longue-des-Capucins :
un détonnant mélange
de saveurs, de couleurs
et de senteurs.*

Par la passerelle qui enjambe le cours Lieutaud, on rejoint la rue d'Aubagne, qui ne manque pas d'établissements insolites et conduit au « ventre de Marseille », toujours vivant même s'il a perdu de son importance économique : les rues du Musée et Rodolphe-Pollack, royaumes de la « coiffure afro-cosmétique », la **place du Marché-des-Capucins** face à la station de métro et de tram Noailles (petit musée des Transports), l'étroite **rue Longue-des-Capucins** dont l'atmosphère tient du souk et du marché aux puces, les odeurs d'épices se mêlant à celles du café, des olives « cassées » ou « à la picholine », des anchois et des fruits séchés.

La rue des Halles-Charles-Delacroix, ancien marché aux poissons, bordée d'épiceries exotiques, ouvre sur la petite rue Vacon avec ses rouleaux de tissus à l'étalage et conduit à « Saint-Fé », la **rue St-Ferréol**, principale artère piétonne de la cité où se concentrent commerces de prêt-à-porter, de chaussures, maroquiniers, glaciers, fast-foods et grands magasins comme les *Galeries Lafayette* ou *Virgin Megastore...*

Une visite au **musée Cantini**★ *(voir « visiter »)*, hôtel (17ᵉ s.) de la compagnie du Cap-Nègre, et vous rejoindrez la Canebière en prenant sur la droite la très commerçante rue Paradis.

LA CORNICHE

Cette longue promenade peut s'effectuer en voiture. Mais une place de stationnement sur la corniche tient parfois du miracle... Sinon, le bus nº 83 part du Vieux-Port et longe la corniche jusqu'à l'espace Borély ; de là, le bus nº 19 conduit à la Pointe-Rouge.

Le Pharo

◄ Il occupe un promontoire qui domine l'entrée du Vieux Port : très jolie **vue** de la terrasse située près du palais du Pharo, construit pour Napoléon III. Le parc abrite un auditorium en sous-sol.

Au passage vous
apercevrez le marégraphe,
aujourd'hui désaffecté :
c'est ici que furent prises
les mesures du niveau
de la mer permettant de
déterminer l'altitude zéro.

En continuant sur le boulevard Charles-Livon, vous atteindrez la **corniche du Prés.-J.-F.-Kennedy**★★, longue de plus de 5 km, qui suit presque constamment le bord de mer, avec de belles villas construites à la fin du 19ᵉ s. Après les populaires quartiers d'Endoume et des Catalans, depuis le **monument aux morts de l'armée d'Orient**, vues sur la côte et les îles. Un viaduc franchit le pittoresque vallon des Auffes.

Vallon des Auffes

Accès par le boulevard des Dardanelles, juste avant le viaduc.
Dans ce minuscule port de pêche encombré de « pointus » (barques traditionnelles) et cerné de cabanons s'étageant sur ses rives, on se sent loin de la ville bruyante et animée... que seule la circulation sur le viaduc vient rappeler.

Un dîner en terrasse, dans ce décor d'opérette qui inspira Vincent Scotto et dont l'éclairage se modifie sans cesse au soleil couchant, devrait vous réconcilier durablement avec les charmes de la cité phocéenne... encore bien présents quelques mètres plus loin dans les ruelles bordées de villas qui conduisent à l'**anse de Malmousque**.

Jardin Valmer

Ses faux airs de domaine privé laissent de nombreux ignorants à la porte. Le jardin Valmer est bien un jardin public, certainement le plus élégant de la ville. Couronné par la **villa Valmer**, une somptueuse bastide de style néo-Renaissance construite en 1865 par un riche négociant industriel *(visible dans le cadre des visites guidées de l'Office de tourisme)*, le parc offre des vues plongeantes sur la Méditerranée, des collines de Marseilleveyre au Sud à la pointe de Carry au Nord. Au plus fort de l'été, vous apprécierez particulièrement l'épais ombrage tricoté par la végétation luxuriante, dont la diversité rappelle les plus beaux jardins de Côte d'Azur. Arbousiers, oliviers et chênes verts se mêlent aux espèces exotiques (palmiers, pistachiers, etc.) ramenées d'Orient par le premier propriétaire.

Promenade de la Plage

Elle prolonge la Corniche vers le Sud, longeant les **plages Gaston-Defferre**, ensemble de bassins de plaisance et de plages artificielles bordé de jardins. De l'autre côté de la route, nombreux restaurants.

Au-delà du rond-point de la plage, où se dresse une réplique du *David* de Michel-Ange, la plage populaire de la **Pointe-Rouge** se prolonge par un important centre de pratique de la voile.

Château et parc Borély

Édifié au 18e s. par de riches négociants, les Borély, le château devrait accueillir après restauration le musée des Arts décoratifs de la ville.

Très bien remis en valeur, le parc, prolongé par un beau **jardin botanique** et une **roseraie**, est un but de promenade très prisé le dimanche, quand il n'accueille pas les grands concours de pétanque, événements de la vie marseillaise. ☎ *04 91 55 25 06 - ₰ - mai oct. : 10h-18h, w -end 11h-18h ; nov.-avr. : 10h-17h, w.-end 11h-17h - fermé lun. et vac. scol. de fin d'année - 3 € (3-12 ans 1 €).*

Vous pourrez poursuivre la promenade jusqu'à la petite plage de Montredon où, dans « la campagne Pastré », belle bastide du 19e s., est installé le superbe **musée de la Faïence★** *(voir « visiter »)*, puis jusqu'aux calanques des Goudes et de Callelongue *(voir les Calanques)*.

LE PORT

En 1844 le Vieux Port était devenu insuffisant pour les navires qui s'y tassaient sur quatre et cinq rangs. Une loi permit la création d'un bassin à la Joliette ; suivirent les bassins du Lazaret et d'Arenc et l'extension régulière en direction du Nord. De rares témoins subsistent du

Pointus (barques marseillaises) et cabanons, le pastis au frais : au cœur de la ville, le vallon des Auffes hors du tumulte de la cité.

« système économique marseillais » reposant sur le triptyque industrie-négoce-marine : huileries, savonneries, minoteries, semouleries et usines métallurgiques.

Les guerres mondiales, la désaffection du canal de Suez et l'émancipation des colonies ont porté un rude coup à ce système. La reconversion, tournée vers le pétrole et la chimie, a entraîné un déplacement des grandes activités industrielles vers l'étang de Berre et le golfe de Fos.

Docks de la Joliette

Accès : M° Joliette. Entrée place de la Joliette, par l'hôtel d'administration. Construite de 1858 à 1863 sur le modèle des docks anglais, cette immense enfilade d'entrepôts de près de 400 m de long incarne le rayonnement économique de Marseille à son apogée. Outre divers services liés à l'activité portuaire, les docks, réhabilités, accueillent des entreprises de communication, des spectacles et des expositions qui donnent l'occasion d'admirer leurs remarquables caves voûtées.

La construction d'un tunnel autoroutier a permis de dégager la Major de la circulation et d'ouvrir un espace de promenade. La Cité de la Méditerranée va se mettre en place entre la nouvelle gare maritime et le Fort St-Jean (qui abritera le musée des Civilisations de l'Europe et de la Méditerranée).

PORTE DE L'ORIENT
Marseille tenait sa fortune des colonies dont les matières premières étaient transformées avant d'être, pour l'essentiel, réexportées. L'emploi exclusif de la pierre, de la brique et de la fonte, caractéristique de l'architecture des docks, était destiné à prévenir les risques d'incendie.

visiter

DANS LE VIEUX MARSEILLE

Centre de la Vieille Charité★★

☎ 04 91 14 58 80 - juin-sept. : 11h-18h ; oct.-mai : 10h-17h - fermé lun. et j. fériés - 2 € musée d'Archéologie méditerranéenne ; 2 € musée des Arts africains, océaniens et amérindiens ; 3 € expo. temporaires ; 5 € expo grands événements. Une des grandes collections archéologiques de France : pour tous ceux qui s'intéressent aux civilisations antiques des rivages méditerranéens.

La Vieille Charité : un chef-d'œuvre de Puget pour cacher la pauvreté...

Kaufmann B. /MICHELIN

Musée d'Archéologie méditerranéenne★★ - *1er étage, aile Nord.* On y aborde l'**Égypte**, du début de l'Ancien Empire (2700 avant J.-C.) jusqu'à l'époque copte (3e-4e s. après J.-C.) : statuettes funéraires, dites « ouchebtis », deux masques d'Osiris en feuilles d'or martelées, un grand ibis en argent et bois doré (époque ptolémaïque), une statue de la déesse Neith en granit noir (XVIIIe dynastie), une table d'offrande portant 34 cartouches royaux (XIXe dynastie).

Proche-Orient : pièces assyriennes des palais de Sargon II à Dûr-Sharukin (l'actuelle Khorsabad) et d'Assurbanipal à Ninive. Remarquez deux céramiques d'une finesse exceptionnelle datant du 4e millénaire avant J.-C.

Chypre : poteries à surface rouge lustrée portant un décor incisé ou appliqué en léger relief, mobilier funéraire de type mycénien, céramique tournée décorée de cercles concentriques.

Grèce et Grande-Grèce : statues d'idoles cycladiques en marbre, céramiques décorées de frises de motifs géométriques, vases à parfums corinthiens décorés de motifs animaliers ou floraux, céramiques à figures noires et à figures rouges, *kouros* (sculpture de jeune homme nu) et *koré* (jeune fille vêtue). Pour la Grèce classique, lécythes à fond blanc et stèles funéraires.

Étrurie et Rome : céramique en *bucchero-nero* (pâte noire soigneusement lissée), pièces d'argenterie, peinture funéraire de Chiusi et Tarquinia, sculpture en pierre de Vulci, *korés* de Cerveteri et Véies.

Celto-Ligures de Roquepertuse (oppidum situé au Nord de Vitrolles) : fragments peints, sculptés et gravés, statues de guerriers assis en tailleur, gros oiseau... À remarquer : **Hermès bicéphale**★, magnifique groupe de deux têtes accolées ; également, le portique « aux têtes coupées » avec ses piliers dont la partie supérieure était destinée à recevoir des crânes.

Musée d'Arts africains, océaniens, amérindiens (MAAOA)★★ – *Au 2e étage des ailes Nord et Est.* Musée de province le plus riche en objets d'arts provenant d'Afrique, d'Océanie et des Amériques. Prenez votre temps, sa présentation privilégie la contemplation : les œuvres, toutes exposées sur un fond noir, rayonnent d'une lumière diffuse et indirecte. **Salle Pierre-Guerre** : masques, sculptures, reliquaires et objets quotidiens provenant principalement d'Afrique de l'Ouest. **Salle Antonin-Artaud** (civilisations d'Océanie et des Amériques) : coiffe-masque de Wayana (Brésil), têtes humaines réduites (« tsantsas » des indiens Jivaros, Équateur). La collection Gastaut réunit une série unique de crânes humains, sculptés, gravés, illustrant les civilisations anciennes de l'Océanie et de l'Amazonie. **Collection François-Reichenbach** : art populaire du Mexique.

> **SUPERBE**
> Livre des Morts en papyrus datant de la XXVIe dynastie. Ce recueil de textes et de formules avait pour but d'assurer la survie du défunt dans l'au-delà.

Musées de Marseille

Un masque en bois Tsin Shian (Colombie britannique) pour le premier musée des « Arts premiers ».

Musée du Vieux Marseille★

R. de la Prison (Maison diamantée). ☎ *04 91 55 28 68 - juin-sept. : 11h-18h ; oct.-mai : 10h-17h, possibilité de visite guidée sur demande (1h) - fermé lun. et j. fériés - 3 € (enf. 1,50 €). Propositions de visites guidées dans le vieux Marseille. Musée en cours de réhabilitation.*

Dans ce bâtiment du 16e s. dont la façade est taillée en pointes de diamants, vous pourrez admirer un bel escalier avec plafond à caissons. Le musée abrite des expositions temporaires et espère recouvrer peu à peu l'ensemble de ses collections évacuées pour travaux.

Musée des Docks romains★

Pl. Vivaux. ☎ *04 91 91 24 62 - juin-sept. : 11h-18h ; oct.-mai : 10h-17h - fermé lun. et j. fériés - 2 €, gratuit dim. matin.*

Au cours des travaux de reconstruction du Vieux Port, on a découvert des entrepôts commerciaux romains à *dolia* (grandes jarres) datant des 1er-3e s., aujourd'hui aménagés en musée. Celui-ci abrite des objets trouvés sur les lieux, tandis qu'une maquette aide à imaginer le site et ses abords à l'époque romaine. Les entrepôts comportaient un rez-de-chaussée (qui abritait des *dolia* pour le grain, le vin et l'huile) s'ouvrant sur le quai du port et un étage communiquant sans doute par un portique avec l'artère principale de la cité, la voie Décumane, actuellement rue Caisserie. D'autres objets illustrent le rôle maritime de Marseille : céramiques, métaux et amphores provenant d'épaves, balances romaines et monnaies. Une maquette de four de potier illustre la technique de fabrication des amphores.

Préau des Accoules

29 montée des Accoules. ☎ *04 91 91 52 06 - août : tlj sf dim. et lun. 13h30-17h30 ; oct.-juil. : merc. et sam. 13h30-17h30 (en période d'exposition) - fermé sept. - animations pour enf. sur demande - gratuit.*

🎨 Voici un concept inédit dans la présentation de collections au jeune public : des expositions autour de véritables œuvres (choisies dans les collections des musées de Marseille) permettent aux enfants de se familiariser avec l'art à travers des activités interactives menées par des animateurs. Au passage, levez les yeux vers la voûte plate, belle réalisation de la fin du 18ᵉ s., pour cette ancienne salle de réunion extraordinaire de l'Académie de Marseille.

Mémorial des Camps de la mort

Quai de la Tourette (contre le fort St-Jean). ☎ *04 91 90 73 15 - ♿ - juin-sept. : 11h-18h ; oct.-mai : 10h-17h - fermé lun. et j. fériés. - 2 €, gratuit dim. mat.*

Installé dans un ancien blockhaus de l'armée d'occupation allemande et dédié à toutes les victimes de la barbarie nazie, ce musée retrace la rafle du 22 janvier 1943 au cours de laquelle 804 Juifs marseillais ont été déportés au camp d'extermination de Sobibor, en Pologne, d'où aucun n'est revenu. Quelques jours après, le chef de la Gestapo en France, Karl Oberg, annonçait que les vieux quartiers seraient détruits « par la mine et le feu ». 25 000 habitants du Vieux Port furent évacués par la police française et déportés dans des camps d'internement à Fréjus. À leur retour, ils trouvèrent un champ de ruines : 1 494 immeubles dynamités par l'occupant, soit 14 ha.

La vidéo du rez-de-chaussée, l'exposition de **photographies d'archives nazies** prises lors de la destruction du Vieux Port (au 1ᵉʳ étage) retracent cette période. Au 2ᵉ étage, vous pourrez vous recueillir devant les urnes contenant la terre et les cendres de dix-huit camps de concentration et d'extermination.

Musée du Santon Marcel-Carbonel

47 r. Neuve-Ste-Catherine. ☎ *04 91 54 26 58 - www.santonsmarcelcarbonel.com - tlj sf dim. et lun. 10h-12h30, 14h-18h30, possibilité de visite guidée mar. et jeu. sur réserv. - gratuit.*

🎨 Situé dans l'arrière-boutique, ce petit musée privé présente la collection personnelle d'un des grands santonniers marseillais, Marcel Carbonel, qui crée ses sujets depuis 1935. Classées chronologiquement, les vitrines mettent tout d'abord en valeur les sujets réalisés à partir de moules Jean-Louis Lagnel, le fondateur marseillais des santons. À côté se trouve exposée une étonnante crèche révolutionnaire en mie de pain ! Aux sujets en argile crue succèdent des sujets cuits, plus résistants et plus faciles à travailler, qui sont apparus dans les années 1950. Points forts de la collection, les modèles de santonniers connus (Neveu, Devouassoux, Paul Fouque, Puccinelli, etc.) ainsi que des santons habillés de l'abbé Sumien (1912). Une petite mezzanine dévoile des modèles plus exotiques, avec des crèches du Japon, d'Alaska et du Mexique.

Maison de l'artisanat et des métiers d'art

21 cours Estienne-d'Orves. ☎ *04 91 54 80 54 - tlj sf dim. et lun. 13h-18h - gratuit.*

Un bâtiment historique hérité de l'Arsenal des galères et des expositions temporaires mettent bien en valeur les travaux des artisans, avec un éclairage particulier sur ceux du bassin méditerranéen.

AUTOUR DE LA CANEBIÈRE

Musée d'Histoire de Marseille★

Centre Bourse. ☎ *04 91 90 42 22 -* &. *- tlj sf dim. 12h-19h - fermé 26 déc. et j. fériés - 2 €.*

Situé au fond du jardin des Vestiges, il retrace l'histoire de Marseille, de la préhistoire au Moyen Âge. La maquette de Marseille aux 3ᵉ et 2ᵉ s. avant J.-C. précise la situation du port antique, équipé de cales de halage. Les coutumes celto-ligures sont évoquées par la reconstitution du portique du sanctuaire de Roquepertuse exhibant des « têtes coupées ». La ville grecque, les usages funéraires, la métallurgie, etc., sont tour à tour abordés avec clarté. La présentation en coupe d'un *dolium* (grande jarre), l'exposition de divers modèles d'amphores ayant contenu du vin, de l'huile ou différentes préparations de poisson renseignent sur le transport et le stockage des denrées.

Un espace d'exposition, « Le temps des découvertes de Protis à la reine Jeanne », est consacré aux plus récentes trouvailles parmi lesquelles une épave grecque du 6ᵉ s. avant J.-C. issue des dernières fouilles dans le port et entièrement assemblée par ligatures.

> **PETIT BATEAU**
> Surprenante, cette épave d'un navire marchand romain du 3ᵉ s., conservée par lyophilisation, tant les bois utilisés sont divers : quille en cyprès, étrave en pin parasol, clés et chevilles en olivier et chêne vert, revêtement intérieur en mélèze et pin d'Alep.

Musée Cantini★

19 r. Grignan. ☎ *04 91 54 77 75 - juin-sept. : 11h-18h ; oct.-mai : 10h-17h - fermé lun. et j. fériés - 2 €, 3 € expositions temporaires.*

Ce musée est spécialisé dans l'art du 20ᵉ s. jusqu'aux années 1960, et en particulier dans les domaines du fauvisme, du premier cubisme, de l'expressionnisme et de l'abstraction : œuvres de Matisse, Derain *(Pinède, Cassis)*, Dufy *(Usine à l'Estaque)*, Alberto Magnelli *(Pierres nᵒ 2, 1932)*, Dubuffet *(Vénus du trottoir*, 1946), Kandinsky, Chagall, Jean Hélion et plusieurs Picasso... Le séjour à Marseille de nombre d'artistes surréalistes, réunis pendant la dernière guerre à la villa Air-Bel autour d'André Breton, justifie un traitement de choix du mouvement ; ainsi se trouvent rassemblés des tableaux d'André Masson *(Antille*, 1943), Max Ernst *(Monument aux oiseaux*, 1927), Wilfredo Lam, Victor Brauner, Jacques Hérold, Joan Miró, et 7 (rares) dessins du Marseillais Antonin Artaud.

Le port de Marseille, autre grand sujet d'inspiration local avec l'Estaque, est représenté par des toiles de Marquet,

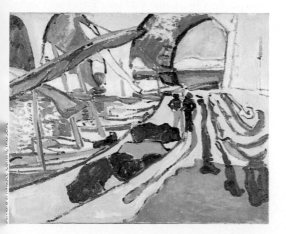

Alfred Lombard :
« Le Vallon des Auffes ».

◄ Signac et du spécialiste marseillais en la matière, Louis-Mathieu Verdilhan (1875-1928). La collection compte enfin quelques œuvres d'artistes en marge de toute école : Balthus *(Le Baigneur)*, Giacometti *(Portrait de Diego)* et Francis Bacon *(Autoportrait)*.

Musée de la Marine et de l'Économie de Marseille

Rez-de-chaussée du palais de la Bourse. ☎ *04 91 39 33 21 - www.ccimp.com/patrimoine - 10h-18h - 2 € (-12 ans gratuit).* Maquettes de navires à voiles ou à vapeur, peintures, aquarelles, gravures et plans illustrent l'histoire de la marine et du port de Marseille du 16ᵉ s. à nos jours.

Musée de la Mode

11 La Canebière. ☎ *04 96 17 06 00 -* ♿ *- juin-sept. : 11h-18h ; oct.-mai : 10h-17h - fermé lun. et j. fériés - 3 €.* Espace consacré à des expositions temporaires sur les thèmes de la mode et du costume... et excellente cafétéria !

QUARTIER LONCHAMP

Musée Grobet-Labadié★★

104 bd Longchamp. Mᵒ Longchamp-Cinq-Avenues. ☎ *04 91 62 21 82 - juin-sept. : 11h-18h ; oct.-mai : 10h-17h - fermé lun. et j. fériés - 2 €.*

Dans un cadre bourgeois, bel ensemble de tapisseries flamandes et françaises (16ᵉ-18ᵉ s.), meubles, faïences de Marseille et de Moustiers (18ᵉ s.), orfèvrerie religieuse, ferronnerie, instruments de musique anciens. Aux murs, des primitifs flamands, allemands et italiens, l'école française des 17ᵉ, 18ᵉ et 19ᵉ s. Une collection de dessins des écoles européennes du 15ᵉ s. au 19ᵉ s. enrichit le musée.

Musée des Beaux-Arts★

◄ *Aile gauche du palais Longchamp. Mᵒ Longchamp-Cinq-Avenues. Bus 81. Fermé pour travaux..*

Au 1ᵉʳ niveau, une galerie est consacrée à la **peinture des 16ᵉ et 17ᵉ s.** des écoles française (exquise *Vierge à la rose* de Vouet), italienne (Pérugin, Carrache et le Guerchin) et flamande, avec Snijders, Jordaens et plusieurs Rubens *(La Chasse au sanglier)* ; également, quelques œuvres provençales de Michel Serre, Jean Daret, Finson et Meiffren Comte. **Pierre Puget** tient naturellement la vedette avec des peintures d'une grande variété dont le *Sommeil de l'Enfant Jésus* et *Achille et Le Centaure*, des sculptures (le *Faune*) et des bas-reliefs comme *La Peste à Milan* ou *Louis XIV à cheval*.

Dans l'escalier, peintures murales, aujourd'hui un peu désuètes, de Puvis de Chavannes *(Marseille, colonie grecque* et *Marseille, porte de l'Orient)*.

Au 2ᵉ niveau, plusieurs salles sont vouées exclusivement à la **peinture française des 18ᵉ et 19ᵉ s**. Le 18ᵉ s. est représenté par de belles toiles de Nattier, Verdussen, Watteau de Lille, Carle Van Loo, Françoise Duparc, Greuze, Joseph Vernet *(Une tempête)*, Mme Vigée-Lebrun

◄ *(La Duchesse d'Orléans)*. Parmi les œuvres du 19ᵉ s., on s'attardera devant Courbet *(Le Cerf à l'eau)*, Millet, Corot, Girodet, Gros, Gérard, Ingres, David et les Provençaux Guigou et Casile.

Le **cabinet des dessins** rassemble des collections italiennes et françaises, présentées sous forme d'expositions temporaires.

Muséum d'Histoire naturelle★

Aile droite du palais Longchamp. ☎ *04 91 14 59 50 - tlj sf lun. 10h-17h - fermé j. fériés - 3 €.*

Il renferme de riches collections, très intéressantes pour les amateurs de zoologie, de géologie et de préhistoire. 400 millions d'années d'histoire de la région y sont retracés et un safari-muséum expose les peuplements zoologiques de la terre. Une salle est consacrée à la faune et à la flore provençales. Dans les **aquariums**, exposition permanente sur les « Eaux vives, du Verdon aux Calanques ».

QUARTIERS SUD

Musée de la Faïence★

Hors plan. Dépasser le parc Borély et continuer vers la Pointe Rouge. Le musée se trouve au bout du parc de Montredon. ☎ 04 91 72 43 47 - ♿ - *juin-sept. : tlj sf lun. 11h-18h ; oct.-mai : 10h-17h - fermé j. fériés - 2 €.*

Un petit train permet d'y monter. Juin-sept. : tlj sf lun. (dép. parc de Montredon, toutes les 10mn) 11h-18h ; oct.-mai : 10h-17h - fermé j. fériés - 1,50 € AR.

Installé au **château Pastré**, belle bastide du 19ᵉ s. bâtie au pied du massif de Marseilleveyre, ce musée est consacré à l'art de la céramique, du néolithique ancien à nos jours. Collections en grande partie constituées de faïences de Marseille, grand centre de production à la fin du 17ᵉ s. et au 18ᵉ s. On verra successivement de très belles pièces de la fabrique Clérissy, la première à avoir relancé la faïence à la fin du 17ᵉ s. (grand feu bleu et manganèse) et des fabriques Madeleine Héraud, Louis Leroy et Fauchier (ornementation rocaille et émail jaune). Quatre grandes fabriques utilisent au 18ᵉ s. la technique du petit feu : celles de la Veuve Perrin (décor de poissons, scènes chinoises, grandes fleurs avec insecte), de Gaspard Robert, Honoré Savy (petit feu vert) et Antoine Bonnefoy. Sont ensuite présentées les productions provençales : faïence de Moustiers, céramiques de la Tour-d'Aigues, d'Aubagne (poterie vernissée vert et jaune), d'Apt et du Castellet (terres mêlées vernissées). Quelques belles créations viennent illustrer la production de la fin du 19ᵉ s. : poterie vernissée (style Bernard Palissy) d'Avisseau, grès émaillés d'Ernest Chaplet, vases Art nouveau de Théodore Deck. Enfin, la création contemporaine n'est pas oubliée avec les œuvres d'Émile Decœur (années 1930), Georges Jouve (après 1954) ou Claude Varlan (1990).

Musée d'Art contemporain (MAC)

Hors plan. Depuis la promenade de la Plage, tourner au niveau de l'Escale Borély dans l'avenue de Bonneveine et poursuivre jusqu'à l'intersection avec l'avenue d'Haïfa, où pointe un grand pouce métallique sculpté par César. ☎ 04 91 25 01 07 - ♿ - *juin-oct. : tlj sf lun. 11h-18h ; nov.-mai : tlj sf lun. 10h-17h - fermé j. fériés - 3 €.*

Ce musée occupe un bâtiment formé d'une juxtaposition de modules identiques. Sa collection permanente, qui privilégie les créateurs français et réserve une place de choix aux Marseillais de naissance ou d'adoption, regroupe diverses tendances de l'art contemporain des années 1960 à aujourd'hui : courants structurés comme le Nouveau Réalisme, Supports/Surfaces ou l'Arte Povera, mais aussi éclectisme propre aux années 1980 et œuvres de francs-tireurs résistant à toute tentative de classification. Dans un ensemble promis à l'enrichissement, se mettent en évidence les *Compressions* et *Expansions* de **César**, les compositions de Richard Baquié (*Amore Mio*, 1985), Jean-Luc Parent (*Machines à voir*, 1993), **Daniel Burren** (*Cabane éclatée n° 2*), les complexes démarches créatives de Martial Raysse (*Bird of Paradise*, 1960), Arman, Jean-Pierre Raynaud, la machine *Rotazaza* de **Tinguely**, une anthropométrie d'Yves Klein et les contributions de **Robert Combas** et Jean-Michel Basquiat à la valorisation de certains aspects de notre culture : bande dessinée, graffiti, etc.

Musée-boutique de l'OM
et visite du stade Vélodrome

3 bd Michelet, sous le stade Vélodrome. M° Rond-Point-du-Prado. Lun.-sam. 10h-13h, 14h-19h. Gratuit. ☎ 04 91 23 32 51.

Visite guidée du stade Vélodrome : 1h30. Été : 10h-17h, dép. toutes les h ; hors vac. : selon dispo. ☎ 04 91 13 89 03.

▣ Situé dans le stade Vélodrome, ce minimusée est dédié à l'OM. Face aux impératifs de la boutique, le musée a malheureusement été réduit à la portion congrue. De

281

Sauvonnier S/MICHELIN

Pensez à une escapade dans les îles du Frioul.

nombreux fans de foot se recueillent devant les trois vitrines consacrées au club, avec la réplique de la coupe d'Europe de 1993, des trophées par dizaines (les plus vieux de 1924). À l'entrée, un mur d'empreintes dévoile, entre autres, les mains de Barthez et les pieds de Papin et de Djorkaeff.

alentours

Îles du Frioul
Traversée en bateau : été dép. toutes les h., hiver dép. toutes les h. et demie ; forfait îles du Frioul : 10 €, forfait les 2 îles : 15 € - visite du château d'If avr.-sept. : 9h-17h40 ; oct.-mars : 9h15-18h45 - 4 €. Groupement des armateurs côtiers Marseillais, 1 quai des Belges, Marseille, ☎ 04 91 55 50 09.
À tout seigneur tout honneur, votre première escale sera la célèbre île du **château d'If★★**, immortalisée par Alexandre Dumas. Il y fit croupir trois de ses héros : le Masque de Fer, le comte de Monte-Cristo et l'abbé Faria. Construit de 1524 à 1528 en un temps très court, le château d'If formait un avant-poste destiné à protéger la rade de Marseille. À la fin du 16e s., on l'entoura d'une enceinte bastionnée posée sur le rocher en lisière de la mer. Devenue inutile, la citadelle devint prison d'État. La visite, qu'agrémentent des vidéos extraites des multiples avatars cinématographiques du comte de Monte-Cristo, fait parcourir les cachots de ces nombreux prisonniers. D'une terrasse au sommet de la chapelle (désaffectée), **panorama★★★** sur la rade et la ville, les îles Ratonneau et de **Pomègues** reliées par le nouveau port du Frioul. Sur cette dernière, où l'on tenta naguère d'établir un quartier de la ville, l'**hôpital Caroline**, ancien centre de quarantaine, est en cours de restauration.

> **PRISON-CITADELLE**
> Si elle renferma bien, semble-t-il, le mystérieux Masque de Fer, ce sont surtout les huguenots, puis des opposants au coup d'État de 1851 qui y séjournèrent.

Les Calanques★★ *(voir ce nom)*

Musée du Terroir marseillais de Château-Gombert
(voir chaîne de l'Étoile)

Chaîne de l'Estaque★ *(voir ce nom)*

Martigues

« Adieu Venise provençale », chantait Vincent Scotto. Certes, un sens de l'exagération tout méridional n'est pas étranger à cette appellation. Il n'empêche que cette ville harmonieuse, avec ses canaux colorés, ne manquera pas de vous séduire, comme elle a fasciné les peintres épris de lumière.

La situation

Carte Michelin Local 340 F5 – Bouches-du-Rhône (13). Situé en bordure de l'étang de Berre *(voir ce nom)* et relié à la mer par le canal de Caronte, Martigues a connu un considérable développement depuis l'implantation du complexe portuaire de Lavéra. Après avoir franchi le viaduc de Caronte en direction de Marseille, quittez la voie rapide pour longer le canal de Galiffet par l'avenue Félix-Ziem, jusqu'au pont-levis qui permet d'atteindre l'**île Brescon**. Parking aménagé sur la droite.

🄱 *Av. Louis-Sammut, 13500 Martigues,* ☏ *04 42 42 31 10. www.martigues-tourisme.com*

> ### Trois en un
> C'est en 1581 que la ville prend le nom de Martigues, après la réunion des trois localités de Jonquières, l'Île et Ferrières, établies en ces lieux dès le Moyen Âge.

La spécialité

C'est la **poutargue**, grappes d'œufs de muge (ou mulet) que l'on consomme râpée sur une tranche de pain de campagne. Mais il y a aussi le **mélets**, sorte de pommade à tartiner avec un filet d'huile d'olive faite à partir d'alevins d'anchois, de poivre et de fenouil.

Les gens

43 493 Martégaux. Architecte de formation, peintre orientaliste tenant de l'école de Barbizon et annonçant l'impressionnisme, **Félix Ziem** (1821-1911), né à Beaune, s'est fixé à Martigues et a pris l'étang de Berre comme sujet de prédilection. Ainsi le musée martégal porte-t-il son nom, d'autant que sa collection s'est enrichie d'une donation d'œuvres du peintre, léguée par sa petite-fille.

« Venise provençale » ou Miroir aux oiseaux : l'eau, toujours au cœur de la cité martégale.

se promener

Le Martigues d'autrefois, alors que le village était avant tout un petit port de pêche, vous le retrouverez dans la petite île Brescon que traverse le **canal St-Sébastien**.

Miroir aux oiseaux★

Ziem, Corot et bien d'autres affectionnaient ce plan d'eau avec ses maisons chaudement colorées et ses barques aux teintes vives amarrées le long du canal : à contempler depuis le **pont St-Sébastien**.

Église Ste-Madeleine-de-l'Île

Bâtie le long du canal St-Sébastien, cet édifice à la façade de style corinthien (17e s.) recèle une riche décoration intérieure ; imposant buffet d'orgue.

carnet pratique

VISITE

Visite guidée de la ville – Découverte du Vieux Martigues à Brescon (1h30). *Juil.-août : vend. 10h30-12h. 2,50 €. Sur demande à l'Office de tourisme.*

SE LOGER

⊜⊜🛏 **Le St-Roch** – *Av. Georges-Braque - A 55, sortie Martigues-Ferrières - ☎ 04 42 42 36 36 - hotel-st-roch@wanadoo.fr - 63 ch. 84/88 € - ⊇ 12 € - restaurant 21/40 €.* Sur les hauteurs de la ville, à l'ombre d'une pinède, un bâtiment moderne abritant des chambres vastes et bien équipées. Piscine et solarium.

SE RESTAURER

⊝ **La Petite Venise** – *Pl. de la Libération - ☎ 04 42 80 63 74 - fermé lun. et mar. - 14/30 €.* En surplomb du « miroir aux oiseaux », un restaurant traditionnel où le poisson est à la fête.

⊝⊜ **Chez Pascal** – *3 quai Lucien-Toulmond - face au canal Baussengue - ☎ 04 42 42 16 89 - ⊅ - 18/25 €.* Dans le quartier historique de l'île, une adresse « institutionnelle », pour déguster fruits de mer, poissons, bourride ou bouillabaisse.

⊝⊜ **Le Bouchon à la Mer** – *19 quai Lucien-Toulmond - ☎ 04 42 49 41 41 - 25/35 €.* Ce petit restaurant sans prétention donne sur le canal et le port. Salle à manger aux tons crème et chocolat. Cuisine classique d'un bon rapport qualité-prix. Une promenade digestive ? Allez flâner le long des quais, dans l'île Brescon.

FAIRE UNE PAUSE

Les Ombrelles – *Plage de Ste-Croix - La Couronne - ☎ 04 42 80 77 61 - de fin mars à fin oct. 9h-22h15 - 7 € la coupe, menu 20 €.* Depuis la terrasse surplombant la plage de Ste-Croix, belle vue sur l'anse de la Beaumaderie, fermée à gauche par la chapelle de Ste-Croix, à droite par le phare de la Couronne. On peut y manger une cuisine de brasserie aux couleurs du littoral. En journée, les baigneurs viennent surtout explorer la carte des glaces.

EN SOIRÉE

Le Cours – *8 cours du 4-Septembre - ☎ 04 42 81 56 14.* Le Cours est le lieu de passage obligé pour prendre un verre à Martigues. Il se compose d'une suite de bars et de terrasses, nonchalamment prises d'assaut les jours d'été pour de longs bains de soleil et de détente.

LOISIRS

Pour vous baigner, rendez-vous sur la Côte Bleue : rejoignez Caro (10 km au Sud) en voiture ou en vélo (piste cyclable).

CALENDRIER

Fêtes de la mer et de la Saint-Pierre – Dernier samedi de juin. Messe en provençal, bénédiction des bateaux.

Fête vénitienne – 1er samedi de juillet. Spectacle pyrotechnique.

Festival de théâtre et musique du monde – ☎ 04 42 42 12 01. Théâtre, danse, musique et chants des cinq continents sont au programme de ce festival qui a lieu fin juil. sur une scène flottante posée sur le canal St-Sébastien. Il s'accompagne d'animations de rue et de bals.

visiter

Musée Ziem

Quartier Ferrières. Bd du 14-Juillet. ☎ 04 42 41 39 60 - juil.-août : tlj sf mar. 10h-12h, 14h30-18h30 ; sept.-juin : tlj sf lun. et mar. 14h30-18h30 - fermé 1er janv., 1er Mai, 14 Juillet, 15 août, 1er nov. et 25 déc. - gratuit.

Outre les tableaux lumineux de Ziem, vous pourrez y faire plus ample connaissance avec les peintres provençaux Guigou, Manguin, Monticelli ou Seyssaud, et y découvrir les œuvres de Dufy, Rodin, Camille Claudel et Derain. Une section d'archéologie locale et une collection d'art contemporain complètent cet ensemble.

Chapelle de l'Annonciade

Quartier Jonquières. ☎ 04 42 42 39 60 - visite guidée sur demande au moins une semaine à l'avance.

L'intérieur de cette ancienne chapelle des Pénitents Blancs, située derrière l'église St-Geniès, ravira les tenants du baroque provençal : boiseries dorées, fresques représentant la vie de la Vierge, plafond peint composent un décor dont la richesse tranche avec la sobriété extérieure du bâtiment.

alentours

Étang de Berre★

Circuit de 113 km par la D 5. Voir ce nom.

Chapelle N.-D.-des-Marins

À 3,5 km au Nord par la N 568. Des abords de la chapelle, large **panorama★** sur Port-de-Bouc, Fos, Port-St-Louis,

Lavéra et son port pétrolier, le viaduc ferroviaire et le pont autoroutier de Caronte, la chaîne de l'Estaque avec Martigues au premier plan, l'étang de Berre et la digue du canal d'Arles à Fos, les chaînes de l'Étoile et de Vitrolles, la Ste-Victoire (et, par temps clair, le Ventoux), Berre et, dans une échancrure entre deux collines, St-Mitre-les-Remparts.

Fos-sur-Mer
9 km par la N 568. Voir ce nom.

Côte Bleue
Suivre en sens inverse le circuit décrit à la chaîne de l'Estaque (voir ce nom).

Ménerbes★

C'est l'un des plus célèbres villages perchés du Luberon. L'un des plus beaux également ? La concurrence est rude... Alors, rien de tel qu'une longue halte à Ménerbes pour trancher la question.

La situation
Carte Michelin Local 332 E11 – Schémas p. 252 et 382 – Vaucluse (84). Que vous veniez de Cavaillon (14 km à l'Ouest, *voir ce nom*) ou d'Apt (20 km à l'Est, *voir ce nom*), laissez votre voiture sur le parking à l'entrée du village : vous ne goûterez que mieux les charmes de cette promenade.

Le nom
Ménerbes est placé sous le patronage de Minerve, la déesse de la sagesse et des arts. Cela ne pouvait qu'attirer écrivains (Albert Camus, François Nourissier) et artistes : Picasso y séjourna en 1946, Nicolas de Staël s'y installa en 1953.

Les gens
995 Ménerbois. Un de leurs concitoyens d'adoption, le Britannique **Peter Mayle**, a donné au village, dans son roman *Une année en Provence*, une renommée telle que Ménerbes est devenu une étape incontournable pour maints touristes japonais et américains.

carnet pratique

VISITE-ACHATS
Maison de la truffe et du vin – *Pl. de l'Horloge* - ☎ 04 90 72 52 10 - www.vin-truffe-luberon.com - 10h-13h, 14h-18h ; juil.-août : 15h-19h - fermé dim.-merc. d'oct. à mars. Dans un cadre superbe - l'hôtel Astier de Montfaucon (18ᵉ s.) -, vous découvrirez un espace muséographique et une librairie dédiés à la truffe et au vin ainsi qu'une cave rassemblant tous les crus produits dans le Parc naturel régional du Luberon. Stages de dégustations en été.

SE RESTAURER
⊖⊜⊜ **Auberge de la Bartavelle** – *R. du Cheval-Blanc - 84220 Goult - 6 km au NE de Ménerbes par D 218 et D 145 -* ☎ 04 90 72 33 72 *- fermé de mi-nov. à déb. mars, merc., le midi sf dim. de mars à mai et mar. midi - 34 €.* Le patron a lui-même rénové cette vieille maison provençale. Salle à manger voûtée plaisamment garnie de meubles et d'objets anciens, terrasse d'été dressée dans la rue piétonne et petit salon-fumoir. Cuisine régionale de produits frais.

se promener

En haut du village, gagnez la belle **place de l'Horloge** que domine le beffroi de l'hôtel de ville et son sobre campanile en fer forgé. Dans un angle, un hôtel particulier (17ᵉ s.), avec son portail en plein cintre, ajoute à la séduction du lieu. Il abrite la Maison de la Truffe et du Vin *(voir « carnet pratique »).* Depuis la terrasse, **vue★** sur la vallée du Calavon, Gordes, Roussillon et le Ventoux. L'**église**, du 14ᵉ s., à l'extrémité du village, était jadis un prieuré de St-Agricol d'Avignon.

La **citadelle**, du 13ᵉ s. (mais reconstruite au 16ᵉ s. puis au 19ᵉ s.), joua un rôle important lors des guerres de Religion : si les calvinistes s'en emparèrent en 1573, ce fut par la ruse ; pour les en déloger cinq ans plus tard, il fallut verser une rançon. De son système de défense subsistent tours d'angle et mâchicoulis.

Musée du Tire-bouchon

Un musée qui rend justice à un objet aussi indispensable que mal connu, le tire-bouchon.

visiter

Musée du Tire-bouchon

À la sortie de Ménerbes, sur la D 3 en direction de Cavaillon. ☎ 04 90 72 41 58 - www.museedutirebouchon .com - ☐ - avr.-oct. : 9h-12h, 14h-19h, w.-end 10h-12h, 14h-19h ; nov.-mars : tlj sf dim. et j. fériés 9h-12h, 14h-18h, sam. 10h-12h, 14h-18h - 4 € (-15 ans gratuit).

Installé dans le domaine viticole de la Citadelle, ce musée rassemble 1 000 tire-bouchons du 17ᵉ s. à nos jours, de matières (corne, métal, ivoire...) et de formes (en T, à l'effigie du sénateur Volstead, instigateur de la loi sur la prohibition au États-Unis...) très diverses. Vous ferez donc le tour de la question du débouchage, à laquelle l'ingéniosité humaine a donné toute sa mesure. Et pourquoi ne pas conclure par une visite des caves, suivie d'une dégustation de côtes-du-luberon ?

Abbaye de **Montmajour**★

Datant du Moyen Âge pour une part, du 18ᵉ s. pour l'autre, les ruines de l'abbaye de Montmajour forment avec leur colline boisée de pins un ensemble romantique chargé d'histoire et de légendes.

La situation

Carte Michelin Local 340 C3 – Bouches-du-Rhône (13). 2 km à la sortie d'Arles en direction de Fontvieille (D 17). Soudain, comme un avant-poste des Alpilles posé dans la plaine, apparaît la colline de Montmajour, que vous contournerez avant de vous garer devant l'entrée de l'abbaye.

Le nom

Mont Majour, le « mont majeur » : référence à cette colline qui se dressait dans une zone jadis marécageuse, un peu comme une île. C'en était une, du reste !

Les gens

Ce n'était sans doute pas le plus recommandable, mais ce fut le plus célèbre : le dernier abbé de Montmajour, le cardinal de Rohan, fut plus que compromis dans l'affaire du collier de la reine ; en guise de représailles, Louis XVI prononça, en 1786, la suppression de cette abbaye par trop mondaine.

Les premiers moines bénédictins s'étaient assigné une tâche considérable : l'assèchement des marais couverts de roseaux qui s'étendaient entre Alpilles et Rhône.

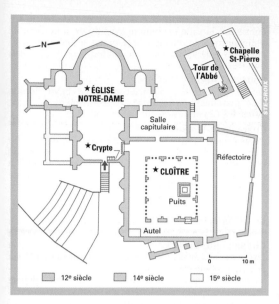

STE-CROIX

★ Chapelle St-Pierre

Tour de l'Abbé

★ ÉGLISE NOTRE-DAME

Salle capitulaire

Réfectoire

★ Crypte

★ CLOÎTRE

Puits

Autel

0   10 m

☐ 12ᵉ siècle   ☐ 14ᵉ siècle   ☐ 15ᵉ siècle

comprendre

Un travail de bénédictins – Il faut se rappeler que la plaine actuelle était au haut Moyen Âge une zone de marais insalubres. Sur les rochers de Montmajour, quelques ermites, veillant sur une vaste nécropole, sont à l'origine de l'abbaye bénédictine qui s'établit au 10ᵉ s.

Une communauté bien frivole – Au 17ᵉ s., l'abbaye est en décadence. Parmi la communauté, on compte bon nombre de « religieux laïques » qui, par faveur royale, ont obtenu une place dans la communauté et surtout une part des revenus. Leur goût pour les futilités de ce bas monde entraîne une réaction : de nouveaux moines sont envoyés pour restaurer la discipline tandis que les anciens, expulsés *manu militari*, saccagent l'abbaye. Au 18ᵉ s., une partie des bâtiments s'effondre ; on les remplace par de nouvelles constructions.

Un dépeçage en règle – En 1791, Montmajour est vendue comme bien national à une brocanteuse qui dépèce les bâtiments. Meubles, boiseries, plomb, charpentes, marbres s'en vont par charretées. Le successeur, un marchand de biens, s'attaque, lui, au gros œuvre en débitant la pierre de taille... L'action d'Arlésiens amis des vieux monuments (comme le peintre Réattu), bientôt relayés par la municipalité, permet de commencer la restauration des bâtiments médiévaux en 1872, mais les constructions du 18ᵉ s. demeurent en ruine.

visiter

☏ 04 90 54 64 17 - *avr.-sept. : 10h-18h30 ; oct.-mars : tlj sf lun. 10h-17h - fermé 1ᵉʳ janv., 1ᵉʳ Mai, 1ᵉʳ et 11 Nov. et 25 déc - 6,10 €.*

Église Notre-Dame★

Cet édifice, du 12ᵉ s. dans sa partie principale, comprend une église haute et une crypte ou église basse. Jamais achevée, l'**église haute** se compose du chœur, d'un transept et d'une nef à deux travées. La **crypte★**, aménagée pour compenser la déclivité du terrain, est en partie creusée dans le roc et en partie surélevée.

Cloître★

Il a été édifié au 12ᵉ s., mais seule la galerie Est a conservé son authenticité romane : le remarquable décor historié des chapiteaux a pu être inspiré par celui de St-Trophime d'Arles.

Sauvignier S./MICHELIN

On remarque, creusées dans le roc, les tombes du cimetière qui s'étendait sur toute la plate-forme rocheuse.

Locaux d'habitation

Subsistent la salle capitulaire avec un beau berceau en plein cintre et le réfectoire aux voûtes surbaissées *(accès par l'extérieur)*. Le dortoir occupait le 1er étage, au-dessus du réfectoire.

Tour de l'Abbé

De la plate-forme supérieure de ce beau donjon (124 marches), **panorama★** sur les Alpilles, la Crau, Arles, les Cévennes, Beaucaire et Tarascon.

Chapelle St-Pierre★

À demi creusée dans le roc, à flanc de colline, elle fut édifiée lors de la fondation de l'abbaye. Elle comprend une église à deux nefs et, dans le prolongement, un ermitage formé de grottes naturelles. C'était la chapelle du **cimetière** de l'abbaye.

alentours

Chapelle Ste-Croix★

200 m sur la droite vers Fontvieille. ☎ *04 90 54 64 17 - sur demande uniquement.*

Ce charmant petit édifice du 12e s. se trouve en dehors de l'abbaye. Son plan est en forme de croix grecque : un carré entouré de quatre absidioles.

Dentelles de **Montmirail★**

Rendez-vous des peintres, paradis pour botanistes, randonneurs, alpinistes, amateurs de crus locaux ou de vieilles pierres, les dentelles de Montmirail offrent, au cœur du Comtat venaissin, un environnement riche et préservé, où chacun pourra satisfaire sa soif d'aventure, d'escalade... ou de bon vin.

La situation

Carte Michelin Local 332 D8-D9 – Vaucluse (84). Bien que de faible altitude (elles culminent à 734 m au mont St-Amand), les dentelles ont un caractère alpestre plus marqué que leur puissant voisin, le Ventoux *(voir ce nom)*, haut de 1 912 m.

QUAND ?
En mai-juin, lorsque les genêts, très abondants, illuminent les collines de leurs fleurs jaunes, les paysages des dentelles de Montmirail révèlent alors leur sereine beauté.

Le nom

Il suffit d'observer le découpage caractéristique des crêtes, érodées en arêtes et en aiguilles, pour comprendre leur appellation.

Les gens

Les vignerons de **Séguret** (vins capiteux et parfumés), **Vacqueyras** (rouges charpentés et blancs élégants), **Gigondas** (qui rivalisent avec leurs collègues de Châteauneuf-du-Pape) et **Beaumes-de-Venise** (spécialisés dans le muscat) ont porté haut le renom de la région... et méritent amplement une visite.

Crêtes aiguës, villages médiévaux, roches escarpées : les dentelles de Montmirail.

carnet pratique

SE LOGER

⊖ **Chambre d'hôte La Farigoule** – *Le Plan-de-Dieu - 84150 Violès - 7 km à l'O de Gigondas par D 80 dir. Orange puis D 8 et D 977 dir. Violès -* ☎ *04 90 70 91 78 - www.la-farigoule.com - fermé nov.-mars -* ⊠ *- 5 ch. 35/55 €* ⊑*.* Cette maison vigneronne du 18ᵉ s. a gardé toute son authenticité. Ses chambres, desservies par un bel escalier et meublées à l'ancienne, portent chacune le nom d'un écrivain provençal dont les œuvres sont mises à disposition des hôtes. Petits-déjeuners servis dans une jolie salle voûtée. Jardin, cuisine d'été, vélos.

⊖⊖ **Chambre d'hôte Mas de la Lause** – *Chemin de Geysset, rte de Suzette - 84330 Le Barroux -* ☎ *04 90 62 33 33 - www.provence-gites.com - fermé 15 nov.-15 mars - 5 ch. 52/59 €* ⊑ *- repas 17,50 €.* Mas de 1883 niché au milieu des vignes et des abricotiers. Rénovées dans un style contemporain, ses chambres ont gardé leurs couleurs provençales. La cuisine familiale, préparée avec des produits locaux, est servie dans la salle à manger ou sous la tonnelle, face au château.

SE RESTAURER

⊖⊖ **La Bastide Bleue** – *Rte de Sablet - 84110 Séguret -* ☎ *04 90 46 83 43 - bastide-bleue@wanadoo.fr - fermé du 7 janv. à fin fév., mar. et merc. sf juil.-août - (dîner seul.) - 20/24 € - 7 ch. 46/62 €* ⊑ *5,50 €* Ancien relais de poste où vous savourerez des plats du terroir suggérés sur l'ardoise du jour. En été, la terrasse est dressée dans la cour agréablement ombragée. Chambres de caractère et, à l'arrière du bâtiment, jolie piscine au milieu d'un jardin.

QUE RAPPORTER

Domaine de Fenouillet – *Allée St-Roch - 84190 Beaumes-de-Venise -* ☎ *04 90 62 95 61 - domaine @fenouillet.net - tlj sf dim. 9h-12h, 14h-19h.* Cette maison qui pratique l'agriculture raisonnée propose une belle gamme de vins : côtes-du-ventoux blanc, rosé et rouge, beaumes-de-venise, muscat et marc de muscat de Beaumes-de-Venise. Le domaine vend également de l'huile d'olive provenant du moulin familial situé à quelques kilomètres.

Caveau Gigondas – *Pl. du Portail - 84190 Gigondas -* ☎ *04 90 65 82 29 - tlj 10h-12h, 14h-18h30 - fermé 25 déc. et 1ᵉʳ janv.* Ouverte toute l'année, cette boutique gérée par une association d'une cinquantaine de vignerons permet aux visiteurs de déguster plusieurs crus sans se sentir obligé d'acheter. Chaque bouteille est le fruit de la production d'un viticulteur : le magasin ne propose aucun assemblage. Conseils avisés du personnel.

SPORTS & LOISIRS

Randonnées pédestres – Un GR de pays et des petites randonnées permettent de sillonner les dentelles. *Guides et cartes auprès de l'Office du tourisme de Gigondas,* ☎ *04 90 65 85 46.*

Escalade – *84190 Gigondas -* ☎ *04 90 65 85 46 - office.tourisme @gigondas-les-dentelles-de-montmirail.fr.* Renseignements auprès de l'Office de tourisme de Gigondas.

Association Agarrus – *Maison des dentelles, pl. du Marché - 84190 Beaumes-de-Venise -* ☎ *06 80 43 12 12 - www.agarrus.com.* Cette association d'accompagnateurs diplômés d'État propose de découvrir le Vaucluse et ses massifs en pratiquant diverses activités : randonnée pédestre, raquettes ou escalade. Différentes formules : demi-journée, journée ou séjour.

CALENDRIER

Les prémices de la vigne – Célébré dans tous les villages viticoles, le samedi qui suit l'Ascension.

24 décembre – Représentation de la pastorale *Li Bergié de Séguret* à Séguret.

circuit

AU FIL DES DENTELLES

Circuit de 60 km au départ de Vaison-la-Romaine – 1/2 journée environ. Quitter Vaison-la-Romaine par la D 977, route d'Avignon, et à 5,5 km prendre à gauche la D 88 qui, en s'élevant, offre de belles vues sur la vallée de l'Ouvèze.

Séguret★

Superbe village bâti en gradins au pied d'une colline. À l'entrée du bourg, empruntez le passage sous voûte que prolonge la rue principale. Chemin faisant, vous passerez devant la jolie fontaine comtadine des Mascarons (15ᵉ s.), le beffroi (14ᵉ s.), puis l'église St-Denis (12ᵉ s.). Depuis la table d'orientation installée sur la place, vue étendue sur les dentelles et la plaine du Comtat. Un château féodal en ruine, des ruelles étroites en forte pente bordées d'anciennes demeures ajoutent encore au charme de ce lieu préservé où vous aimerez sans doute vous attarder.

À la sortie de Séguret, prendre à gauche la D 23 vers Sablet, puis la D 7 et la D 79 vers Gigondas.

Gigondas

Bourg connu pour son vin rouge issu de Grenache, un des grands crus des côtes-du-rhône. Multiples possibilités de dégustation et d'achats à la propriété *(voir le « carnet pratique »).*
Par Les Florets, gagner le col du Cayron.

Isler Fr. /MICHELIN

Balade médiévale à Séguret, un superbe village miraculeusement préservé des atteintes du temps.

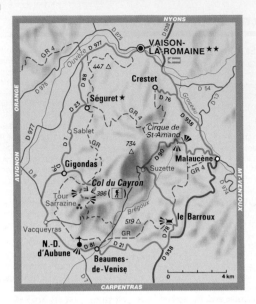

Col du Cayron

Alt. 396 m. Ici, les parois des dentelles peuvent atteindre près de 100 m et les adeptes de l'escalade s'en donneront à cœur joie, d'autant qu'ils pourront y rencontrer toute la gamme des difficultés.

🚶 *1h AR.* En prenant à pied sur la droite une route non revêtue qui serpente parmi les dentelles, on aura de belles **vues**★ sur la plaine rhodanienne barrée par les Cévennes, le plateau de Vaucluse et le mont Ventoux.

Rejoindre la D 7 à gauche et descendre sur Vacqueyras, autre haut lieu des côtes-du-rhône.

Chapelle Notre-Dame-d'Aubune

Chapelle romane située près de la ferme Fontenouilles, au pied des dentelles de Montmirail, sur une petite terrasse. Élégant **clocher**★ orné sur chaque face de longs pilastres inspirés de l'antique ; les quatre baies sont encadrées de piliers ou de colonnettes décorées de cannelures droites ou torses, de raisins, de pampres, de feuilles d'acanthe et de visages grimaçants.

Suivre à gauche la D 81 qui serpente parmi vignes et oliviers.

Beaumes-de-Venise

Sur les premiers contreforts des dentelles, ce village (son nom est une altération de Venaissin) est le grand lieu de production du fameux **muscat**, subtilement parfumé.

Quitter Beaumes par la D 21 à l'Est, puis prendre à gauche la D 938, et à gauche de nouveau la D 78.

Le Barroux

Parking à l'entrée du village. Pittoresque bourg aux rues pentues, dominé par la haute silhouette de son **château**. Ce vaste quadrilatère flanqué de tours rondes fut, au 12ᵉ s., une place forte qui assurait la protection de la plaine comtadine. Siège de plusieurs seigneuries successives, il fut remanié à la Renaissance, incendié au cours de la Seconde Guerre mondiale, puis restauré. La visite permet de découvrir la chapelle, les salles basses et la salle des Gardes, puis les étages, dont les salles accueillent des expositions d'art contemporain. Depuis les jardins, agréable vue panoramique. ☎ 04 90 62 35 21 - juil.-sept. : 10h-19h ; avr.-mai : w.-end 10h-19h ; juin : 14h-19h ; oct. : 14h-18h - 3,50 €.

Quitter Le Barroux au Nord en direction de Suzette et rejoindre la D 90.

Après Suzette, la route pénètre dans le cirque de St-Amand, aux parois à pic. La route s'élève vers un petit col qui ménage une belle **vue**★ d'un côté sur les dentelles, de

Au cœur des dentelles de Montmirail, le village du Barroux se serre autour des imposantes murailles de son château.

l'autre sur le mont Ventoux, la vallée de l'Ouvèze et les Baronnies.

Malaucène *(voir mont Ventoux)*
La D 938, au Nord-Ouest, remonte la fertile vallée du Groseau, que l'on quitte pour prendre, à gauche, la D 76.

Crestet

Laisser la voiture au parc de stationnement du château.
Une placette ornée d'une arcade, d'une fontaine et du porche de l'église (14ᵉ s.), des ruelles bordées de maisons Renaissance escaladant la colline que couronne le château du 12ᵉ s... : un adorable village vauclusien. De la terrasse du château (table d'orientation), belle vue sur le village, sa colline verdoyante, l'Ouvèze, le Ventoux et les Baronnies.

Revenir à la D 938 et tourner à gauche pour regagner Vaison-la-Romaine.

Nîmes★★★

À la lisière des collines, des garrigues et de la plaine marécageuse de Petite Camargue, Rome française pour les uns, Madrid selon d'autres, Nîmes présente toujours deux visages : catholique ou protestante, austère mais débridée pendant les ferias, fière de son passé romain mais soucieuse de modernité... Le climat est à l'unisson : sec le plus souvent, il donne parfois lieu à des orages torrentiels et dévastateurs.

La situation

Carte Michelin Local 339 L5 – Gard (30). Selon votre approche, Nîmes se montre bien différente : depuis Uzès *(voir ce nom)*, la route sinueuse passe par les collines autrefois parsemées de **mazets** (cabanes de berger en pierre), avant d'entrer dans la ville par le canal de la Fontaine, puis le boulevard Victor-Hugo jusqu'aux arènes, à contourner pour stationner au parking souterrain de l'Esplanade. En revanche, venant d'Avignon ou d'Arles *(voir ces noms)*, vous ferez connaissance avec la « ville active » avant de vous glisser sous le viaduc du chemin de fer et d'arriver à l'Esplanade par l'avenue Feuchère, bordée d'aristocratiques façades.

🛈 *6 r. Auguste, 30000 Nîmes, ☎ 04 66 58 38 00. www. ot-nimes.fr*

Sauvignier S./MICHELIN

Le symbole que Nîmes a choisi d'adopter en souvenir des légionnaires romains venus d'Égypte, qui furent à l'origine de la construction de la ville.

Le nom

De la source du dieu Nemoz, vénéré par les populations locales (le mot viendrait du celtique *Nemeto*, signifiant « sanctuaire »). Adopté par les Romains, il devient Nemausus, puis Nesmes, Nismes et enfin Nîmes.

Les gens

148 889 Nîmois : parmi eux, un empereur romain (Antonin), un ministre de Napoléon III (Guizot), le pape de la NRF (Paulhan), l'égérie de la « Nouvelle Vague » (Bernadette Lafont), des écrivains (Marc Bernard, André Chamson, Alphonse Daudet), une poignée de toreros et l'inventeur anonyme de la brandade de morue.

comprendre

Ils sentaient bon le sable chaud... – Les légionnaires romains qui, selon la tradition, succédèrent en 31 avant J.-C. aux Volques Arécomiques, venaient de l'armée d'Égypte. Une vaste enceinte de 16 km de longueur est élevée ; la ville, traversée par la voie Domitienne, se couvre de splendides édifices : un forum, bordé au Sud par la Maison carrée, un amphithéâtre, un cirque, des

Visite

Quand (ne pas) y aller... – Si l'on déteste la chaleur, éviter le mois d'août : Nîmes est alors une étuve et même les nuits y sont caniculaires. Si l'on déteste les corridas et/ou la foule, on évitera le week-end de Pentecôte : du reste, difficile de visiter quoi que ce soit, hormis les *bodegas*, et impossible de s'y loger !

Balises – Au cours de vos pérégrinations dans le centre-ville de Nîmes, remarquez à vos pieds le clou de Nîmes, dessiné par Philippe Stark.

Visites guidées de la ville – Nîmes, qui porte le label Ville d'art et d'histoire, propose des visites-découvertes (2h) animées par des guides-conférenciers agréés par le ministère de la Culture et de la Communication. Elles permettent notamment de voir l'hôtel Fontfroide (voir description dans " se promener "), non ouvert à la visite autrement. *Toute l'année : sam. 14h30 (juil.-sept. : mar., jeu., sam. 10h) ; vac. scol. : mar., jeu., sam. 14h30. 5,50 €. Renseignements à l'Office de tourisme ou sur www.vpah.culture.fr*

Pass – Il permet de visiter l'ensemble des monuments et musées : se le procurer aux arènes ou au Carré d'art. *10,20 €, valable 3 j.*

Se loger

⊖ Hôtel Amphithéâtre – *4 r. des Arènes - ☎ 04 66 67 28 51 - hotel-amphitheatre @wanadoo.fr - fermé janv. - 15 ch. 39/66 € - ☕ 6,50 €.* Proche des arènes, dans une rue piétonne, petit hôtel familial à la façade un peu austère, proposant des chambres de taille moyenne garnies d'un mobilier d'inspiration rustique. Une bonne adresse pour les petits budgets.

⊖⊖ Chambre d'hôte La Mazade – *Dans le village - 30730 St-Mamert-du-Gard - 14 km à l'O de Nîmes par D 999 et D 1 - ☎ 04 66 81 17 56 - www.bbfrance.com/ couston.html - 🚭 - 3 ch. 55/60 € ☕ - restauration (soir seult) 25 €.* Voici une maison de famille véritablement originale, où dans chaque pièce vivent en harmonie décor design, objets d'art mexicains et exubérance de plantes vertes... Le résultat est à la fois pittoresque et amusant ! Le soir, dîner « à la fraîche » sous la treille, face au jardin.

⊖⊖⊖ L'Orangerie – *755 r. Tour-de-l'Évêque - ☎ 04 66 84 50 57 - hr-orang@wanadoo.fr - fermé 23-28 déc. - P - 31 ch. 79/115 € - ☕ 10 € - restaurant 29/37 €.* Maison récente aux allures de vieux mas. Les chambres, spacieuses et personnalisées, portent les couleurs du Midi ; certaines avec terrasse, d'autres avec bains bouillonnants. Salle de restaurant au mobilier provençal et agréable terrasse en rez-de-jardin.

⊖⊖⊖ New Hôtel la Baume – *21 r. Nationale - ☎ 04 66 76 28 42 - nimeslabaume@new-hotel.com - 34 ch. 95/145 € - ☕ 10 €.* Mariage réussi du moderne et de l'ancien dans cet hôtel particulier du 17e s. autour duquel fut bâti le New Hôtel La Baume. Un escalier monumental en pierre conduit à des chambres sobres, garnies de mobilier contemporain et égayées pour certaines de jolis plafonds à la française.

Pazery D./MICHELIN

Brandade de morue.

Se restaurer

La brandade

« Que faire de tout cela ? », se demandaient les Nîmois en voyant arriver des cargaisons de morue séchée envoyées par les terre-neuvas bretons, en paiement du sel d'Aigues-Mortes. L'un d'entre eux eut l'idée de piler le poisson dans un mortier, d'y ajouter de l'huile d'olive et du lait, obtenant ainsi une préparation crémeuse : la brandade (du provençal brandar, « remuer ») était née. Servie avec des croûtons ou en garniture de vol-au-vent, ce plat est aujourd'hui au menu de toute table de la région.

⊖ Haddock Café – *13 r. de l'Agau - ☎ 04 66 67 86 57 - ouv. tlj sf dim. 11h30-15h, 19h-2h, sam. 19h-3h - 7,60/10,60 €* Ce bar à vins-restaurant courtise autant la bonne chère (vin au verre, menu à tarif modique) que les muses, en organisant coup sur coup des soirées concert, théâtre, littérature, philo et des expositions de peinture. Derrière son grand bar en zinc, Philippe, le patron, préside certainement l'un des foyers les plus dynamiques de la vie culturelle nîmoise.

⊖ Bistrot des Arènes – *11 r. Bigot - ☎ 04 66 21 40 18 - fermé août, sam. midi et dim. - 9,50/20 €.* Avec le TGV Méditerranée, il fallait s'y attendre : Guignol a fait une « descente » en Provence ! Nous l'avons retrouvé à deux pas des arènes, dans ce bouchon typiquement lyonnais au décor fouillis à souhait, et sympathique comme tout. Recettes « gones ».

⊖ Le Bistrot au Chapon Fin – *3 pl. du Château-Fadaise - ☎ 04 66 67 34 73 - fermé sam. midi et dim. - 12/30 €.* Sympathique adresse installée derrière l'église St-Paul. Aux plats du jour, concoctés selon le marché et inscrits sur l'ardoise, s'ajoutent quelques valeurs sûres de la cuisine méditerranéenne, mais aussi des

choucroutes. Décor de style bistrot (une salle est réservée aux non-fumeurs) et terrasse d'été sous les toits.

⊖⊖ **Le Jardin d'Hadrien** – *11 r. Enclos-Rey -* ☎ *04 66 21 86 65 - fermé 20 août-3 sept., lun. midi, merc. midi et dim. en juil.-août - 18/28 €.* À l'écart de l'animation. L'hiver, vous choisirez les poutres patinées et la chaleur de l'âtre. L'été, la véranda ou le patio ombragé d'un if majestueux.

⊖⊖ **Aux Plaisirs des Halles** – *4 r. Littré -* ☎ *04 66 36 01 02 - fermé 3 fév.-1ᵉʳ mars, 24 oct.-9 nov., dim. et lun. - 19 € déj. - 22/49 €.* En ville, tout le monde en parle... Passé la discrète façade, c'est le plaisir ! Celui d'un cadre contemporain « chic » et épuré, d'un patio joliment dressé en terrasse et d'une cuisine du marché fort bien tournée. Sans oublier la belle carte des vins comportant une intéressante sélection régionale...

⊖⊖ **Le Bouchon et L'Assiette** – *5 bis r. de Sauve -* ☎ *04 66 62 02 93 - fermé 2-17 janv., 29 avr.-2 mai, 29 juil.-23 août, mar. et merc. - 15 € déj. - 25/41 €.* Salle à manger aux beaux murs de pierre ou petit salon intime : vous apprécierez le cadre chaleureux et raffiné de ce restaurant décoré d'antiquités. Le « bouchon » et l'assiette s'avèrent tout aussi soignés que le décor, avec les saveurs en plus et des prix restant étonnamment sages...

EN SOIRÉE

Programmes - On consultera le quotidien Midi-Libre, l'hebdomadaire La Semaine de Nîmes ou La Gazette de Nîmes, le Nimescope ou encore Le César (gratuit), que l'on trouvera à l'Office de tourisme.

Bar Hemingway - Hôtel Imperator – *Quai de la Fontaine -* ☎ *04 66 21 90 30 – www.hotel-imperator.com – 17h-1h.* Ouvrant sur un jardin arboré (séquoias, cèdres du Liban et ginkgo biloba d'Extrême-Orient), agrémenté d'une fontaine et de sculptures, le bar Hemingway de l'hôtel Imperator Concorde est un lieu empreint de calme et de magie. Quelques photographies évoquent le passage en ces murs de deux amoureux de la tauromachie, Ava Gardner et Ernest Hemingway, l'auteur de *Mort dans l'après-midi* (1962), magnifique livre consacré à la corrida.

Terrasse de café près des arènes.

Sauvignier S./MICHELIN

Grand Café de la Bourse – *2 bd des Arènes -* ☎ *04 66 36 12 12 - 7h-1h.* Un plafond à caissons de style Napoléon III, une terrasse située face à l'entrée des arènes, des fauteuils en rotin profonds et confortables, autant d'indices qui ne trompent pas : nous sommes ici dans l'un des plus prestigieux cafés de Nîmes dont le service diligent et le professionnalisme attirent une clientèle de tous les âges et de tous les milieux.

Le Sémaphore – *25 r. Porte-de-France -* ☎ *04 66 67 83 11 - lesemaphore.fr.st - 12h-23h30 - fermé w.-end et de la Pentecôte - 5,50 €.* Cinéma d'art et d'essai (5 salles) abritant également une cafétéria.

Théâtre du Quaternaire – *12 r. de l'Ancien-Vélodrome -* ☎ *04 66 84 20 52 - martinetti_e@cg30.fr - accueil : tlj sf dim. 10h-12h, 14h-18h - fermé juil.-août.* Théâtre installé dans une friche industrielle (ancien hangar). Musique, théâtre, expositions, danse, nouveau cirque...

QUE RAPPORTER

Marchés – Grand marché lun. sur le bd Jean-Jaurès. Marché biologique ven. matin av. Jean-Jaurès. Marché aux puces dim. matin sur le parking du stade des Costières. Marché nocturne en juil.-août, jeu. 18h-22h (Les jeudis de Nîmes). Marché aux fleurs lun. sur le parking du stade des Costières.

Maison Villaret – *13 r. de la Madeleine -* ☎ *04 66 67 41 79 - tlj sf dim. et j. fériés 7h-19h30.* Farine, sucre, eau, fleur d'oranger, extrait de citron et amandes figurent parmi les ingrédients des célèbres croquants de Nîmes inventés par Monsieur Villaret dans cette boulangerie-pâtisserie fondée en 1775. Le four à bois, d'époque, est toujours en activité.

Brandade Raymond – *34 r. Nationale -* ☎ *04 66 67 20 47 - contact@raymond-geoffroy.fr - tlj sf dim. 8h30-12h30.* Le roi de la brandade ! Depuis plus d'un siècle, cette petite boutique élabore dans les règles de l'art la fameuse recette nîmoise, qu'elle vend ensuite en bocaux millésimés. Également, de nombreuses autres spécialités : tapenade, crème d'anchoïade, croquants, caviar de tomates séchées...

La Vinothèque – *18 r. Jean-Reboul - proche des arènes -* ☎ *04 66 67 20 44 - vinotheque-nimes@wanadoo.fr - tlj sf dim. et lun. 9h30-12h30, 15h-20h - fermé 2 sem. en août.* L'enseigne dit l'essentiel ! Dans les rayons, les vins des Costières de Nîmes, des Côtes-du-Rhône et du Languedoc jouent les vedettes, mais le choix s'étend bien au-delà des crus régionaux.

Librairie Goyard – *34 bd Victor-Hugo -* ☎ *04 66 67 20 51 - librairie.goyard @online.fr - tlj sf dim. 9h30-19h.* Cette librairie facilement reconnaissable à sa devanture rouge s'adresse avant tout aux aficionados. Elle possède en effet un très bon choix de livres sur la tauromachie et les arènes de Nîmes, mais aussi des ouvrages sur la Camargue et la Provence.

Les Olivades – *4 pl. de la Maison-Carrée -* ☎ *04 66 21 01 31 - accueil@les-olivades.com - tlj sf dim. et lun 10h-12h30, 14h-19h ; juil.-août : tlj sf dim. et lun. 10h-*

13h, 14h-19h - fermé j. fériés. C'est sous Louis XI que l'industrie textile est née à Nîmes avec la création de la première manufacture. Au 18e s., les tissages nîmois (soierie et serge) faisaient tourner 300 métiers et occupaient 10 000 personnes. Cette tradition se perpétue aujourd'hui grâce aux Olivades. Vous trouverez ici tissus, linge de maison, ligne de vêtements et arts de la table aux couleurs de la Provence.

CALENDRIER DES ARÈNES

Ferias – Elles sont au nombre de deux : la plus connue, celle de **Pentecôte**, du mardi au lundi avec *pégoulade* sur les boulevards, *abrivados*, *novilladas* et corridas matin et soir et animations diverses dans la ville. La plus locale, celle des **Vendanges**, se déroule à la mi-septembre.

Trouver un billet – Les places sont vendues sous deux formes : abonnement pour toutes les corridas ou à l'unité pour chacune. Seul privilège des abonnés, ils sont servis les premiers. *Au guichet, compter de 16 € à 91 € pour une corrida, de 18 € à 44 € pour une novillada. Bureau de location : 4 r. de la Violette - ☎ 08 91 70 14 01.*

Autres spectacles – En dehors des ferias, les arènes accueillent de nombreuses manifestations : spectacles grand public, concerts (rock ou chanson), foires et salons, événements ponctuels comme le Téléthon et rencontres sportives de haut niveau.

Thuillier A. /MICHELIN

La croix huguenote a été inventée par un orfèvre nîmois vers 1692. Louis XIV avait interdit aux protestants tout insigne ; ces derniers, en signe d'insoumission, utilisèrent la croix de Malte fleurdelisée... Quant à la colombe, elle représente le Saint-Esprit, expression de la relation du chrétien avec Dieu.

COPIEURS
Le State Capitol de Richmond (Virginie) a été édifié à l'imitation de la Maison carrée qui avait eu l'heur d'enthousiasmer Thomas Jefferson, lors de son passage à Nîmes en 1787.

---

thermes et des fontaines qu'alimentaient un aqueduc (le pont du Gard en est le plus spectaculaire vestige) débitant 20 000 m³ d'eau par jour. Au 2e s., choyée par Hadrien et, plus encore, par Antonin le Pieux (de mère nimoise), la ville atteint son apogée : elle compte près de 25 000 habitants, voit s'édifier la mystérieuse basilique de Plotine et le quartier de la Fontaine.

On ne badine pas avec la religion – Le caractère « réboussié » des habitants de la Rome française et leur goût pour la polémique ne s'est jamais démenti. Quelques exemples : au 5e s., les Nîmois fraîchement christianisés préférèrent les persécutions à la soumission ; au 13e s., ils prennent fait et cause pour les Albigeois... mais se rendent sans résistance à Simon de Montfort (1213). Un siècle plus tard, les Juifs, pourtant bien intégrés à la vie économique et intellectuelle locale, sont expulsés de la ville, et leurs biens saisis. Au 16e s., la ville devient huguenote, se gouverne de façon autonome et traque les catholiques : 200 d'entre eux, surtout des prêtres, seront massacrés le 29 septembre 1567 lors de la Michelade. Il s'ensuivra une période de troubles et de persécutions, chaque communauté prenant tour à tour le pouvoir (guerre des Camisards après la révocation de l'édit de Nantes, Révolution vécue comme une revanche des protestants, Terreur blanche exercée par les catholiques sous la Restauration) et n'ayant rien de plus cher que de faire payer à l'autre les affronts de la période précédente.

La conquête de l'Ouest – Modeste, mais essentielle, telle fut la contribution nîmoise à la conquête de l'Ouest. On peut dire, sans exagération, que, sans Nîmes, jamais l'Amérique n'aurait été découverte : la solidité de la serge nîmoise, connue de toute l'Europe dès le Moyen Âge, était telle que Christophe Colomb n'aurait voulu d'autre toile pour les voiles de ses caravelles. Cette toile, dans laquelle les marins taillaient leurs pantalons, s'exportait depuis Gênes... et en 1873, un certain Lévy-Strauss, émigré bavarois aux États-Unis, eut l'idée d'en exploiter la robustesse pour y tailler des pantalons qu'il vendit aux chercheurs d'or et autres aventuriers partant à la conquête de l'Ouest. Sa fortune était faite et le « bleu de Gênes » prononcé à l'américaine devint *blue jeans* tandis que la marque **Denim** perpétue l'apport du textile nîmois à l'épopée américaine.

Nîmes en feria –Si la feria de Pentecôte, créée en 1952 à l'imitation des ferias (à l'origine foires agricoles) espagnoles, est centrée autour des arènes et des corridas et *novilladas* qui s'y déroulent, c'est toute une ville qui se retrouve autour de ses traditions : *pégoulade* nocturne autour des boulevards, courses d'amateurs dans les arènes de la périphérie, *abrivados* dans différents quartiers, concerts, expositions et bals rassemblent dans la ville une population considérable venant de tous horizons. De nombreuses associations d'*aficionados* (connaisseurs) créées afin d'analyser les corridas qui viennent de se dérouler ou d'affirmer leur ferveur pour tel ou tel torero (ou élevage) ouvrent à cette occasion dans les lieux les plus inattendus des *bodegas* (caves) où la cuisine et les vins espagnols sont à l'honneur, d'autres préférant jouer la carte régionale avec l'incontournable pastis débité « au kilomètre ».

La colère du dieu Nemoz – Le 8 octobre 1988 au petit matin, un de ces orages accompagnés de trombes d'eau dont Nîmes a le secret éclata sur la ville. Quelques minutes plus tard, de nombreux ruisseaux, généralement à sec, les *cadereaux*, sortaient de leur lit, tandis que ceux qui étaient enterrés crevaient leurs canalisations. La route d'Alès devint bientôt un impétueux torrent de boue qui envahit la ville, arrachant tout sur son passage, projetant arbres et véhicules contre les murs, causant 8 morts et semant la désolation.

se promener

NÎMES ROMAINE ET MÉDIÉVALE 1

Cette promenade permet de découvrir les principaux monuments de la ville romaine ainsi que l'« Écusson », lacis de ruelles du quartier médiéval serré entre les boulevards ombragés de micocouliers et ponctué de vitrines et de beaux hôtels particuliers parfois réhabilités (même si un peu partout les digicodes interdisent l'accès aux cours intérieures).

Esplanade

Laisser la voiture au parking souterrain. Cette vaste place, bordée d'un côté par les colonnes du palais de justice et de nombreuses terrasses de cafés, ouvre de l'autre sur la belle avenue Feuchères. En son centre, fontaine Pradier, élevée en 1848.

Arrêtez-vous au « point info », si vous souhaitez visualiser le projet d'aménagement urbain entre l'esplanade et les arènes *(achèvement prévu en 2009)*.

Poursuivre le boulevard de la Libération jusqu'à la place des Arènes.

Sur le vaste terre-plein des arènes, après la statue de El Nimeño II, vestiges (tour et courtines) de l'enceinte augustéenne.

Arènes★★★

Accès au monument au débouché de la rue de l'Aspic. ☎ 04 66 76 72 77 - de mi-mars à mi-oct. : 9h-19h ; de mi-oct. à mi-mars : 10h-17h - fermé 1ᵉʳ janv., 1ᵉʳ Mai, 25 déc. et j. de spectacle - 4,80 € (enf. 3,50 €).

Même époque (fin du 1ᵉʳ s., début du 2ᵉ s.), dimensions, contenance comparables (133 m sur 101 m, 24 000 spec-

Un matador pour une ville : Christian Montcouquiol, « El Nimeño II », le plus grand torero français.

Dans un silence attentif, l'infinie solitude du rendez-vous ancestral de l'homme et du taureau dans les arènes de Nîmes.

NÎMES

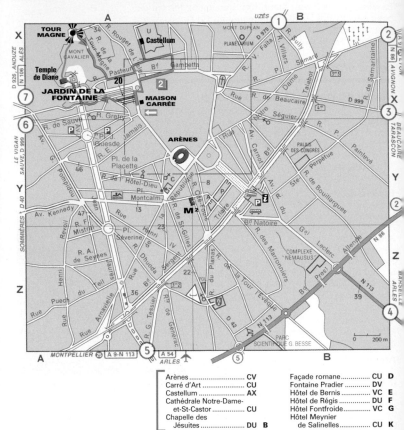

tateurs) : cet amphithéâtre ne se distingue de son frère arlésien que par des points de détail, comme les voûtes des galeries en berceau, suivant la tradition romaine. Si de par ses dimensions, il n'est que le 9ᵉ des 20 amphithéâtres retrouvés en Gaule, il est le mieux conservé du monde romain.

Construit en grand appareil de calcaire de Barutel, il présente à l'extérieur deux niveaux de 60 arcades chacun (hauteur totale 21 m) couronnés d'un attique. La principale des quatre portes axiales, au Nord, a conservé un fronton orné de taureaux. Une visite de l'intérieur permet d'apprécier le système complexe de couloirs, d'escaliers, de galeries et de vomitoires qui permettait au public d'évacuer l'édifice en quelques minutes. Du sommet des gradins, on appréciera une vue d'ensemble du monument et de la *cavea*, ensemble des gradins. Sous l'arène (68 m sur 37 m), deux larges galeries disposées en croix servaient de coulisses. Dans la partie supérieure subsistent des consoles percées d'un trou : elles recevaient les mâts supportant le *velum* destiné à protéger le public du soleil.

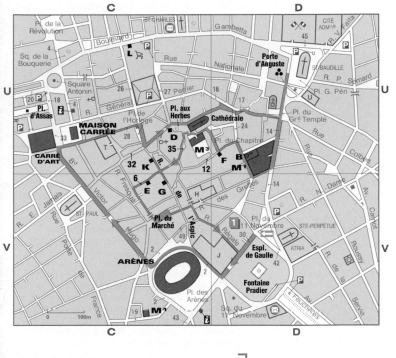

Après l'interdiction des combats de gladiateurs en 404, les arènes furent transformées en forteresse par les Wisigoths : il leur suffit de boucher les arcades, d'ajouter quelques tours, de creuser un fossé et, peut-être, d'édifier une petite enceinte supplémentaire (vestiges dans le sous-sol du palais de justice). Deux arcades murées, percées de petites fenêtres romanes, du côté de l'Esplanade, sont les seuls témoignages subsistant d'un château des vicomtes de Nîmes, édifié à l'intérieur du monument. Lui succéda un véritable village qui comptait encore 700 habitants au 18e s. Le dégagement commença à partir de 1809, prélude à la restauration de l'édifice qui retrouva sa vocation première, l'organisation de courses de taureaux camarguaises puis, à partir de 1853, de corridas.

Remonter le boulevard Victor-Hugo, laissant à gauche, après le lycée, l'église romano-byzantine St-Paul. Séparée du Carré d'art par le boulevard, au centre d'une place élégante, s'élève la Maison carrée (de là, possibilité de prolonger la promenade par le circuit 2 *avant de poursuivre le circuit* 1*).*

Maison carrée★★★

De mi-mars à mi-oct. : 9h-19h ; de mi-oct. à mi-mars : 10h-17h - fermé 1ᵉʳ janv., 1ᵉʳ Mai et 25 déc - gratuit.

Avec son portique aux colonnes sculptées, elle devait avoir fière allure aux abords du forum... La Maison carrée, sans doute le mieux conservé des temples romains, fut édifiée sous le règne d'Auguste (fin du 1ᵉʳ s. avant J.-C.), sur le plan du temple d'Apollon à Rome. Elle était probablement vouée au culte impérial et dédiée aux princes de la jeunesse, les petits-fils d'Auguste, Caïus et Lucius Caesar.

La pureté des lignes, les proportions de l'édifice et l'élégance gracile de ses colonnes cannelées dénotent sans doute une influence grecque (décoration sculptée). Mais avant tout, il s'en dégage un charme empreint de fragilité qui tient autant à l'harmonie du monument proprement dit qu'à son inscription dans la cité, désormais bien mise en valeur : au centre d'une vaste place dallée, la proximité audacieuse du Carré d'art semble lui avoir donné une nouvelle jeunesse.

Comme tous les temples classiques, elle se compose d'un vestibule délimité par une colonnade et d'une *cella*, chambre consacrée à la divinité, à laquelle on accède par un escalier de 15 marches. À l'intérieur, exposition didactique sur l'architecture et l'histoire, fort agitée, de la Maison carrée. Superbe mosaïque découverte lors d'un chantier de construction aux environs de la fontaine.

Prendre l'étroite rue de l'Horloge ; place de l'Horloge, tourner à droite et, enfin, à gauche, dans la rue de la Madeleine.

UNE SALLE POLYVALENTE AVANT L'HEURE

Les consuls de la ville avaient fait de la Maison carrée, au Moyen Âge, leur salle de réunion, avant que le monument ne soit « privatisé » en 1540. Dès lors, ses propriétaires successifs s'acharnèrent à lui chercher une utilisation : les ducs d'Uzès, en toute modestie, voulaient en faire leur chapelle funéraire ; le projet n'aboutit pas mais au 16ᵉ s., un sieur de Brueys, plus terre à terre, n'hésita pas à y installer son écurie. En 1670, les Augustins en firent l'église de leur couvent proche tandis que Colbert envisageait de la démonter pierre par pierre pour l'installer à Versailles ! Après la Révolution, elle abrita tour à tour les archives départementales, le musée des Beaux-Arts et le Musée archéologique, jusqu'en 1875, et, encore récemment, des collections d'art contemporain. Aujourd'hui, toute de grâce et de légèreté, sa beauté n'a plus pour autre fin que d'illuminer la vie de ceux qui la côtoient.

« Oh ! L'Auguste !
Tu regardes s'il pleut ? »
(interjection familière des
vieux Nîmois à casquette).

Rue de la Madeleine

Principale artère commerçante de la cité. Au nᵒ 1, remarquez la finesse des sculptures de la façade de la **Maison romane**, la plus ancienne maison du vieux Nîmes.

On débouche sur la très agréable **place aux Herbes**, où une pause à une terrasse de café s'impose, d'autant qu'elle permet de contempler la façade de la **cathédrale N.-D.-et-St-Castor**, qui a conservé, malgré tous ses malheurs, une frise en partie romane où sont figurées des scènes de l'Ancien Testament. ☎ *04 66 67 27 72 - tlj 8h-18h, sam. 8h30-12h, 14h30-18h, dim. 9h-11h, 18h30-19h30.*

Prendre à gauche de la cathédrale une étroite ruelle, puis, par la rue Curaterie et la place du Grand-Temple, rejoindre le boulevard Amiral-Courbet.

Porte d'Auguste

C'est ici que la voie Domitienne arrivait dans Nemausus. Flanquée à l'origine de deux tours, la porte comporte deux larges passages réservés aux chars et deux plus étroits pour les piétons. Copie en bronze d'une statue d'Auguste.

Revenir sur le boulevard, puis après l'ancien collège des Jésuites qui abrite le Musée archéologique, prendre à droite la rue des Greffes puis tout de suite à droite la Grand'Rue.

Chapelle des Jésuites

Ce lieu, devenu aujourd'hui salle d'exposition et de concert, mérite amplement le coup d'œil. Si la façade est surtout imposante, l'**intérieur★** ne manquera pas de surprendre par l'harmonie de ses proportions. Abondant décor sculpté où l'architecte semble s'être ingénié à rappeler les monuments romains de la ville, qu'il réinterprète à sa manière.

Dans la rue du Chapitre, remarquez la belle façade 18ᵉ s. et la noble cour pavée de l'**hôtel de Régis**, au nᵒ 14. La rue de la Prévôté débouche sur la place du Chapitre. Après l'ancien évêché, actuel musée du Vieux Nîmes *(voir « visiter »)*, vous retrouverez la place aux Herbes pour prendre sur la gauche la **rue des Marchands** et longer les vitrines du pittoresque passage couvert des Marchands. Sur la droite s'ouvre la rue de Bernis.

Rue de Bernis

Au carrefour avec la **rue de l'Aspic**, quelques pas sur la droite mènent à l'**hôtel Meynier de Salinelles** (nᵒ 8) dont le porche est orné de trois sarcophages paléochrétiens scellés dans le mur. Quelques pas sur la gauche permettent d'admirer au nᵒ 14 le remarquable escalier à double révolution de l'**hôtel Fontfroide**. *Visite guidée uniquement (voir le « carnet pratique »).*

Au nᵒ 3 de la rue de Bernis, l'**hôtel de Bernis** présente une élégante façade du 15ᵉ s.

Par la rue Fresque, à gauche, un passage sous arche permet de déboucher sur la **place du Marché**, où se dresse le palmier, symbole de Nîmes, tandis qu'un crocodile en bronze se mire dans l'eau d'une fontaine, œuvre de Martial Raysse.

Rejoindre l'Esplanade par la place de l'Hôtel-de-Ville (voir la cour et l'escalier) puis, à droite, par la rue Régale.

RETOUR AUX SOURCES ②

Depuis la place de la Maison carrée *(voir le circuit ①)*, remontez le boulevard Daudet jusqu'à la **place d'Assas** : cette vaste étendue, bordée d'un côté par des terrasses de restaurants, a été redessinée par Martial Raysse.

En obliquant sur la droite, on débouche sur l'aristocratique **quai de la Fontaine**, bordé de beaux hôtels. Suivez alors le canal, ombragé de micocouliers : leurs feuillages se mirent dans ces eaux calmes, où glissent quelques cygnes.

Jardin de la Fontaine★★

On y pénètre par la majestueuse grille faisant face à l'avenue Jean-Jaurès. Ce jardin a été aménagé au 18ᵉ s. par un ingénieur militaire, J.-P. Mareschal, au pied et sur les premières pentes du mont Cavalier, que surmonte la tour Magne. Il a respecté le plan antique de la fontaine de Nemausus qui s'étale en miroir d'eau avant d'alimenter des bassins et le canal.

À l'époque gallo-romaine, ce quartier comprenait les thermes (on peut en apercevoir quelques vestiges), un théâtre et un temple. Des fouilles récentes ont permis de dégager dans les environs une riche demeure du 2ᵉ s. *(r. Pasteur)*, les traces d'un quartier populaire indigène et, au croisement de l'avenue Jean-Jaurès et de la rue de Sauve, un édifice public somptueux dont l'usage demeure mystérieux.

Sur la gauche de la fontaine, le **temple de Diane**, ruiné en 1577 lors des guerres de Religion, compose avec la végétation un tableau des plus romantiques. L'édifice, datant du 2ᵉ s., n'était du reste sans doute pas un temple mais, selon certains, un lupanar ! Quoi qu'il en soit, il mérite une visite, avant de partir à l'assaut du mont Cavalier, peuplé d'essences méditerranéennes, sompteux écrin de verdure d'où émerge l'emblème de la cité, la **tour Magne★**. Il s'agit du plus imposant vestige de la très longue enceinte romaine de Nîmes. Cette tour polygonale à trois étages, haute de 34 m et fragilisée par les travaux d'un chercheur de trésor du 16ᵉ s., est antérieure

> **ORIGINES**
> Résurgence des eaux de pluie qui s'infiltrent dans les collines calcaires des garrigues, la **fontaine** fut jadis le sanctuaire autour duquel se créa la ville.

Campion L. /MICHELIN

Les thermes romains, désormais illuminés les soirs d'été : prélude à un retour aux sources (jardin de la Fontaine).

à l'occupation romaine. Depuis la petite plate-forme, superbe **vue**★ sur les toits roses de Nîmes, avec en toile de fond le Ventoux et les Alpilles. ☎ *04 66 67 65 56 - de mi-mars à mi-oct. : 9h-19h ; de mi-oct. à mi-mars : 10h-17h - fermé 1ᵉʳ janv., 1ᵉʳ Mai et 25 déc - 2,60 € (enf. 2,10 €).*

Quitter le jardin et redescendre vers le canal de la Fontaine par la rue de la Tour-Magne, puis prendre, à gauche, la rue Pasteur.

Castellum
Circulaire (5,90 m de diamètre), ce bassin de distribution des eaux était le point d'aboutissement de l'aqueduc de Nîmes (on aperçoit encore l'orifice d'arrivée). Redécouvert en 1844, il s'agit d'un des rares édifices de ce type qui nous soient parvenus, et le mieux conservé avec celui de Pompéi.

Plus haut, se dresse le fort Vauban, citadelle élevée en 1687, devenue aujourd'hui centre universitaire.

En redescendant sur le boulevard Gambetta, les admirateurs du *Petit Chose* ne manqueront pas d'aller se recueillir devant la **maison natale de Daudet**, demeure bourgeoise située au n° 20.

Regagner la Maison carrée par le square Antonin et la rue Auguste.

visiter

Musée des Beaux-Arts★
R. Cité-Foulc. ☎ 04 66 67 38 21 - ♿ - tlj sf lun. 10h-18h, visites guidées (2h) w.-end 15h30 - fermé 1ᵉʳ janv., 1ᵉʳ Mai, 1ᵉʳ nov. et 25 déc. - 4,80 €, gratuit 1ᵉʳ dim. du mois.
Réaménagé en 1986 par Jean-Michel Wilmotte autour d'une mosaïque romaine découverte en 1883 (*Le Mariage d'Admète*), il présente des œuvres du 15ᵉ au 19ᵉ s. des écoles italienne, hollandaise, flamande et française. Au hasard des salles, on pourra s'attarder devant un Bassano (*Suzanne et les vieillards*), un *Portrait de moine* par Rubens, une *Moissonneuse endormie* de Jean-François de Troy, un étonnant mascaron de céramique d'Andrea Della Robia, *La Vierge à l'Enfant*, dite aussi *Madone Foulc*, des portraits dus à Nicolas Largillière et Hyacinthe Rigaud. Les fans du pompiérisme ne manqueront pas le théâtral *Cromwell devant le cercueil de Charles Iᵉʳ* de Paul Delaroche. Quant à la peinture régionale, elle est représentée par de délicats portraits de l'Uzétien Xavier Sigalon (1787-1837), une marine de Joseph Vernet, des tableaux d'histoire du Nimois Natoire et un *Paysage des environs de Nîmes* daté de 1869 et signé de J.-B. Lavastre (1839-1891) qui, s'il ne mérite sans doute pas d'entrer dans l'histoire de la peinture, cultivera la nostalgie d'un temps où les collines de Nîmes étaient encore le cadre de la « civilisation du mazet ».

FÉROCE
Arracheur de dents du peintre hollandais Jan Miel (1599-1663).

Carré d'art★
☎ 04 66 76 35 70 - ♿ - tlj sf lun. 10h-18h (dernière entrée 30mn av. fermeture), possibilité de visite guidée (1h) sam.-dim. 15h et 16h30 - fermé 1ᵉʳ janv., 1ᵉʳ Mai, 1ᵉʳ nov. et 25 déc. - 4,80 € (enf. 3,50 €) gratuit 1ᵉʳ dim. du mois.

Ce bâtiment élancé aux formes élégantes, hardiment placé face à la Maison carrée dont il ambitionne d'être le pendant contemporain, a été conçu par Norman Foster pour abriter la médiathèque, installée en sous-sol, et le **musée d'Art contemporain** de la ville. Celui-ci propose un panorama de la création de 1960 à nos jours, selon trois grands axes : l'art en France, l'identité méditerranéenne (Espagne et Italie en particulier avec l'Arte Povera et le mouvement Transavangarde) et la création anglo-saxonne et germanique. La collection réunit quelques œuvres représentatives des grands mouvements picturaux contemporains comme le Nouveau Réalisme, Supports/Surfaces, le groupe BMPT, la Figuration libre ou la Nouvelle Figuration. César, Jean Tinguely, Sigmar Polke, Christian Boltanski, Gérard Garouste, Martial Raysse, Julian Schnabel, Miquel Barceló, Annette Messager, le photographe Thomas Struth et, bien sûr, le Nîmois Viallat sont quelques-uns des grands noms d'une collection exposée par roulement aux deux étages supérieurs de l'édifice (le dernier étant parfois consacré à des expositions temporaires).

Des escaliers de verre pour un « carré » voué à l'art : une création de Norman Foster.

Musée du Vieux Nîmes★

Pl. aux Herbes. ☎ 04 66 76 73 70 - tlj sf lun. 10h-18h - fermé 1ᵉʳ janv., 1ᵉʳ Mai, 1ᵉʳ nov. et 25 déc. - gratuit.
Installé dans l'ancien évêché (17ᵉ s.), à côté de la cathédrale, ce musée fondé en 1920 par Henri Bauquier selon les principes du Museon Arlaten *(voir Arles)* présente des collections évoquant la vie traditionnelle nîmoise : industrie du textile (superbes châles et émouvant casaquin d'adolescent en tissu sergé, ancêtre du « denim »), mobilier (remarquez les *manjadous*, ou garde-manger, mais aussi une belle armoire languedocienne en noyer du 17ᵉ s. dont le décor des portes représente *Suzanne et les Vieillards*), poteries, métiers traditionnels (avec, en particulier, un *castelet*, couveuse pour œufs de vers à soie). Visite indispensable pour qui souhaite mieux connaître la vie traditionnelle en pays nîmois.

> **IMPRESSIONNANT !**
> Ce sont les crampons qui garnissaient les « saules », chaussures utilisées jadis pour décortiquer les châtaignes !

Musée archéologique★

13 bis bd Amiral-Courbet. ☎ 04 66 76 74 80 - www.nimes.fr - tlj sf lun. 10h-18h - fermé 1ᵉʳ janv., 1ᵉʳ Mai, 1ᵉʳ nov. et 25 déc.
Installé dans l'ancien collège des Jésuites, il présente dans la galerie du rez-de-chaussée des objets antérieurs à la colonisation ainsi que des inscriptions romaines (bornes milliaires). À l'étage, objets de la vie quotidienne à l'époque gallo-romaine (toilette, parure, outils, stèles funéraires, lames à huile), verreries, céramiques (grecque, étrusque et punique), monnaies, dont le fameux « as » de Nîmes, et d'étonnantes maquettes en liège des principaux monuments antiques de la cité.

> **VIEUX MATOU**
> Pour les amoureux des chats, *Félin au bord d'une corniche*, panneau peint datant d'environ 150 après J.-C.

Muséum d'histoire naturelle

13 bis bd Amiral-Courbet. ☎ 04 66 76 73 45 - www.nimes.fr - tlj sf lun. 10h-18h - fermé 1ᵉʳ janv., 1ᵉʳ Mai, 1ᵉʳ nov. et 25 déc.
Dans le même bâtiment que le Musée archéologique, le Muséum d'histoire naturelle comprend une section d'ethnographie ainsi qu'une collection régionale sur la préhistoire et des animaux de tous pays.

Musée des Cultures taurines

6 r. Alexandre-Ducros. ☎ 04 66 36 83 77 - 10h-18h - fermé 1ᵉʳ janv., 1ᵉʳ Mai et 25 déc. - 4,65 €, gratuit pour les Nîmois et 1ᵉʳ dim. du mois.
Tout proche des arènes, installé dans l'ancien Mont-de-Piété de la cité, ce musée aborde dans une perspective ethnographique le thème des jeux taurins, en partant de leur élément de base : le taureau de Camargue et son élevage. Petit à petit se sont développés différents jeux de rue *(abrivados, bandidos)* ou d'arène (avec la « course libre », devenue course camarguaise) jusqu'à l'introduction au milieu du 19ᵉ s. de la tauromachie espagnole qui, chez ce peuple dévoré par la « fé du bi » (la foi des taureaux), ne pouvait rencontrer qu'un terrain favorable. Plus de 35 000 objets et documents, affiches, costumes, outils sont présentés dans cet espace aéré par un grand patio, premier véritable musée en France consacré aux différentes formes de tauromachie.

alentours

Aire de Caissargues
Entre l'échangeur de Nîmes-Centre et l'échangeur de Garons, sur l'autoroute A 54. À l'extrémité d'un mail bordé de micocouliers a été réédifiée la colonnade néoclassique de l'ancien théâtre de Nîmes, qui, naguère à la place du Carré d'art, faisait pendant à la Maison carrée. Le bâtiment d'exposition *(ouvert toute l'année)* rassemble des vestiges (moulages) découverts lors des travaux de construction de l'autoroute, en particulier la fameuse « Dame de Caissargues », squelette de femme âgée de 25 à 30 ans inhumée en position fœtale 5 000 ans avant J.-C. et portant au cou un collier de coquillages.

Margueritte
10 km à l'Est par la N 86. 🏃 1,9 km. Le sentier de découverte des capitelles est un agréable parcours à travers un ensemble de constructions en pierres sèches restaurées.

circuit

LA VAUNAGE
Circuit de 44 km – environ 2h30. Depuis l'Esplanade, prendre la rue de la République puis, au-delà de l'avenue Jean-Jaurès (rond-point,) prendre en face la rue Arnavielle, que prolonge la route de Sommières (D 940).

Caveirac
La mairie de ce village occupe un imposant **château** du 17ᵉ s. en fer à cheval : deux tours d'angle carrées couvertes de tuiles vernissées, des fenêtres à meneaux, de belles gargouilles et un grand escalier à rampe en fer forgé. Le porche d'entrée est assez large pour laisser passer une route, la D 103.
Poursuivre sur la D 40 puis, passant au large de St-Dionisy, prendre sur la gauche la D 737 en direction de Nages-et-Solorgues.

Oppidum de Nages
À l'entrée du village, la première rue à gauche conduit à la fontaine romaine qui alimente encore en eau plusieurs fontaines du bourg. Prendre la rue de la Fontaine-Salée, puis suivre le GR. 🏃 30mn AR. C'est l'un des cinq oppidums de l'âge du fer (800 à 50 avant J.-C.) qui rassemblaient la population de la Vaunage. Les îlots d'habitations aménagés dans le sens de la pente (donc du ruissellement), séparés par des rues parallèles, laissent deviner ce que pouvait être le cadre urbain des Celto-Ligures.
Chaque habitation comprenait en son centre un foyer et n'avait à l'origine qu'une seule pièce. Ce n'est qu'au 2ᵉ s. avant J.-C. que les maisons s'agrandirent et se subdivisèrent, mais le confort restait pour le moins rudimentaire. Une partie de l'enceinte de l'oppidum (en fait il y en eut quatre successives) a été dégagée. Aucun monument public n'a été découvert, hormis une sorte de *fanum* (petit temple indigène) daté de 70 avant J.-C. La pénétration romaine n'arrêta pas le développement de l'oppidum qui atteignit sa plus grande extension entre 70 et 30 avant J.-C., époque à laquelle semble s'être ébauchée une spécialisation économique (présence d'une forge).

Nages-et-Solorgues
Situé au 1ᵉʳ étage de la mairie, le **Musée archéologique** regroupe divers objets évoquant la vie quotidienne des habitants du lieu : activités vivrières (agriculture, élevage, chasse), artisanales (travail des métaux, fabrication de la céramique, tissage), armes, ustensiles de toilette et objets funéraires. *S'adresser au secrétariat de la mairie tlj sf w.-end. ☎ 04 66 35 05 26.*
Retourner à la D 40, que l'on prend sur la gauche.

On distingue nettement les alignements de petites maisons uniformes, aux murs de pierres sèches parfois très hauts.

Sauvignier S./MICHELIN

*Toits de tuiles romaines,
cyprès... Calvisson
a des airs de Toscane.*

Calvisson

Au centre de la plaine de la Vaunage, ce paisible village viticole, dominé par une colline que coiffent des moulins, est célèbre pour son corso de Pâques.

Maison du boutis – Consacrée aux techniques du piquage en basse Occitanie, elle présente de façon émouvante, outre des nécessaires à couture munis d'aiguilles à boutis, de belles réalisations (18e-19e s.) de cette technique importée de Sicile : costumes, bourrasses et bourrassons, coiffes et bonnets, jupons de mariées et vannes (magnifiques courtepointes de mariage), ainsi qu'une belle collection de pétassons, ces pièces d'étoffe que tous les prévoyants prenaient soin de poser sur leurs genoux avant de prendre un bébé dans leur bras. Remarquez les motifs plus ou moins riches mais toujours d'une exquise délicatesse, représentant des symboles traditionnels ou des monogrammes. ☎ 04 66 01 63 75 - www.la-maison-du-boutis.com - mai-oct. : jeu.-dim. 14h30-18h ; nov.-avr. : vend. et w.-end 14h30-18h, possibilité de visite guidée (1h) - fermé j. fériés et de mi-déc. à fin janv. - 3 €.

Dans le centre du bourg, prendre le CD 107 vers Fontanès : à la sortie du village, prendre à gauche la route (signalée) du Roc de Gachonne. De la table d'orientation placée au sommet d'une **tour**, vue sur les toits de tuiles rouges du village, la vallée du Vidourle au Sud-Ouest et le pic St-Loup à l'Est.

Regagner la D 40 pour prendre à gauche la D 249 jusqu'à Aubais.

À gauche, la D 142 conduit à **Aigues-Vives** (patrie d'un célèbre « gastounet », l'ancien président de la République Gaston Doumergue). Après être passé sous l'autoroute, rejoindre **Mus**, qui, comme sa voisine **Gallargues**, mérite un coup d'œil.

Vergèze

Sur la place de la mairie, la **Tonnellerie animée** présente les outils et le travail du tonnelier, le tout agrémenté d'un petit spectacle, « Raconte-moi un tonneau ». ☎ 04 66 35 45 92 - visite guidée (30mn) tlj sf dim. 9h-11h30, 15h-17h30, sam. 9h-11h30 - fermé j. fériés - 2,30 € (enf. 1,50 €)

La D 139 conduit à la source Perrier.

Source Perrier

☎ 04 66 87 61 01 - www.perrier.com - visite guidée (1h30) juil.-août : 9h30-19h (dernière visite 17h) ; avr.-juin et sept. :

Deux couches d'étoffes cousues ensemble à petits points dessinant des motifs dans lesquels on insère des mèches de coton destinées à leur donner du relief, tel est le **boutis**, cet art de la broderie de l'intérieur, auquel vous pourrez vous initier en suivant un stage... ou en achetant un petit « kit ».

9h30-16h30 - fermé 14 Juil. et 15 août ; toute visite sur réservation - 5 €.

La source des Bouillens est une nappe d'eau souterraine de 15 °C d'où se dégage du gaz naturel qui, recueilli par des captages, est réincorporé à l'eau. C'est le bon docteur Perrier qui découvrit à l'eau des Bouillens de mystérieuses vertus thérapeutiques. Mais c'est un Anglais du nom d'Harmosworth qui en dirigea la commercialisation, ce qui explique sans doute le succès de Perrier dans les pays anglo-saxons, et la présence d'un manoir de style victorien sur le site. De nos jours, la marque appartient au groupe Nestlé. La visite des usines permet d'assister à la fabrication des bouteilles et aux opérations d'embouteillage, d'étiquetage, d'emballage et de stockage, tandis qu'une exposition permanente du matériel publicitaire permettra de revivre les grandes heures télévisées de la sympathique petite bouteille verte.

Retour vers Nîmes par la D 135, puis, au domaine de La Bastide, la D 613 à gauche.

Nyons

Pour tous les oliviers de la terre, Nyons est un véritable paradis. Et ce n'est pas vrai que pour les oliviers ! Ici, les plantes exotiques poussent en pleine terre et les habitués des lieux y passent des hivers très doux... Car la ville a été bâtie au débouché de la vallée de l'Eygues, dans la plaine du Tricastin bien abritée par les montagnes. Ce qui a fait écrire à Jean Giono, un expert en la matière : « Nyons me paraît être le paradis terrestre. » Tout simplement.

La situation

Carte Michelin Local 332 D7 – Drôme (26). On atteint cette pointe avancée de la Provence, venant de Vaison-la-Romaine (à 16 km), par la D 538. Après avoir traversé l'Eygues, prendre l'avenue Draye-de-Meyne jusqu'à la place de la Libération, puis sur la droite, la place du Dr-Bourdongle.

🛈 *Pl. de la Libération, 26110 Nyons,* ☎ *04 75 26 10 35. www.nyons.com*

Le nom

Au 2e s., Nyons se nommait Noimagos, contraction de *Novio Magos* signifiant le « nouveau marché ». Au fait, il a lieu tous les jeudis.

Les gens

6 723 Nyonsais. Le plus célèbre d'entre eux est sans doute **René Barjavel** (1911-1985), connu pour ses ouvrages où science-fiction et fantastique (*Ravage*, paru

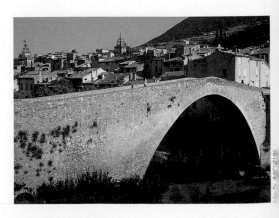

Le Vieux Pont de Nyons : hardiment lancé sur l'Eygues, il défie le temps et les intempéries depuis le Moyen Âge.

en 1943, est sans doute le plus connu) expriment l'angoisse ressentie devant une technologie que l'homme ne maîtrise plus. Retour donc aux valeurs pastorales du « bon vieux temps », quand un sou était un sou et que la lavande, sauvage, se coupait à la main. L'écrivain, qui passa toute son enfance à Nyons, dans la boulangerie paternelle, fait revivre cette période dans un récit autobiographique, *La Charrette bleue*.

carnet pratique

VISITE

L'Office de tourisme propose différentes brochures pour découvrir Nyons (« Circuit Barjavel et du patrimoine ») et ses alentours (« Le sentier des oliviers », « Le sentier des bois de lumière »).

Institut du Monde de l'Olivier – Il présente des expositions temporaires et abrite un centre de documentation sur l'olivier. Il organise également des initiations à la dégustation des huiles d'olive. *Juin-sept. : jeu. 15h. 6 €. Sur réserv. AFIDOL - 40 pl. de la Libération - 26111 Nyons -* ☎ *04 75 26 90 90.*

SE LOGER

☞☏ **Hôtel Picholine** – *Prom. Perrière - 1 km au N de Nyons par prom. des Anglais -* ☎ *04 75 26 06 21 - picholine26 @wanadoo.fr - fermé 7 fév.-1er mars et 24 oct.-17 nov. -* ▣ *- 16 ch. 59/72 € -* ☕ *7,50 € - restaurant 22,50/39 €.* Halte paisible sur les collines de Nyons, dans cette grande bâtisse bordant une voie privée. Son jardin, sa piscine à l'ombre du feuillage léger des oliviers et sa belle terrasse séduiront les amateurs de farniente. Chambres fonctionnelles, parfois dotées d'un balcon.

SE RESTAURER

☞☏ **La Charrette Bleue** – *7 km au NE de Nyons sur D 94 (rte de Gap) -* ☎ *04 75 27 72 33 - fermé 25 oct.-3 nov., 13 déc.-2 fév., dim. soir de mi-sept. à mars, mar. de sept. à juin et merc. - 18 € déj. - 23/36 €.* Oui, une charrette bleue s'est perchée sur le toit de ce joli mas coiffé de tuiles romaines ! Coquette salle à manger rustique dotée de poutres apparentes et de dalles anciennes. Cuisine régionale dans les règles de l'art.

QUE RAPPORTER

Les **oliviers** qui donnent au paysage une grâce provençale, fournissent les olives (en particulier la variété noire de Nyons, dite « tanche ») et l'huile qui font la réputation de la ville. Nyons est aussi un des marchés français de la **truffe**. Enfin, on distille également la **lavande** et autres plantes aromatiques.

Marchés – *Pl. de la Libération, pl. des Arcades et pl. Buffaven.* Marché traditionnel jeudi matin. Marché provençal (artisanat, produits régionaux) dimanche matin de mi-mai à mi-septembre.

Coopérative du Nyonsais – *Pl. Olivier-de-Serres -* ☎ *04 75 26 95 00 - coop-du-nyonsais.fr - 9h-12h15, 14h-18h30 ; dim. et j. fériés 10h-12h30, 14h-18h - fermé 1er janv., 1er Mai et 25 déc.* Depuis 1923, cette coopérative commercialise des produits régionaux tels que vins de pays et des côtes du Rhône, huiles d'olive et produits dérivés, miel, jus d'abricot et plantes aromatiques. Dans deux salles contiguës, on peut suivre la fabrication de l'huile d'olive vierge obtenue en une seule pression à froid.

Le Moulin Dozol Autrand – *Prom. de la Digue - le Pont-Roman -* ☎ *04 75 26 02 52 - www.moulin-dozol.com - tlj sf dim. 9h-12h, 14h-18h30, j. fériés 10h-12h - fermé 2 sem. en oct.* Nouvelles normes obligent, les vieilles meules de ce moulin bâti en 1750 ont tourné pour la dernière fois en 1998. Désormais transformé en boutique, vous y trouverez bien sûr l'huile d'olive AOC Nyons (toujours pressée à froid sur place), mais aussi savons, tapenades, miels, aromates et autres produits régionaux.

Distillerie Bleu-Provence – *58 prom. de la Digue -* ☎ *04 75 26 10 42 - www.distillerie-bleu-provence.com - tlj sf lun. 9h30-12h15, 14h30-18h30 ; en période de distillation : tlj en continu - fermé janv.* Cette distillerie de plantes aromatiques et à parfum vous propose toute l'année une découverte de ses ateliers et un diaporama instructif. De juin à septembre, il est possible d'assister aux distillations. Visite guidée sur rendez-vous ; boutique.

La Scourtinerie – *36 r. La Maladrerie -* ☎ *04 75 26 33 52/04 75 26 06 52 - magasin : mai-fin août : tlj sf dim. 9h30-12h, 14h30-19h ; sept.-avr. : 9h30-12h, 14h30-18h30 ; atelier : été : tlj sf w.-end. 9h30-12h, 14h-18h ; le reste de l'année : tlj sf w.-end 14h-17h - fermé j. fériés.* Fondée en 1882, cette entreprise familiale est la seule à fabriquer le scourtin (du provençal *escourtin*), sorte de panier plat en fibre de coco servant à l'extraction de l'huile contenue dans les olives après broyage. Aujourd'hui, cette maison réputée confectionne également des tapis et propose une large gamme d'artisanat provençal.

CALENDRIER

Les Olivades – Le week-end avant le 14 juillet, on fête l'olivier.

Alicoque – Le 1er week-end de février, on fête l'huile nouvelle.

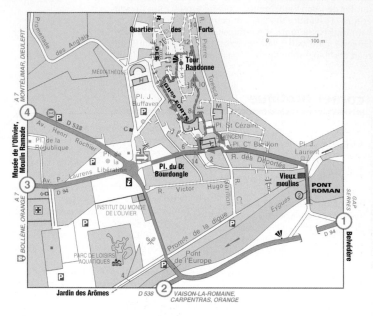

découvrir

LES OLIVES DE NYONS
Les moulins à huile fonctionnent de novembre à février.

Vieux moulins
Accès par la promenade de la Digue. ☎ 04 75 26 11 00 - visite guidée (40mn) juil.-août : tlj sf dim. 11h30, 15h, 16h ; sept.-juin : tlj sf dim. et lun. 11h et 15h - fermé j. fériés - 4 €, gratuit j. du patrimoine.

Dans ces moulins des 18ᵉ et 19ᵉ s., l'huile fut fabriquée selon les procédés traditionnels jusqu'en 1952. C'était donc le cadre idéal pour évoquer l'histoire de l'oléiculture locale. On visite également une ancienne savonnerie.

Au musée, au moulin ou au marché, transformée en huile ou en savon, ou bien tout simplement marinée selon mille recettes, l'olive est la reine de la cité nyonsaise.

Musée de l'Olivier
Av. des Tilleuls. Accès à l'Ouest par ① du plan, puis au Nord-Ouest de la place Olivier-de-Serres. ☎ 04 75 26 12 12 - ⓑ - juin-oct. : 10h-11h, 14h45-18h ; mars-mai : tlj sf dim. 14h45-18h ; nov.-fév. : tlj sf lun. et dim. 14h45-18h - 2 € (enf. 1 €), gratuit j. du patrimoine.

Il présente un inventaire de l'outillage traditionnel nécessaire à la culture de l'olivier et à la fabrication de l'huile. Nombreux objets, comme des lampes, se rapportant aux utilisations multiples de celle-ci. Des documents complètent cette présentation.

Moulin Ramade
Accès à l'Ouest par ① du plan et la quatrième rue à gauche. ☎ 04 75 26 08 18 - tlj sf dim. 9h-12h, 14h-18h30, possibilité de visite guidée (15mn) - gratuit.

La première salle contient les meules et les presses utilisées pour la fabrication de l'huile d'olive. La deuxième sert à l'affinage et au stockage.

se promener

Le Vieux Nyons★
Pour découvrir ce vieux quartier, bâti sur une colline, partez de la **place du Dr-Bourdongle**, entourée d'arcades. Par la rue de la Résistance, puis, à gauche, celle de la Mairie, gagnez la **rue des Petits-Forts**, étroite venelle

dont les maisons basses datent du début du 14ᵉ s. Au bout, sur une place, la **tour Randonne** du 13ᵉ s. abrite la minuscule chapelle de N.-D.-de-Bon-Secours. Prenez à gauche la rue de la chapelle pour rejoindre la **rue des Grands Forts★**, longue galerie couverte dont les murs épais sont percés de fenêtres. Franchissant la haute porte voûtée, vestige du château féodal, tournez à gauche dans le Maupas, rue à degrés qui ramène rue de la Mairie.

Par les places St-Cézaire et Barillon, puis la rue des Déportés, on rejoint les rives de l'Eygues et le **pont roman★** (Vieux Pont), pont en dos d'âne des 13ᵉ et 14ᵉ s. Son arche, de 40 m d'ouverture, est une des plus hardies du Midi.

Revenez sur vos pas et rejoignez la Promenade de la Digue pour accéder au **jardin des Arômes**. Dans cet agréable jardin botanique (collection de plantes aromatiques, médicinales et à parfum) se mêlent les effluves.

Belvédère

Franchissez le Nouveau Pont, prenez à gauche la D 94, laissez le Vieux Pont sur la gauche ; passer sous le tunnel et tourner à droite. Du piton rocheux (banc), **vue** sur le vieux Nyons dominé par la montagne d'Angèle (alt. 1 606 m) ; la vallée de l'Eygues, encaissée à droite, contraste avec le large bassin, à gauche, où se déploie la ville nouvelle.

Orange★★

Porte du Midi, important marché de primeurs, Orange doit surtout sa célébrité à deux prestigieux monuments romains classés au Patrimoine mondial de l'Unesco : l'arc commémoratif et le théâtre antique, qui constitue depuis bientôt un siècle et demi l'extraordinaire cadre des Chorégies.

La situation

Carte Michelin Local 332 B9 – Vaucluse (84). Il faut absolument arriver à Orange par la N 7 (depuis Montélimar) : là, sur un terre-plein, se dresse l'arc majestueux qui donne accès à la ville. Après l'avoir contourné, prendre à droite au-delà de la Meyne pour garer votre voiture sur les parkings du cours Aristide-Briand.

🚹 *Cours Aristide-Briand, 84100 Orange, ☎ 04 90 34 70 88.*

Le nom

Ar-, en préceltique (« ville en hauteur »), était certes un peu bref, mais les Romains en rajoutèrent un peu trop avec leur Colonia Firma Julia Secundanorum Arausio... Pas évident de demander son chemin à un autochtone... Aussi prit-on l'habitude de l'abréger en Arausio, puis Aurenja, bientôt francisée en Orange, peut-être par confusion avec les fruits.

Les gens

27 989 Orangeois, sans compter les milliers de mélomanes qui se pressent aux Chorégies chaque été.

comprendre

Une cité romaine – Établie en 35 avant J.-C., la colonie romaine d'Orange accueille les vétérans de la IIᵉ légion. La ville nouvelle se construit selon un plan très régulier, se pare de monuments et s'entoure d'une enceinte qui englobe environ 70 ha. Elle commande un vaste territoire que les arpenteurs romains cadastrent avec précision. Des lots fonciers sont attribués en priorité aux vétérans ; d'autres, plus médiocres, sont donnés en location ;

Auguste vous salue.

carnet pratique

TRANSPORT

Orange est à 28,5 km au Nord d'Avignon, le **TER** relie les deux villes en 30mn.

SE LOGER

⊖ **Hôtel St-Florent** – *4 r. du Mazeau - ☎ 04 90 34 18 53 - http://hotelsaint florent.free.fr - fermé fév. - 17 ch. 27/65 € - ☲ 6 €.* À deux pas du théâtre antique, vous serez surpris par ce petit hôtel original où toutes les peintures ont été réalisées par la propriétaire des lieux. Chaque chambre est personnalisée, et son mobilier coordonné avec le décor.

⊖⊜ **St-Jean** – *1 cours Pourtoules - ☎ 04 90 51 15 16 - hotel.saint jean @wanadoo.fr - fermé 1er janv.-15 fév. - ◨ - 22 ch. 47/70 € - ☲ 7 €.* Ancien relais de poste adossé à la colline St-Eutrope et voisin du théâtre antique. Original salon taillé dans la roche et chambres d'ampleurs variées.

SE RESTAURER

⊖ **Le Jardin d'Adrien** – *58 cours Aristide-Briand - ☎ 04 90 51 63 04 - fermé merc. soir et jeu. - 11/28 €.* Sympathique petit restaurant abritant une salle aux tons orangés décorée de belles photos de pins méditerranéens. Jolie terrasse d'été ombragée, dressée dans une courette intérieure. La cuisine, plutôt traditionnelle, fait quelques incursions dans le Sud : râble de lapin au thym, dorade à la compotée de fenouil, etc.

⊖ **Le Yaca** – *24 pl. Silvain - ☎ 04 90 34 70 03 - fermé 28 oct.-24 nov., mar. soir et merc. - 12/22 €.* Ici, le patron se décarcasse pour satisfaire ses clients ! Tout est fait maison, frais et vraiment pas cher dans ce petit restaurant situé à quelques enjambées du théâtre antique... Petite salle voûtée provençale avec lampes et fleurs sur les tables. Terrasse en été.

⊖ **Les Acacias** – *Pl. de la Mairie - 84100 Uchaux - 9 km au N d'Orange dir. Bollène par N 7, D 976 puis D 11 - ☎ 04 90 40 60 59 - fermé mar. en juil.-août - 11/19 €.* Attablez-vous en fonction du temps dans la salle à manger aménagée dans les anciennes écuries ou en terrasse. Vous y dégusterez de bons petits plats traditionnels, des grillades et des pizzas cuites au feu de bois dans le four qui a pris la place de la forge ancestrale. Une adresse sans chichis, qui fleure bon le Midi.

⊖⊜ **L'Atrium** – *5 imp. du Parlement - ☎ 04 90 34 34 17 - fermé vac. de fév., dim. soir d'oct. à avr. et lun. - 15,50/27 €.* « Huîtres toute l'année », filet de dorade, assiettes de coquillages, moules farcies, soupe de poisson... Si vous aimez les produits de la mer, ce joli restaurant est pour vous. Salles à manger décorées de fresques évoquant la Provence et cour-terrasse ombragée d'un superbe magnolia.

⊖⊜ **Le Pistou** – *15 r. Joseph-Ducos - 84230 Châteauneuf-du-Pape - ☎ 04 90 83 71 75 - lepistou.ramos @wanadoo.fr - fermé janv., 23-30 juin, dim.*
soir, lun. et le soir de nov. à Pâques sf sam. - *17/23 €.* Petite adresse située au centre du bourg, dans une ruelle menant à la forteresse papale. La carte et les suggestions du jour y sont affichées sur ardoise, pour la plus grande gloire des saveurs du terroir (paupiette d'agneau au basilic, rosace de lotte avec sauce bouillabaisse, etc.).

⊖⊜ **La Garbure** – *3 r. Joseph-Ducos - 84230 Châteauneuf-du-Pape - ☎ 04 90 83 75 08 - www.la-garbure.com - fermé janv., 1er-12 nov. et dim. - 23/45 € - 4 ch. 61/77 € - ☲ 8 €* Installé dans cette petite salle aux couleurs vives meublée avec soin, laissez-vous guider par votre appétit : les menus régionaux concoctés par le patron devraient vous plaire. Quelques chambres provençales pour prolonger l'étape (la maison est climatisée...).

QUE RAPPORTER

Marché provençal et des métiers d'art – *Pl. de la République - de mi-juin à mi-sept. : sam. 9h-19h.* Marché de produits régionaux : tissus, céramiques, santons, etc.

Chocolaterie artisanale Bernard Castelain – *Rte de Sorgues - 84230 Châteauneuf-du-Pape - ☎ 04 90 83 58 90 - magasin@castelain.fr - tlj sf dim. 9h-12h, 14h-19h - fermé 1 sem. en janv., 1 sem. en août et j. fériés.* Cette chocolaterie artisanale abrite aussi un petit musée et une boutique de vente ; vous pourrez y déguster la spécialité maison, le palet des Papes.

« Vinadéa » - Maison des vins – *8 r. du Mar.-Foch - 84230 Châteauneuf-du-Pape - ☎ 04 90 83 70 69 - www.vinadea.com - mai-juin : 10h-13h, 14h-19h ; juil.-août : 10h-19h ; nov.-fév. : 10h-12h30, 14h-18h - fermé 1 sem. fin janv., 25 déc. et 1er janv.* Ce caveau, aménagé dans une ancienne écurie au beau décor de poutres et de pierres, présente les vins de quelque 80 vignerons de l'appellation châteauneuf-du-pape. Sympathiques dégustations commentées. Espace librairie et cadeaux.

SPORTS & LOISIRS

Golf – *Rte de Camaret - ☎ 04 90 34 34 04 - www.golforange.fr.* Parcours de 9 trous.

CALENDRIER

Chorégies – *De mi-juil. à déb. août*, le théâtre antique accueille les Chorégies, festival consacré à l'opéra et aux concerts (symphoniques et lyriques). C'est tout d'abord l'occasion de voir de très grands et beaux spectacles, ensuite d'apprécier la grandeur du théâtre antique. *Bureau de location : pl. Silvain (à côté du théâtre antique), ☎ 04 90 34 24 24 - www.choregies.com*

Spectacle romain – Une seule représentation d'un spectacle historique d'une durée de 1h30, donnée dans l'enceinte du théâtre antique d'Orange. *Renseignements à l'office de tourisme au 04 90 34 70 88.*

d'autres encore restent propriété de la collectivité. Ainsi est facilitée la colonisation et la mise en valeur du sol, au détriment des autochtones. Jusqu'en 412, date du pillage de la cité par les Wisigoths, Orange connaît une existence prospère et devient siège d'un évêché.

Un petit coin de Hollande – Dans la seconde moitié du 12ᵉ s., la ville devient le siège d'une petite principauté enclavée dans le Comtat venaissin ; son prince, **Raimbaut d'Orange**, est un troubadour réputé qui chante son amour pour la comtesse de Die. Le hasard des alliances et des héritages fait qu'Orange échoit à une branche de la maison des Baux, héritière, en outre, de la principauté germanique de Nassau. Au 16ᵉ s., Guillaume de Nassau, dit « le Taciturne », prince d'Orange, crée la république des Provinces-Unies, dont il devient le *stathouder*. La ville, qui opte pour la Réforme, subit de plein fouet les ravages des guerres de Religion, mais parvient à préserver son autonomie. La maison d'Orange-Nassau, tout en gouvernant les Pays-Bas et, pendant quelque temps, l'Angleterre, n'oublie pas son minuscule domaine français. En 1622, Maurice de Nassau, grand amateur de fortifications, entoure la ville d'une enceinte puissante et élève un formidable château. Malheureusement, il utilise comme carrière les monuments romains que les Barbares n'avaient pu détruire complètement. Cette fois, tout disparaît, sauf le théâtre, englobé dans les remparts, et l'arc, transformé en forteresse.

Le hold-up de Louis XIV – Quand Louis XIV entre en guerre contre la Hollande, il s'empresse de faire main basse sur la principauté d'Orange. C'est le comte de Grignan, lieutenant général du roi en Provence et gendre de Mme de Sévigné, qui s'empare de la ville. Les remparts et le château sont mis à bas. Le rattachement d'Orange à la France sera entériné en 1713 par le traité d'Utrecht.

découvrir

ORANGE ROMAINE
Compter 2h.

Arc de triomphe★★
À l'entrée de la ville sur la N 7. Parking gratuit au carrefour.
Véritable porte de la cité, cet arc magnifique s'élève à l'entrée Nord d'Orange, sur la via Agrippa qui reliait Lyon et Arles. S'il est remarquable pour ses dimensions imposantes (19,21 m de hauteur, 19,57 m de largeur et 8,40 m de profondeur, le troisième par la taille des arcs romains qui nous sont parvenus), c'est surtout l'un des mieux conservés : la face Nord en particulier a gardé pour une bonne part sa décoration d'origine.

POSTÉRITÉ
Aujourd'hui encore, les souverains néerlandais portent le titre de prince ou princesse d'Orange et ont conservé la couleur orange comme emblème. En outre, un État, des villes et des fleuves, fondés ou découverts par les Néerlandais, portent le nom d'Orange, tant en Afrique du Sud qu'en Amérique.

EXUBÉRANTE
La décoration de l'arc de triomphe tient à la fois du classicisme romain et de l'art hellénistique. Les scènes guerrières évoquent la pacification de la Gaule tandis que les attributs marins semblent faire référence à la victoire remportée par Auguste à Actium sur la flotte d'Antoine et Cléopâtre.

L'impression, lorsqu'on accède aux gradins du théâtre, est grandiose. Ne manquent à l'édifice que le portique couronnant les gradins, le toit abritant la scène et, bien sûr, le fastueux décor de celle-ci.

Construit vers 20 avant J.-C., et dédié plus tard à Tibère, il commémorait les exploits des vétérans de la IIᵉ légion. Percé de trois baies encadrées de colonnes, surmonté à l'origine par un quadrige en bronze flanqué de deux trophées, il présente deux particularités : le fronton triangulaire, au-dessus de la baie centrale, et deux attiques superposés.

Théâtre antique★★★

Visite audioguidée. ☎ 04 90 51 17 60 - juin-août : 9h-19h ; avr.-mai et sept. : 9h-18h ; mars et oct. : 9h-17h30 ; reste de l'année : 9h30-16h30 (dernière entrée 15mn av. fermeture) - 7,50 € (billet combiné avec le musée municipal).

Édifié sous le règne d'Auguste (alors Octave), ce théâtre fait, à juste titre, la fierté d'Orange : il s'agit en effet du seul théâtre romain qui ait conservé son mur de scène pratiquement intact.

Lorsque l'on arrive sur la place, on est avant tout frappé par ce mur imposant, long de 103 m et haut de 36 m, qui se dresse devant nous et que Louis XIV, dit-on, avait qualifié de « plus belle muraille du royaume ». On aperçoit, tout en haut, la double rangée de corbeaux (pierres en saillie) au travers desquels passaient les mâts servant à tendre le voile *(velum)* qui protégeait les spectateurs du soleil. Au bas, les 19 arcades donnaient accès aux coulisses et aux loges.

L'hémicycle *(cavea)* pouvait contenir environ 7 000 spectateurs, répartis selon leur rang social. Il se divise en 3 zones, étagées en 34 gradins et séparées par des murs. En contrebas, l'*orchestra* forme un demi-cercle ; en bordure, on plaçait des sièges mobiles qui étaient réservés aux personnages de haut rang. De part et d'autre de la scène, de grandes salles superposées (on entre actuellement par la salle inférieure occidentale) servaient à l'accueil du public et abritaient les coulisses. La scène, faite d'un plancher de bois sous lequel était logée la machinerie, mesure 61 m de longueur pour 9 m de profondeur utile : elle dominait l'*orchestra* d'environ 1,10 m, soutenue par un mur bas, le *pulpitum*. À l'arrière, se trouve la fosse du rideau (qu'on abaissait pendant les représentations).

Le mur de scène atteint le niveau du sommet de la *cavea* ; il présentait un riche décor de placages de marbre, de stucs, de mosaïques, de colonnades étagées et de niches abritant des statues, dont celle d'Auguste, haute de 3,55 m, qui a été remise en place en 1950. Ce mur est percé de trois portes : la porte royale au centre (entrée des acteurs principaux) et les deux portes latérales (entrée des acteurs secondaires).

> ### ACOUSTIQUE
> Comment se faire entendre lorsqu'on est acteur ? Certes, les masques faisaient office de porte-voix ; le plafond, les portes en creux et les vases résonateurs jouaient un rôle ; pourtant, s'ils ont aujourd'hui disparu, même du haut des gradins (sauf coup de mistral), on peut vérifier que le théâtre a conservé une acoustique étonnante.

se promener

Le vieil Orange

Depuis le théâtre, empruntez en face la rue Caristie jusqu'à la rue de la République, principale artère de la ville. Prenez à gauche pour atteindre la place de la République, remarquez au passage la statue du prince-troubadour Raimbaut d'Orange, et dirigez-vous vers l'**ancienne cathédrale Notre-Dame**, en prenant à droite la rue Fusterie et, après la place du Cloître, à gauche la rue du Renoyer. D'origine romane, l'église a été très endommagée et en partie reconstruite après les guerres de Religion. Revenez à la place Georges-Clemenceau, où s'élève l'**hôtel de ville** qui a conservé son beffroi du 18ᵉ s., puis à la place de la République, investie par les terrasses des cafés et brasseries. La rue Stassart conduit à une placette ombragée de platanes, la **place aux Herbes**, que vous traversez pour regagner le théâtre par la rue du Mazeau.

ORANGE

Arc-de-Triomphe (Av. de l') ... AY
Artaud (Av. A.) ... ABY
Blanc (R. A.) ... BZ
Briand (Cours A.) ... AYZ
Caristie (R.) ... BY 2
Châteauneuf (R. de) ... BZ 3
Clemenceau (Pl. G.) ... BY 4
Concorde (R. de la) ... BY
Contrescarpe (R. de la) ... BY
Daladier (Av. E.) ... ABY
Fabre (Av. H.) ... BY
Frères-Mounet (Pl. des) ... BY 5
Guillaume-le-Taciturne (Av.) ... BY
Herbes (pl. aux) ... BY 7
Lacour (R.) ... AY
Leclerc (Av. Gén.) ... BZ
Levade (R. de la) ... BY
Mistral (Av. F.) ... BY 9
Noble (R. du.) ... ABY
Pourtoules (Cours) ... BZ
Pourtoules (R.) ... BZ 12
Princes-d'Orange-Nassau (Mtée des) ... AZ
République (Pl. de la) ... BY 14
République (R. de la) ... BY 16
Roch (R. Madeleine) ... BZ 18
St-Clément (R.) ... AZ
St-Florent (R.) ... BY 20
St-Jean (R.) ... AY
St-Martin (R.) ... AY 22
Tanneurs (R. des) ... AY 24
Thermes (Av. des) ... AZ
Tourre (R. de) ... AZ 26
Victor-Hugo (R.) ... AY

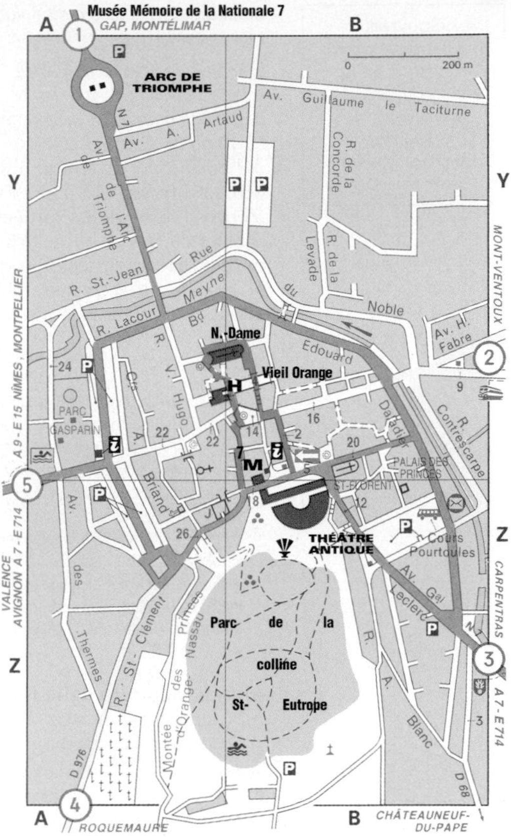

Hôtel de ville ... ABY **H**
Musée municipal ... BY **M**

La colline St-Europe

Par la rue Pourtoules, rejoindre l'escalier Est. L'allée principale franchit les fossés de l'ancien château des princes d'Orange, dont les fouilles ont révélé, d'importants vestiges. À l'extrémité Nord du parc, à côté d'une statue de la Vierge, table d'orientation offrant une excellente **vue**★ sur le théâtre antique, la ville avec ses toits de tuiles, la plaine du Rhône et son cadre de montagnes.

visiter

Musée municipal

Mêmes conditions de visite que le théâtre. ☎ 04 90 51 17 60. Installé dans l'hôtel édifié au 17e s. par un noble hollandais, il expose les collections lapidaires provenant de fouilles effectuées dans la ville, ainsi qu'une pièce unique en France : les **cadastres** romains d'Orange. Sur ces tableaux de marbre, on a pu reconnaître le quadrillage des terres découpées en centuries, carrés de 709 m de côté organisés autour de deux axes, Nord-Sud et Est-Ouest, ainsi que des renseignements écrits sur le statut juridique des terres.

AUTRE SUJET ABORDÉ
On retiendra surtout les toiles consacrées à la **famille Wetter**, industriels d'origine suisse qui employaient en 1764 à Orange 530 ouvriers pour la fabrication d'indiennes qu'ils exportaient dans toute l'Europe.

alentours

Caderousse

8 km au Sud-Ouest par la D 17. Cette localité, totalement enserrée dans des remparts percés seulement de deux portes, est située au bord du Rhône, voisin fort envahissant : des plaques, apposées sur la façade de l'hôtel de ville, en témoignent. À l'intérieur de l'**église St-Michel**, exemple caractéristique de roman provençal, la chapelle

St-Claude, avec ses belles voûtes de style flamboyant, fut ajoutée au 16e s.

Harmas Jean-Henri Fabre

8 km au Nord-Est par les N 7 et D 976. En cours de réno-vation. Réouverture prévue fin 2006 ; se renseigner : ☎ 04 90 70 00 03.

À l'entrée de Sérignan, à droite, se trouve le harmas où l'entomologiste J.-H. Fabre (1823-1915) vécut les trente-six dernières années de sa vie. On visite son cabinet de travail où des vitrines contiennent les collec-tions du savant (insectes, coquillages, fossiles, minéraux), et la salle où sont rassemblées ses aquarelles peintes avec beaucoup de talent (champignons de la région).

LE HOMÈRE DES INSECTES

C'est ainsi que Victor Hugo appelait **Jean-Henri Fabre**, personnage romanesque qui consacra sa vie aux insectes et leur dédia de pas-sionnants *Souvenirs entomologistes* (2 360 pages dans la collection « Bouquins » que les fans de *Microcosmos* se doivent de dévorer !). Cet autodidacte, qui fut vendeur ambulant de citrons pour payer ses études, fut contraint de démissionner de l'enseignement pour avoir (horreur !) fait un exposé sur la sexualité des plantes en présence de jeunes filles ! Et, s'il proclamait haut et fort son amour des insectes vivants (à l'exclusion des cigales, trop bruyantes à son goût), il n'hési-tait pas à les proposer accommodés à sa façon lors de repas que ses invités redoutaient particulièrement.

Musée Mémoire de la Nationale 7

À 9 km au Nord d'Orange. Emprunter la N 7 jusqu'à Polienc ; dans le village, suivre le fléchage. ☎ 04 90 29 57 89 - mai-août : tlj sf lun. 10h-12h, 14h-19h ; avr. et sept.-oct. : tlj sf lun. et mar. 10h-12h, 14h-18h ; mars et nov.-déc. : tlj sf dim., lun. et j. fériés 10h-12h, 14h-18h - 4 € (+ 12 ans 2 €).
Le château Simian héberge la collection d'une associa-tion d'amoureux de la N 7. Automobiles, vélomoteurs, bicyclettes ainsi que différents objets relatifs à la route (plaques émaillées, bornes kilométriques, stations es-sence, etc.) sont mis en scène pour rappeler l'animation et l'activité que générait dans le village la fréquentation de la route des vacances. Une vidéo *(20mn)* complète ce témoignage allègre.

Châteauneuf-du-Pape

10 km au Sud par la D 68. Les papes d'Avignon ont contri-bué au développement du vignoble de Châteauneuf dont la renommée date du milieu du 18e s. Ruiné par la crise du phylloxéra en 1866, le vignoble fut alors replanté et, en 1923, le syndicat des viticulteurs édicta une régle-mentation stricte, garante de la qualité : limites de la région plantée, choix des raisins et des cépages (il y en a 13), vinification... Aujourd'hui, les 300 vignerons castels-

Châteauneuf-du-Pape... un nom qui émoustille les papilles !

papaux exploitent 3 300 ha de vignes fameuses. Ne manquez pas la Fête de la véraison, le premier week-end d'août.

De la forteresse papale, superbe **vue★★** sur la vallée du Rhône, Roquemaure et le château de l'Hers, Avignon avec le rocher des Doms et le palais des Papes se détachant sur la toile de fond des Alpilles ; on aperçoit aussi le Luberon, le plateau de Vaucluse, le Ventoux, les dentelles de Montmirail, les Baronnies et la montagne de la Lance.

Musée du Vin – *Dans la cave L.-C. Brotte-Père Anselme. ☎ 04 90 83 70 07 - www.brotte.com - avr.-sept. : 9h-13h, 14h-19h ; oct.-mars : 9h-12h, 14h-18h, possibilité de visite guidée (1h30) - fermé 1er janv. et 25 déc. - gratuit.*

Avant la dégustation, une visite de ce musée s'impose. L'historique de l'appellation d'origine contrôlée est évoqué à travers un cheminement allant de la formation des sols au travail du vigneron, en passant par l'origine des cépages. Exposition très complète de vieux outils de vignerons.

Sauvignier S. /MICHELIN

Tiare et clefs de saint Pierre, les bouteilles de Châteauneuf affirment fièrement leur origine papale.

Aven d'**Orgnac**★★★

On ne saura jamais assez remercier Robert de Joly pour cette remarquable découverte en août 1935. Ce qui n'était qu'un sombre gouffre a révélé un magnifique réseau de salles décorées d'une grande variété de concrétions. Façonnées par des eaux souterraines, les immenses salles ont enregistré les changements climatiques de l'ère quaternaire.

La situation

Carte Michelin Local 331 I8 – Ardèche (07). À 2 km de la commune d'Orgnac, située à l'extrémité Sud de l'Ardèche, l'aven est aisément accessible depuis Barjac

carnet pratique

VISITE

Recommandations – La température (constante) dans la grotte est de 13 °C : prévoir par conséquent de se couvrir, surtout au plus fort de l'été, quand dehors il fait (très) chaud... sinon gare aux angines et bronchites !

Odyssée souterraine – Vous désirez avoir une approche privilégiée du milieu souterrain, vous êtes en bonne condition physique, alors n'hésitez pas ! Partez pour une journée d'aventures spéléologiques dans une partie non aménagée de ce vaste réseau souterrain. Accompagné d'un guide diplômé d'État, vous découvrirez un monde grandiose et magique peuplé de myriades de concrétions aux formes les plus étonnantes. Un moment inoubliable. *Sur demande uniquement. 58 P/pers.*

Rando souterraine – *S.IV.U. Orgnac - Issirac - 07150 Orgnac-l'Aven - ☎ 04 75 38 65 10 - www.orgnac.com - 9h-12h, 14h-17h - 35 €.* Aux visiteurs passionnés s'offre la possibilité d'un contact unique et privilégié avec l'aven dans les premières salles des réseaux non aménagés (donc fermés habituellement à la visite). Cette promenade (3h) effectuée en groupe restreint présente peu de difficultés et ne requiert aucun effort physique particulier. Uniquement sur réservation. Groupes de 4 à 8 pers. (10 ans mini.).

SE LOGER

◕◕ **Chambre d'hôte La Sérénité** – *Pl. de la Mairie - 30430 Barjac - 6 km à l'O de l'aven d'Orgnac par D 317 et D 176 - ☎ 04 66 24 54 63 - www.la-serenite.fr – fermé de déc. à Pâques - ⊠ - 3 ch. 70/115 € ⊡* Au cœur du village, demeure du 17e s. aux volets bleus tapissée de vigne vierge. Meubles chinés, bibelots, patine des murs, carrelages et tomettes personnalisent chaque chambre. Délicieux petit-déjeuner servi devant la cheminée ou sur la terrasse fleurie à la belle saison. Un vrai bijou !

SE RESTAURER

◕ **Les Stalagmites** – *07150 Orgnac-l'Aven - ☎ 04 75 38 60 67 - fermé 16 nov.-28 fév. - 12/18 €.* Une pension familiale simple, très accueillante et vraiment pas chère, dans le village même. Vous y mangerez une copieuse cuisine traditionnelle servie à l'ombre des arbres de la terrasse en été. Menu enfant. Chambres et studios à louer.

◕◕ **La Chaise Longue** – *30430 Barjac - ☎ 04 66 24 57 01 - la-chaise-longue @wanadoo.fr - 15 avr.-15 oct. et fermé merc. sauf juil.-août - 24/52 €.* Cet ancien couvent invite à goûter au plaisir des nourritures terrestres - plats actuels - dans trois jolies petites salles voûtées ou sur une terrasse ombragée.

*Les « pommes de pin »
de la salle supérieure :
de quoi méditer sur la
petitesse de l'humanité...*

(par la D 176 puis la D 317) comme de Bagnols-sur-Cèze (par la D 298 jusqu'aux gorges de la Cèze puis, à droite, la D 417 jusqu'à Orgnac-l'Aven) et de Vallon-Pont-d'Arc (par la D 579, puis la D 217).

Les gens
Robert de Joly (1887-1968) explora l'aven le 19 août 1935. Ce pionnier de spéléologie, qui visita bon nombre de gouffres de la région, joua un rôle fondamental dans la mise au point du matériel et de la technique d'exploration. À tel point qu'en dernier hommage, l'urne contenant son cœur fut placée dans la niche d'une concrétion de la salle supérieure.

visiter

Aven
☎ *04 75 38 65 10 - www.orgnac.com - visite guidée (1h) juil.-août : 9h30-18h00 ; avr.-juin et sept. : 9h30-17h30 ; de déb. oct. à mi-nov. : 9h30-12h, 14h-17h15 ; fév.-mars et vac. de Noël : 10h30-12h, 14h-16h45 - fermé de mi-nov. à fin janv. - 9,20 € billet combiné grotte et musée (enf. 5,70 €).*
Haute de 17 à 40 m, longue de 250 m et large de 125 m, éclairée par l'orifice de l'aven, la **salle supérieure** possède de magnifiques stalagmites. Les plus grosses, au centre, montrent des excroissances qui leur donnent l'aspect de « pommes de pin ». Elles n'ont pu, à cause de la hauteur de la voûte, se souder aux stalactites pour former des colonnes, mais elles se sont épaissies à la base, atteignant

> **LUNAIRE**
> La faible lueur bleutée qui tombe par l'orifice naturel de l'aven contribue à l'impression d'irréalité que l'on ressent en pénétrant dans la salle supérieure.

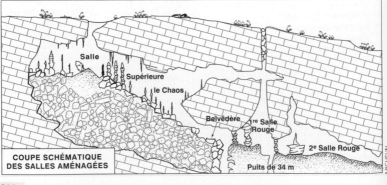

**COUPE SCHÉMATIQUE
DES SALLES AMÉNAGÉES**

Salle
Supérieure
le Chaos
Belvédère
1re Salle Rouge
2e Salle Rouge
Puits de 34 m

parfois un diamètre imposant. D'autres, plus récentes et plus grêles, en forme d'« assiettes empilées », les surmontent. Sur le pourtour de la salle, on remarque de frêles colonnettes. Certaines ont atteint une grande hauteur, les unes « en baïonnette », d'autres très droites.

Dans la **salle du Chaos**, encombrée de concrétions tombées de la salle supérieure, de magnifiques draperies blanches, rouges ou brunes s'échappent d'une fissure de la voûte.

Au niveau du belvédère de la **salle Rouge**, les eaux d'infiltration, enrichies en carbonate de chaux par la traversée de la couche calcaire, ont permis aux concrétions de se multiplier.

On atteint enfin le belvédère du **Grand Théâtre** dominant une immense salle, tout d'abord plongée dans une obscurité totale. Tandis que s'élève une musique envoûtante, un jeu de lumière souligne ici un détail, là une silhouette d'apparence humaine, là encore une anfractuosité de la roche... Ce **spectacle son et lumière** ajoute une touche émotionnelle à la visite.

Musée régional de Préhistoire

☎ 04 75 38 65 10 - *www.orgnac.com* - ♿ - *mêmes conditions de visite que les grottes.*

Les salles ordonnées autour d'un patio rassemblent les produits des fouilles pratiquées en Ardèche et dans le Nord du Gard depuis le paléolithique inférieur jusqu'au début de l'âge du fer, soit de 350 000 à 600 ans avant J.-C. Des reconstitutions (cabane acheuléenne d'Orgnac 3, atelier de taille du silex ou grotte ornée de la Tête du lion) introduisent le visiteur dans le mode de vie des hommes préhistoriques.

circuits

GORGES DE L'ARDÈCHE★★★ ① *(voir ce nom)*

PLATEAU D'ORGNAC ②

Circuit de 45 km au départ de l'aven d'Orgnac - Schéma p. 130. Suivre la D 317 vers l'Ouest jusqu'à Barjac.

Barjac

Célèbre dans toute la région pour ses deux brocantes annuelles, Barjac possède un **quartier haut** qui mérite une flânerie dans les ruelles que bordent des demeures 18ᵉ s., autour de son noble château reconverti en centre culturel (cinéma et médiathèque). De l'esplanade qui domine la plaine, belle vue sur les Cévennes.

Prendre au Nord la D 979. À Vagnas, prendre à droite la D 355.

Labastide-de-Virac

Au Nord de cette bastide fortifiée constituée de calades et de ruelles sous voûtes, point de départ d'excursions sur le plateau et dans les gorges, se dresse le **château des Roure**, édifié au 16ᵉ s. pour contrôler le passage des gorges de l'Ardèche au niveau du pont d'Arc. Cour de style florentin, belle cheminée de la grande salle du 1ᵉʳ étage et magnanerie en activité (exposition des productions de soieries locales). Au **musée de la Soie**, vous découvrirez le processus de fabrication, du fil au tissu. ☎ 04 75 38 61 13 - *www.chateaudesroure.com* - *juil.-août : 10h-19h ; de Pâques à fin juin et sept. : tlj sf merc. 14h-18h - 5,50 € château, 7,50 € château et musée de la Soie.*

Après Labastide, sur la D 217, tourner à gauche.

La route permet de traverser **Les Crottes**, village martyr dont les habitants furent massacrés par les nazis le 3 mars 1944. Au **belvédère du méandre de Gaud★★**, belle vue sur l'Ardèche et le cirque de Gaud.

Faire demi-tour et prendre la D 217 à gauche. Bientôt, sur la droite, une petite route permet d'accéder à l'aven de la Forestière.

O

NAISSANCE D'UN AVEN
Les immenses salles de cet aven doivent leur origine à l'action des eaux souterraines alimentées par infiltration dans les calcaires fissurés. La disparition des eaux souterraines a provoqué des effondrements sur lesquels se sont formées des stalagmites, qui n'ont pas bougé depuis 15 000 ans. Mais l'**exposition géologique** (avant l'entrée de la grotte) vous en apprendra bien davantage !

CALENDRIER
Barjac organise deux fois par an (w.-end de Pâques et sem. du 15 août) une grande foire aux antiquités. À voir également un Festival chanson de Paroles (dernière sem. juil.). ☎ 04 66 24 50 09.

HISTOIRE
Après avoir subi les assauts des camisards de Jean Cavalier en 1703, le château des Roure est passé depuis 1825 aux métayers des comtes de Roure, famille qui compte dans ses rangs le sculpteur James Pradier.

Aven de la Forestière★
☎ 04 75 38 63 08 - visite guidée (1h) avr.-sept. : 10h-19h ; oct.-mars : sur réservation - 5,50 € (enf. 3,50 €).
On remarquera l'extrême finesse des concrétions de la grande salle : cristallisations en forme de chou-fleur, longs macaronis pendant de la voûte, excentriques aux formes capricieuses, draperies de stalactites aux couleurs variées et imposant plancher de stalagmites mis en lumière. Un **zoo cavernicole** présente crustacés, poissons, batraciens et insectes.

Pernes-les-Fontaines★

On la surnomme « perle du Comtat »... Dans cette petite ville, le temps, à l'ombre d'un haut donjon, semble suspendu. Placettes ornées de fontaines, ruelles enchevêtrées, c'est un lieu de flânerie idéal pour une longue soirée d'été.

La situation
Carte Michelin Local 332 D10 – 6 km au S de Carpentras – Vaucluse (84). Posée sur la Nesque, l'ancienne capitale du Comtat venaissin est située au carrefour de la D 28, venant d'Avignon (20 km à l'Ouest), et de la D 138 joignant Carpentras (6 km au Nord) à Cavaillon (21 km au Sud). Quittant ces voies un peu trop fréquentées, laissez votre voiture au parking situé non loin de l'Office de tourisme, sur la droite du cours Frizet (D 1, direction Mazan) afin de pouvoir explorer la ville à pied.
🛈 *Pl. Gabriel-Moutte, 84210 Pernes-Les-Fontaines, ☎ 04 90 61 31 04. www.ville-pernes-les-fontaines.fr*

Le nom
Il semble bien que le nom de Pernes vienne de celui d'un dénommé Paternus, probable propriétaire terrien installé jadis sur les lieux. Quant aux fontaines, *li font*, il suffit de les compter ! Elles sont au nombre de 40, et datent souvent du 18ᵉ s., époque où l'on a découvert une importante source près de la chapelle St-Roch.

Les gens
10 170 Pernais. **Esprit Fléchier** (1632-1710), le plus fameux d'entre eux, s'est illustré dans un genre littéraire qui faisait fureur au 17ᵉ s. : l'oraison funèbre.

Sauvignier S./MICHELIN

La ville où l'on peut dire sans risque excessif : « Fontaine, je ne boirai plus de ton eau » (fontaine de Reboul).

se promener

À LA RECHERCHE DES FONTAINES
Compter 1h ou plus pour ceux qui souhaiteraient prolonger leur flânerie dans le lacis de ruelles de la vieille ville. Départ de l'église N.-D.-de-Nazareth (depuis l'Office de tourisme, longer la Nesque).

carnet pratique

VISITE
L'Office de tourisme propose des visites guidées à thème dont « Pernes à l'époque médiévale ».

SE LOGER
😋😋 **Chambre d'hôte Mas Pichony** – *1454 rte de St-Didier (RD 28) - ☎ 04 90 61 56 11 - www.maspichony.com - fermé nov.-mars - ⌷ - 6 ch. 70/86 € ⌷ - repas 25 €.* Le vieux mas, les amandiers et la vue sur le Mont Ventoux : cette maison, posée au milieu des vignes, a des allures de carte postale provençale. Cinq chambres à la décoration

soignée et piscine. Les propriétaires font également table d'hôte.

SE RESTAURER
😋😋 **Dame l'Oie** – *56 r. Troubadour-Durand - ☎ 04 90 61 62 43 - fermé 15-28 fév., mar. midi et lun. - 16/30 €.* Sur la fontaine en pierre trône une oie bien grasse, le décor provençal s'égaye d'une riche collection d'oies miniatures, la vaisselle de Limoges a les rondeurs de l'oie et la table se fend d'un « caprice de dame l'oie »... « L'ouïe de l'oie oie », ajouterait malicieusement Raymond Devos ! Saveurs classiques et vins de terroir.

PERNES-LES-FONTAINES

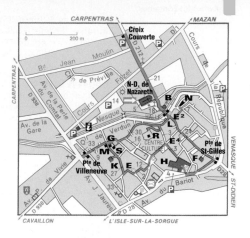

L'**église N.-D.-de-Nazareth** date, dans ses parties les plus anciennes, de la fin du 11ᵉ s. Elle a conservé (côté Sud) une belle porte dont la décoration, malheureusement très endommagée, est inspirée de l'antique.

En face, la Nesque, ombragée de saules, est franchie par un vieux pont qui conduit à la **porte Notre-Dame★**. Sur l'une des piles s'élève la minuscule chapelle N.-D.-des-Grâces.

Sitôt après la porte, sur la droite, se dresse une halle couverte du 17ᵉ s. En face, la **fontaine du Cormoran** est peut-être la plus intéressante de la ville.

Prendre à droite la rue Victor-Hugo qui court parallèlement à la Nesque, puis la rue de Brancas et immédiatement à droite.

Tour de l'Horloge

☎ *04 90 61 31 04 - www.ville-pernes-les-fontaines.fr - 10h-18h - gratuit.*

Donjon et unique vestige du château des comtes de Toulouse. Depuis la terrasse, panorama sur la plaine du Comtat, le pays d'Avignon et, en arrière-plan, au Nord et à l'Est, les dentelles de Montmirail et le Ventoux.

De nouveau dans la rue Victor-Hugo, on passe devant le Clos de Verdun, bucolique et minuscule jardin public aménagé à l'emplacement d'un ancien moulin à huile.

Tour Ferrande

☎ *04 90 61 31 04 - www.ville-pernes-les-fontaines.fr - visite guidée (45mn), tlj sf w.-end sur demande préalable à l'Office de tourisme - fermé les j. fériés - 2 € (gratuit -18 ans).*

Sur une placette qu'orne la fontaine de Guilhaumin, ou du Gigot, se dresse la tour Ferrande (13ᵉ s.), crénelée et enclavée dans les maisons. Le 3ᵉ étage renferme des **fresques** du 13ᵉ s. bien conservées.

Les fresques de la tour Ferrande : certaines retracent l'épopée de Charles d'Anjou en Italie du Sud.

Au bout de la rue Gambetta, la **porte de Villeneuve**, flanquée de deux tours rondes à mâchicoulis, est un vestige de l'enceinte du 16ᵉ s.

Revenir sur ses pas jusqu'à la rue de la République pour la prendre à droite.

Magasin Drapier

☎ 04 90 66 58 69 - *visite guidée (30mn) de mi-juin à mi-sept. : 10h-12h, 14h30-19h ; du 26 mars au 15 Mai : 14h30-18h ; de mi-déc. à fin déc. : 14h-18h - fermé lun. et j. fériés - gratuit.*

Il abrite le charmant petit musée du Costume comtadin. Le magasin a conservé l'apparence d'une boutique d'étoffes du 19ᵉ s. Costumes, coiffes, châles de tradition comtadine garnissent abondamment les rayons.

En face, un portail surmonté d'un élégant balcon de fer forgé ouvre sur l'**hôtel de Vichet** (16ᵉ s.). Passez devant l'hôtel de Villefranche *(en retrait sur la droite)* du 17ᵉ s. Prenez à gauche la rue Barrau, où la **fontaine de l'Hôpital**, datant de 1760, fait face à l'hôtel des ducs de Berton, seigneurs de Crillon. On débouche bientôt sur la place Louis-Giraud, où s'élève le centre culturel des Augustins, installé dans une ancienne église.

Poursuivre rue des Istres qui débouche sur la place des Comtes-de-Toulouse, puis prendre à droite l'étroite rue Brancas.

Hôtel de ville

C'est l'ancien hôtel des ducs de Brancas, dont l'un fut maréchal de France et ambassadeur de Louis XIV en Espagne. Traversez la cour pour aller voir la fontaine entourée d'un portique.

Par l'avenue du Bariot, à gauche, rejoignez la **porte de St-Gilles** : cette tour carrée qui a conservé ses mâchicoulis faisait partie de l'enceinte du 14ᵉ s.

Franchir la porte et prendre la rue Raspail.

Au n° 214 *(en retrait)*, beau portail Louis XV de l'hôtel de Jocas. Vous passez ensuite devant la **fontaine Reboul**, ou « Grand Font », avec son décor en écailles de poisson.

Avant de retrouver la porte Notre-Dame, tourner à droite pour atteindre la place Fléchier.

Maison Fléchier

☎ 04 90 61 45 14 - *de déb. juin à mi-sept. : w.-end et j. fériés 10h-12h, 15h-19h ; w.-end de Pâques : 10h-12h, 15h-19h, possibilité de visite guidée (1h) - fermé reste de l'année - gratuit.*

Lieu de naissance du célèbre orateur Esprit Fléchier, cet hôtel particulier du 17ᵉ s. présente, sur deux étages, les principales traditions provençales : salle à manger du 19ᵉ s. où la table dressée à l'occasion du « gros souper » de Noël n'attend plus que ses convives, chambre évoquant les « souhaits au nouveau-né », reconstitution d'un atelier de santonnier et d'une magnanerie (élevage de vers à soie).

Revenir à la porte Notre-Dame, traverser le pont et continuer sur 200 m environ, après le cours Frizet.

Croix Couverte

Élégant monument quadrangulaire qui aurait été élevé au 15ᵉ s. par le Pernais Pierre de Boët.

circuit

INCURSION DANS L'EST DU COMTAT

Circuit de 50 km. Voir Carpentras.

Pont du Gard★★★

L'une des merveilles de l'Antiquité, ouvrage grandiose édifié au 1er siècle, le pont du Gard, serti dans un cadre superbe, mériterait presque à lui seul une halte en Provence.

La situation

Carte Michelin Local 339 M5 – Gard (30). Le pont routier étant fermé à la circulation motorisée, vous avez le choix entre l'une ou l'autre rive... La rive gauche, par la D 19 (en direction d'Uzès), où se trouve le point d'accueil et un grand parking *(800 places, payant)* ; ou bien la rive droite, que vous atteindrez en franchissant le Gardon à Remoulins *(parking tout aussi payant de 600 places).*

Le nom

Affluent du Rhône ayant donné son nom à un département, le Gard présente la particularité rare de ne pas exister... du moins sous ce nom. Formé par l'adjonction de multiples cours d'eau, les Gardon (réputés pour leurs redoutables *gardonnades*), il conserve l'appellation de Gardon jusqu'à son embouchure.

> **CHIFFRES À L'APPUI**
> Hauteur totale : 49 m au-dessus des basses eaux du Gardon.
> Étage inférieur : 6 arches, 142 m de longueur, 6 m de largeur, 22 m de hauteur.
> Étage moyen : 11 arches, 242 m de longueur, 4 m de largeur, 20 m de hauteur.
> Étage supérieur : 35 arches, 275 m de longueur, 3 m de largeur, 7 m de hauteur.

carnet pratique

STATIONNEMENT

Parking sur chaque rive 7h-1h. 5 € la journée (durée illimitée), gratuit si vous prenez le forfait site à la journée *(voir tarifs).*

HORAIRES

Musée Ludo et Cinémascope – ☎ *0 820 903 330* - &. De mi-avr. à déb. oct. : 9h30-19h ; de déb. nov. à mi-avr. : 10h-17h30 - fermé lun. matin, 2 sem. en janv.

Médiathèque – Tlj sf lun. mat. : 11h-13h, 14h-17h.

Mémoires de garrigue – De déb. avr. à mi-oct. : 9h30-18h.

TARIFS

Accès libre au pont (visite accompagnée avec accès à la canalisation payante), à l'espace Mémoires de garrigue et à la médiathèque.

Forfait site à la journée – 10 € (7-17 ans : 8 €). Accès à tous les sites, livret « Mémoires de garrigue » et parking offert.

Forfait famille – 20 €. 2 adultes accompagnés de 1 à 4 enfants.

À l'unité – Musée : 6 €, Ludo : 4,50 €, Cinémascope : 3 €, livret « Mémoires de garrigue » : 4 €.

SE LOGER

😊😊 **Chambre d'hôte Vic** – *Mas de Raffin - 30210 Castillon-du-Gard - 4 km au NE du pont du Gard par D 19 et D 228 -* ☎ *04 66 37 13 28 - www.chambresdhotes-vic.com -* 📅 *- 5 ch. 57/90 €* 🍽. Ferme viticole rénovée dont les chambres, aux tons rouges et jaunes, associent avec bonheur vieilles pierres et décoration moderne. Certaines sont voûtées, d'autres ont une mezzanine. En été, petit-déjeuner sous le mûrier. Piscine, spa et hammam.

SE RESTAURER

😊😊😊 **L'Amphitryon** – *Pl. du 8-Mai-1945 - 30210 Castillon-du-Gard - 4 km au NE du pont du Gard par D 19 et D 228 -* ☎ *04 66 37 05 04 - fermé 15-28 fév., 15-30 nov., mar. et merc. hors sais. - 38 €.* Voûtes et pierre brute pour cette salle à manger aménagée dans une ancienne bergerie. Le joli patio accueille les repas en été. Cuisine régionale actualisée et ambiance conviviale.

SPORTS & LOISIRS

Baignade – Plages artificielles au bord du Gardon. Idéal lorsqu'un soleil de plomb écrase la Mardonnenque. Attention aux remous, aux trous d'eau et... aux gardonnades soudaines et imprévisibles.

Kayak Vert – *Les berges du Gardon - A 9 sortie Remoulins - 30210 Collias -* ☎ *04 66 22 80 76 - www.canoe-france.com/gardon - 9h-19h - fermé 15 déc.-15 janv.* Depuis sa création en 1978, Kayak Vert propose des descentes du Gardon en canoë ou en kayak à partir de Collias. Cette rivière de classe 1 ne présente pas de dangers et cette activité peut donc être pratiquée par tous. Rafraîchissant !

CALENDRIER

La garrigue en fête - W.-end de Pâques. Marché de producteurs, pique-nique (sur réservation, participation), animations.

Les plages du pont du Gard – 15 juillet-15 août. La rive droite est aménagée (par les scénographes de Paris-Plage) pour le confort des visiteurs.

Mise en lumière du pont du Gard – Juillet-août : tous les soirs, 40mn après la tombée de la nuit (juin et sept. : ven. et sam.). Voici une page originale de (re)découvrir le pont du Gard : James Turrell a mis en place des éclairages jouant sur des variations de couleurs et d'intensités mettant en valeur le site.

Le pont

Rarement une œuvre humaine ne s'est insérée dans le paysage de façon aussi « naturelle ». Car la performance technique n'est pas tout ; ses vieilles pierres mordorées, l'étrange sensation de légèreté, inattendue dans un ouvrage aussi colossal, le cadre de collines couvertes d'une végétation méditerranéenne, les eaux vertes du Gardon dans lesquelles le pont mire ses arches, le ciel d'un bleu intense, chacun de ces éléments contribue à un merveilleux spectacle que vous ne vous lasserez pas de contempler sous divers points de vue : depuis le pont lui-même quand les arcades semblent jouer avec les rayons du soleil rasant, depuis les rives, du haut des collines...

comprendre

TRAVAIL DE ROMAINS
Ces derniers transportaient sans doute les blocs sur des barges après avoir mis en eau la carrière. Puis ils les élevaient avec des palans, le treuil étant constitué par un tambour de bois que faisaient tourner des « hommes-écureuils ». On estime que les travaux n'ont pas duré plus de cinq ans.

Un aqueduc pour Nîmes - Les Romains attachaient une grande importance à la qualité des eaux dont ils alimentaient leurs cités. Captée de préférence sur le versant Nord des collines, l'eau était conduite dans un canal voûté et entièrement maçonné, pourvu d'ouvertures d'aération ainsi que de purgeurs pour vidanger, nettoyer et réparer. Qu'un accident de terrain se présente et on le franchissait au moyen de ponts, de tranchées, de tunnels ou de siphons. Ainsi, l'aqueduc de Nîmes, qui captait les eaux des sources de l'Eure, près d'Uzès, long de près de 50 km, avait une pente moyenne de 24,8 cm par kilomètre, plus forte en amont du pont afin de réduire le plus possible la hauteur de cet ouvrage. Son débit était d'environ 20 000 m^3 d'eau, distribuée chaque jour dans la cité par le *castellum*. À partir du 4e s., il ne fut plus guère entretenu, les dépôts calcaires s'accumulant jusqu'à obstruer aux deux tiers la conduite. Au 9e s., il était devenu inutilisable et les riverains prélevèrent une grande partie des pierres et des dalles pour leurs propres constructions.

visiter

Le Portal

Ce vaste bâtiment semi enterré est situé entre le parking de la rive gauche et le pont.

Musée – La visite de cette exposition interactive et multimédia, consacrée pour l'essentiel à la question de l'eau à l'époque de la *Pax romana*, est passionnante ! Grâce à

des vidéos, fac-similés d'objets, photographies, bornes interactives, vous découvrirez le système des égouts dans une ville antique et l'art de vivre des Romains, dont une bonne partie de la journée se passait aux thermes. Mais pour cela, il fallait faire venir l'eau jusqu'à la ville, parfois de fort loin : comment les ingénieurs romains ont-ils résolu cette question ? C'est l'objet de la seconde partie de l'exposition qui traite de l'aqueduc, dont le fameux pont est le plus spectaculaire élément parmi les quelque 25 ouvrages d'art (ponts, bassins de régulation et même tunnels, comme à Sernhac), dont certains sont encore visibles dans la garrigue, entre la source de l'Eure et Nîmes. Enfin, les travaux de construction du pont proprement dit sont évoqués avec un grand luxe de détails.

Ludo – ⊡ Dans cet espace de jeux, on s'improvise archéologue en interprétant les traces du passé, on suit la vie quotidienne d'un enfant romain et on apprend à apprivoiser l'eau ou découvrir la faune et la flore de la garrigue.

Cinémascope – Les plus intéressés d'entre vous prolongeront la visite par la vision d'un film : *Le Vaisseau du Gardon (30mn)*.

Médiathèque – Ouvrages, revues et sites Internet sont à votre disposition pour compléter vos connaissances.

Mémoires de garrigue

⚑ *1,4 km.* Ce sentier de découverte serpente à travers un paysage méditerranéen reconstitué. Les terres entourant le site, longtemps délaissées, ont été remises en culture : oliviers, vignes, mûriers, arbres fruitiers, céréales... Cette agréable promenade *(1 à 2h, suivant que vous choisissiez la version courte ou longue)* vous permettra de mieux connaître le milieu naturel des garrigues, mais aussi l'activité agraire traditionnelle dont elles sont le cadre.

Le pont★★★

Bâti en blocs colossaux de 6 à 8 tonnes hissés à plus de 40 m de hauteur, il enjambe la vallée du Gardon. Afin de rompre toute sensation de monotonie, les trois étages d'arcades sont en retrait l'un sur l'autre et l'architecte a su varier, dans un même étage, la dimension des arcs. Les arches sont faites d'anneaux indépendants accolés, ce qui donne à la masse beaucoup d'élasticité en cas de tassement. Les pierres saillant sur les façades supportaient les échafaudages. Les bancs de pierre qui apparaissent sous les arcades servaient de points d'appui aux cintres de bois utilisés pour l'établissement des voûtes.

> **CHERCHEZ BIEN**
> Quelques tronçons spectaculaires subsistent encore dans la garrigue, que le GR 6 permet aux plus vaillants de suivre : c'est la seule façon de mesurer véritablement toute l'ampleur de cet extraordinaire ouvrage d'art.

> **ET RIVE DROITE ?**
> Des escaliers et des sentiers en accès libre permettent d'aller sous le pont ou de l'admirer de haut.

Kaufmann B. /MICHELIN

Un travail de Romains ! Le Pont du Gard, partie la plus spectaculaire de l'aqueduc de Nîmes.

alentours

Jardins du château de St-Privat

Laisser la voiture sur le parking de la rive droite du Pont du Gard. ☎ 04 66 37 36 36 - mai-juin et 15 août-15 nov. : w.-end et j. fériés 15h (point de rendez-vous : café des Terrasses, rive droite) - 6,50 € (enf. 3,50 €).

Dans un site des plus romantiques, ce château à la fois palais et forteresse a été bâti sur une ancienne commanderie de Templiers qui a elle-même succédé à une villa gallo-romaine. Parmi les hôtes illustres du château : Catherine de Médicis accompagnée des futurs Henri III et IV, Louis XIII et Richelieu qui y reçurent la capitulation des protestants nîmois en 1629. Vous découvrirez, près de la chapelle du 18ᵉ s., un avant-parc planté de micocouliers et de mûriers, un parc dont les arbres vénérables entourent le bassin de Neptune et un beau jardin à la française surplombant le Gardon.

Pont-Saint-Esprit

Un pont audacieux lancé sur le Rhône au Moyen Âge, un peu en amont du confluent avec l'Ardèche, a favorisé l'éclosion de cette petite cité négociante qui a conservé quelques belles demeures anciennes et sa vocation de marché.

La situation

Carte Michelin Local 339 M3 – Gard (30). On ne peut faire moins que de traverser le Rhône sur le pont... (venant de Bollène, à 9 km au Nord-Est, ou d'Orange, à 24 km au Sud-Est) avant d'emprunter, après le grand carrefour de l'Europe, le boulevard Gambetta sur la gauche puis, encore à gauche, le boulevard Carnot, de façon à pouvoir laisser la voiture sur les allées Jean-Jaurès.
🚹 *1 av. Kennedy, 30130 Pont-St-Esprit, ☎ 04 66 39 44 45. www.pont-saint-esprit.fr*

Le nom

C'est un pont... et il fut édifié entre 1265 et 1309 par une confrérie placée sous le signe du Saint-Esprit.

Les gens

9 265 Spiripontins. La cité est le berceau d'une lignée de nobliaux provençaux qui allaient connaître un destin national. La raison ? Charles, marquis d'Albert et futur **duc de Luynes** (1578-1621), était habile à dresser les

Un kilomètre de pont sur le fleuve-roi : il fallait bien l'intervention du Saint-Esprit...

carnet pratique

faucons et, ce qui ne gâtait rien, fort joli garçon. Quant à en faire un ministre... il n'y avait qu'un pas que Louis XIII n'hésita guère à franchir en le nommant connétable du royaume.

se promener

C'est un pont... mais ce n'est pas qu'un pont, car sa situation en fit dès le Moyen Âge un important lieu d'étape dont la ville a conservé quelques traces.

Au départ de l'allée J.-Jaurès.

Rue St-Jacques

Elle est bordée de logis anciens tels l'**hôtel de Roubin**, du 17ᵉ s. (au n° 10), et surtout la **maison des Chevaliers** (au n° 2). Cet hôtel particulier à la jolie baie romane géminée abrite aujourd'hui le musée d'Art sacré du Gard *(voir « visiter »)*, dont la visite permet de découvrir en particulier les deux salles d'apparat superposées de Guillaume de Piolenc (plafonds peints avec écus armoriés). Plus loin, l'ancienne **maison de ville** abrite le musée Paul-Raymond *(voir « visiter »)*.

Suivre la rue du Haut-Mazeau.

> **INDÉLOGEABLES...**
> Il est assez rare qu'une maison soit occupée pendant huit siècles par la même famille... C'est pourtant le cas de la maison des Chevaliers, édifiée au 12ᵉ s. et habitée jusqu'en 1988 par les Piolenc, grande famille de négociants de la vallée du Rhône.

Place St-Pierre

Elle est encadrée au Nord par l'église paroissiale du 15ᵉ s., au Sud-Ouest par la façade baroque de la chapelle des Pénitents, au Sud par l'ancienne église St-Pierre du 17ᵉ s. La **terrasse** donnant sur le Rhône offre une belle vue d'ensemble du pont.

Un escalier monumental à double volée conduit au quai de Luynes que l'on suit jusqu'au pont. À gauche, presque au pied de celui-ci, la **maison du Roy** est percée de baies Renaissance.

Le pont

Long de près de 1 000 m, il a conservé 19 arches anciennes sur 25. À l'origine, il était défendu à ses extrémités par des bastilles, et en son milieu par deux tours, ouvrages défensifs aujourd'hui démolis. Depuis le pont, belle vue en aval sur le Rhône et la ville.

Du centre de l'esplanade, on aperçoit le portail flamboyant (15ᵉ s.) de l'ancienne **collégiale du Plan**, ainsi que des vestiges de la citadelle fortifiée au 17ᵉ s. par Vauban.

Revenir sur ses pas et emprunter la vieille rue des Minimes, puis la rue du Couvent pour rejoindre les rues Bas-Mazeau, Haut-Mazeau et St-Jacques.

> **PASSAGE REDOUTÉ**
> Les remous du fleuve, l'impétuosité de son courant et l'étroitesse des arches entraînèrent maints naufrages de bateliers. Ainsi les deux premières arches furent-elles remplacées par une arche unique.

visiter

Musée d'Art sacré du Gard

☎ *04 66 39 17 61 - &. - juil.-août : 10h-19h ; sept.-juin : 10h-12h, 14h-18h, possibilité de visite guidée (1h30 à 2h) - fermé lun., 31 déc.-1ᵉʳ janv., Pâques, 1ᵉʳ Mai, Ascension, Pentecôte, 14 Juil., 1ᵉʳ et 11 Nov, 25-26 déc. - 3 €, gratuit 1ᵉʳ dim. du mois (oct.-juin).*

L'ambition de ce musée est de mieux faire comprendre le patrimoine religieux en familiarisant le public avec ses rites et leur signification... un peu oubliés aujourd'hui. Les salles du rez-de-jardin proposent une réflexion sur la place de la Bible face à la science et sur le sens du sacré. L'ancienne tour dominant le jardin est réservée aux crèches et aux santons des 18ᵉ et 19ᵉ s. tandis qu'une salle conserve une collection de reliquaires domestiques dont quelques « paperolles », tableaux composés de papiers roulés formant décor autour des reliques. Parmi les œuvres exposées, outre un émouvant *Christ à l'agonie* polychrome (17ᵉ s.), on remarquera l'*Adoration des Mages* par Nicolas Dipre (vers 1495). Enfin, la pharmacie de l'hôpital du Saint-Esprit (bel ensemble de céramiques hispano-mauresques médiévales) et un petit cabinet d'apothicaire complètent la visite.

Musée Paul-Raymond
☎ *04 66 90 75 80 - juil.-août : tlj sf lun. 10h-12h, 15h-19h ; sept.-juin : tlj sf lun. et sam. 10h-12h, 14h-18h, possibilité de visite guidée sur demande préalable (1h) - fermé fév., 31 déc.-1ᵉʳ janv., Pâques, 1ᵉʳ Mai, Ascension, Pentecôte, 14 Juil., 1ᵉʳ et 11 Nov., 25-26 déc. - 2,10 € (enf. 1,60 €) gratuit 1ᵉʳ dim. du mois (oct.-juin).*

Il abrite sur deux étages l'œuvre du peintre **Benn** (1905-1989), dont les tableaux illustrent divers thèmes religieux. Au sous-sol se trouve l'ancienne glacière de la ville (1780).

alentours

Chartreuse de Valbonne
10 km à l'Ouest par la D 23. ☎ *04 66 90 41 24 - mai-sept. : 10h-12h30, 13h-19h (dernière entrée 30mn av. fermeture) ; oct.-avr. : 10h-12h30, 13h30-17h30 - fermé 1ᵉʳ janv. et 25 déc. - 4,80 € (enf. 3 €).*

Fondée en 1203 et reconstruite aux 17ᵉ et 18ᵉ s., elle fut habitée par des moines chartreux jusqu'en 1901. C'est un pasteur qui racheta les lieux en 1926 pour y fonder une léproserie. Aujourd'hui occupé par un établissement de réinsertion socioprofessionnelle, ce long bâtiment flanqué de tourelles de style provençal enfouit ses tuiles vernissées au cœur d'une épaisse forêt.

L'accès à la cour d'honneur se fait par un portail du 17ᵉ s. En face s'élève l'église, à la riche **décoration intérieure**★ (stalles sculptées dans le chœur). Par un passage à droite, on gagne l'une des galeries de l'immense cloître vitré ouvrant une perspective de plus de 100 m sur laquelle donnaient les cellules des moines, aujourd'hui reconverties en chambres d'hôtel.

Roussillon★★

Rouge comme la terre qui l'entoure, rouge comme son nom, le village de Roussillon entremêle ses maisons aux façades badigeonnées d'ocre. Le couchant révèle une palette de couleurs toute en nuances, du jaune au rouge, composant un tableau de rêve.

La situation

Carte Michelin Local 332 E10 – Schéma p. 125 – Vaucluse (84). Venant d'Apt (12 km au Sud-Est, *voir ce nom*) ou de Gordes (10 km à l'Ouest, *voir ce nom*), vous aboutirez au parking de la place du Pasquier, où vous pourrez laisser votre voiture. En plein été, inutile d'espérer vous y garer : prenez le premier emplacement que vous trouverez sur les routes d'accès, et sachez que tout stationnement dans la commune est alors payant !
🛈 *Pl. de la Poste, 84220 Roussillon, ☎ 04 90 05 60 25. www.roussillon-provence.com*

Le nom

Vicus Russeolus, le « village rouge », devenu ensuite Russulus tout court puis, par altération, Roussillon.

Les gens

1 161 Roussillonnais. L'un d'entre eux, **Jean-Étienne Astier**, eut l'idée à la fin du 18ᵉ s. de laver le sable ocreux pour en extraire le pigment pur et fit naître l'industrie qui allait apporter au village sa renommée.

MULTI-USAGE

Outre la fabrication du pigment utilisé pour les peintures et badigeons, l'ocre avait diverses applications industrielles parfois insolites : mélangée à l'hévéa, elle entrait dans la composition du caoutchouc ; on en faisait des chambres à air, des élastiques, du linoléum, la peau des saucisses de Strasbourg et... on en colorait le papier des Gitanes maïs.

---

découvrir

TERRES D'OCRES

Un séjour à Roussillon sera l'occasion de découvrir, outre un merveilleux village, l'ocre dans tous ses états, depuis les carrières où elle était extraite jusqu'aux murs auxquels elle donne leur éclat, en passant par l'usine où elle était transformée.

Sentier des ocres★

Départ devant le cimetière, face à la place Pasquier. De déb. mars au 11 nov. 2 € (-10 ans : gratuit). Dans le site, il est interdit de prélever de l'ocre, de fumer et de pique-niquer. Fermé en cas de pluie.
🚶 *1 km. Compter 1h.* Ce sentier aménagé, balisé et agrémenté de panonceaux didactiques permet de découvrir la flore particulière des collines d'ocres (yeuses, chênes blancs, genévriers...) ainsi que les étonnants paysages formés par les anciennes carrières : l'action de l'homme

Sauvignier S./MICHELIN

CONSEIL

Balade à faire de préférence en début de matinée ou en fin de journée ensoleillée, lorsque la lumière révèle les nuances infinies de l'ocre (16 ou 17, pas moins...).

---

carnet pratique

SE LOGER

🏠🏠🏠 **Chambre d'hôte Mamaison** – *Quartier Les Devens - 4 km au S de Roussillon, direction Apt, puis D 149 - ☎ 04 90 05 74 17 - www.mamaison-provence.com - fermé 15 oct.-1ᵉʳ mars - 6 ch. 80/150 € 🔲.* Digne d'une couverture de magazine de décoration, ce mas de caractère datant du 18ᵉ s. ! Artistes peintres, les propriétaires ont pensé à tout pour votre plaisir : parc, verger, piscine, chambres personnalisées avec poutres, tomettes et beau mobilier... Quand venez-vous ?

SE RESTAURER

🏠🏠 **Le Bistrot de Roussillon** – *Pl. de la Mairie - ☎ 04 90 05 74 45 - fermé sam. midi en juil.-août - 15/25 €.* Un petit bonheur, cette terrasse derrière la maison, offrant la vue sur les toits du village et le val des Fées : cadre idéal pour savourer le menu à l'accent provençal et déguster un vin du coin gouleyant à souhait. Salle aux tons ocre et seconde terrasse sur la place animée.

LOISIR

Association Ôkhra – *D 104, ancienne usine Mathieu - ☎ 04 90 05 66 69.* Installée dans une ancienne usine d'extraction des ocres, cette association dont le nom grec signifie « terre jaune » organise, tout au long de l'année, des expositions à thème et des stages d'initiation aux techniques liées au travail de l'ocre (badigeons, chaux...). Vente de pigments et librairie.

Campion L./MICHELIN

Roussillon, ocrement dit : un village perché du Luberon dont les murs rougissent au soleil.

mais aussi de l'érosion ont sculpté ces **aiguilles de Fées** au-dessus de la fameuse **chaussée des Géants★★**.

Conservatoire des ocres et pigments appliqués★ (ancienne usine Mathieu)

Situé sur la route d'Apt (D 104), à 1 km environ de la place Pasquier. ⎕ *juillet-août : visite guidée (1h) 9h-19h ; mai-juin et sept. : 9h-13h, 14h-18h, lun. 9h-13h ; oct.-avr. : 9h-13h, 14h-18h, lun. 9h-13h. Fermé 2 premières sem. de janv. 5 €.* ☎ *04 90 05 66 69. www.okhra.com*

◉ Dans cette usine, fermée en 1963, on transformait l'ocre extraite des carrières et apportée ici en wagonnets. La première étape consistait à éliminer un maximum de sable en le versant dans un batardeau avec de l'eau.

Après malaxage, le sable se déposait au fond et l'ocrier, grâce à un jeu de bouchons, évacuait le mélange d'ocre et d'argile vers les bassins de décantation après avoir évalué la teneur en sable... en le goûtant. À l'étape suivante, l'ocre reposait dans des bassins (un par couleur). L'argile se déposait au fond et l'eau était alors évacuée. Plusieurs couches successives étaient ainsi amenées dans les bassins jusqu'à la fin de l'hiver et mises à sécher tout l'été. Lorsqu'elles avaient la consistance de la pâte à modeler, elles étaient découpées en briques. Enfin, elles étaient conduites au four où s'achevait le séchage (certaines ocres rouges étaient obtenues en cuisant une ocre jaune à 450 °C), puis au moulin où elles étaient broyées et mises dans des sacs ou des tonneaux.

ROUSSILLON

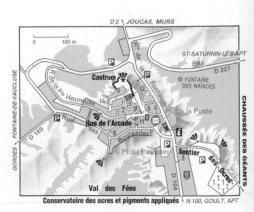

Conservatoire des ocres et pigments appliqués ↘ N 100, GOULT, APT

se promener

Village★

Avec ses ruelles étroites, parfois en escaliers, ses maisons imbriquées dont les façades badigeonnées d'ocre rivalisent de couleur et d'harmonie, ses galeries où artistes et potiers exposent leurs créations, les vues que l'on découvre soudain au hasard d'une échappée, le village de Roussillon est un enchantement continuel, en particulier à la tombée du jour lorsque les rayons rasants du soleil viennent illuminer les façades.

Vous pouvez prendre, à gauche de l'Office de tourisme, la rue des Bourgades puis vous engager dans la rue de l'Arcade, venelle à degrés en partie couverte. Passant sous la tour du Beffroi, gagnez le **castrum** *(fléchage)*. De cette plate-forme, vue panoramique avec, au Nord, le Ventoux, au Sud, le Grand Luberon avec le Mourre Nègre et, perché sur son roc, au Nord-Ouest, le village de Gordes.

Par la rue des Bourgades, vous rejoindrez votre voiture.

> **VUE**
> Par la place Pignotte, gagnez le chemin de ronde : vue sur les **aiguilles du val des Fées**, entailles verticales dans une falaise d'ocre couronnée de pins aux silhouettes torturées.

Saint-Blaise

À proximité de la mer, du Rhône, de l'étang de Berre et de la plaine de la Crau, ce site chargé d'histoire vécut pendant des siècles de l'exploitation et du commerce d'une denrée précieuse entre toutes : le sel.

La situation

Carte Michelin Local 340 E5 – Schéma p. 186 – Bouches-du-Rhône (13). À proximité de St-Mitre-les-Remparts *(voir étang de Berre)*, St-Blaise domine l'étang de Lavalduc. On peut s'y rendre par la D 51, sur la gauche de la D 5, lorsqu'on vient de Martigues *(voir ce nom)*. Laissez votre voiture au parc de stationnement pour prendre, à gauche, un chemin en montée qui mène à l'enceinte médiévale entourant les fouilles.

Le nom

Peut-être Heraclea ou Mastralaba dans l'Antiquité (on ne sait trop), Ugium en 874, Castelveyre en 1231, St-Blaise enfin, ainsi baptisée en hommage au patron des cardeurs.

Les gens

Les derniers habitants de l'oppidum sont partis en 1390 pour devenir des Saint-Mitrois.

visiter

Compter 1h. ☎ 04 42 49 18 93 - avr.-sept. : 9h30-12h30, 13h30-17h30 ; oct.-mars : 9h30-12h30, 13h30-16h30 (dernière entrée 1h av. fermeture) - fermé lun., mar., merc. et j. fériés - gratuit.

L'oppidum se présente sous l'aspect d'un éperon. Ses défenses naturelles, d'importantes falaises verticales, sont renforcées par des remparts établis sur le versant plus accessible qui domine le vallon de Lavalduc.

Le comptoir étrusque

Sur cet oppidum celto-ligure – les fouilles y ont révélé un sanctuaire indigène, comparable à ceux d'Entremont *(voir Aix-en-Provence)* ou de Glanum *(voir St-Rémy-de-Provence)*, avec portique à crânes et stèles votives –, les Étrusques ont créé au 7e s. avant J.-C. un comptoir et entrepris le commerce fructueux du sel recueilli sur place. Malgré la redoutable concurrence des Phocéens de Massalia (Marseille), l'oppidum poursuit son développement et se couvre d'un habitat proto-urbain protégé par une enceinte. Comme à Entremont, apparaissent une

> **PROSPÈRE**
> On a relevé sur le site de nombreuses traces d'activités commerciales et artisanales : celliers où s'entassaient les *dolia* (jarres), atelier de fondeur, etc. Il semblerait en effet que le site ait été un bien prospère entrepôt.

Saint-Blaise : un comptoir pris d'assaut malgré la construction du rempart hellénistique.

ville haute et une ville basse. Les cases sont construites en pierre selon un plan quadrangulaire ; l'une d'elles, dans la ville basse, conserve encore ses murs sur une hauteur de 0,90 m. Suit une longue période de transition (475 à 200 avant J.-C.) après un incendie et l'abandon du comptoir par les Étrusques, tandis que Marseille prend le relais.

Le rempart hellénistique★

Sans en faire une colonie, Marseille tient l'oppidum sous sa dépendance et, peu à peu, le commerce reprend : de la fin du 3e s. jusqu'au milieu du 1er s. avant J.-C., St-Blaise atteint son apogée. De grands travaux de nivellement précèdent la mise en place d'un plan d'urbanisme et d'un puissant rempart. Le **rempart hellénistique★**, en grand appareil, élevé par des maîtres d'œuvre grecs entre 175 et 140 avant J.-C., étend sur plus d'un kilomètre une succession de courtines en ligne brisée avec tours de bastions, trois poternes et une porte charretière. Cette enceinte admirable possédait un dispositif d'évacuation des eaux par chenaux. Le rempart à peine terminé, l'oppidum dut subir un siège violent (des dizaines de boulets l'attestent). On pense que St-Blaise, ayant échappé au contrôle de Marseille, aurait été pris par les Romains lors de la conquête de 125-123 avant J.-C. Après cet événement, le déclin est rapide : une brève réoccupation au milieu du 1er s. avant J.-C. précède quatre siècles d'abandon.

Le bourg paléochrétien et médiéval

Devant la montée de l'insécurité à la fin de l'Empire romain, le vieil oppidum est de nouveau habité. Les fortifications hellénistiques sont réutilisées. Deux églises sont construites : St-Vincent (dont on distingue l'abside près de l'ancienne porte principale) et St-Pierre. Une nécropole (les tombes sont creusées dans le roc) s'étend au Sud. L'habitat de cette époque est malheureusement indiscernable au milieu des autres vestiges. En 874, Ugium (c'est le nom du bourg d'alors) est détruit par les Sarrasins. Il se relève lentement : l'église St-Pierre est reconstruite au 11e s. (substructions à côté de la chapelle St-Blaise). En 1231, à la pointe Nord du plateau, un nouveau rempart vient clôturer Castelveyre (nouvelle appellation) et son église N.-D.-et-St-Blaise. Mais en 1390, les bandes de Raymond de Turenne mettent le bourg à sac : les survivants s'établissent alors à St-Mitre, abandonnant définitivement le site.

PANORAMA
Depuis la **pointe de l'éperon**, vue sur l'étang de Lavalduc ; au loin, le port de Fos.

Saint-Gilles*

Porte de la Camargue, cette importante cité agricole (fruits, vins des Costières) est surtout renommée pour son ancienne église abbatiale : véritable chef-d'œuvre, la façade offre l'un des plus beaux exemples de statuaire romane provençale.

La situation

Carte Michelin Local 339 L6 – Gard (30). Le vieux Saint-Gilles se cache ! Les visiteurs, qu'ils arrivent de Nîmes (19 km au Nord) ou d'Arles (11 km à l'Est), traversent la cité par la rue Gambetta, aussi commerçante qu'animée : ils auront tout intérêt à garer leur voiture au parking signalé *(sur la droite en venant de Nîmes)* pour gagner à pied, par la rue Porte-des-Maréchaux, la place de l'église, à moins qu'ils ne préfèrent tenter leur chance dans les ruelles de la vieille ville.

🏠 *1 pl. Frédéric-Mistral, 30800 St-Gilles, ☎ 04 66 87 33 75. www.ville-saint-gilles.fr*

Le nom

De saint Gilles (sant Gèli en provençal), Grec touché par la grâce vers le 8ᵉ s. : il distribua ses biens aux pauvres et embarqua sur une nef qui le conduisit, au gré des flots, en Provence. Il y vécut dans une grotte, nourri par une biche... qui est aujourd'hui devenue l'emblème de la ville. Mais comment Aegidius, nom que portait le saint homme en Grèce, a-t-il pu devenir Gilles ?

Les gens

11 626 Saint-Gillois. Le canal irriguant le bas Languedoc, du Rhône à Montpellier, porte désormais le nom de **Philippe Lamour** (1903-1992), avocat, journaliste, fondateur d'une revue d'art (avec Fernand Léger) et pionnier de l'aménagement hydraulique du territoire. Sa pièce maîtresse est située à 5 km au Nord-Est de St-Gilles par la D 38 (direction Bellegarde, Beaucaire) au lieu-dit Pichegu : c'est la **station de pompage Aristide-Dumont**, située à la jonction du canal d'irrigation et du canal des Costières, qui se dirige vers le Nord. Élevée à une hauteur suffisante, l'eau s'écoule par simple gravité à travers toute la plaine du Bas-Languedoc.

> **MIRACLES EN SÉRIE**
> La biche, un jour poursuivie par un seigneur, se réfugie auprès de son maître. La flèche que lance le chasseur est alors arrêtée en plein vol par l'ermite... Pour honorer l'auteur d'un tel miracle, le seigneur décide de fonder une abbaye en cet endroit. Et quand le pape fait don à saint Gilles de deux portes destinées à l'édifice, celui-ci les jette dans le Tibre : elles traversent la mer, remontent le Petit Rhône et parviennent à la grotte en même temps que lui.

carnet pratique

SE RESTAURER

Spécialité – Le bœuf à la saint-gilloise, dit aussi « gardiane des mariniers », est une variante locale (et succulente) de la gardiane de taureau.

⊜ **Le Clément IV** – *36 quai du Canal -* ☎ *04 66 87 00 66 - fermé dim. soir et lun. - 12,50/30 €.* Produits de la mer et spécialités camarguaises servies en véranda ou en terrasse, dans ce restaurant aux allures campagnardes offrant une vue de carte postale sur le petit port de plaisance aménagé le long du canal, au milieu du marais.

QUE RAPPORTER

Boucherie Pagès – *15 r. Émile-Zola - 30640 Le Cailar - ☎ 04 66 88 60 75.* Un authentique spécialiste de la viande de taureau camargue.

Maison des métiers – *Grand-Rue -* ☎ *04 66 87 09 05.* Ateliers d'artisans : céramiques, orfèvrerie, vitrail, poterie et tapisserie d'ameublement.

SPORTS & LOISIRS

Mas des Iscles – *(en face du centre du Scamandre) - 30600 Vauvert - ☎ 06 12 06 06 29 - www.masdesiscles.com - 9h-12h, 14h30-17h.* Domaine de 400 ha comprenant une rizière (possibilité de visite guidée) et un élevage de chevaux camargue. Le propriétaire propose des stages d'équitation camargue et de découverte de la faune et de la flore régionales.

CALENDRIER

Cité de vieille tradition taurine (nombreuses courses camarguaises et autres spectacles taurins tout au long de la saison), St-Gilles s'est fait connaître grâce à sa **feria de la Pêche et de l'Abricot**, le 3ᵉ w.-end d'août (corridas, spectacles espagnols).

comprendre

L'alliance de la foi et du commerce – À l'emplacement du tombeau de saint Gilles s'élève un sanctuaire, objet d'un culte fervent et d'un pèlerinage, car il se situait sur l'une des quatre routes principales de St-Jacques-de-Compostelle. C'est au 12ᵉ s. que le monastère atteint son apogée. Les croisades, et les flux commerciaux qui les accompagnent, ne font qu'accroître sa fortune : dans son port transitent quantité de marchandises orientales ; des pèlerins, des croisés s'y embarquent, et les St-Gillois possèdent des comptoirs avec privilèges dans les États latins de Jérusalem. La foire de St-Gilles, en septembre, connaît un rapide essor : elle constitue l'un des grands points d'échanges entre Méditerranéens et Nordiques. Cette prospérité se réduira au 13ᵉ s., notamment sous l'effet de la concurrence du port royal d'Aigues-Mortes.

Gloire et déchéance des comtes de Toulouse – C'est à Saint-Gilles que commence l'aventure de Raimond IV de Toulouse. Fils cadet du comte Pons, il reçoit en lot la seigneurie de Saint-Gilles. Un mariage judicieux avec la fille du comte de Provence, la succession de son frère Guillaume IV de Toulouse, mort sans enfants, et Raymond IV se retrouve à la tête d'un vaste domaine, de Cahors aux îles de Lérins : les « États de Saint-Gilles ». En 1096, le puissant comte y accueille le pape Urbain II et fait vœu de se consacrer entièrement à la reconquête de la Terre sainte. Il sera tué au cours du siège de Tripoli (1105).

Son arrière-petit-fils, Raimond VI, devait vivre des heures plus amères dans cette même cité. Sommé par le pape Innocent III d'entrer en lutte contre ses sujets hérétiques, les cathares, il reçoit à St-Gilles, le 14 janvier 1208, le légat Pierre de Castelnau, porteur des exigences papales. L'entrevue est orageuse et, le lendemain, le légat est assassiné. Innocent III excommunie aussitôt Raimond VI et fait prêcher la croisade. Raymond cède. Le 12 juin 1209, il se présente nu devant le grand portail de l'église de St-Gilles et jure obéissance au pape. On lui passe une étole au cou et le nouveau légat, le tirant par cette étole, le fait entrer dans le sanctuaire, tout en le flagellant vigoureusement ; la pénitence se poursuit dans la crypte devant le tombeau de Castelnau et le comte est enfin libéré et absous. Cette soumission durera peu ; Raimond VI entamera une lutte sans merci contre les « Barons du Nord » conduits par Simon de Montfort.

Magnin G. /MICHELIN

Le portail devant lequel Raimond VI jura obéissance (pour peu de temps) au pape.

découvrir

ÉGLISE SAINT-GILLES

☎ 04 66 87 41 31 - www.ot-saint-gilles.fr - ancien chœur, vis de St-Gilles et crypte : visite tlj, se renseigner au bureau d'accueil des monuments, pl. de la République (face à l'église sur la gauche), possibilité de visite guidée (1h à 1h30) - 4 €.

On a du mal aujourd'hui à imaginer l'importance de l'abbaye lors de son apogée. Pour s'en faire une idée, il faut reconstruire mentalement le chœur de l'ancienne abbatiale au-delà du chœur actuel, avec, sur la droite de l'église, un cloître dont la cour était entourée d'une salle capitulaire, d'un réfectoire, de cuisines et d'un cellier en sous-sol.

L'édifice, comme ses occupants, fut victime des guerres de Religion. En 1562, les protestants, non contents de jeter les religieux dans le puits de la crypte, incendient le monastère : les voûtes de l'église s'effondrent ; en 1622, ils abattent le grand clocher. Si bien qu'au 17ᵉ s., pour ne pas entreprendre de réparations trop importantes, l'église est raccourcie de moitié et sa voûte abaissée. Ainsi, du magnifique monument médiéval ne subsistent qu'une admirable façade, quelques vestiges du chœur et la crypte.

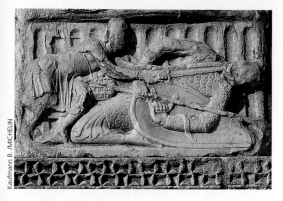

Parmi les artistes des bas-reliefs du portail, le « maître de saint Thomas » n'y allait pas de main morte !

Kaufmann B. /MICHELIN

Façade★★

Cette œuvre, une des plus belles pages de sculpture romane du Sud de la France, a été exécutée au 12e s. par plusieurs ateliers de sculpteurs (on y distingue cinq groupes stylistiques), très inspirés de l'antique comme l'atteste leur goût pour la technique du haut-relief et pour la représentation des volumes et des formes (drapés et vêtements plissés). Le thème représenté est celui du Salut à travers les épisodes de la vie du Christ.

La grande frise se lit de gauche à droite : les événements de la Semaine sainte s'y déroulent, du jour des Rameaux au matin de la Résurrection pascale, avec la découverte du tombeau vide par les saintes femmes.

CINQ ARTISTES POUR UN CHEF-D'ŒUVRE

Un style antiquisant, lourd et austère caractérise les sculptures attribuées au seul maître ayant laissé sa signature, **Brunus** (sculptures représentant Matthieu, Barthélemy, Jean l'Évangéliste, Jacques le Majeur et Paul). Un traitement linéaire et animé, de facture typiquement romane, marque la contribution du « **maître de saint Thomas** », auteur de Thomas, Jacques le Mineur, Pierre, ainsi que des bas-reliefs du portail central. On a qualifié de « **maître doux** » (drapés souples modelant les plis autour des bras et des jambes) l'auteur des apôtres, du tympan et du linteau du portail de gauche. Remarquez la différence de facture avec celle du « **maître dur** », auteur des apôtres et du portail de droite : les plis des drapés sont plus rudes et les contrastes entre ombre et lumière sont accentués. Quant au « **maître de saint Michel** », son style mouvementé et très expressif peut être apprécié avec un saint Michel terrassant le dragon ainsi que les entablements de part et d'autre du portail central.

Ancien chœur

C'est la partie qui fut ravagée au 17e s. et rasée sous la Révolution. À l'extérieur de l'église actuelle, les bases des piliers et des murs montrent parfaitement le plan de l'ancien chœur avec son déambulatoire et ses cinq chapelles rayonnantes. Sur les côtés du déambulatoire, deux petits clochers étaient desservis par des escaliers tournants, dont celui de gauche, la « vis de St-Gilles », subsiste.

Vis de St-Gilles★

Il faut monter au sommet (*50 marches*) de cet escalier, terminé en 1142, pour découvrir la rare qualité de la taille et de l'assemblage des pierres : les marches s'appuient sur le noyau central et sur les murs, intérieurement cylindriques. Leur emboîtement parfait compose une voûte hélicoïdale à 9 claveaux. L'art du tailleur apparaît dans la double concavité et convexité de chaque claveau.

De tout temps, la vis de St-Gilles a fasciné les compagnons tailleurs de pierre qui, dans leur tour de France, ne manquaient pas de venir l'étudier : de nombreux graffitis marquent leur passage et d'innombrables « chefs-d'œuvre », exécutés en réduction, témoignent de cette admiration.

Crypte★

Ici, autour du tombeau de saint Gilles, se déroulait un des plus importants pèlerinages d'Occident : pendant trois jours, une foule de 50 000 personnes défilait dans le sanctuaire. L'église basse était autrefois couverte par des voûtes d'arêtes : il en subsiste quelques-unes dans des travées à droite de l'entrée. Le reste de la crypte présente des voûtes d'ogives (milieu du 12ᵉ s.) qui comptent parmi les plus anciennes de France. Remarquez l'escalier et le plan incliné qu'empruntaient les moines pour accéder à l'église haute. Sarcophages, autels antiques et chapiteaux romans attirent également l'attention.

visiter

Maison romane

☎ 04 66 87 40 42 - juil.-août : 9h-12h, 15h-19h ; de mi-fév. à fin mai et oct.-déc. : 9h-12h, 14h-17h ; juin et sept. : 9h-12h, 14h-18h - fermé janv., dim. et j. fériés - gratuit.

C'est dans cette belle demeure du 12ᵉ s. que serait né Guy Foulque, devenu en 1265 le pape Clément IV. À l'intérieur, une salle d'ethnographie présente la vie saint-gilloise d'autrefois : outils et objets de berger, tonnellerie, travail des champs et vie quotidienne. Dans la salle « médiévale » (magnifique cheminée), petit musée lapidaire où sont rassemblés des vestiges (sarcophages, bas-reliefs du 12ᵉ s., tympan et chapiteaux) provenant de l'ancienne abbaye.

circuit

LA CAMARGUE GARDOISE★

73 km – compter 1/2 journée.

Entre les costières et le Petit Rhône, Saint-Gilles et Aigues-Mortes, la Camargue gardoise, terre de marais et de roseaux, présente sans doute des paysages plus sévères que le delta du Rhône. Mais son attachement aux traditions, en particulier à celles liées à la « bouvine », en font un pays qui mérite d'être préservé... et exploré, d'autant que vous y traverserez trois terroirs labellisés : celui des costières de Nîmes, celui des vins des sables et celui du riz de Camargue.

Quitter St-Gilles au Sud-Ouest par la N 572 en direction de Montpellier.

À flanc de coteaux, la route traverse le territoire des **Costières de Nîmes** (nombreuses caves de producteurs où l'on pourra faire quelques emplettes) tout en dominant sur la gauche une zone lacustre : les vastes étangs de Scamandre, puis du Charnier, que l'on devine parmi les roselières.

Après 12 km, prendre sur la gauche la D 779 en direction de Gallician, puis, dans ce bourg viticole, à droite la petite D 38, puis sur la gauche la D 104 jusqu'au canal du Rhône à Sète.

Pont des Tourradons

Depuis ce pont perdu dans les marais, **vue★** intéressante sur un paysage typique de Petite Camargue : canal rectiligne, étangs, roseaux, mariage de la terre et du ciel dans la solitude et le silence. Quelques manades de taureaux noirs aux cornes en lyre paissent paisiblement dans les « prés » du **Cailar**. Il s'agit sans doute d'un des endroits où l'on peut approcher au plus près la Camargue authentique.

Reprendre en sens inverse la D 104 puis à droite (Mas Roubaud) la D 352.

Vauvert

Ce gros bourg viticole, aujourd'hui banlieue résidentielle de Nîmes, a conservé un centre ancien, avec des halles converties en lieux d'expositions.

COURSES

En **août** à Vauvert, une semaine de courses camarguaises. Le Cailar prend la relève avec une dizaine de courses. Aimargues et St-Laurent-d'Aigouze achèvent le mois avec force *abrivados, bandidos* et courses camarguaises.

DIABLE !

L'expression « Au diable Vauvert » n'a sans doute rien à voir avec Vauvert qui, du reste, s'appelait autrefois Posquières avant de prendre le nom d'un lieu de pèlerinage proche, la Vallis Viridis, ou vallée Verte.

Prendre la N 572 vers Aimargues. Au rond-point donnant accès au village du Cailar, tombeau d'un fameux taureau camarguais, le Sanglier.

Le Cailar

Le centre ancien de ce haut lieu de la bouvine, dont la signalétique a été réalisée par le peintre François Boisrond, a conservé un certain cachet languedocien. Ombragé de platanes, l'ancien « plan de la Glaciero » (les arènes) est un des temples de la course camarguaise.

Cercle d'art contemporain – Installé dans une belle maison de village, ce centre présente des expositions d'artistes contemporains, souvent centrées sur le thème des taureaux. Ce centre de création pluridisciplinaire possède également une librairie ainsi qu'un café installé sur la terrasse. *Maison Mathieu - 9 av. Baroncelli -* ☎ *04 66 88 94 61 - juil.-août : tlj sf lun. 11h-13h, 15h-20h ; sept.-juin : tlj sf lun. et mar. 14h-19h - gratuit.*

Quitter Le Cailar à l'Est pour rejoindre la D 979. La prendre à gauche.

Château de Teillan *(voir Aigues-Mortes)*

Saint-Laurent-d'Aigouze

Gros bourg viticole dont il faut absolument fréquenter les arènes, installées sur la place du village qu'ombragent de grands platanes et adossées à l'église (la sacristie semble servir de toril...), lors des grandes courses camarguaises de la **fête votive** *(la semaine qui suit le 15 août).*

Par la D 46, tracée sur une digue à travers les étangs, on contourne la **tour Carbonnière** *(voir Aigues-Mortes).*

Rejoindre la D 58 pour prendre à gauche en direction d'Arles.

On traverse alors le domaine des **vins des sables** (et des asperges). De proche en proche, grands mas, souvent ombragés de bosquets de pins parasols.

Au bout de 9,5 km, prendre sur la gauche la petite D 179.

Dans le hameau de **Montcalm**, vestiges d'une vaste demeure (très dégradée) du début du 18ᵉ s. où le marquis de Montcalm séjourna avant son départ au Canada. Une chapelle de la même époque, accolée à un mas, s'élève un peu plus loin dans le vignoble.

Très étroite, la route longe le canal des Capettes jusqu'au mas des Iscles (voir le « carnet pratique »). Au carrefour, se garer dans le parking du centre du Scamandre.

Centre de découverte du Scamandre

☎ *04 66 73 52 05 - www.camarguegardoise.com -* ♿ *- merc.- sam. 9h30-18h, possibilité de visite guidée (2h) - fermé j. fériés - 3,50 € (guide des expo.), 6 € visite guidée (+6 ans 3 €).*

⬆ Aménagé dans la Réserve naturelle volontaire du Scamandre, il a pour mission essentielle la protection et la gestion des marais ainsi que la sensibilisation du public à ce fragile écosystème. Une petite exposition et

---

LA SAGNE

La coupe du roseau, ou « sagne », a de tout temps constitué une ressource locale majeure. De la mi-novembre au mois d'avril, le roseau sec est coupé, souvent à la main, par les « sagneurs » puis entassé en gerbes. La récolte sert à confectionner des toits de chaume (pour les cabanes de gardian, par exemple) et à fabriquer les « paillassons » utilisés pour protéger les cultures. Mais cette pénible et peu rentable activité est de plus en plus délaissée (malgré la mécanisation) et les roseaux ont tendance à proliférer au détriment des équilibres écologiques du marais...

un sentier de découverte permettent de mieux connaître ce paysage fragile et original envahi par les roselières.

La D 779, à droite, conduit vers Gallician, le long du **canal des Capettes**, très fréquenté par les pêcheurs, et qui court entre les étangs du Charnier et de Scamandre, dans une véritable forêt de roseaux, fort appréciés des « sagneurs ».

Après avoir franchi le canal du Rhône à Sète et traversé Gallician, rentrer à Saint-Gilles par la N 572 à droite.

Dans les roselières des étangs de Scamandre et du Charnier, une récolte aujourd'hui mécanisée (près de Gallician).

Magnin G. /MICHELIN

Saint-Maximin-la-Sainte-Baume★★

De loin, sa magnifique basilique la domine de façon impressionnante : petite ville très provençale, Saint-Maximin constitue une étape agréable et verdoyante sur la route des vacances.

La situation

Carte Michelin Local 340 K5 – Schéma p. 346 – Var (83). La ville occupe le fond d'un ancien lac, non loin des sources de l'Argens, dans une région que cernent au Nord des collines boisées, entrecoupées de vignobles (AOC coteaux varois), et au Sud les assises du **massif de la Ste-Baume** *(voir ce nom).* Par la N 7 ou par l'autoroute, on accède à la place du marché, ombragée par des platanes (vaste parking à proximité).

🚩 *Pl. de-l'Hôtel-de-Ville, 83470 St-Maximin-La-Ste-Baume, ☎ 04 94 59 84 59.*

Le nom

Le village a pris le nom du saint qui, selon la tradition, l'évangélisa et dont on retrouva le tombeau au 13ᵉ s.

Les gens

12 402 St-Maximinois qui doivent à **Lucien Bonaparte** (1775-1840) la sauvegarde de leur basilique. Le frère de Napoléon était, pendant la Révolution, président du club des Jacobins de Saint-Maximin : il empêcha la destruction de la cathédrale en la transformant en dépôt de vivres, et celle des orgues... en y faisant jouer *La Marseillaise.*

se promener

La ville

Dans cette ancienne « ville neuve », au plan en damier, placettes ombragées et fontaines incitent à la flânerie. Au Sud de l'église, un passage couvert rejoint la **rue Colbert.** Celle-ci, bordée d'arcades du 14ᵉ s., signale l'emplacement de l'ancien ghetto ; de l'autre côté, mai-

carnet pratique

son de Lucien Bonaparte et ancien Hôtel-Dieu. En revenant en arrière, on aboutit à une placette dominée par la **tour de l'Horloge** et son campanile. Sur la droite, en direction de la rue De-Gaulle, jolie maison du 16e s. (tourelle en encorbellement).

visiter

Basilique★★

Visite : 45mn. À l'emplacement d'une église mérovingienne, on avait découvert en 1279 les tombeaux de sainte Marie-Madeleine et de saint Maximin, cachés en 716 par crainte des Sarrasins qui dévastaient la région. En 1295, le pape Boniface VIII reconnut les saintes reliques et, sur le lieu de la découverte, Charles d'Anjou, roi de Sicile et comte de Provence, fit bâtir une basilique et un couvent accolé, vaste bâtiment à 3 étages

DÉCOUVERTE
Sainte Marie-Madeleine, apparue en songe, parlait d'un lieu « où se trouverait une plante de fenouil toute verdoyante ». Charles II d'Anjou fit immédiatement faire des fouilles et l'un des sarcophages ayant laissé échapper des effluves anisés, il ne restait plus qu'à élever une basilique sur place pour honorer la sainte parfumée.

en forme de U. Il y installa les dominicains, gardiens du tombeau et animateurs du très célèbre pèlerinage.

L'extérieur de l'édifice, le plus important exemple de style gothique en Provence, mêle des influences du Nord (Bourges en particulier) aux traditions locales ; l'absence de clocher, la façade inachevée et les contre-forts massifs qui soutiennent, en s'élevant très haut, les murs de la nef contribuent à lui donner un aspect trapu. Il n'y a ni déambulatoire ni transept.

L'**intérieur** comprend une nef, un chœur et deux bas-côtés d'une remarquable élévation. La nef, haute de 29 m, à deux étages, est voûtée d'ogives dont les clefs de voûte portent des blasons des comtes de Provence et des rois de France ; une abside à cinq pans clôture le chœur. Les bas-côtés, hauts de 18 m seulement pour permettre l'éclairage de la nef par ses fenêtres hautes, s'achèvent par une absidiole à quatre pans.

Remarquez successivement le double buffet des grandes orgues **(1)**, œuvre du frère Isnard de Tarascon, un des plus beaux qui nous restent du 18e s. ; une belle statue en bois doré de saint Jean-Baptiste **(2)** ; le retable des Quatre Saints, du 15e s. **(3)** ; l'autel du rosaire **(4)** ; la clôture du chœur (17e s.) aux découpures garnies de grillages en fer forgé, aux armes de France **(5)** ; les 94 stalles exécutées au 17e s. par le frère convers dominicain Vincent Funel **(6)** ; la décoration en stuc de J. Lombard **(7)** ; la chaire, véri-table chef-d'œuvre de travail du bois, dont les sculptures représentent diverses phases de la vie de Marie-Madeleine **(8)** ; la base d'un retable du 15e s. de l'école provençale où l'on voit la décollation de saint Jean-Baptiste, sainte Marthe arrêtant la Tarasque sur le pont de Tarascon et le Christ apparaissant à Marie-Madeleine **(9)** ; et surtout, un **retable**★ en bois peint (16e s.) de Ronzen, dont le tableau central (Crucifixion) est entouré de 18 médaillons **(10)**.

Pazery D./MICHELIN

Le sarcophage de saint Sidoine : pour le trouver, il suffit de suivre l'odeur anisée du fenouil...

La **crypte**, ancien oratoire paléochrétien, renferme des sarcophages du 4e s. : ceux de sainte Marie-Madeleine, saintes Marcelle et Suzanne, saints Maximin et Sidoine. Au fond, reliquaire du 19e s. contenant un crâne, vénéré comme étant celui de sainte Marie-Madeleine. Quatre plaques de marbre ou de pierre comportent des figures gravées au trait de la Vierge, Abraham et Daniel (an 500 environ).

Couvent royal★

☎ *04 94 86 55 66 - www.hotelfp-saintmaximin.com - 9h-18h, possibilité de visite guidée (45mn).*

Commencé au 13e s. en même temps que la basilique à la-quelle il s'adosse, il fut achevé au 15e s. Le **cloître**★, d'une grande pureté de lignes, compte 32 travées. Autour des galeries se répartissent une ancienne chapelle aux belles voûtes surbaissées et l'ancien réfectoire des religieux.

Les cellules des moines ont été transformées en chambres d'hôtel et la salle capitulaire en restaurant *(voir le « carnet pratique »)*.

CALENDRIER
La basilique sert de cadre, en été, aux concerts classiques.

Saint-Rémy-de-Provence★

Au cœur des Alpilles, Saint-Rémy fleure bon la Provence : boulevards ombragés de platanes, terrasses de cafés caressées par le soleil, ruelles débouchant sur des places ornées de fontaines, senteurs de thym et de romarin les jours de marché, tout ici invite à remettre au lendemain ce qui ailleurs semblerait urgent... À deux pas, les ruines romaines rappellent un passé qui demeure toujours un peu présent.

La situation

Carte Michelin Local 340 D3 – Bouches-du-Rhône (13). Impossible de se tromper : après avoir traversé les faubourgs, on aboutit aux boulevards ombragés qui enserrent la vieille cité... en sens unique. Reste à trouver une place : au parking de la place de la République (marché le mer. matin), s'il n'y a pas trop de monde, ou place J.-Jaurès (en direction du plateau des Antiques). **🎫** *Pl. Jean-Jaurès, 13210 St-Rémy-De-Provence, ☎ 04 90 92 05 22. www.saintremy-de-provence.com*

Le nom

Une fois l'antique Glanum (dont le nom pourrait signifier « rivière ») abandonnée, la nouvelle cité se développa sous la protection de l'abbaye St-Rémi de Reims. En témoignage de reconnaissance, elle prit le nom de son lointain parrain.

Les gens

9 806 Saint-Rémois qui surent attirer les artistes (les nombreuses galeries d'art de la ville maintiennent la tradition) : **Van Gogh** séjourna un an à St-Paul de Mausole et le peintre **Mario Prassinos** y réalisa en 1985 les saisissantes *Peintures du Supplice* de la chapelle Notre-Dame-de-Pitié.

Magnin G. /MICHELIN

Une peinture murale sur la façade de l'hôtel Gounod (pl. de la République) rappelle que Charles Gounod séjourna à St-Rémy en 1869 et qu'il y composa la musique de « Mireille ».

découvrir

LE PLATEAU DES ANTIQUES★★

2h. Quitter St-Rémy par ③ du plan (voir aussi le schéma p. 119). Garer votre voiture sur le parking (payant) aménagé à droite, devant l'arc municipal.

Au pied des derniers contreforts des Alpilles, à 1 km au Sud de St-Rémy, parmi pinèdes et olivettes, s'élevait la riche cité de Glanum. Abandonnée à la suite des destructions barbares de la fin du 3ᵉ s., il en subsiste deux magnifiques monuments (le mausolée et l'arc municipal) qui semblent veiller sur le champ de ruines antiques.

Mausolée★★

À l'exception de la pomme de pin qui coiffait sa coupole, ce mausolée de 18 m de haut, un des plus beaux du monde romain, nous est parvenu intact.

Des bas-reliefs représentant des scènes de batailles et de chasse ornent les quatre faces du socle carré. Au 1ᵉʳ étage du mausolée, on peut lire sous une frise à sujet marin cette inscription : « Sextius, Lucius, Marcus, fils de Caïus, de la famille des Julii, à leurs parents. » Il s'agit d'une dédicace que trois frères firent graver en l'honneur de leurs père et grand-père, dont les statues sont placées à l'intérieur de la rotonde à colonnade corinthienne du 2ᵉ étage.

Arc municipal★

Peut-être contemporain du mausolée, il passe pour le plus ancien des arcs romains de la Narbonnaise. Sur le passage de la grande voie des Alpes, il marquait l'entrée de Glanum. Ses proportions parfaites (12,5 m de longueur, 5,5 m de largeur et 8,6 m de hauteur) et la qualité

Sauvignier S./MICHELIN

Le mausolée n'est pas un tombeau mais un monument élevé à la mémoire d'un défunt, sans doute vers 30 avant J.-C.

carnet pratique

VISITE

Visite guidée de la ville – L'Office de tourisme organise une visite de la vieille ville le sam. à 10h et une promenade sur les lieux peints par Van Gogh les mar., jeu. et vend. à 10h. *Réservation obligatoire. 6,40 €.* ☎ 04 90 92 05 22.

Circuit touristique – « La Provence au temps de Nostradamus », découverte de la Renaissance dans les Alpilles, de St-Rémy-de-Provence à Salon-de-Provence. *Dépliant disponible à l'Office de tourisme.*

SE LOGER

⊜⊜ **Cheval Blanc** – *6 av. Fauconnet -* ☎ 04 90 92 09 28 - ramon.joelle @wanadoo.fr - fermé de déb. nov. à déb. mars - ▣ - 25 ch. 45/60 € - ⊑ 6 €. Maison familiale située au cœur de la charmante cité provençale. Accueil à l'étage, chambres rafraîchies et colorées, salon agrémenté de quelques meubles régionaux. Les petits-déjeuners sont servis sous la véranda ou sur la terrasse.

⊜⊜ **L'Amandière** – *Av. Plaisance-du-Touch - 1 km au NE de St-Rémy par rte d'Avignon puis rte de Noves -* ☎ 04 90 92 41 00 - ▣ - 26 ch. 54/64 € - ⊑ 7 €. Le jardin et la piscine sont plaisants, le quartier est calme, la bâtisse récente, l'accueil charmant... Que demander de plus ? Chambres sobres, de taille moyenne, certaines avec petite terrasse ou balcon. Petit déjeuner soigné, servi sous la véranda ou à l'extérieur.

⊜⊜ **Chambre d'hôte La Chardonneraie** – *60 r. Notre-Dame - 13910 Maillane - 7 km au NO de St-Rémy par D 5 -* ☎ 04 90 95 80 12 - www.lachardonneraie.com - ouv. tte l'année - 🖃 - 4 ch. 61/67 € - ⊑ 6 €. Les chambres aménagées dans un mas du 18ᵉ s. restauré sont personnalisées et décorées dans un esprit provençal : mobilier ancien, fer forgé et couleurs ensoleillées. Agréable jardin avec piscine. Petits-déjeuners servis sous une treille aux beaux jours.

⊜⊜⊜ **Hôtel Gounod** – *18 pl. de la République -* ☎ 04 90 92 06 14 - www.hotel-gounod.com - fermé mars - ▣ - 34 ch. 90/230 € ⊑ Charles Gounod séjourna dans ces murs en 1863 pour composer son opéra Mireille. Aujourd'hui, entièrement rénové, cet hôtel perpétue la tradition d'hospitalité provençale avec tous les agréments du confort moderne. Ses chambres, disposées autour d'un jardin insoupçonnable de l'extérieur, ne manquent pas d'attraits.

SE RESTAURER

⊜ **L'Assiette de Marie** – *1 r. Jaume-Roux -* ☎ 04 90 92 32 14 - fermé jeu. en hiver - 13/29 €. Ce restaurant possède un charme fou avec son étonnant décor aux allures de brocante : vous vous attablerez ici entre une machine à écrire antédiluvienne et un vénérable gramophone. Les pâtes maison peuvent se trouver à l'Épicerie de Marie, adjacente.

⊜⊜ **Alain Assaud** – *13 bd Marceau -* ☎ 04 90 92 37 11 - fermé 5 janv. - 15 mars et 15 nov.-15 déc. - 25/40 €. Papeton d'aubergine ou soupe au pistou, loup grillé ou aïoli de morue fraîche ? Cette ancienne boutique est devenue le rendez-vous des gourmets saint-rémois.

⊜⊜⊜ **Café des Arts** – *30 bd Victor-Hugo -* ☎ 04 90 92 08 50 - fermé 15 nov.-15 déc. et lun. - 30/39 €. Murs jaunes, banquettes rouges, expositions de tableaux contemporains, ambiance de bistrot et séduisante cuisine du marché font le charme de ce restaurant précédé d'un café.

⊜⊜ **La Maison Jaune** – *15 r. Carnot -* ☎ 04 90 92 56 14 - lamaisonjaune @wanadoo.fr - fermé 8 janv.-8 mars, dim. soir en hiver, mar. midi de juin à sept. et lun. - réserv. obligatoire - 30/55 €. Jaune est la façade de ce restaurant situé en plein centre-ville. Jaune aussi le carrelage à motifs de sa jolie terrasse sur deux niveaux, ombragée d'un auvent et offrant la vue sur l'église. Mobilier en teck et ferronnerie. Cuisine actuelle aux senteurs provençales.

EN SOIRÉE

Lézard Vin – *12 bd Gambetta -* ☎ 04 90 92 59 66 - 18h-0h. Ce bar à vins au décor hétéroclite est prisé pour sa convivialité, sa belle sélection de crus régionaux, son agréable terrasse et son ambiance musicale. Tartines et amuse-gueules pour les petites faims. Vins à emporter.

QUE RAPPORTER

Marchés – Marché traditionnel mercredi matin, pl. de la République et pl. Pélissier. En période calendale, le marché du gros souper permet de se procurer les ingrédients de base pour le repas de Noël provençal.

Florame - musée des Arômes – *34 bd Mirabeau -* ☎ 04 32 60 05 18 - www.florame.com - tlj sf dim. 10h-12h30, 14h30-19h - fermé dim. de mi-sept. à Pâques - gratuit. Cette parfumerie se visite comme un musée. L'ancien atelier, avec ses vieux alambics et sa collection de flacons de parfum, se trouve à l'entrée. Puis vient la visite, guidée et gratuite, expliquant les procédés d'élaboration du parfum. Bon choix d'huiles essentielles, de savons et de cosmétiques « bio ».

Le Petit Duc – *7 bd Victor-Hugo -* ☎ 04 90 92 08 31 - www.petit-duc.com - 10h-13h, 15h-19h - fermé vac. de fév. Lunes, désirés, cœurs du petit Albert, folies de Paulette, walkyries... Des noms tendrement évocateurs pour ces pâtisseries, douceurs sucrées ou biscuits salés confectionnés de façon artisanale et dans le plus grand respect de recettes anciennes.

Olive-Les Huiles du Monde – *16 bd Victor-Hugo -* ☎ 04 90 92 53 93 - oliveleshuiles dumonde@mageos.com - 10h-13h, 15h-20h - fermé nov.-fév. Dans une belle maison de maître, dégustation et vente des huiles AOC de toutes provenances : Les Baux, Aix, Nyons ou Nice. À la même adresse, une petite visite au Monde de la Truffe s'impose...

Santonnier S./MICHELIN

Santonnier Laurent-Bourges – *Rte de Maillane - À 2 km de St-Rémy par la D 5 -* ☎ *04 90 92 20 45 - 9h-19h.* Depuis 1955, Laurent Bourges se consacre avec passion à la réalisation de santons de Provence. Rendez-lui visite, il vous montrera son atelier et, qui sait, vous dévoilera peut-être quelques secrets de son savoir-faire.

SPORTS & LOISIRS

Les Calèches de Provence – *R. Étienne-Astier -* ☎ *04 90 92 30 55 - club-hippique-des-antiques@wanadoo.fr - 9h-12h, 16h-19h - à partir de 38 €/pers.* Le club hippique des Antiques organise des découvertes du massif des Alpilles en calèche ou à cheval. Les différents circuits proposés respectent une thématique : les vins, l'huile d'olive, la route des peintres ou les collines saint-rémoises.
La Provence vue d'avion – *5 r. Carnot -* ☎ *04 90 92 22 84 - www.provence-vue-avion.com tlj du lever au coucher du soleil*

selon les conditions climatiques - à partir de 39 €. La Provence comme vous ne l'avez jamais vue ! C'est ce que propose cette société spécialisée dans les visites aériennes commentées. Vous prendrez place à bord d'un Cessna 182 ou 172 et survolerez les plus beaux sites provençaux. Magique !

CALENDRIER

Festival Organa – Le Festival international d'orgue a lieu de déb. juil. à mi-sept., le samedi à 17h30, dans la collégiale St-Martin.
Feria provençale – Autour du 15 août. Courses camarguaises, *abrivados, encierros* (lâchers de taureaux). Le 15 août : *carreto ramado* (charrette décorée, tirée par 50 chevaux), à partir de 10h30 et défilé d'Arlésiennes en costumes traditionnels.
Fête de la transhumance – Le dimanche de Pentecôte, chèvres, brebis et moutons des Alpilles traversent la cité en fête qui accueille une foire aux fromages, une brocante et une exposition d'ânes de Provence. L'une des fêtes les plus célèbres du Sud.
Fêtes de la route des peintres – Elles se déroulent un dimanche de mai, juin, août et septembre. Organisées dans le centre ancien de Saint-Rémy, ces fêtes réunissent près de 250 artistes, peintres et sculpteurs ; leurs œuvres, n'attendent qu'une chose : changer de propriétaire. Les collectionneurs viennent nombreux, dès 10h. ☎ 04 90 92 05 22
Marché nocturne des créatures – De mi-juin à mi-sept. le mardi soir place de la Mairie. ☎ 04 90 92 05 22
Messe de minuit avec pastrage – 24 décembre.

exceptionnelle de son décor sculpté dénotent une influence grecque, très sensible à Glanum : arcade unique sculptée d'une ravissante guirlande de fruits et de feuilles ; voûte ornée de caissons hexagonaux finement ciselés. Sur les côtés, des captifs, hommes et femmes, au pied de trophées, laissent transparaître leur abattement.

Glanum★

☎ *04 90 92 35 07 - avr.-août : 9h-19h ; sept.-mars : tlj sf lun. 10h30-17h, possibilité de visite guidée (1h) - fermé 1ᵉʳ janv., 1ᵉʳ Mai, 1ᵉʳ et 11 nov. et 25 déc. - 6,10 € (gratuit -18 ans), gratuit 1 dim. de chaque mois oct.-mars et le 3ᵉ w.-end de sept.* Le site présente un ensemble de structures complexes, suite aux trois périodes distinctes d'occupation. Dans le bâtiment d'accueil, deux maquettes du site, des fresques

Sauvignier S./MICHELIN

Selon certaines hypothèses, la forme très particulière de cet arc aurait inspiré certains portails romans, comme celui de St-Trophime à Arles.

GLANUM, EN TROIS ACTES

À l'origine sanctuaire vénéré par une peuplade celto-ligure, les Glaniques, et situé à proximité de deux importantes routes, Glanon (ou Glanum I) ne tarda pas à entrer en contact avec les négociants massaliotes. Cette cité hellénisée comprenait des édifices publics (temple, agora, salle d'assemblée, rempart) et des maisons à péristyle. Glanum II commence avec la conquête romaine de la fin du 2e s. avant J.-C. et l'occupation du pays par les armées de Marius après sa victoire sur les Cimbres et les Teutons. Les bâtiments publics disparaissent en grande partie.

Glanum III suit la prise de Marseille en 49 avant J.-C. La romanisation s'intensifie et, sous Auguste, la ville fait peau neuve. Au centre, les constructions anciennes laissent place à une vaste esplanade sur laquelle se dressent de grands monuments publics : forum, basilique, temples, thermes, etc.

VUE D'ENSEMBLE
Depuis les **belvédères** *(sur le chemin d'accès au sanctuaire gaulois),* on embrasse du regard l'ensemble du site.

reconstituées, ainsi que divers fragments d'architecture et objets domestiques familiarisent le visiteur avec les différentes phases de l'histoire du site.

Sanctuaire gaulois - Établi en terrasses, il remonte au 6e s. avant J.-C. Dans le secteur, on a retrouvé des statues de guerriers accroupis et des stèles à crânes identiques à celles des grands oppidums salyens.

Bassin monumental - Il marque l'emplacement de la source qui est peut-être à l'origine de Glanum. Il est constitué de murailles en grand appareil de type grec. Un escalier mène au fond, encore alimenté en eau. Juste à côté, Agrippa fit édifier en 20 avant J.-C. un temple dédié à Valetudo, déesse de la santé.

Porte fortifiée - Ce remarquable vestige hellénistique utilise, comme à St-Blaise, la technique massaliote des fortifications en gros blocs rectangulaires bien ajustés, avec merlons et gargouilles. Le rempart, qui comprend une poterne en chicane et une porte charretière, était destiné à protéger le sanctuaire.

Temples - Au Sud-Ouest du forum (sur la gauche en descendant) s'élevaient deux temples jumeaux entourés d'un péribole dont la partie Sud recouvrait partiellement une salle d'assemblée (le *bouleutérion*) avec des gradins. Ces monuments romains, les plus anciens de ce type en Gaule, dataient de 30 avant J.-C. De leur riche décoration, on a exhumé d'importants fragments et de très belles sculptures *(visibles à l'hôtel de Sade)*. En face, devant le forum, s'étendait la cour trapézoïdale d'un bâtiment hellénistique, entourée de colonnades, où se dressait une fontaine monumentale **(1)**.

Glanum : tout le charme d'une ville abandonnée depuis plus de 17 siècles.

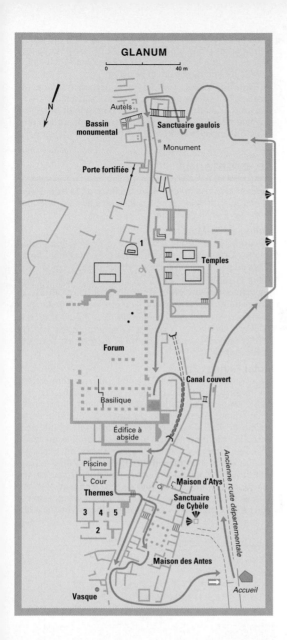

GLANUM

0   40 m

N

Autels

Bassin monumental

Sanctuaire gaulois

Monument

Porte fortifiée

1

Temples

Forum

Canal couvert

Basilique

Édifice à abside

Piscine

Cour

Thermes

3   4   5

2

Maison d'Atys

Sanctuaire de Cybèle

Ancienne route départementale

Maison des Antes

Vasque

Accueil

Forum - Aménagé sur les décombres d'édifices préromains, le forum se terminait au Nord par la basilique (bâtiment à vocation multiple, commerciale et administrative en particulier) dont il reste 24 piles de fondations, et sous laquelle se trouvaient un temple et la maison de Sulla qui a livré des mosaïques, sans doute les plus anciennes de la Gaule. Au Sud de la basilique s'étendait la grande cour du forum, sous laquelle ont été retrouvés une maison et un grand bâtiment hellénistique.

Canal couvert - C'est vraisemblablement un ancien égout, drainant les eaux du vallon et de la ville, dont la couverture a formé le pavement de la principale rue de Glanum.

Thermes - Ils remontent à l'époque de César. On reconnaît la piscine froide, peut-être à eau courante, la salle de chauffe **(2)**, la salle froide **(3)**, la salle tiède **(4)** et le bassin chaud **(5)** et, enfin, une palestre, aménagée pour les exercices physiques.

Déposées pour restauration, les mosaïques ne sont plus visibles sur le site. Vous pourrez voir deux d'entre elles au **musée du site archéologique de Glanum** installé dans **l'hôtel de Sade** à St-Rémy *(voir description dans « visiter »)*.

Maison d'Atys - Elle se divisait, dans son état primitif, en deux parties (cour à péristyle au Nord et bassin au Sud) reliées par une large porte. Par la suite, un sanctuaire de Cybèle fut aménagé vers le péristyle.

Maison des Antes - Contiguë à la précédente, c'est une vaste et belle demeure de type grec ; son plan est organisé autour d'une cour centrale à péristyle et sa citerne. La baie d'entrée d'une salle conserve encore ses deux pilastres cannelés (les *antes*).

se promener

Bordant le boulevard circulaire, la **place de la République** anime le centre-ville avec ses terrasses de café et les couleurs des jours de marché.

Collégiale St-Martin

Son imposante façade n'a conservé de l'édifice primitif que le clocher du 14e s. À l'intérieur, exceptionnel **buffet d'orgue** polychrome, reconstruit en 1983.

Dans la rue Hoche, qui, à droite de la collégiale, longe les restes de l'enceinte du 14e s., **maison natale de Nostradamus** et bâtiment de l'**ancien hôpital St-Jacques**.

Prendre à gauche pour rejoindre la place Jules-Pélissier, où se dresse la mairie, installée dans un ancien couvent. Poursuivre par la rue La Fayette (à droite) puis, à gauche, la rue Estrine.

Hôtel Estrine

Au n° 8. Bâti en 1748, ce bel hôtel doit son nom actuel à un maître cordier marseillais, Louis Estrine. Le bâtiment en pierre de taille, à trois niveaux, présente en façade une partie centrale concave où s'ouvre le portail surmonté d'un élégant balcon en fer forgé. À l'intérieur, l'escalier monumental en pierre dessert les pièces du 1er étage pavées de tomettes et ornées de gypseries. L'hôtel abrite le **centre d'Art-Présence-Van-Gogh** qui présente un montage audiovisuel et une exposition thématique (renouvelés chaque année) sur Vincent Van Gogh. À l'étage : expositions d'art contemporain et deux salles consacrées au peintre **Albert Gleizes** (1881-

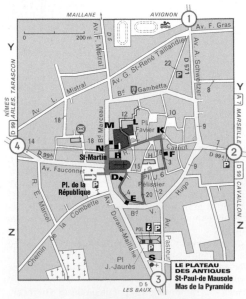

ST-RÉMY-DE-PROVENCE

1953), qui mourut à St-Rémy. ☎ 04 90 92 34 72 - *mars-déc. : tlj sf lun. 10h30-12h30, 14h30-18h30, possibilité de visite guidée (1h) - fermé de déb. janv. au 25 mars, 2 sem. en nov., 1er janv. et 25-26 déc - 3,20 €.*

En sortant, poursuivre dans la rue Estrine.

À l'angle des rues Carnot et Nostradamus, la *font vèio*, dite aussi « **fontaine Nostradamus** » (19e s.), est ornée du portrait de l'enfant du pays.

Suivre la rue Carnot, puis à droite la rue du Parage.

À quelques pas, la place Favier (Le Planet ou ancienne place aux Herbes) est bordée de beaux hôtels : l'**hôtel de Sade** (15e-16e s.) et l'**hôtel Mistral de Mondragon**, vaste demeure du 16e s. ordonnée autour d'une belle cour avec tourelle d'escalier ronde et loggias, qui abrite le musée des Alpilles (*voir visiter*).

De retour dans la rue Carnot, vous passez devant l'**hôtel d'Almeran-Maillane** (où Gounod donna la première audition de *Mireille*) avant de retrouver le boulevard Marceau. Sur la droite, au n° 11, se trouve l'ancien **hôtel de Lubières**, dit aussi « maison de l'Amandier », où un sculpteur sur bois d'amandier a installé son atelier. ☎ 04 90 92 02 28 - ♿ - *visite sur demande - gratuit.*

visiter

Musée des Alpilles
Pl. Favier. ☎ 04 90 92 68 24 - ♿ - *se renseigner - fermé lun., 1er janv., 1er Mai et 25 déc. - 3 €, gratuit 1er dim. du mois.*
Il est installé dans l'hôtel Mistral de Montdragon, d'époque Renaissance, qui abrite une remarquable cour intérieure où veille le buste de Vincent Van Gogh sculpté par Ossip Zadkine. L'exposition permanente permet de comprendre les paysages actuels, naturels et humains de la région des Alpilles. Deux salles sont consacrées à la typographie et à l'estampe.

Donation Mario Prassinos★
Av. Durand-Maillane. ☎ 04 90 92 35 13 - *juil.-août : 11h-13h, 15h-19h ; sept.-déc. et de mi-mars à fin juin : 14h-18h - fermé lun. et mar., déc.-janv., 1er Mai, 14 juil., 15 août, 1er et 11 nov. - 2 € (gratuit -13 ans).*
C'est pour la petite chapelle Notre-Dame-de-Pitié, où jadis les pèlerins se rendaient lorsqu'apparaissaient de grands fléaux, peste ou famine, que Mario Prassinos (1916-1985), artiste d'origine grecque établi à Eygalières (*voir les Alpilles*), a réalisé cette série de peintures murales sur le thème du supplice. Des gravures sur cuivre, des estampes, des encres de Chine sur papier, présentées en alternance, complètent cette donation.

Monastère de St-Paul-de-Mausole
1 km à la sortie de la ville par la D 5, en direction du plateau des Antiques et de Glanum. Parking des Antiques. ☎ 04 90 92 77 00 - ♿ - *10h-18h30, sam. 12h-18h30, dim. et j. fériés 10h-18h30 - fermé 1er nov. et vac. scol. Noël - 3,40 €.*
À proximité des Antiques, auquel son nom (Mausole) est lié, ce monastère devint maison de santé dès le milieu du 18e s. Un beau clocher carré, orné d'arcatures lombardes, coiffe l'église (fin 12e s.). Dans le **cloître★** adjacent, élégant décor roman avec chapiteaux sculptés de motifs variés (feuillages, animaux, masques, etc.).
Le monastère garde le souvenir de Van Gogh, qui s'y fit interner volontairement du 3 mai 1889 au 16 mai 1890 (chambre reconstituée). Disposant d'un atelier, l'artiste ne cessa de peindre : son cadre de vie, la nature (*Les Cyprès, Le Champ de blé au faucheur*, etc.), des auto-portraits. Dans les anciennes salles capitulaires, exposition-vente des œuvres de l'atelier d'art thérapie.

UNE MAISON HISTORIQUE !
« Vincent Van Gogh n'est pas né dans cette maison. Il n'y est pas décédé non plus », affirme avec humour une plaque de marbre apposée sur une façade de la rue Jaume-Roux.

CHANT DU CYGNE
Difficile de résister à l'émotion devant ces troncs et ces branches torturées, réalisées dans une austère opposition de noir et de blanc : un cancer allait emporter Mario Prassinos quelques jours après qu'il eut achevé cette œuvre.

SUR LES PAS DE VAN GOGH
🚶 *1,5 km.* Du monastère au centre-ville, 21 reproductions ponctuent un parcours où vous lirez le paysage à travers les yeux de l'artiste (*plan à l'Office de tourisme*).

*Saint-Paul-de-Mausole :
Van Gogh y rencontra les
étoiles de son envoûtante
« Nuit étoilée ».*

Magnin G. /MICHELIN

Mas de la Pyramide

*Accès à 200 m du monastère de St-Paul-de-Mausole.
☏ 04 90 92 00 81 - 9h-18h, possibilité de visite guidée (30 à
60mn) - 4 €.*

Au centre du terrain,
la « pyramide », rocher
vertical de 23 m de haut,
permet d'apprécier
l'ancien niveau de la
surface avant le début de
l'exploitation des carrières.

Ce mas troglodytique, à l'aménagement intérieur insolite, fut construit en grande partie dans les anciennes
carrières romaines, dont les matériaux ont servi à l'érec-
tion de Glanum. Les cavités abritent un musée rural rassemblant des outils et du matériel agricole utilisés autrefois par les paysans du terroir.

Massif de la **Sainte-Baume**★★

Lieu de spiritualité depuis les temps les plus reculés
(déjà les Gaulois en avaient fait un bois sacré), le
massif de la Sainte-Baume attire les amoureux de
la nature par la diversité de ses reliefs abrupts, ses
multiples promenades et son écosystème original,
avec les essences nordiques qui peuplent sa forêt et
lui donnent un caractère unique en Provence.

La situation

*Carte Michelin Local 340 J6 – Bouches-du-Rhône (13) et Var
(83).* Le massif, le plus étendu et le plus élevé des chaî-
nons provençaux, atteint 1 147 m au Signal de la Ste-
Baume. Le versant Sud, aride et dénudé, monte en pente
douce du bassin de Cuges à la ligne de crête, longue de
12 km, dont l'un des points culminants, le Saint-Pilon
(alt. 994 m), offre un splendide panorama. Une falaise
verticale, haute de 300 m environ, donne sa physiono-
mie au versant Nord, qui abrite la célèbre grotte ; en
contrebas s'étale la forêt domaniale, près du plateau du
Plan-d'Aups évoquant les Causses.

Le nom

La *bauma* (ou *baoumo*), « grotte » en provençal, devenue
sainte depuis que Marie-Madeleine a choisi de s'y retirer, a donné son nom à la forêt comme au massif.

Les gens

Impossible ici de ne pas évoquer Marie-Madeleine qui,
selon la légende, évangélisa la Provence.

DU GOLGOTHA AU SAINT-PILON

Sœur de Marthe et de Lazare, Marie-Madeleine mène une vie peu édi-
fiante jusqu'à sa rencontre avec Jésus. Subjuguée, la pécheresse repentie suit le Sauveur. Elle se trouve au pied de la croix au Golgotha et, le
matin de Pâques, elle est la première à qui Jésus ressuscité se manifeste. Selon la tradition provençale, elle est chassée de Palestine lors
des premières persécutions contre les chrétiens, avec Marthe, Lazare,
Maximin et d'autres saints. Après qu'ils ont abordé aux Stes-Maries,
l'itinéraire de prédication de Marie-Madeleine la mène à la Ste-Baume.
La sainte passe là trente-trois ans dans la prière et la contemplation.
Sentant venir sa dernière heure, elle descend dans la plaine où saint
Maximin lui donne la dernière communion et l'ensevelit.

---

carnet pratique

SE LOGER

⌂ **Hôtellerie de la Ste-Baume** – *83460
Plan-d'Aups* - ☎ *04 42 04 54 84 - 60 ch.
11/25 € - ⌧ 3,50 € - repas 12 €.* Cette
hôtellerie située en pleine nature, à la lisière de
la forêt domaniale de la Ste-Baume, accueille
aussi bien les pèlerins que les randonneurs
et ceux qui désirent se retirer un temps du
monde... pour méditer sur le sens de la vie ?

⌂⌂ **Le Parc** – *Vallée St-Pons - 13420
Gémenos - 1 km à l'E de Gémenos par D 2 -
☎ 04 42 32 20 38 - hotel.parc.gemenos
@wanadoo.fr - ▯ - 13 ch. 53/85 € - ⌧
6,50 € - restaurant 24/48 €.* Au calme, en
retrait de la départementale, une maison
nichée dans un écrin de verdure. Terrasse
ombragée et salle à manger s'ouvrant sur le
jardin. Coquettes petites chambres gaiement
colorées.

SE RESTAURER

⌂ **La Restanque** – *R. de La Treille - 13360
Roquevaire - ☎ 04 42 04 21 78 - fermé lun.
soir - 13,50/41 €.* Belle terrasse, ensoleillée
l'hiver et ombragée l'été, au-dessus de la
place, juste à côté de l'Huveaune. Cuisine au
feu de bois et spécialités méditerranéennes.

⌂⌂ **Lou Pebre d'Aï** – *Rte Pic-de-
Bertagne - 83460 Plan-d'Aups -
☎ 04 42 04 50 42 - lou.pebre.dai
@wanadoo.fr - fermé 5-31 janv., vac.
de fév., mar. soir et merc. sf du 15 avr.
au 15 sept. - 21/45 € - 12 ch. 46/65 € -
⌧ 6 €.* Halte reposante dans une grande
maison de ce village dominé par
l'escarpement de la Ste-Baume. Plaisant
décor campagnard au restaurant et terrasse
bordant un jardin avec piscine. Cuisine aux
saveurs du terroir. Chambres simples et
calmes.

QUE RAPPORTER

Moulin à huile de la Cauvine – *Quartier
de la Cauvine - entre St-Jean-de-Garguier et
St-Estève - 13360 Roquevaire - ☎ 04 42 04
09 30 - jeanpaul.julien@free.fr - tlj sf dim.
9h-19h - fermé j. fériés.* Un vrai paysage de
carte postale entoure cette ferme plantée au
milieu des oliviers, des vergers et des champs
de légumes. Vous pourrez y remplir votre
panier de fruits et légumes de saison, tous
les mardis et les vendredis. À noter : l'huile
d'olive fabriquée ici, vendue à prix attractif,
a obtenu plusieurs médailles.

Campion L. /MICHELIN

Montagne de la Ste-Baume : 33 ans de pénitence et 300 m d'escalade ; les voies du Seigneur sont souvent escarpées !

comprendre

D'une superficie d'environ 140 ha, la **forêt**★★ (altitude comprise entre 680 et 1 000 m) doit à son originalité d'être classée en réserve biologique domaniale. En effet, elle est peuplée surtout de hêtres géants et d'énormes tilleuls entremêlés d'érables dont les hautes voûtes de feuillages légers se ferment sur l'épaisse et sombre ramure des ifs, des fusains, des lierres et des houx. Pourquoi rencontre-t-on, en pleine Provence, des arbres qui ne dépareraient pas les forêts d'Île-de-France ? Tout simplement à cause de l'ombre portée par la haute falaise qui, au Sud, domine la région boisée : elle y entretient une fraîcheur et une humidité toutes septentrionales, fort appréciées l'été, comme on s'en doute, par les populations locales. Dès que cette muraille s'abaisse, les chênes méditerranéens resurgissent. Depuis un temps immémorial, la « forêt-relique » est quasiment « hors de coupe » : on veille essentiellement à assurer une régénération suffisante de ce patrimoine unique en Provence et à prévenir la chute des arbres dangereux.

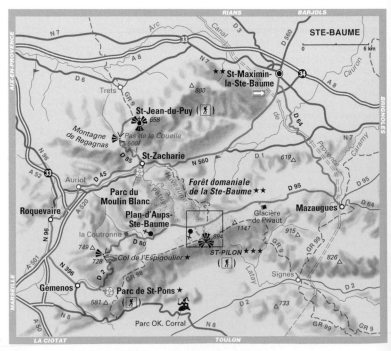

circuit

Circuit de 107 km au départ de St-Maximin-la-Ste-Baume (voir ce nom) – environ 5h, ascension du St-Pilon non comprise. Quitter St-Maximin au Sud par la N 560 en direction d'Aubagne ; après le pont ferroviaire, prendre tout de suite à gauche la D 64.

Mazaugues

Cette petite localité varoise accueille le **musée de la Glace**, rappelant l'activité qui en fit un lieu jadis béni des Toulonnais et des Marseillais au moment des canicules estivales. Il est bien entendu dédié en partie aux méthodes locales de production artisanale de la glace auxquelles sont consacrés plusieurs panneaux : maquette d'une glacière et d'un bassin de gel, outils... Vous découvrirez le cheminement de cette précieuse et éphémère denrée jusqu'à ses utilisateurs. ☎ 04 94 86 39 24 - *www.museeglace.fr.st* - ♿ - *juin-sept. : tlj sf lun. 9h-12h, 14h-18h ; oct.-mai : dim. et j. fériés 9h-12h, 14h-17h, possibilité de visite guidée (1h) - 2,30 €.*

Poursuivre sur la D 95 en direction de Plan-d'Aups. Au lieu-dit Les Glacières, la **glacière de Pivaut** a été récemment restaurée *(accès par un chemin forestier sur la gauche de la D 95).*

AU 1ᵉʳ SIÈCLE AVANT LE RÉFRIGÉRATEUR
À l'approche des premières gelées, les eaux des sources avoisinantes étaient détournées à l'aide de rigoles vers des « bassins de gel » disposés en gradins. Une fois l'hiver venu, la glace était chargée dans des tombereaux avant d'être « cavée » dans des glacières aux murs intérieurs garnis de paille : une fois la glacière pleine, il suffisait de fermer et d'attendre l'été. La glace était alors débitée au ciseau et faisait le bonheur des citadins accablés de chaleur et démunis de tout moyen de conservation des aliments. Il y avait sur le territoire de la commune de Mazaugues pas moins de 17 glacières, qui alimentèrent en glace Toulon, puis Marseille, durant tout le 19ᵉ s.

Hôtellerie de la Ste-Baume

Dans le hall, portail d'entrée à la grotte réalisé au 16ᵉ s. par Jean Guiramand. Une chapelle a été aménagée en 1972 dans une belle salle voûtée, l'ancien abri des pèlerins. Sur la gauche de l'hôtellerie, humble cimetière des dominicains décédés durant leur séjour au couvent.

Accès à la grotte

🚶 *1h30 AR. Deux possibilités s'offrent : depuis l'hôtellerie : emprunter le « chemin du Canapé » à gauche des bâtiments, qui passe par le Canapé, amoncellement d'énormes blocs moussus ; ou, depuis le carrefour des Trois-Chênes (D 80 et D 95), suivre le « chemin des Rois », plus aisé.*

Ces deux chemins se rejoignent au **carrefour de l'Oratoire** après un agréable parcours sous la magnifique futaie de la Ste-Baume. Du carrefour, à droite, un large sentier rejoint un escalier taillé dans le roc et barré, à mi-côte, par une porte décorée de l'écu fleurdelisé de France ; à gauche, une niche sous roche protège un calvaire en bronze. L'escalier *(150 marches)* aboutit

UN PÈLERINAGE TRÈS COURU
Dès le 5ᵉ s., les moines de St-Cassien s'installent dans la grotte, déjà vénérée par la population. Sa renommée attire de nombreux pèlerins : des rois de France (dont saint Louis), plusieurs papes, des milliers de grands seigneurs et des millions de fidèles feront le voyage. Un des premiers actes publics du roi René en Provence sera de se rendre à la grotte en compagnie de son neveu, le futur Louis XI. À partir de 1295, les dominicains ont la garde de la grotte. Leur hôtellerie toute proche sera brûlée à la Révolution (traces encore visibles sur la paroi rocheuse). En 1859, le père Lacordaire y ramène les dominicains, ainsi qu'à St-Maximin. L'hôtellerie a été reconstruite sur ses indications, en bas sur le plateau.

CALENDRIER

Pour la **fête de Sainte-Marie-Madeleine** le 22 juillet, procession des reliques de la sainte au départ de la basilique de St-Maximin. Un spectacle est donné le 21 juillet au soir et une messe est célébrée le 22 à la basilique. À Noël, une messe de minuit se tient dans la grotte.

à une **terrasse** au parapet surmonté d'une croix de pierre (Pietà en bronze, treizième station du chemin de croix). Belle **vue★** sur la montagne Ste-Victoire que semblent prolonger, à droite, le mont Aurélien, et en contrebas sur Plan-d'Aups, l'hôtellerie et la forêt touffue. La **grotte**, en forme d'hémicycle, s'ouvre au Nord de la terrasse, à 946 m d'altitude. Un reliquaire, à droite du maître-autel, contient les reliques de sainte Marie-Madeleine provenant de St-Maximin. Derrière le maître-autel, dans une anfractuosité surélevée de 3 m, seul lieu sec de la grotte, se trouve une statue de Marie-Madeleine allongée ; cet endroit serait le « lieu de pénitence » de la pécheresse repentie.

Saint-Pilon★★★

🚶 *2h AR. Au carrefour de l'Oratoire, passer devant l'oratoire, puis prendre le sentier de droite (jalonnement rouge et blanc du GR 9). Ce sentier longe une chapelle abandonnée, dite « des Parisiens », monte en zigzag et tourne à droite au col du St-Pilon.*

Au sommet se trouvait une colonne (d'où le nom de St Pilon), remplacée par une petite chapelle. En ce lieu, selon la légende, sept fois par jour, les anges portaient sainte Marie-Madeleine qui écoutait avec ravissement les « concerts du Paradis ». Du St-Pilon (alt. 994 m), magnifique **panorama★★★** (table d'orientation) : au Nord, sur l'hôtellerie de la Ste-Baume au premier plan, le Ventoux que l'on devine au loin, le Luberon, la montagne de Lure, le Briançonnais, le mont Olympe et, plus près, le mont Aurélien ; au Sud-Est, sur le massif des Maures ; au Sud-Ouest, sur la chaîne de la Sainte-Baume et le golfe de La Ciotat ; au Nord-Ouest, sur les Alpilles et la montagne Ste-Victoire.

Plan-d'Aups

Cette petite station climatique, qui possède une église romane, accueille le centre d'accueil de l'**écomusée de la Sainte-Baume** *(sur la droite de la route avant le carrefour avec la D 480 descendant sur St-Zacharie)*. Regroupant 22 communes, il s'attache à préserver l'écosystème du massif et à en étudier la géologie, mais également à perpétuer la mémoire des activités humaines conduites depuis la préhistoire, en ce lieu où les compagnons finissaient jadis traditionnellement leur tour de France. ☎ *04 42 62 56 46 - http://ecomusee-saintebaume.free.fr - de mi-avr. à fin oct. : 9h-12h, 14h-18h ; reste de l'année : 14h-17h30, possibilité de visite guidée (1h) - 4 € (gratuit -14 ans).*
Poursuivre à l'Ouest par la D 80 ; à la Coutronne, prendre à gauche la D 2.

La route s'élève sur le versant Nord, offrant des vues sur la chaîne de l'Étoile et la montagne Ste-Victoire, séparées par le bassin de Fuveau. Au **col de l'Espigoulier★** (alt. 728 m.), la vue s'étend sur le massif de la Ste-Baume, la plaine d'Aubagne, la chaîne de St-Cyr et Marseille. La descente en lacets s'effectue ensuite sur le versant Sud du massif, creusé d'un profond amphithéâtre.

Parc de Saint-Pons★

Laisser sa voiture au parc de stationnement après le pont (le week-end, on se garera le long de la route) et emprunter le sentier qui borde le ruisseau. Un vieux moulin abandonné, près d'une cascade formée par les eaux de la source vauclusienne de St-Pons, une abbaye cistercienne fondée au 13e s. et la chapelle St-Martin au portail roman se nichent dans ce havre de fraîcheur qu'ombrage une abondante végétation (hêtres, frênes, érables et autres essences rares en Provence).

QUAND VENIR ?
Au printemps, lorsque, illuminé par la magnifique floraison des arbres de Judée, le parc de St-Pons brille de tout son éclat.

Gémenos

À l'entrée du verdoyant vallon de St-Pons, dans la vallée de l'Huveaune, ce beau village sillonné par des ruelles parfois raides, et qui a conservé un **château** de la fin du 17e s., mérite que l'on s'y attarde le temps d'une flânerie. *Prendre au Nord-Ouest la N 396 puis, au Pont-de-l'Étoile, la N 96 en direction d'Aix.*

Roquevaire

Dominé par sa tour de l'Horloge, ce village est surtout célèbre pour son **orgue** (église St-Vincent) reconstruit avec la tuyauterie et les boiseries d'origine, mais intégrant l'orgue personnel de Pierre Cochereau, ancien titulaire de Notre-Dame de Paris. *Visite guidée : s'adresser à l'Association des amis du grand orgue de Roquevaire, 6 av. Pierre-Cochereau, 13630 Roquevaire,* ☎ 04 42 04 05 33. *Prendre à droite la D 45 que l'on poursuit, après Auriol, jusqu'à St-Zacharie.*

MUSIQUE
Chaque année a lieu un prestigieux **Festival international d'orgue**, de mi-septembre à début octobre. *Informations : voir ci-contre ou www.roquevaire.fr*

Saint-Zacharie

Ce sympathique – pour peu que l'on abandonne la route qui le traverse – village, jadis célèbre pour ses céramiques, s'enorgueillit de ses nombreuses fontaines.

Arboretum du parc du Moulin blanc – *À la sortie de St-Zacharie, sur la N 560 en direction d'Aubagne.* ☎ 04 42 62 71 30 - www.parcdumoulinblanc.fr - ♿ - *juil.-août : 14h-19h ; mai-oct. et sept.-nov. : w.-end et j. fériés 14h-18h, possibilité de visite guidée (1h30) sur demande - 4 €.r*
Conçu en 1851 par le marquis Adolphe de Saporta, ce superbe jardin aménagé à l'anglaise, selon le goût de l'époque, fut enrichi par son fils, **Gaston de Saporta**, paléobotaniste réputé qui y a introduit et acclimaté des espèces exotiques, telles que bambous, séquoias, cyprès chauves et autres liquidambars. L'espace « Petite Sainte-Baume » rassemble la plupart des espèces présentes dans le massif.

Oratoire de St-Jean-du-Puy

Sur la D 85, que l'on prend à droite, peu après le Pas de la Couelle, s'amorce à droite un chemin très étroit qui conduit, après une forte rampe, à un poste radar militaire ; y laisser sa voiture. ⚐ *15mn AR.* Un sentier jalonné permet de gagner à pied l'oratoire : très belle **vue★** sur la montagne Ste-Victoire et la plaine de St-Maximin au Nord, les massifs des Maures et de la Ste-Baume au Sud-Est et, au premier plan, la montagne de Regagnas, la chaîne de l'Étoile et le pays d'Aix à l'Ouest.
Revenir à St-Zacharie et rejoindre St-Maximin, à gauche, par la N 560.

La Sainte-Victoire★★★

À l'Est d'Aix-en-Provence, la montagne Ste-Victoire, ou « la Sainte » comme on l'appelle affectueusement, immortalisée par Cézanne, avec sa silhouette reconnaissable entre toutes, plus qu'une montagne est un symbole pour la Provence, un véritable point de ralliement.

La situation
Carte Michelin Local 340 I4 – Bouches-du-Rhône (13). Ce massif calcaire culmine à 1 011 m au pic des Mouches. Orientée d'Ouest en Est, la chaîne présente, au Sud, une face abrupte dominant le bassin de l'Arc, tandis qu'au Nord, elle s'abaisse doucement en une série de plateaux calcaires vers la plaine de la Durance. Un saisissant contraste oppose le rouge franc des argiles de la base au blanc des calcaires de la haute muraille, notamment entre Le Tholonet et Puyloubier.
🛈 *Maison de la Ste-Victoire, 13100 Antonin-sur-Bayon,* ☎ *04 42 66 84 40.*

Le nom
Comme le Ventoux, c'est la racine *vin-* signifiant « montagne », qui a donné son nom au massif, le Ventúri... Mais comment en est-on venu à Victoire ? Selon Mistral, le surnom n'apparaît qu'en 1802, époque où Napoléon voguait de victoire en victoire. Et comment est-elle devenue sainte ? Peut-être faut-il y voir l'influence de la croix qui la surmonte ?

Les gens
Impossible de ne pas associer à cette montagne emblématique le nom de **Paul Cézanne** (1839-1906). À travers une recherche inlassable et quasi mystique d'approfondissement de son art, épuré jusqu'à poser les bases du cubisme, le peintre représenta une soixantaine de fois la montagne qui le hantait.

Le massif de la Sainte-Victoire : les dinosaures venaient y pondre, Cézanne la peignait. Quant à nous, plus modestes, nous nous contentons de l'admirer lorsque la lumière du soir la teinte de rose.

circuit

SUR LES PAS DE CÉZANNE
Circuit de 74 km au départ d'Aix-en-Provence – compter 1 journée, visite d'Aix non comprise. Quitter Aix-en-Provence par la D 10 à l'Est, puis prendre à droite une route en direction du barrage de Bimont.

Barrage de Bimont
Ouvrage principal du projet d'extension du canal du Verdon, il a été construit sur l'Infernet dans un très beau site boisé, au pied de la montagne Ste-Victoire.
🛈 *2h AR.* En aval, de belles gorges mènent au barrage Zola (édifié par l'ingénieur François Zola, père du célèbre

carnet pratique

SE LOGER

⊜⊜ **Au Moulin de Provence** – *33 av. des Maquisards - 13126 Vauvenargues -* ☎ *04 42 66 02 22 - www.lemoulinde provence.com - fermé janv.-fév. -* 🅿 *- réserv. conseillée - 12 ch. 44/48 € -* ☟ *6,40 € - restaurant 17/22 €.* Gîte et couvert assurés dans cette maison familiale : petites chambres rénovées et plats régionaux. De la terrasse et de la salle à manger aux tonalités provençales, la vue s'étend jusqu'à la montagne Ste-Victoire. Nombreux départs de randonnée pédestre au pied de l'hôtel.

⊜⊜ **Chambre d'hôte Domaine Genty** – *Rte de St-Antonin-sur-Bayon - 13114 Puyloubier -* ☎ *04 42 66 32 44 - www.domainegenty.com -* ✉ *- 5 ch. 60/80 €.* Au pied de la Sainte-Victoire, une agréable bastide pour dormir l'âme en paix, dans un décor digne de la plus grande tradition provençale.

SE RESTAURER

⊜ **Ferme-auberge du Mont Venturi** – *Lieu-dit l'Etang - rte de Rousset - 13100 St-Antonin-sur-Bayon - Entre Puyloubier et St-Antonin-sur-Bayon, par la petite D56c en dir. de Rousset -* ☎ *04 42 66 91 04 - fermé juil.-août - réserv. obligatoire - 10/45 €.* Michèle et Bruno Davico n'ont pas fait de la publicité leur cheval de bataille. C'est tout ce qui fait le charme de cette adresse campagnarde, située sur le plateau de Cengle, en contrebas de la Sainte-Victoire. Dans une grande salle rustique, les connaisseurs viennent déguster, été comme hiver, gibier et volailles, tout droit venus de l'exploitation voisine.

⊜ **Hôtel-restaurant Le Relais de Saint-Ser** – *Rte de St-Antonin-sur-Bayon - 13114 Puyloubier -* ☎ *04 42 66 37 26 - fermé en janv., lun. sf en été et dim. soir – 12/24 €.* Au pied de la Sainte-Victoire, au point de départ de la montée vers l'ermitage de Saint-Ser, voilà une adresse très agréable, au milieu des vignes. Excellente cuisine régionale. Également quelques chambres. Prix peu élevés pour la région.

⊜⊜ **Chez Thomé** – *La Plantation - 13100 Le Tholonet -* ☎ *04 42 66 90 43 - www.chezthome.com - fermé lun. en hiver - 24/50 €.* Une institution de la campagne aixoise, « envahie » tous les week-ends. Cuisine provençale traditionnelle. Grand jardin pour boire un verre, sous les platanes.

QUE RAPPORTER

Cave des Vignerons du Mont Sainte-Victoire – *13114 Puyloubier -* ☎ *04 42 66 32 21 - vignerons-msv@wanadoo.fr - tlj sf dim. 9h-12h, 14h-18h - fermé 31 déc.-4 janv. et j. fériés.* Les vignerons qui adhèrent à cette coopérative (140 domaines) suivent une démarche officielle d'agriculture raisonnée. La cave fournit les trois couleurs sous l'appellation côtes-de-provence et vend également de nombreux produits dérivés, toujours à base de vin : confitures, terrines, confits, tapenade, chocolats, etc.

SPORTS & LOISIRS

Bon à savoir - Le massif est interdit d'accès du 1er juil. au 15 sept., et les jours de grand vent.

Randonnée pédestre – Le GR 9, des Cabassols à Puyloubier, passe par la Croix de Provence puis suit la crête jusqu'au pic des Mouches.

Centre équestre Canto-Grihet – *13100 Beaurecueil -* ☎ *04 42 66 97 94 - www.canto-grihet.com - 9h30-12h30, 14h 17h.* Un club qui propose des sorties accompagnées sur les pentes de la Sainte-Victoire.

écrivain), deuxième ouvrage de ce projet conçu pour irriguer et distribuer l'eau à une soixantaine de communes de la région.

Revenir à la D 10 où l'on tourne à droite. Au lieu dit la ferme des Cabassols, laisser la voiture sur un petit parc de stationnement à droite de la route.

Croix de Provence★★★

🚶 *3h30 AR. Prendre le chemin muletier des Venturiers (GR 9) qui s'élève rapidement dans la pinède, puis cède la place à un sentier, plus aisé, serpentant en lacets à flanc de montagne.* Une chapelle, un bâtiment conventuel et les vestiges d'un cloître : c'est le **prieuré de N.-D.-de-Ste-Victoire** (alt. 900 m), édifié en 1656, d'où l'on découvre, depuis la terrasse, une jolie **vue** sur le bassin de l'Arc et la chaîne de l'Étoile. Une petite escalade permet de gagner la Croix de Provence (alt. 945 m), haute de 17 m (avec un soubassement de 11 m). La vue embrasse un magnifique **panorama★★★** sur les montagnes provençales : au Sud, le massif de la Ste-Baume et la chaîne de l'Étoile, vers la droite, la chaîne de Vitrolles, la Crau, la vallée de la Durance, le Luberon, les Alpes de Provence et, plus à l'Est, le pic des Mouches. À l'Est, sur la crête, se trouve le **gouffre du Garagaï**, profond de 150 m.

Vauvenargues

Village situé dans la vallée de l'Infernet : son **château** (17e s.), perché sur un éperon rocheux, appartint à Picasso, qui s'y trouve enterré dans le parc.

TÉNÉBREUX
Le gouffre du Garagaï fut une source inépuisable de légendes, qui, contées à la veillée, ont fait cauchemarder bien des enfants...

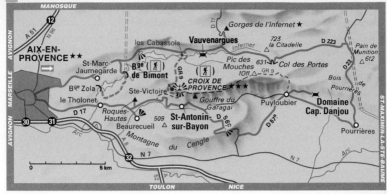

Après Vauvenargues, la route remonte les **gorges de l'Infernet**★, très boisées, dominées à gauche par la Citadelle (723 m), et franchit le col des Portes. Au cours de la descente, les Préalpes se dessinent à l'horizon.

Au Puits-de-Rians, prenez à droite la D 23 qui contourne la montagne Ste-Victoire par l'Est et traverse le bois de Pourrières. Sur la gauche, se dresse le **Pain de Munition** (612 m). Dans Pourrières, où Marius aurait écrasé l'armée des Teutons, tournez à droite en direction de Puyloubier.

Domaine Capitaine Danjou

☎ *04 42 66 38 20 - 10h-12h, 14h-17h - fermé 30 avr. - gratuit.*

Le château de cette exploitation viticole abrite l'Institution des invalides de la Légion étrangère. Dans une bastide du domaine, on peut visiter le **musée de l'Uniforme**.

Revenir à Puyloubier et emprunter la D 57ᴮ, puis la D 56ᶜ à droite.

Ce parcours pittoresque offre de belles vues sur la montagne Ste-Victoire, le bassin de Trets et le massif de la Ste-Baume, puis franchit la montagne du Cengle avant de rejoindre la D 17, qui serpente en direction d'Aix entre la Sainte-Victoire et la montagne du Cengle.

Saint-Antonin-sur-Bayon

RANDONNÉES
La Maison de la Ste-Victoire organise des randonnées à thème. Encadrées par un éco-guide, elles partent à la rencontre des milieux aquatiques, à la recherche d'indices d'œufs de dinosaures et à la découverte de bien d'autres thèmes. *Réservation obligatoire. Gratuit.*

Le village abrite la **Maison de la Sainte-Victoire** : exposition permanente sur la montagne, son écosystème, son histoire (les œufs de dinosaure) et les expériences de reforestation entreprises depuis le terrible incendie qui ravagea la montagne en 1989. Film *(30mn)* et sentier d'interprétation. ☎ *04 47 66 84 40 - ♿ - juil.-août : 10h-18h30, w.-end et j. fériés 10h15-19h ; avr.-juin, sept.-oct. : 9h30-18h, w.-end et j. fériés 10h15-19h ; nov.-mars : 9h30-18h - fermé 1ᵉʳ janv. et 25 déc.*

Avant de reprendre le chemin d'Aix, un détour par **Beaurecueil** s'impose : c'est depuis ce village que la vue sur la Sainte-Victoire est certainement la plus belle, surtout à l'« heure cézannienne », lorsque le soleil déclinant vient caresser la montagne et les campagnes environnantes.

Retour à Aix par Le Tholonet, le long de la « route Paul Cézanne ».

Les Saintes-Maries-de-la-Mer★

La légende des Saintes, le fameux pèlerinage des gitans, les gardians et les taureaux, les flamants roses..., ces images fortes résument les Saintes-Maries. Dans un paysage baigné de lumière, où l'eau et le ciel se confondent, c'est aussi un excellent point de départ pour la découverte de la Camargue, à pied, en VTT ou à cheval. Quant aux amateurs de farniente, ils apprécieront cette station balnéaire, pour ses immenses plages et son port de plaisance.

La situation

Carte Michelin Local 340 B5 – Schéma p. 203 – Bouches-du-Rhône (13). Entre la mer et les étangs de Launes et des Impériaux, à deux pas de l'embouchure du Petit Rhône, cabanes de gardians et petites maisons blanches se serrent autour de l'église-forteresse qui signale, de loin, l'approche des Saintes. En été, s'y garer peut relever de l'utopie ; hors saison, on tentera sa chance place Mireille, autour de la place des Gitans ou le long des digues qui protègent la cité des assauts de la mer.
🛈 *5 av. Van-Gogh, 13730 Stes-Maries-de-la-Mer,* ☎ *04 90 97 82 55. www.lessaintesmaries.com*

Le nom

Il évoque la légendaire arrivée en barque, vers 40 après J.-C., de Marie Jacobé, sœur de la Vierge, Marie Salomé, mère des apôtres Jacques le Majeur et Jean. Lazare, le ressuscité, et ses deux sœurs, Marthe et Marie-Madeleine, Maximin et Sidoine, l'aveugle guéri, les accompagnaient, tous abandonnés en mer sur une barque sans voile, sans rames et sans provisions. Sara, la servante noire des deux Marie, ne devait pas être du voyage : mais Marie Salomé jeta à l'eau son manteau qui servit de radeau à Sara pour rejoindre la barque. La protection divine fit le reste... et la Provence pouvait être évangélisée.

Les gens

2 478 Saintois, mais on dit plus volontiers Santens, sur qui plane l'ombre tutélaire de **Folco de Baroncelli-Javon**, appelé avec respect *Lou Marqués* (1869-1943), poète, félibre, manadier, mainteneur et rénovateur des traditions camarguaises, enterré à l'emplacement de sa cabane du Simbèu, près de l'embouchure du Petit Rhône.

> ### QUE SONT-ILS DEVENUS ?
> Marthe évangélisera Tarascon après avoir vaincu la Tarasque ; Marie-Madeleine continuera sa pénitence à la Sainte-Baume ; Lazare sera l'apôtre de Marseille, Maximin et Sidoine répandront la parole divine à Aix. Quant aux deux Marie et à Sara, elles resteront en Camargue et, à leur mort, les fidèles placeront leurs reliques dans l'oratoire qu'elles avaient édifié à leur arrivée.

séjourner

Séjourner aux Saintes, c'est flâner dans les ruelles aux maisons basses d'une blancheur éclatante qui se blottissent contre l'église, et s'abandonner au charme de cette petite ville qui a échappé par miracle à la folie immobilière des bords de mer. Parfois, une gitane tentera de vous forcer la main pour y lire votre avenir...

Comme un rocher, l'église des Saintes-Maries, point culminant de la Camargue, pointe à l'horizon.

SE LOGER

🛏 **Méditerranée** – *4 r. Frédéric-Mistral -* ☎ *04 90 97 82 09 - www.camargue.fr - fermé 3 sem. en janv. - 14 ch. 38,50/50 € - 🍽 5,50 €.* Cet hôtel familial simple ne manque pas d'atouts : façade fleurie, terrasse ombragée où l'on sert le petit-déjeuner aux beaux jours, chambres rajeunies parfois climatisées, prix raisonnables et nombreux restaurants à proximité. En réservant à l'avance, possibilité de disposer d'un garage fermé.

🛏 **Chambre d'hôte Mazet du Maréchal-Ferrand** – *Rte du Bac - 5 km des Stes-Maries par D 570 dir. Arles et rte du Bac par D 85 -* ☎ *04 90 97 84 60 - www.lorenzo.fr/babeth -* 🌣 *- 3 ch. 60 € 🍽.* Ici, pas de chichi : le propriétaire sait vous mettre à l'aise tout de suite. Ses chambres, toutes au rez-de-chaussée, sont simples et colorées. Les petits déjeuners se prennent sous le mûrier-platane ou dans une petite pièce aux couleurs provençales.

SE RESTAURER

Bon à savoir - Aux Saintes-Maries, les restaurants se succèdent sur toute la longueur de l'avenue Frédéric-Mistral. Menus identiques avec tellines, gardian de taureau, loups grillés, poissons au sel...

🍴 **Le Kahlua, bar-bodega chez Mounette** – *1 r. Jean-Roch -* ☎ *04 90 97 98 41 - fermé mi-janv. à fin fév. - 7/17 €.* En fonction de l'heure, vous rejoindrez cette villa très années 1930 pour prendre un cocktail ou déguster au choix fruits de mer, tapas ou poulet Boucanet (spécialité antillaise).

🍴 **Bar-Brasserie de la Plage (chez Boisset)** – *1 av. de la République - Face à la mairie au coin de la place des Gitans -* ☎ *04 90 97 84 77 - fermé 3 sem. en janv. et mar. d'oct. à mars - 15/95 €.* Coquillages et plateaux de fruits de mer à déguster sur place (sur la terrasse ombragée de canisses) ou à emporter.

QUE RAPPORTER

Marchés – Marché traditionnel provençal lundi et vendredi pl. des Gitans.

Boucherie Gallardo – *18 r. des Pénitents-Blancs -* ☎ *04 90 97 97 19 - tlj sf merc. 8h30-12h30, 16h-19h, dim. 8h30-12h30.* En plein centre-ville, une adresse renommée pour la qualité de sa viande de taureau et notamment son fameux saucisson. Le patron, ancien banderillero, est intarissable sur tout ce qui touche au monde taurin.

Les Bijoux de Sarah – *12 pl. de l'Église -* ☎ *04 90 97 73 73 - lesbijouxde sarah @aol.com - 10h-12h30, 14h30-19h30.* Vente de bijoux faits main, en particulier le pendentif « gitan » qui protège des mauvais sorts et apporte le bonheur...

SPORTS & LOISIRS

Thalcap Camargue – *Av. Jacques-Yves-Cousteau -* ☎ *0 825 125 145 - réception 7h-22h30.* Centre de thalassothérapie.

CALENDRIER

Pèlerinage des gitans – En mai, venus en foule de tous les pays, les gitans se rassemblent dans la crypte de l'église des Saintes-Maries où se trouve la statue de leur patronne, sainte Sara. À la suite de la descente des châsses le 24 Mai, la statue de sainte Sara est portée par les gitans jusqu'à la mer.

Pèlerinage des Saintes – Chaque sainte a droit à son pèlerinage : Marie Jacobé le 25 Mai et Marie Salomé le dim. d'oct. le plus proche du 22. Le premier jour, l'après-midi, les châsses sont descendues de la chapelle haute dans le chœur de l'église. Le lendemain, les statues des saintes, précédées d'un groupe d'Arlésiennes et entourées des gardians à cheval, sont amenées en procession dans les rues, sur la plage et à la mer.

Sauvignier S./MICHELIN

Traditions camarguaises – Le marquis de Baroncelli-Javon, lui, n'a pas été (encore) canonisé, mais il n'en est pas moins l'objet d'un culte fervent, le 26 Mai : Arlésiennes en costume, farandoles, ferrades, jeux gardians, *abrivado* dans les rues et course camarguaise aux arènes, bref, un concentré de traditions camarguaises.

Féria du cheval – Mi-juillet. Spectacles équestres.

Noël – À l'église messe de minuit camarguaise avec gardians, Arlésiennes et crèche vivante.

C'est également arpenter la digue qui protège la ville des assauts de la mer, se baigner parmi les épis sur les plages de la ville, ou encore emprunter à vélo ou à pied la **digue à la mer**, en direction du phare de la Gacholle, pour profiter en toute liberté des immenses **plages** camarguaises *(voir La Camargue)*. C'est participer aux *abrivados* en se mêlant aux « atrapaïres » qui se jettent au devant des chevaux des gardians pour faire échapper

> ### DE L'ORATOIRE À LA FORTERESSE
> Au milieu du 9ᵉ s., une première église aurait été édifiée à l'emplacement du vieil oratoire (attesté au 6ᵉ s.). Au 11ᵉ s., les moines de Montmajour établissent un prieuré, puis, au 12ᵉ s., reconstruisent l'église, qui est incorporée aux fortifications de la ville. À la fin du 14ᵉ s., l'allure guerrière de l'édifice est renforcée par l'adjonction de mâchicoulis.
> Lors des invasions, les restes des saintes avaient été enterrés dans le chœur. En 1448, on entreprit des fouilles à la demande du roi René et les reliques, retrouvées, furent placées dans des châsses.

les « bious », avant d'aller vibrer aux arènes devant les « coups de barrière » des cocardiers. C'est, en toute sérénité, regarder le couchant illuminer les étangs de couleurs flamboyantes.

Une église sur la défensive.

visiter

Église★
Forteresse destinée à protéger les reliques des saintes (mais aussi les Saintois) en cas d'incursion des Sarrasins : la chapelle haute forme un véritable donjon, entouré, à la base, d'un **chemin de ronde** et surmonté d'une plateforme crénelée. ☎ *04 90 97 87 60 - juil.-août : 10h-20h ; mars-juin et sept. : 10h-12h30, 14h-18h30 ; de déb. oct. à minov. : 10h-12h, 14h-17h ; reste de l'année : merc., sam. et dim. 10h-12h, 14h-17h - 2 €.*
Un clocher à peigne domine l'ensemble. Sur le flanc droit, remarquer deux beaux lions dévorant des animaux qui servirent, croit-on, de supports à un porche.
On pénètre à l'**intérieur** par une petite porte ouvrant sur la place de l'église. La nef unique, romane, est très sombre. Le chœur, surélevé au moment de la construction de la crypte, présente des arcatures aveugles que supportent huit colonnes de marbre, surmontées de chapiteaux, dont deux illustrent l'Incarnation et le sacrifice d'Abraham.
À droite, au bord de l'allée centrale, s'ouvre le puits qui servait aux défenseurs en cas de siège. Dans la troisième travée à gauche, au-dessus de l'autel, est placée la barque des saintes Maries, portée en procession jusqu'à la mer lors des pèlerinages. À droite de cet autel, remarquez l'« oreiller des Saintes », une pierre polie enchâssée dans une colonne provenant des fouilles ayant abouti, en 1448, à la découverte des reliques des saintes. Dans la 4ᵉ travée gauche s'élève un autel païen. Émouvante collection d'ex-voto de facture naïve.
Quelques marches donnent accès à la **crypte** (les plus grands se méfieront de la voûte) : constitué en partie par un fragment de sarcophage, l'autel supporte la châsse contenant les ossements présumés de Sara. À droite, statue de Sara et ex-voto offerts par les Gitans.
Dans la **chapelle haute**, ornée de boiseries Louis XV vert clair et or, se trouvent les châsses des deux saintes Maries. Mistral y a situé la scène où Mireille, venue implorer le secours des « reines du Paradis », et frappée d'insolation, rend le dernier soupir entre ses parents et Vincent.

> ### COURAGE !
> On accède au **toit** de l'église par un escalier de 53 marches. De là, **vue★** immense sur la mer, les toits de la ville et les étangs.

Sainte Sara.

Musée Baroncelli
☎ *04 90 97 87 60 - mars-nov. : tlj sf mar. 10h-12h, 14h-18h - fermé déc.-fév. - 1,50 €.*
Installé dans l'ancienne mairie, il présente des documents recueillis, en digne émule de Mistral, par le marquis Folco de Baroncelli : mode de vie traditionnel en Camargue, histoire de la ville, dioramas présentant la faune camarguaise (dont une héronnière), tête naturalisée du fameux cocardier Vovo (aux cornes émoussées par les frappes contre les planches des barricades), mobilier provençal du 18ᵉ s., vitrines consacrées à Van Gogh, au marquis et à ses amis, ces « fous magnifiques », mainteneurs des traditions camarguaises, comme les peintres Hermann Paul et Ivan Prashnikoff.

Salon-de-Provence ★

Cité de Nostradamus, fameuse pour son industrie de l'huile d'olive implantée au 15ᵉ s., Salon est une étape obligée pour les amoureux des astres... Quant aux autres, ils lèveront quand même les yeux au ciel pour admirer les spectaculaires démonstrations de la Patrouille de France.

La situation

Carte Michelin Local 340 F4 – Schéma p. 382 – Bouches-du-Rhône (13). À mi-chemin entre Arles et Aix, au centre d'une campagne où domine l'olivier, Salon a profité de cette situation de carrefour pour développer des quartiers modernes qu'il faudra traverser pour atteindre la vieille cité, nichée au cœur d'une vaste ceinture de cours ombragés.

🛈 *56 cours Gimon, 13300 Salon-De-Provence,* ☎ *04 90 56 27 60. www.salon-de-provence.org*

Le nom

Selon, en provençal, signifierait-il que Salon était un grenier à sel ? Curieux emplacement pour stocker le sel si loin de la mer, notent les toponymistes distingués qui font valoir que la racine *sal-* désigne une colline. Fort bien, mais Salon est construite en plaine, objectera-t-on. Aujourd'hui peut-être, mais à 3 km, sur une butte, on a trouvé des traces d'habitat dans un lieu nommé Selonet, que ses habitants auraient quitté pour se fixer à l'emplacement actuel.

Les gens

37 129 Salonais... qui ont accueilli parmi eux en 1547 le Saint-Rémois Michel de Nostre Dame, plus connu sous le nom de **Nostradamus.**

Magnin G. /MICHELIN

Nostradamus avait prévu la mort accidentelle de Henri II : rien de tel pour lancer une carrière !

DU STÉTHOSCOPE À L'HOROSCOPE

À une époque où la science et l'ésotérisme étaient intimement liés, on ne s'étonne guère qu'un médecin, né en 1503 et ayant étudié à Montpellier, n'ait pas jugé indigne de s'adonner aux prédictions astrologiques, qui firent sa fortune. Après douze ans de voyage en Europe et en Orient mis à profit pour mettre au point des remèdes dont il garda jalousement le secret, Nostradamus obtint quelques succès en luttant contre des épidémies à Aix et à Lyon, ce qui lui attira la jalousie de ses confrères. Retiré à Salon, il se consacra dès lors à l'astrologie et publia les fameuses *Centuries astrologiques,* assez énigmatiques pour faire encore aujourd'hui sa gloire. Précurseur de la météo, il se livra à des prédictions sur le temps, publiées dans un *Almanach* qui connut un grand succès.

se promener

LE CENTRE-VILLE

Château de l'Empéri

Bâti sur le rocher du Puech, sa masse imposante domine la ville. Cette ancienne résidence des archevêques d'Arles, seigneurs de Salon, fut construite du 10ᵉ au 13ᵉ s. et complétée au 16ᵉ s. par une galerie Renaissance dans la cour d'honneur. La chapelle Ste-Catherine (12ᵉ s.), la salle d'honneur avec sa cheminée finement sculptée (15ᵉ s.) et une trentaine de salles abritent le musée de l'Empéri *(voir « visiter »).*

Hôtel de ville

Élégant hôtel du 17ᵉ s. avec deux tourelles d'angle et balcon sculpté. Sur la place, statue de l'ingénieur **Adam de Craponne** (1527-1576) qui fertilisa la région en construisant un canal d'irrigation amenant les eaux de la Durance par son ancien passage naturel, le pertuis de Lamanon. En face de la mairie se dresse la **porte Bourg-Neuf**, vestige des anciens remparts.

carnet pratique

TRANSPORT
Le **TER** relie Salon-de-Provence à Marseille et Avignon en environ 50mn.

VISITE
Circuit des savonniers – L'office de tourisme propose trois circuits pour découvrir la ville : circuit vert, les monuments majeurs de la ville ; circuit rouge, les personnages illustres ayant rythmé la vie salonaise ; circuit jaune, les traces des maîtres savonniers de Salon. *Renseignements et plan disponible à l'office de tourisme,* ☎ 04 90 56 27 60.

Circuit touristique – « La Provence au temps de Nostradamus », découverte de la Renaissance dans les Alpilles, de Salon-de-Provence à St-Rémy-de-Provence. *Dépliant disponible à l'office de tourisme.*

SE LOGER
☞ **Vendôme** – *34 r. du Mar.-Joffre -* ☎ *04 90 56 01 96 - www.hotelvendome .com - 19 ch. 38/51 € - ☲ 5,60 €.* Un peu à l'écart du boulevard circulaire, voilà un hôtel tranquille, réputé pour le confort de sa literie. Préférez les chambres donnant sur le patio.

☞ **Chambre d'hôte Canto Cigalo** – *Quartier du Pin - 13430 Eyguières - 9 km au NO de Salon par D 17 -* ☎ *04 90 59 89 85 - http://perso.wanadoo.fr/cantocigalo - fermé de mi-nov. à mi-déc. - ⌿ - 3 ch. 39/47 € ☲* Maison récente ouverte sur les prés et la garrigue. Ses chambres, à la propreté remarquable, sont sobrement décorées, meublées à l'ancienne, égayées de voilages colorés et équipées de télévisions. Aire de jeux pour les enfants.

☞☞ **Angleterre** – *98 cours Carnot -* ☎ *04 90 56 01 10 - hoteldangleterre @wanadoo.fr - fermé 20 déc.-6 janv. - 26 ch. 41/52 € - ☲ 6,50 €.* Cette construction du début du 20ᵉ s., voisine des musées, abritait jadis un couvent. Aujourd'hui, vous y trouverez des chambres sobrement décorées et équipées d'un double vitrage. Petits-déjeuners servis sous forme de buffet dans une salle dotée d'une coupole vitrée.

☞☞ **Chambre d'hôte Domaine du Bois Vert** – *Quartier Montauban - 13450 Grans - 7 km au S de Salon par D 16 puis dir. Lançon par D 19 -* ☎ *04 90 55 82 98 - www.domaineduboisvert.com - fermé 5 janv.-15 mars - ⌿ - 3 ch. 61/73 € ☲* Ce mas de pierres sèches se niche au milieu d'un parc planté de chênes et de pins, au bord d'une rivière. Ses chambres de plain-pied sont décorées dans un esprit provençal, avec tomettes, poutres apparentes et meubles anciens. Selon les saisons, le petit-déjeuner se prend dans la grande pièce à vivre ou sur la terrasse.

☞☞☞ **Chambre d'hôte Gallatras** – *Rte de Caireval - 13410 Lambesc -* ☎ *04 42 92 75 70 - ⌿ - 2 ch. 95/100 € ☲* Magnifique maison en pierre située parmi les pins et les vignes surplombant Lambesc. La Roque-d'Anthéron et son célèbre festival sont à 9 km.

SE RESTAURER
☞ **Mamie Gisou** – *9 pl. Crousillat -* ☎ *04 90 56 65 64 - 6,50/12,50 €.* Sur la place de la Fontaine-Moussue, grand choix de salades, tartes salées et sucrées, omelettes. Bon accueil.

☞ **Le Repaire** – *Vieux village - 13116 Vernègues -* ☎ *04 90 59 31 64 - lerepaire @aol.fr - fermé janv. 1 sem. en oct. et mar. - 6,80/20 €.* Le Repaire se trouve au pied des ruines du vieux village, détruit par le séisme de 1909. Cadre plaisant et belle terrasse d'été pour déguster crêpes, glaces, salades et omelettes. Beau choix de thés et cafés.

☞☞ **L'Eau à la Bouche** – *Pl. Morgan -* ☎ *04 90 56 41 93 - poissonnerie.du.marche @wanadoo.fr - fermé 23-30 déc., dim. soir et lun. - 15/35 €.* Couplé à une poissonnerie, ce restaurant vous présente les poissons et crustacés du magasin avant de les cuisiner : fraîcheur et qualité des produits garanties ! Vous les dégusterez dans la salle à manger sobrement décorée ou dans la véranda, très agréable en été.

☞☞ **L'Ô** – *1 pl. Crousillat -* ☎ *04 90 44 70 82 - poissonnerie.du.marché @wanadoo.fr - fermé dim. - 15/76 €.* Dans la poissonnerie éponyme, un escalier conduit aux deux petites salles à manger cossues, véritablement charmantes avec leurs murs habillés de boiseries rehaussées de tableaux. La troisième salle, située au dernier étage, s'ouvre sur une terrassette offrant une jolie vue sur les toits de la ville... La cuisine de la mer privilégie les coquillages et les crustacés.

☞☞ **La Touloubre** – *29 chemin Salatier - 13330 La Barben -* ☎ *04 90 55 16 85 - fermé 17 oct.-8 nov., 13 fév.-8 mars, dim. soir, mar. soir et lun. - 16,50/38,50 € - 7 ch.44 € - ☲ 5,50 €.* Agréable atmosphère « vieille France » : la grande cheminée qui réchauffe la coquette salle à manger rustique, la charmante terrasse ombragée de platanes, l'accueil aimable de la patronne et la cuisine mi-traditionnelle, mi-régionale réalisée par un chef fidèle à la maison depuis plus de 25 ans. Chambres rénovées.

☞☞ **Le Craponne** – *146 allée de Craponne - 13300 Salon-de-Provence -* ☎ *04 90 53 23 92 - fermé 8-31 août, 24 déc.-5 janv. et merc. soir - 22/35 €.* Valeur sûre du paysage gastronomique local, ce restaurant propose une cuisine traditionnelle aux consonnances familières : terrine du chef, tête de veau sauce gribiche, entrecôte à la bordelaise, canette à l'orange, pâtisseries maison. À déguster l'été dans la paisible courette ombragée.

☞☞☞ **Le Relais du Coche** – *Pl. Monier - 13430 Eyguières - 9 km au NO de Salon par D 17 -* ☎ *04 90 59 86 70 - fermé 2-21 janv., 28 juin-1ᵉʳ juil., mar. midi en juil.-août, dim. soir de sept. à juin et lun. - 16 € déj. - 26/33 €.* N'y cherchez plus de chevaux, ils ont déserté cet ex-relais de diligences depuis longtemps. Stalles, poutres et pierres apparentes témoignent du passé de l'actuelle salle à manger aménagée dans l'ancienne écurie. Belle terrasse ombragée sur l'arrière.

QUE RAPPORTER
Marché – *Pl. Morgan - merc. mat.* Grand marché traditionnel.

Domaines des Glauges – *Voie d'Aureille - dans le village d'Eyguières prendre dir. Aureille-Mouriès-Les Baux-de-Provence - 13430 Eyguières -* ☎ *04 90 59 81 45 -*

www.domainedesglauges.com - mai-sept. :
tlj sf dim. 10h-12h30, 14h30-19h ; oct.-avr. :
tlj sf dim. 9h-12h30, 14h30-18h - fermé
j. fériés. Au pied du point culminant des
Alpilles (Les Opiès : 493 mètres), très beau
domaine dans un vallon caché, produisant
rouges, rosés et blancs plusieurs fois primés.
Vins classés AOC Coteaux d'Aix-en-Provence.

**Ste Oleïcole de Pélissane - Moulin des
Costes** – *445 chemin de St-Pierre - 13330
Pélissanne -* ☎ *04 90 55 30 00 -
moulinahuiledescostes@wanadoo.fr -
boutique du moulin : tlj sf dim. 9h-12h, 15h-
19h - fermé j. fériés.* Saviez-vous que
Pélissanne est l'une des communes les plus
riches en matière de vergers d'oliviers ? Au
moulin des Costes (beau mas du 18ᵉ s.), on
fabrique des huiles variétale, vierge et AOC.
Les conseils d'utilisation et de dégustation de
la précieuse substance sont toujours donnés
avec le sourire.

Les Santons de Vernègues – *R. de la
Transhumance - 13116 Vernègues -*
☎ *04 90 57 38 40 - santons-verneges
@hotmail.fr - tlj sf lun. 9h-12h, 15h-19h, dim.
15h-19h.* Hélène et Guy Toussier fabriquent
leurs santons avec de la terre d'Aubagne, les
habillent puis les peignent avec des pigments
qu'ils confectionnent eux-mêmes. Vente sur
place ou travail à la commande.

Savonnerie Marius Fabre – *148 av.
Paul-Bourret -* ☎ *04 90 53 24 77 -
www.marius-fabre.fr - tlj sf w.-end
9h30-12h, 13h45-17h30 (vend. 16h30) -
fermé du 25 déc.-1ᵉʳ janv.* Cette savonnerie
fondée en 1900 vous convie tous les jours à
la découverte de son musée du Savon de
Marseille. Le lundi et le jeudi à 10h30, la
visite est guidée (30mn). Produits très variés
à l'espace boutique.

**Savonnerie-Savonnetterie Rampal-
Patou** – *71 r. Félix-Pyat -* ☎ *04 90 56
07 28 - info@rampal.com - visite guidée :
mar.-jeu. 10h30-12h, 15h30-17h - fermé
3 sem. en août, 25 déc.-1ᵉʳ janv. et w.-end.*
Savons de Marseille à l'ancienne, savonnettes
parfumées, shampoings, gel douche, etc.

SPORTS & LOISIRS

Centre de vol à voile de la Crau –
*Aérodrome Salon-Eyguières - 13300 Salon-
de-Provence -* ☎ *04 90 42 00 91.* Vols de
découverte en planeur au-dessus des Alpilles.

CALENDRIER

Loopings – La patrouille de France, basée à
Salon, s'entraîne de déb. nov.
à fin avr. : jeu. et vend. de 12h20-13h, visite
guidée possible. *Se renseigner à l'Office de
tourisme,* ☎ *04 90 56 27 60.*

Magnin G. /MICHELIN

*La fontaine moussue,
âme et symbole de
Salon-de-Provence.*

Église St-Michel

Son beau clocher-arcade et le tympan sculpté du portail
raviront les amoureux de la sculpture romane.

On passe, au cœur du vieux Salon, devant la maison de
Nostradamus *(voir « visiter »)* avant de franchir la **porte
de l'Horloge** et d'arriver place Crousillat, où se trouve la
charmante **fontaine moussue** du 18ᵉ s.

*Continuer rue des Frères-Kennedy puis tourner à droite
dans la rue Pontis.*

Collégiale St-Laurent

À l'intérieur de ce bel exemple de gothique méridional, remarquez, avant d'aller vous recueillir devant le
tombeau de Nostradamus, une Descente de croix polychrome, monolithe du 15ᵉ s.

*Faire demi-tour, reprendre la rue des Frères-Kennedy et
rejoindre la place des Centuries, devant le château.*

visiter

Sauvignier S. /MICHELIN

*Frédéric Mistral au musée
Grévin de Salon : le
fondateur du félibrige a su
maintenir et perpétuer les
traditions provençales.*

Musée de l'Empéri★★

☎ *04 90 56 22 36 - tlj sf mar. 10h-12h, 14h-18h - fermé
1ᵉʳ janv., 1ᵉʳ Mai, 1ᵉʳ et 11 Nov., 24-25 et 31 déc. - 3,05 €.*
▣ Ses collections, qui plongeront dans le ravissement les
âmes, jeunes ou moins jeunes, sensibles aux atours militaires, décrivent l'histoire des armées françaises depuis
le règne de Louis XIV jusqu'en 1918.

La belle architecture des salles met en valeur les
10 000 pièces exposées : uniformes, harnachements,
drapeaux, décorations, armes blanches et à feu, canons,
peintures, dessins, gravures, personnages à pied ou à
cheval illustrent ce passé militaire et en particulier la
période napoléonienne.

Musée Grévin de Provence

Pl. des Centuries. ☎ *04 90 56 36 30 - &- 9h-12h, 14h-18h,
w.-end 14h-18h - fermé 1ᵉʳ janv., Pâques, 1ᵉʳ et 8 Mai,
Pentecôte, 14 Juil., 1ᵉʳ et 11 Nov. et 24-31 déc. - 3,05 €.*

SALON-DE-PROVENCE

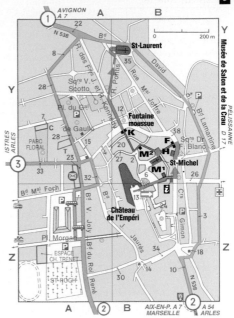

⊙ 2 600 ans d'histoire et de légendes provençales en 15 tableaux, du mariage de Gyptis et Protis à nos jours.

Maison de Nostradamus

11 r. Nostradamus. ☎ 04 90 56 64 31 - www.salon-de-provence.org - 9h-12h, 14h-18h, w.-end 14h-18h - fermé certains j. fériés - 3,05 €.

⊙ C'est ici que Nostradamus passa les dix-neuf dernières années de son existence. Dix scènes animées par un support audiovisuel illustrent sa vie et son œuvre. Des expositions temporaires complètent la visite.

circuit

ENTRE CRAU ET ALPILLES

68 km – compter 1/2 journée. Quitter Salon-de-Provence à l'Est par la D 572.

Au-delà de **Pélissanne**, une petite route sur la gauche ▶ conduit à La Barben, qui occupe un site escarpé dans le vallon de la Touloubre.

Château de La Barben★

☎ 04 90 55 25 41 - se renseigner.

Le château actuel a succédé à une forteresse antérieure à l'an mil, qui appartint à l'abbaye St-Victor de Marseille,

> **FONTAINE À VIN**
> Tous les ans, pour la St-Maurice, c'est du vin qui coule de la fontaine du Pélican, en face du beffroi de **Pélissanne**...

Le château de La Barben, une forteresse médiévale transformée en demeure de plaisance.

Maginot G./MICHELIN

puis au roi René avant d'être cédée à la puissante famille des Forbin ; celle-ci l'habita près de 500 ans, la remania et l'agrandit à plusieurs reprises, pour la transformer au 17e s. en demeure de plaisance. Sa tour ronde, abattue lors du tremblement de terre de 1909, a été réédifiée. De la terrasse (escalier Henri IV à double volée) précédant une noble façade du 17e s., vue sur les beaux jardins dessinés par **Le Nôtre** et la campagne provençale, entre la chaîne de la Trévaresse et les Alpilles.

Au cours de la visite, remarquez les plafonds à la française, des tapisseries d'Aubusson, des Flandres et de Bruxelles des 16e et 17e s., un beau Largillière. Dans le grand salon, tapis d'Aubusson du Second Empire.

Zoo de La Barben – ☏ *04 90 55 19 12 - www.zoolabarben.com -* &. *- 10h-18h - 12 € (enf. 6 €).*

🎦 Dans le parc de 33 ha, aires de jeu et petit train circulant parmi les enclos du zoo où vivent en semi-liberté fauves, éléphants, girafes, bisons, zèbres, singes et rapaces : au total plus de 600 animaux.

Revenir sur la D 572, à prendre à gauche.

La route suit la verdoyante **vallée de la Touloubre** ; après le viaduc de la ligne TGV Méditerranée, belle vue en avant sur la chaîne de la Trévaresse.

Saint-Cannat

Avant de vous promener dans le village, faites une halte au petit **musée Suffren**. Il regroupe des archives historiques consacrées à l'histoire de la commune – en particulier sur le Bailli de Suffren (1729-1788), grand navigateur français et natif de St-Cannat –, parmi lesquelles un petit espace est dévolu au tremblement de terre. Vieilles cartes postales, coupures de presse, témoignages. ☏ *04 42 50 82 00. www.ville-saint-georges.com - mai-sept. : mar.-vend. et 1er dim. du mois 15h-18h (dernière entrée 30mn av. fermeture), possibilité de visite guidée (1h30) - fermé j. fériés - gratuit.*

Quitter St-Cannat par la N 7 (en direction d'Avignon) puis prendre sur la gauche la D 917.

Lambesc

Hôtels particuliers et fontaines des 17e et 18e s. donnent à la bourgade un petit air aixois. Percé d'une porte, **beffroi** du 16e s. avec horloge à automates. Un dôme remarquable coiffe l'église, imposante construction du 18e s.

Reprendre la N 7 puis, à Cazan, tourner à gauche dans la D 22. À 1 km s'embranche le chemin d'accès au site de Château-Bas qui conduit à un parc de stationnement.

Château-Bas

Le **temple romain** daterait de la fin du 1er s. avant J.-C., et serait donc contemporain de l'arc de St-Rémy-de-Provence ou de la Maison carrée de Nîmes. Il subsiste une partie des soubassements et du mur latéral de gauche. Le pilastre carré qui termine ce mur vers l'entrée possède un très beau chapiteau corinthien. En avant s'élève une colonne cannelée, haute de 7 m, restée intacte. Autour du temple, vestiges d'un autre temple et enceinte semi-circulaire romaine, probablement celle d'un sanctuaire. ☏ *04 90 59 13 16 - 9h-12h30, 13h30-18h30h, dim. et j. fériés 10h-12h30, 14h30-18h30, possibilité de visite guidée (1h) sur RV - fermé 1er janv. et 25 déc.*

Continuer sur la D 22, puis tourner à droite dans la D 22C.

Vieux-Vernègues

Après avoir traversé Vernègues, édifié après le tremblement de terre de 1909 et l'abandon du village perché, on contourne les ruines de celui-ci *(accès interdit)* jusqu'au belvédère : vaste **panorama★** sur une grande partie de la Provence.

Poursuivez par une route en lacets jusqu'à **Alleins**, qui a conservé quelques vestiges de ses fortifications.

HARPAGON DE LAMANON

Seigneur du village qui porte son nom, le troubadour Bertrand de Lamanon était un redoutable pamphlétaire, dont les vers satiriques (*sirventés*) faisaient trembler ses ennemis : l'évêque d'Arles, notamment, accusé de tous les péchés, en savait quelque chose ! Mais là où le bon Bertrand devint véritablement féroce, c'est lorsque Charles d'Anjou lui subtilisa en 1260 le monopole de la vente du sel, qu'il revendait cinq fois plus cher qu'il ne l'achetait...

UNE BELLE PLATANE !

Belle, oui, car en provençal, l'arbre dont le feuillage préserve de l'insolation les joueurs de pétanque, est du genre féminin. Et celle de **Lamanon**, en face du stade, fait l'orgueil des habitants : 300 ans, avec un tronc dont la circonférence atteint 8 m.

Prendre à gauche la D 71^D, puis, immédiatement après avoir traversé le canal EDF, encore à gauche sur la D 17^D en direction de Lamanon. ▶

Site de Calès

⚠ *Laisser la voiture au parking de la caserne des pompiers de Lamanon et rejoindre le chemin pavé derrière l'église. Parcours dangereux, suivre les balises de guidage. Arrêté municipal 06/2003 du 13/03/2003. Site fermé de déb. juil. à mi-sept.*

Niché dans la colline du Défens, le site de Calès comprend un remarquable ensemble troglodytique dominé par les vestiges d'un château fort, ainsi que des chapelles médiévales.

Creusées au pied d'un cirque de falaises, les **grottes** furent exploitées pour la construction du château (12e s.) puis aménagées en dépendances et en habitations. Trous de poutres, gouttières, escaliers, silos taillés dans le roc afin d'entreposer les réserves alimentaires témoignent de l'occupation humaine des grottes, abandonnées à la fin du 16e s., lorsque le château fut détruit.

Depuis le terre-plein du château (rares vestiges), statue de N.-D.-de-la-Garde, et vues dégagées : sur la vallée de la Durance et le Luberon au Nord ; les habitations troglodytiques à l'Est ; le pertuis de Lamanon, ancien passage de la Durance, la plaine de Salon, la chaîne de l'Estaque, la Crau et l'étang de Berre au Sud.

Redescendez vers le cirque et suivez le circuit vert, à gauche, en direction de la **chapelle St-Denis** qui, construite en même temps que le château, semble issue d'une crèche provençale. En prenant à droite vers le plateau St-Jean, on atteint les ruines d'une chapelle double, autrefois important lieu de pèlerinage.

De retour au village, vous pourrez compléter la balade par la visite du petit **musée**, face à l'église : deux salles d'exposition où trouver des informations sur le site troglodytique. ☎ *04 90 59 54 62 - se renseigner - gratuit. Poursuivre sur la D 17^E.*

Après avoir découvert les fontaines du joli village d'**Eyguières**, prenez vers le Nord la D 569.

Magnin G. /MICHELIN

Les grottes de Calès servirent de carrières, puis d'habitations.

Castelas de Roquemartine

Ces ruines perchées, d'époques diverses, composent un ensemble très pittoresque. Un tel nid d'aigle avait tout pour séduire les brigands : ce fut le cas à la fin du 14e s. lorsque la forteresse devint le repaire des bandes du sinistre Raymond de Turenne.

Revenir à Eyguières, puis suivre la D 17 qui ramène à Salon.

Sault

Odorante lavande... L'été venu, ses nappes bleutées parent les paysages du plateau de Sault : région qui attire randonneurs, cyclotouristes... et gourmands !

La situation

Carte Michelin Local 332 F9 – Vaucluse (84). Bâti en hémicycle, à 765 m d'altitude, sur une avancée rocheuse qui termine le plateau de Vaucluse à l'Ouest et domine la vallée de la Nesque, ce bourg agréable offre une bonne base d'excursions entre le Ventoux, les Baronnies et la montagne de Lure. Laissez la voiture sur la vaste place des Aires.

🛈 *Av. de-la-Promenade, 84390 Sault,* ☎ *04 90 64 01 21. www.Saultenprovence.com*

Le nom

Il vient directement du latin *saltus*, désignant une forêt. Quant au plateau d'Albion, rien de perfide là-dedans : il tire son nom d'Alba (« blanc »), indiquant que le pays était souvent couvert de neige...

Les gens

1 171 Saltésiens, dont les ancêtres furent témoins de l'épopée de Calendal, héros provençal créé par Frédéric Mistral. Pêcheur d'anchois de Cassis, Calendal veut mériter l'amour de la princesse Estérelle des Baux... L'affaire se présente (évidemment) mal pour lui, à moins qu'il ne se distingue par des actions héroïques. Tel est le sujet de ce poème épique, où notre héros accomplit quelques-uns de ses exploits dans la vallée de la Nesque.

LE BLÉ DES GAULOIS

Appelé aussi « engrain » ou **épeautre**, le *Triticum monococcum* fut apprécié et cultivé jusqu'à la fin de l'ère romaine... Le pays de Sault s'est fait un devoir de réhabiliter cette céréale au goût inoubliable. Autres spécialités de Sault : le **miel de lavande** et le **nougat**.

se promener

Le vieux bourg, autrefois fortifié, avec ses ruelles aux noms parfois insolites (comme la rue des Esquiche-Mouches dont le nom seul proclame l'étroitesse !) et bordées de demeures anciennes et d'agréables placettes, ne manque pas d'un certain charme.

L'**église N.-D.-de-la-Tour**, commencée au 12ᵉ s., a conservé sa nef romane primitive que couvre une voûte en berceau brisé.

TERRASSE

Au Nord du bourg par l'avenue de la Promenade, face à l'Office de tourisme. Belle **vue**★ sur le plateau de Sault, l'entrée des gorges de la Nesque et le Ventoux.

visiter

Musée

☎ *04 90 64 02 30 - juil.-août : tlj sf dim. 15h-18h - gratuit.*
Au 1ᵉʳ étage de la bibliothèque, témoignages sur la préhistoire et l'époque gallo-romaine : monnaies, armes, roches du pays, documents anciens sur le pays de Sault et, importation plus inattendue, une momie égyptienne !

Centre de découverte de la Nature et du Patrimoine Cynégétique

Av. de l'Oratoire. Accès possible par la rue des Écoles. En haut de la volée de marches dominant la place des Martyrs-d'Izon. ☎ *04 90 64 13 96 -* ♿ *- juil.-août : tlj sf lun. 10h-12h, 15h-19h ; de mi-fév. à fin juin et de déb. sept. à mi-déc. : tlj sf w.-end 10h-12h, 14h-18h - fermé de mi-déc à mi-fév. et 1ᵉʳ Mai - 3 €.*

📷 Cet espace permet, à l'aide de bornes interactives, de panneaux et de dioramas, de mieux connaître la faune, la flore et la géologie de la région, les activités traditionnelles (pastoralisme, chasse...), les produits du terroir (miel, lavande, etc.) Expositions permanentes et temporaires.

carnet pratique

VISITE

Office de tourisme – C'est avec efficacité et gentillesse que vous serez accueilli à l'Office du tourisme de Sault où vous trouverez nombre de livres thématiques, cartes, topo-guides pédestres, VTT et cyclo. Une pochette VTT (3 €) propose cinq itinéraires au pays de Sault.

Les Routes de la lavande – Sur les quatre départements du territoire de Haute-Provence (Alpes-de-Haute-Provence, Hautes-Alpes, Drôme et Vaucluse), les routes de la lavande sont une invitation à la découverte de nombreux sites liés à la culture et à l'exploitation de la lavande. Les itinéraires proposés vous mèneront au cœur des paysages de lavande de la Drôme provençale au plateau de Valensole en passant par le pays de Sault. Des visites de distilleries, de fermes et de jardins, des animations et des sorties accompagnées ainsi que des ateliers pour les enfants permettent de découvrir la lavande sous toutes ses facettes : huiles essentielles, parfums, botanique, cuisine, histoire et lecture des paysages. La lavande est célébrée tout au long de l'été : à Ferrassières le 1er dim. de juil., à Valensole le 3e dim. de juil., à Sault le 15 août, ou au corso de Digne et de Valréas déb. août. L'association « Les Routes de la lavande » édite un guide pratique ainsi qu'un calendrier des séjours, ateliers et animations du printemps à l'automne. *Les Routes de la Lavande, 2 av. de Venterol, 26111 Nyons Cedex,* ☎ *04 75 26 65 91. www.routes-lavande.com*

SE LOGER ET SE RESTAURER

Le Provençal – *R. Porte-des-Aires -* ☎ *04 90 64 09 09 - restaurantleprovencal @wanadoo.fr - fermé 12 nov. -1er janv., lun. soir et mar. sf de mai à sept. -* 🍴 *- 10/21,50 €.* Ne vous fiez pas à la modeste façade de ce restaurant, apprécié dans la région pour l'atmosphère de simplicité et la bonne humeur qui y règnent. Aux fourneaux, le jeune chef concocte une cuisine « couleur locale », à savourer en salle ou sur la terrasse abritée du soleil.

Ferme-auberge Les Bayles – *84390 St-Trinit - 9 km à l'E de Sault par D 950 et rte secondaire -* ☎ *04 90 75 00 91 - lesbayles.free.fr - fermé janv. -* 🍴 *- réserv. obligatoire - 15/23 € - 5 ch. 35/50 €* 🍴*.* Cette ancienne bergerie est l'endroit rêvé pour un retour à la nature. Poulets, pintades, canards et lapins sont servis à la ferme-auberge. Cinq chambres d'hôte et un gîte d'étape accueillant randonneurs, cyclistes et cavaliers. Ferme équestre et piscine.

QUE RAPPORTER

André Boyer – *R. de la Porte-des-Aires -* ☎ *04 90 64 00 23 - 7h-19h - fermé fév.* La boutique d'André Boyer, digne héritier d'une famille de maîtres nougatiers qui se succèdent de père en fils depuis 1887, est une adresse incontournable. Outre un nougat au miel de lavande et des macarons aux amandes de Provence, vous pourrez déguster une galette à la farine de petit épeautre. Visite possible de la fabrique.

La Ferme des Lavandes – *Rte du Mont-Ventoux -* ☎ *06 82 93 52 09 ou 04 90 64 13 08 - visite guidée sur demande à 9h30, 11h, 15h, 17h. 10 €.* Conservatoire botanique de lavandes. Pépinière, vente de plants. *Juil.-août : ateliers jardinage, parfum, artisanat, herbier ou cuisine tlj sf w.-end 16h-17h. De 10 à 15 €.* Collection de lavandes. Visite botanique commentée et vente de plants.

Maison des producteurs – *R. de la République -* ☎ *04 90 64 08 98 - avr.-11 nov. et w.-end jusque Noël.* Coopérative des producteurs de lavande et de petit épeautre du pays de Sault. Exposition-vente.

Sauvignier S. /MICHELIN

SPORTS & LOISIRS

Accueil spéléologique du plateau d'Albion – *R. de l'Église - 84390 St-Christol -* ☎ *04 90 75 08 33 - www.aspanet.net.* Avec les avens Autran, de la Cervi et du Trou Souffleur, St-Christol est devenue la capitale spéléologique du plateau d'Albion. Renseignements à Accueil spéléo.

CALENDRIER

Fête de la lavande – Le 15 août. Défilé de groupes folkloriques dans les rues parfumées et démonstrations de coupe manuelle.

circuits

MONT VENTOUX★★★

2h environ. Par la D 164, on accède au sommet par le versant Est. Voir ce nom.

PLATEAU D'ALBION

39 km – 1h30. Quitter Sault au Nord par la D 942 en direction d'Aurel.

On a recensé dans ce véritable causse plus de 200 gouffres ou avens aux ouvertures parfois très étroites et difficilement repérables. Si le plus beau (depuis le

Sauvignier S. /MICHELIN

Aurel : une église fortifiée dans un village où l'ordre de Malte avait établi un hospice.

haut) est sûrement celui de la Cervi près de St-Christol, les plus profonds sont l'aven Jean Nouveau, avec son puits vertical de 168 m, et l'aven Autran, qui dépasse les 600 m de profondeur. Ces gouffres absorbent les eaux de pluie qui circulent dans un réseau souterrain enfoui très profondément dans la masse calcaire, et dont la branche maîtresse aboutirait à la célèbre fontaine de Vaucluse *(voir Fontaine-de-Vaucluse).*

Aurel

Les restes de ses fortifications et sa robuste église en pierre claire dominent les champs de lavande de la plaine de Sault.

Quitter Aurel à l'Ouest par la D 95, puis la D 1, et enfin, à gauche, la D 950. En saison, les champs de lavande font de la campagne un véritable jardin.

Saint-Trinit

Cette église du 12ᵉ s., dépendant à l'origine de l'abbaye bénédictine de Villeneuve-lès-Avignon, est un bel exemple de l'architecture romane en haute Provence.

Par la D 95 au Sud puis la D 30, rejoindre St-Christol.

St-Christol

Le village possède plusieurs distilleries de lavande.
Belle **église** romane construite au 12ᵉ s. (une seconde nef fut rajoutée au 17ᵉ s.). Intéressante décoration d'animaux fantastiques sur l'abside et sculptures de l'autel d'époque carolingienne.

Prendre la D 34, à la sortie de St-Christol, en direction de Lagarde-d'Apt.

La route en forte montée conduit sur le plateau, à 1 100 m d'altitude, dans un paysage dominé par le Ventoux et, au loin, les Alpes, vers **Lagarde-d'Apt**.

Observatoire Sirene

Peu avant le panneau d'entrée de Lagarde-d'Apt, après le chemin conduisant à la chapelle Notre-Dame de Lamaron. ☎ *04 90 75 04 17 - www.obs-sirene.com -* ♿ *- visite guidée sur réservation auprès de : observatoire Sirène, ZL 12 - D 34, 84400 Lagarde d'Apt - 10 € (visite jour) et 40 € (soirée découverte).*

« Silo réhabilité pour nuit étoilée » : tel est le terme poétique désignant cet observatoire installé dans un ancien équipement militaire afin de profiter de la visibilité à 360° et de la pureté incomparable de l'air. Lieu idéal pour vous initier à une découverte nocturne du ciel, en particulier grâce à un télescope entièrement automatisé. Sachez en outre que l'accès à la coupole est muni d'une rampe pour fauteuils roulants... et qu'une petite laine ne sera pas de trop pour affronter la fraîcheur nocturne !

Reprendre la D 34 en sens inverse, puis la D 245 à gauche pour rentrer à Sault.

UNE BASE STRATÉGIQUE

De 1971 à 1996, au temps de la Guerre froide, le plateau d'Albion fut le symbole de la dissuasion nucléaire française. À compter de 1964, l'armée aménagea, autour de St-Christol, une base souterraine de missiles. Dotée de 18 silos destinés à accueillir, à 30 m de profondeur, des fusées sol-sol à tête nucléaire, elle occupait près de 1 000 km². Le redéploiement des forces militaires en Europe a conduit, fin 1996, à l'abandon de ce site.

GORGES DE LA NESQUE★★

90 km – compter environ 4h. Quitter Sault par la D 942 au Sud-Est, route tracée en corniche sur la rive droite de la Nesque.

Longue de 70 km, la Nesque prend sa source sur le versant Est du mont Ventoux et se jette dans la Sorgue de Velleron, au-delà de Pernes-les-Fontaines *(voir ce nom).* Avant de pénétrer dans la plaine comtadine, elle se fraye un passage dans les assises calcaires du plateau de Vaucluse : ces gorges représentent la partie la plus spectaculaire de son cours.

CONSEIL
Afin d'apprécier pleinement les gorges, profitez de tous les élargissements pour garer votre véhicule.

Monieux

Ce vieux village, en balcon au-dessus de la Nesque, est dominé par une haute tour du 12ᵉ s. reliée au village par des vestiges d'enceinte. De belles maisons médiévales ont conservé des portes anciennes.

À la sortie Sud de Monieux, prendre à gauche vers le plan d'eau.

Sentier botanique des gorges de la Nesque★

Se garer au parking et poursuivre la piste balisée « Sentier botanique ». ⏱ *3h AR (sans difficulté majeure).* On découvre un paysage où prédominent l'olivier et le chêne vert, très différent de ce qu'en montre la D 942. Le sentier s'élève sur la rive gauche et longe le bord du plateau de Vaucluse. Au croisement avec le GR 9, prenez à droite ce dernier qui descend jusqu'à un pont de bois enjambant le torrent. C'est l'aventure... Une montée raide aboutit à la D 942. En la prenant à gauche, on atteint le belvédère de Castellaras *(15mn de marche)* ; si l'on s'engage à droite, on rejoint Monieux *(30mn de marche).*

Revenir au parking et continuer sur la route qui mène à la D 96, que l'on suit sur 4 km environ. Au carrefour avec la D 5, prendre sur la gauche jusqu'au relais St-Hubert, où on laisse la voiture.

> **R**ive droite, le sentier longe la **chapelle troglodytique St-Michel**, édifice roman niché sous un rocher. On est ému par la beauté simple de son architecture et par le petit autel où se dresse une statue de l'archange terrassant le dragon.

Aiguier de la Jaille

⏱ *45mn AR.* Une marche sans difficulté particulière vous permettra d'atteindre cet aiguier creusé sur une dalle rocheuse et muni d'un *impluvium* destiné à recueillir les eaux de pluie et de bassins.

LES AIGUIERS DU PAYS DE SAULT

Témoins d'une vie rude dans une nature parcimonieuse, les **aiguiers** sont des réservoirs d'eau creusés par les paysans afin de recueillir les eaux de ruissellement, quelquefois précédés d'un *impluvium* et alimentés par des rigoles taillées dans la roche. Parfois recouverts d'une voûte en pierres sèches, comparable à celle des bories, ils servaient sans doute principalement à abreuver les troupeaux, mais aussi à l'approvisionnement en eau potable des habitats isolés. Vous pourrez en voir dans les gorges de la Nesque (aiguiers du Puits Verrier, de Fayol et des Annelles et, à partir de ceux du Castellaras, une promenade vous conduira aux superbes aiguiers du camp de Sicaude).

L'Office de tourisme propose trois itinéraires pour découvrir les aiguiers. Il vend également « Le Guide des aiguiers » (12 €) et une pochette VTT avec 5 propositions d'itinéraires au Pays de Sault (3 €).

De retour à Saint-Hubert, les plus curieux d'entre vous emprunteront vers l'Ouest, sur 500 m environ, le GR 91A. Celui-ci longe un tronçon assez bien conservé d'une muraille de pierres sèches, le **mur de la peste**, édifié en 1720 *(voir Fontaine-de-Vaucluse).*

Rejoindre les gorges de la Nesque par la route empruntée à l'aller.

Belvédère de Castellaras★★

À 734 m d'altitude, sur la gauche de la route, il doit son nom à un ancien oppidum. Vous pourrez y lire sur une stèle un extrait du *Calendau* de Mistral. **Vue** remarquable sur l'enfilade des gorges et le **rocher du Cire**, très escarpé (872 m).

La descente amorcée, la route franchit trois tunnels. La D 942 s'éloigne un peu des gorges et traverse la combe de Coste Chaude. À la sortie du quatrième tunnel, belle vue en arrière sur les gorges et le rocher du Cire. La route passe au pied du hameau ruiné de Fayol, noyé dans la végétation. Soudain, le paysage change et la plaine comtadine succède aux gorges : **vue** sur le Ventoux, Carpentras et la campagne environnante. La très belle combe de l'Hermitage mène à **Villes-sur-Auzon**, gros village agricole posé sur les pentes du Ventoux. Bordé de platanes et agrémenté de fontaines, un boulevard ceinture le noyau ancien.

Prendre la D 1 en direction de La Gabelle.

Sauvignier S./MICHELIN

TENDRE L'OREILLE
Entre chaque tunnel, on surplombe la Nesque, dissimulée par une abondante végétation, au creux d'une entaille profonde : seul un murmure cristallin signale sa présence.

Cette route court sur le plateau et offre un large panorama sur le Ventoux, les dentelles de Montmirail et le bassin de Carpentras. À l'entrée de La Gabelle, la **vue** se porte sur l'autre versant avec, au premier plan, l'entaille de la Nesque et, à l'horizon, la montagne du Luberon.

De La Gabelle, continuer au Nord, traverser la D 1 et prendre la D 217 vers Flassan.

La route descend dans un frais vallon boisé de pins et d'épicéas jusqu'à **Flassan**, village égayé par des maisons au revêtement ocre et une place on ne peut plus provençale.

Retour à Sault par la D 217 puis, à gauche, la D 1.

Abbaye de **Sénanque**★★

À la recherche d'un moment de sérénité ? Pourquoi ne pas aller méditer un peu à quelques kilomètres de Gordes, loin du bruit et de la foule estivale, dans cette abbaye austère et paisible, nichée dans son écrin de lavande et baignée par une douce lumière ?

La situation

Carte Michelin Local 332 E10 – Vaucluse (84). En arrivant de Gordes *(voir ce nom)* par la D 177, on reste saisi à la vue de ces harmonieux bâtiments, lovés au creux d'un petit canyon : la Sénancole y a creusé son lit, dans le plateau de Vaucluse.

Le nom

La Sénancole a donné son nom à Sénanque après avoir tiré le sien de la racine *sin-*, « montagne », d'où dérive également le nom du mont Sinaï. Patronage de choix pour une abbaye...

Les gens

Inspiré par saint Bernard de Cîteaux, le mouvement cistercien prônait un idéal ascétique et la règle bénédictine primitive était observée dans ses établissements avec une extrême rigueur : isolement, pauvreté, simplicité, seules voies pouvant mener à la béatitude. Les conditions de vie des cisterciens sont donc très dures : les offices, la prière, les lectures pieuses alternent avec les travaux manuels, le temps de repos ne dépassant pas sept heures ; les repas, pris en silence, sont frugaux et les moines se couchent tout habillés dans un dortoir commun dépourvu du moindre confort.

TROIS SŒURS

On retrouve l'austérité de Sénanque dans les abbayes du Thoronet *(voir* Le Guide Vert Côte d'Azur*)* et de Silvacane *(voir ce nom)* qui nous sont presque parvenues dans leur état d'origine, quand l'ordre connaissait son apogée.

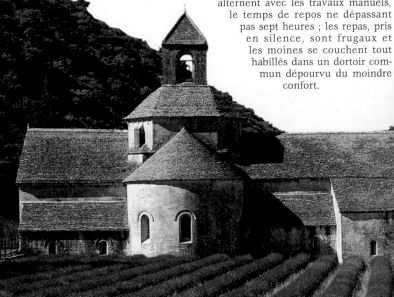

comprendre

Fondée en 1148 par des moines venus de Mazan (haut Vivarais), Sénanque prospéra rapidement, au point que, dès 1152, sa communauté était assez nombreuse pour fonder une seconde abbaye dans le Vivarais. Elle bénéficia de nombreuses donations, en particulier des terres de la famille de Simiane et des seigneurs de Venasque. Le monastère ne tarda pas à installer, parfois très loin, des « granges », sortes d'annexes à la tête des exploitations qui étaient mises en valeur par les frères convers, moines « auxiliaires » chargés des tâches agricoles. Mais l'abbaye accumula des richesses peu compatibles avec les vœux de pauvreté : au 14e s., c'est la décadence. Le recrutement et la ferveur diminuent tandis que la discipline se relâche. Pourtant, la situation s'améliore et le monastère retrouve sa dignité en s'efforçant de respecter l'esprit des fondateurs. En 1544, l'insurrection vaudoise porte à l'abbaye un coup dont elle ne se relèvera pas : des moines sont pendus et plusieurs bâtiments incendiés. À la fin du 17e s., Sénanque ne compte plus que deux religieux. Vendue comme bien national en 1791, elle trouve par chance un acquéreur qui la préserve de toute destruction, et va jusqu'à la faire consolider. Rachetée par un ecclésiastique en 1854, elle retrouve sa vocation d'origine : des bâtiments nouveaux viennent flanquer les anciens et 72 moines s'y installent. Depuis lors, malgré quelques tourments sous la IIIe République, la vie monastique se poursuit à Sénanque (communauté de moines cisterciens).

visiter

Compter environ 1h. Tenue correcte exigée. L'abbaye Notre-Dame de Sénanque est le lieu de vie de la communauté monastique. Les moines offrent la possibilité de découvrir, au cours de quelques visites par semaine (effectif limité), les bâtiments du 12e s. Visite sur demande préalable. ☎ 04 90 72 05 72. www.senanque.fr

Magnifique illustration de l'art cistercien, le monastère a conservé sa forme primitive, à l'exception de l'aile des convers (18e s.). Les parties médiévales sont construites en bel appareil de pierres du pays aux joints finement taillés. L'église n'est pas orientée à l'Est comme le voulait la coutume, mais au Nord, les bâtisseurs ayant dû se plier aux exigences de la topographie.

La visite commence par le dortoir, situé au Nord-Ouest du cloître, au 1er étage.

Dortoir

Dans cette vaste salle voûtée, éclairée par un oculus et d'étroites fenêtres (sol dallé de briques), les moines dormaient chacun sur leur paillasse ; le premier office (matines) avait lieu à 2h du matin, le second à l'aube (laudes). Le dortoir abrite une exposition sur la construction de l'abbaye.

Kaufmann B. /MICHELIN

Odeur de sainteté et senteurs de lavande... À Sénanque, le spirituel et le temporel se rejoignent.

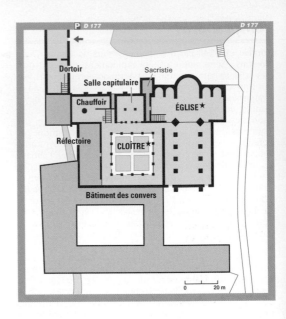

Église★

Elle fut édifiée entre 1150 et le début du 13ᵉ s. La pureté de ses lignes (du fond de la nef, on pourra apprécier l'équilibre des proportions et des volumes), que rehausse l'absence de toute décoration, crée une ambiance de recueillement. La croisée du transept est couronnée par une ample coupole sur trompes très ouvragées (arcatures, dalle de pierre incurvée, pilastres cannelés qui rappellent le style des églises du Velay et du Vivarais). Une abside semi-circulaire, percée de trois fenêtres (symbolisant la Trinité) et flanquée de quatre absidioles, parachève l'édifice. Nef, transept et collatéraux sont recouverts de pierres plates reposant à même la voûte.

Cloître★

Galeries (fin 12ᵉ s.) voûtées en berceau plein cintre avec doubleaux reposant sur des consoles sculptées. Notez la décoration très discrète sur les chapiteaux : feuillages, fleurs, torsades, palmettes et entrelacs.

Le cloître donne accès aux différentes pièces des bâtiments conventuels, chacune tenant une fonction bien précise.

Bâtiments conventuels★

Les moines se réunissaient dans la **salle capitulaire**, assis sur des gradins, pour lire et commenter les Écritures, recevoir les vœux des novices, veiller les défunts et prendre d'importantes décisions.

*La salle capitulaire,
couverte de six voûtes
d'ogives, repose sur
deux piliers centraux.*

Un étroit passage donne accès au **chauffoir**, où subsiste une des deux cheminées d'origine : elles fournissaient aux copistes travaillant dans la pièce la chaleur nécessaire.

Parallèle à la galerie Ouest du cloître, le **réfectoire**, détruit au 16e s., a été reconstruit par la suite et récemment restauré dans son état primitif.

Au Sud, le **bâtiment des convers**, refait au 18e s., abritait les moines « auxiliaires » : ils ne rejoignaient leurs frères qu'à l'occasion des travaux des champs et de certains offices.

Abbaye de **Silvacane**★★

Sur la rive gauche de la Durance, l'abbaye de Silvacane étage ses toitures rosées et son petit clocher carré, exemple admirable de sobriété cistercienne.

La situation

Carte Michelin Local 340 G3 – Schéma p. 355 – Bouches-du-Rhône (13). L'abbaye s'étend au bord de la Durance, en contrebas de la D 563, aux portes de La Roque-d'Anthéron *(voir La Tour-d'Aigues).* L'accès s'effectue par un bâtiment d'accueil élevé à l'emplacement de l'ancienne hôtellerie.

Le nom

Une forêt *(sylva)* de roseaux *(cana)* : au 11e s., les moines de St-Victor de Marseille choisirent ce lieu pour s'y établir.

Les gens

C'est un groupe de cisterciens de Morimond qui prit en main l'abbaye de Silvacane dès son affiliation à l'ordre de Cîteaux et effectua les travaux de bonification des terres environnantes.

> ### DES MOINES PEU CHRÉTIENS
> En 1289, un violent conflit opposa les moines de Silvacane à ceux de Montmajour *(voir ce nom)* ; les moines en vinrent aux mains et quelques cisterciens de Silvacane furent même pris en otages par leurs collègues. Il fallut un procès pour que l'abbaye soit rendue à ses légitimes occupants.

LA SUITE DE L'HISTOIRE

Protégée par les grands seigneurs de Provence, l'abbaye prospéra, pour fonder à son tour une filiale à Valsainte, près d'Apt. Mais le sac de 1358 par le seigneur d'Aubignan et les grandes gelées de 1364 qui anéantirent les récoltes d'olives et de vin entraînèrent le déclin et, en 1443, l'abbaye était annexée au chapitre de la cathédrale d'Aix. Devenue église paroissiale de La Roque-d'Anthéron au début du 16e s., elle subit des dégradations pendant les guerres de Religion. Lorsque la Révolution éclata, les bâtiments étaient à l'abandon ; vendus comme bien national, ils furent transformés en ferme. Depuis le rachat par l'État en 1949, ils ont été progressivement restaurés : ainsi, sur des fondements découverts en 1989, ont été restitués, à l'Ouest, des bâtiments monastiques, le mur d'enceinte ainsi que l'hôtellerie des moines.

visiter

Compter environ 1h. ☎ 04 42 50 41 69 - www.monum.fr - du 28 Mai à fin sept. : 10h-18h ; de déb. oct. au 27 Mai : tlj sf mar. 10h-13h, 14h-17h, possibilité de visite guidée (1h) - fermé 1er janv., 1er Mai et 25 déc. - 6,10 €.

Église

D'une grande sobriété, elle fut construite entre 1175 et 1230 sur un terrain en pente, d'où les décalages de niveau qui frappent lorsqu'on observe la façade occidentale, percée de nombreuses ouvertures : un portail central, deux portes latérales surmontées de petites fenêtres, trois fenêtres et un oculus orné de moulures à l'étage. La nef de trois travées se termine par un chevet plat. Sur chacun des bras du large transept se greffent deux chapelles. Vous pourrez observer comment l'architecte a tenu compte de la pente très accusée du terrain en étageant les niveaux du collatéral Sud, de la nef et du cloître.

La sereine austérité cistercienne ne préserva pas Silvacane de quelques rocambolesques aventures !

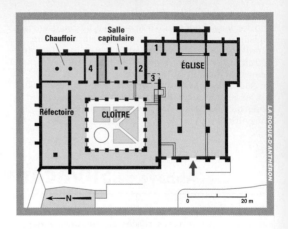

Cloître

Il date de la seconde moitié du 13ᵉ s. Cependant, les voûtes de ses galeries demeurent romanes. De puissantes arcades en plein cintre, jadis ornées de baies géminées, ouvrent sur le préau.

Bâtiments conventuels

À l'exception du réfectoire, ils furent construits entre 1210 et 1230. Toute en longueur, l'exiguë **sacristie (2)** jouxte l'**armarium (3)** (bibliothèque) situé sous le bras Nord du transept. La **salle capitulaire** avec ses six voûtes d'ogives retombant sur deux piles centrales rappelle Sénanque. Après le **parloir (4)**, servant de passage vers l'extérieur, vient le **chauffoir** qui a conservé sa cheminée. À l'étage se situe le **dortoir**. Le magnifique **réfectoire** a été reconstruit vers 1425. Ses chapiteaux sont plus ornés que ceux des autres salles. Le bâtiment des convers a, quant à lui, complètement disparu. Des fouilles ont permis de dégager, à l'extérieur, les vestiges de la porterie et du mur de clôture de l'abbaye.

> **FIAT LUX...**
> Dans le réfectoire, de hautes fenêtres et une large rose dispensent abondamment la lumière indispensable au lecteur, dont la chaire a été conservée.

Tarascon⋆

La Tarasque, puis Tartarin l'ont rendu célèbre ; les murailles de son magnifique château surplombent les eaux du Rhône ; mais Tarascon est surtout une belle ville provençale où, sans tartarinade, il fait bon flâner.

La situation

Carte Michelin Local 340 C3 – Bouches-du-Rhône (13). Il faut arriver à Tarascon en provenance de Beaucaire par le pont sur le Rhône, qui offre le meilleur point de vue sur le château. Mais qu'on arrive de Beaucaire, d'Arles (17 km) ou d'Avignon (23 km), on se retrouve bientôt sur le boulevard circulaire, ombragé de platanes, où l'on pourra garer sa voiture, à moins qu'on ne préfère le parking *(gratuit comme partout en ville)* au pied du château. 🅱 *59 r. des Halles, 13150 Tarascon,* ☎ *04 90 91 03 52. www.tarascon.org*

Le nom

Ce n'est pas la Tarasque qui a donné son nom à la ville... En effet, la racine ligure *asc* signifie « cours d'eau » et le préfixe *tar* « rocher ». Autrement dit, Tarascon serait le « rocher de la rivière », sans doute en référence à la roche qui, dominant le Rhône, supporte le château.

Les gens

12 668 Tarasconnais. Tartarin, personnage de fiction ? Allons donc ! On peut visiter sa maison natale ! Et, à

carnet pratique

VISITE

Visite guidée – 4 parcours thématiques en alternance (1h30). *Juil.-août le lun., merc. et jeu. à 10h30 et le mar. à 14h30, au dép. de l'Office de tourisme. 6 € (+12 ans 3 €). Renseignements, ☎ 04 90 91 03 52.*

Allovisit – Parcours dans la ville en 7 étapes, audioguidé depuis votre téléphone portable. *Carte Allovisit disponible gratuitement à l'Office de tourisme (communication : 0,34 €/mn).*

Visite nocturne « Histoires et théâtre en balade » – Tous les mardis de juillet et août, les rues de Tarascon sont le lieu des visites théâtralisées nocturnes autour des légendes et de l'histoire de la ville. *Dép. de l'Office de Tourisme à 20h30. 8 € (+8 ans 4 €).* ☎ 04 90 91 03 52.

SE LOGER

⊜ **Hôtel du Viaduc** – *9 r. du Viaduc -* ☎ *04 90 91 16 67 - hotel.duviaduc @laposte.net -* 🛏 🅿 *- 15 ch. 22/38 € -* ☕ *5 €.* Cet hôtel occupe une maison régionale située à deux pas de la gare de Tarascon. Chambres simples et bien tenues, meublées dans un esprit rustique. Aux beaux jours, les petits-déjeuners sont servis sur la terrasse ombragée.

⊜⊜ **Échevins** – *26 bd Itam -* ☎ *04 90 91 01 70 - echevins@aol.com - fermé Toussaint-Pâques - 40 ch. 52/62 € -* ☕ *9 €.* Les "Tartarins" en route pour l'Afrique feront étape en cette demeure du 17e s. à l'ambiance familiale. Bel escalier à rampe forgée et chambres modestes mais bien tenues. Joli restaurant-véranda très coloré et cuisine traditionnelle caressée par le Mistral.

⊜⊜ **Cadran Solaire** – *R. du Cabaret-Neuf - 13690 Graveson - 10 km au N de Tarascon par N 570 -* ☎ *04 90 95 71 79 - cadransolaire@wanadoo.fr - fermé de mi-nov. à mi-mars -* 🅿 *- 12 ch. 53/78 € -* ☕ *7 €.* Un cadran solaire orne la belle façade de cet ancien relais de poste bâti au 16e s. Tons grèges et beiges, parterre en jonc de mer ou en tomettes et mobilier campagnard président au décor des chambres joliment rénovées. Agréable jardinet. Confitures maison au petit-déjeuner.

⊜⊜ **Chambre d'hôte du Château** – *24 r. du Château -* ☎ *04 90 91 09 99 - www.chambres-hotes.com - fermé nov.-20 déc. -* 🛏 *- 5 ch. 72/85 € -* ☕ Élégante maison provençale du 18e s. nichée dans une paisible ruelle conduisant au château du roi René. Jolies chambres aux tons pastel desservies par un bel escalier en pierre et ravissant patio fleuri où l'on sert les petits-déjeuners lorsque le temps le permet.

SE RESTAURER

⊜ **Bistrot des Anges** – *Pl. du Marché -* ☎ *04 90 91 05 11 - http://bistrot.des.anges .free.fr - fermé dim. - 10/30 €.* Sympathique restaurant aux tons provençaux garni d'un mobilier en acajou. Terrasse d'été installée sur la place de la mairie. À table, vous aurez le choix entre des tartes salées, une salade et le menu du jour, le tout concocté exclusivement avec des produits frais fournis par les exploitants de la région.

⊜ **Le Bistroquet** – *4 cours National - 13690 Graveson -* ☎ *04 90 95 79 20 - fermé du 15 sept.-15 mai : mar. soir, merc. soir, jeu. soir et lun. ; 15 mai-15 sept. : fermé lun. soir ; bar ouv. tlj - 8/19 €.* Les habitants du village fréquentent cet établissement et s'attablent autour de petits plats tout simples, servis avec le sourire. Aux beaux jours, la terrasse dressée sous les platanes centenaires, est très souvent prise d'assaut. Restauration midi et soir, bar-glacier le reste de la journée.

⊜⊜ **Le Provençal** – *12 cours Aristide-Briand -* ☎ *04 90 91 11 41 - leprovencalmbc@wanadoo.fr - fermé dim. soir et lun. -22 ch. 18/28 €.* Le restaurant, assez réputé à Tarascon, propose une appétissante cuisine aux accents provençaux. L'hôtel abrite des chambres simples, confortables et décorées dans des tons jaune et bleu ; celles qui donnent sur la cour sont plus calmes.

QUE RAPPORTER

Marché à Tarascon – *Pl. de Verdun.* Marché traditionnel mardi, dans le centre ville. Marché bio vendredi matin, pl. du marché.

Marchés à Graveson – Marché paysan, vendredi 16h-20h en mai-octobre, pl. du Marché.

Souleïado – *39 r. Proudhon -* ☎ *04 90 91 08 80 – mai-sept. : tlj sf dim. 10h-18h ; oct.-nov. : tlj sf dim. et lun. 10h-17h.* Souleïado vous invite à découvrir sa maison mère et ses fameux tissus dont la Provence est si fière. La boutique est la seule à proposer un coin « promo », avec 30 à 50 % de réduction sur un large choix d'articles fin de série. La maison organise des ateliers le week-end (voir « la Provence dans votre poche », rubrique « tissu »).

Boutis et tissus imprimés de la maison Souleïado.

Tissus Choix du Roy – 26 r. des Halles (dans l'ancien hôtel de la Monnaie) - ☏ 06 78 88 22 92 - aff2c@yahoo.fr - sur RV. Vaste choix de tissus provençaux vendus au mètre ou confectionnés, bijoux, tarots et objets décoratifs accessibles à ceux qui auront pensé à prendre rendez-vous.

Pâtisserie la Tarasque – 56 r. des Halles - ☏ 04 90 91 01 17 - tlj sf lun. 6h30-13h, 15h-20h - fermé 15-30 août. La Tarasque est le nom d'un délicieux entremets au chocolat, à la noisette et à l'orange, que prepare Régis Morin dans sa boutique aux tons provençaux. Installé à Tarascon depuis 1989, ce pâtissier chocolatier est également l'auteur de la Tartarinade, des Bésuquettes et du tout récent Délice de Tartarin caramel.

CALENDRIER

Fêtes de la Tarasque – À compter du dernier jeudi de juin, pendant 4 jours, se perpétuent les très anciennes fêtes de la Tarasque, instaurées par le roi René en 1474. Lors d'un grand défilé, le monstre apparaît, entraîné par ses chevaliers (tarascaïres) et joyeusement accompagné par Tartarin, de retour d'Afrique. Diverses manifestations musicales, folkloriques et traditionnelles (abrivado, encierro, novillada, banquet) s'achèvent par un spectacle pyrotechnique en bordure du Rhône.

Fête de la St-Eloi – Dernier week-end de juillet à Graveson.

Médiévales – Dernier week-end d'août. Défilés en costumes d'époque, reconstitutions de scènes historiques, marché artisanal et grand banquet festif.

Foire aux santons – Dernier w.-end de nov. avec le marché de Noël.

24 décembre – Cérémonie du pastrage à l'église Ste-Marthe et à l'abbaye St-Michel-de-Frigolet.

Corso carnavalesque – Week-ends précédant et suivant mardi gras à Graveson. Renseignements à l'Office de tourisme : ☏ 04 90 95 71 05.

Magnin G. MICHELIN

Jadis redoutée, la Tarasque est, depuis l'intervention de sainte Marthe, prétexte à réjouissances.

LA SAINTE ET LA BÊTE

Il suffit d'apercevoir son effigie pour se rendre compte que c'était vraiment une sale bête. Elle ? La Tarasque, monstre amphibie qui surgissait soudain du Rhône pour dévorer les enfants ou le bétail et tuer les imprudents qui traversaient le fleuve. Heureusement sainte Marthe, venant de Palestine, traversa la Camargue, où l'on s'y connaît en bêtes sauvages : un simple signe de croix et la terrible Tarasque, vaincue, se couche aux pieds de la sainte. Cette dernière livre la bête au peuple qui s'empresse de la mettre à mal. Grand amateur de fêtes et de réjouissances, le roi René ne manqua pas d'en organiser en 1474 pour célébrer l'événement... Cette tradition a perduré jusqu'à nos jours (voir le calendrier dans le « carnet pratique »).

l'attention des plus sceptiques, on ajoutera que Daudet s'est inspiré d'un authentique Tarasconnais du nom de Barbarin.

découvrir

LE CHÂTEAU DU ROI RENÉ★★

Visite : 1h. 🎫 Animations jeune public en été. ☏ 04 90 91 01 93 - www.monum.fr - avr.-août : 9h-19h ; sept.-mars : tlj sf lun. 10h30-17h (dernière entrée 30mn av. fermeture), possibilité de visite guidée (1h) - fermé 1ᵉʳ janv., 1ᵉʳ Mai, 1ᵉʳ nov. et 25 déc. - 6,10 €, gratuit 1ᵉʳ dim. d'oct. à mars et 3ᵉ w.-end de sept - visite nocturne théâtralisée tous les jeu. soirs d'août dès 21h.

Gîte d'étape massif pour roi raffiné : René y faisait de longs séjours avec sa cour.

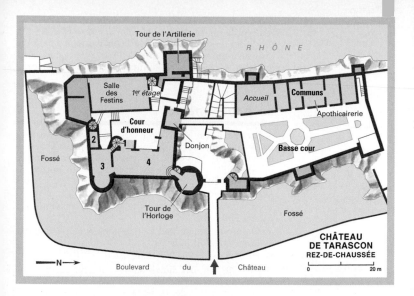

CHÂTEAU DE TARASCON
REZ-DE-CHAUSSÉE

Sa silhouette massive posée au bord du Rhône, l'élégance insoupçonnée de son architecture intérieure et son état exceptionnel de conservation en font un des plus beaux châteaux médiévaux de France.

Il se compose de deux parties indépendantes : au Sud, le logis seigneurial, cantonné de tours rondes côté ville et de tours carrées côté fleuve, avec des murailles s'élevant jusqu'à 48 m de hauteur ; au Nord, la basse cour, que défendent des constructions rectangulaires.

Basse cour

Un large fossé traversé par un pont (autrefois pont-levis) isole l'ensemble du château de la ville. La basse cour comprend les bâtiments de service qui abritent l'apothicairerie de l'hôpital St-Nicolas : importante collection de pots de faïence présentée dans une belle boiserie du 18ᵉ s.

Cour d'honneur

On y accède par la porte en chicane de la tour du donjon. Autour s'ordonnent de belles façades finement sculptées et ornées de fenêtres à meneaux. Une gracieuse tourelle d'escalier polygonale **(1)** dessert les étages ; à côté, dans une niche, bustes du roi René et de la reine Jeanne. Remarquez la clôture flamboyante de la chapelle des Chantres **(2)** et, contre la tour d'angle, la chapelle basse **(3)** que surmonte la chapelle haute.

Côté ville, un corps de logis en équerre comprend des appartements, étagés deux à deux au-dessus d'une galerie **(4)** aux voûtes surbaissées, qui communiquent avec la tour de l'Horloge.

Logis seigneurial

Nous voici chez le roi René, dans l'aile occidentale qui surplombe le fleuve. Les salles d'apparat, celle des Festins au rez-de-chaussée, avec ses deux cheminées et, au premier étage, la salle des Fêtes, avec ses plafonds de bois décorés de peintures, prouvent que la réputation festive du bon roi n'avait rien d'usurpé... Au deuxième étage, deux salles voûtées, celle des Audiences et celle des Conseils. Toutes ces salles sont décorées de tapisseries flamandes. Dans l'aile Sud, après la chambre du chapelain et son four à hostie, chapelle royale d'où le roi et la reine pouvaient entendre, depuis leurs oratoires, la voix des chantres.

Terrasse

Accès par la tour de l'Artillerie. Depuis cette plate-forme, **panorama★★** immense sur Tarascon, Beaucaire, le Ventoux, le barrage de Vallabrègues sur le Rhône, la

---

DU CASTRUM AU CHÂTEAU
Le château actuel a succédé à une forteresse, édifiée à l'emplacement du castrum romain afin de surveiller la frontière de la Provence. Après sa mise à sac en 1399 par les bandes de Raymond de Turenne, la famille d'Anjou décida de le reconstruire entièrement dès 1400. Entre 1447 et 1449, le roi René, qui en avait fait sa résidence favorite, fit réaliser une décoration intérieure raffinée.

UN ROI GOURMET
La chambre du roi (dans la tour Sud-Ouest) possédait une cheminée et un chauffe-plat, bien utiles en cas de petite faim.

Montagnette et les Alpilles, Fontvieille, Montmajour et Arles et la plaine de St-Gilles.

On redescend par la tour de l'Horloge dont le rez-de-chaussée est occupé par la salle des Galères, ainsi nommée en souvenir des graffitis et dessins de bateaux exécutés par les prisonniers de jadis.

se promener

Si le château est très connu, c'est souvent au détriment de la ville qui mérite de mieux l'être, avec ses vieilles demeures édifiées dans une pierre aux teintes chaudes où le soleil révèle ici une corniche, là un portail, là encore une frise, et ses petites rues bordées d'hôtels aux façades souvent très bien restaurées.

Entrer dans la cité par la porte St-Jean et prendre la rue Eugène-Pelletan.

Sur la droite, remarquez la façade baroque du **théâtre**, avec ses angelots joufflus.

Poursuivre par la rue Proudhon.

Au n° 39, un bel hôtel abrite l'entreprise familiale **Souleïado** *(voir « visiter »)* : la boutique propose des tissus imprimés aux couleurs vives et chaleureuses *(voir le « carnet pratique »)*. Poursuivre dans la rue puis, à gauche, juste après la chapelle de la Persévérance (17e s.), s'ouvre la rue **Arc-de-Boqui**, en partie couverte.

Au débouché de la ruelle, prendre à droite vers la place du Marché.

Hôtel de ville
Élégante façade sculptée, du 17e s. Un bel escalier donne accès à la salle des Consuls, ornée de boiseries et de tableaux *(accessible, sauf lors de mariages ou de réunions).*

Prenant la rue du Château (ancienne rue Droite-des-Juifs), on pénètre dans le pittoresque quartier de la **Juiverie**, ancien ghetto de Tarascon. Prenant à gauche la rue des Juifs, vous arrivez sur la minuscule place Renan, ombragée par un grand eucalyptus. Regagnez la rue du Château par un second tronçon de la rue des Juifs, barré par un arceau. À l'extrémité se dressent le château et, face au fleuve, la collégiale Ste-Marthe.

Église Ste-Marthe★
Édifiée au 12e s., elle fut en grande partie reconstruite au 14e s., puis remaniée et enfin restaurée après avoir subi des dégâts en 1944. Elle a conservé, côté Sud, un très beau portail roman, dont la décoration sculptée a en partie disparu.

Magnin G. /MICHELIN

Façade de l'hôtel de ville : sainte Marthe terrassant la Tarasque.

TARASCON

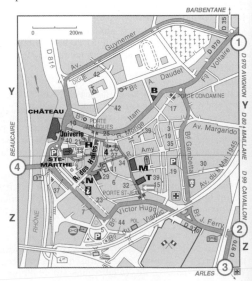

À l'intérieur, tableaux de Nicolas Mignard et de Pierre Parrocel. Dans la crypte est exposé le sarcophage de sainte Marthe (3ᵉ-4ᵉ s.), orné de sculptures. Au passage, dans l'escalier, remarquez le tombeau de l'ancien sénéchal de Provence, Jean de Cossa, belle œuvre de style Renaissance.

Après avoir contourné l'église, et jeté un œil sur l'harmonieuse place Fraga, suivre la rue de l'Ancien-Collège et la rue Clerc-de-Molières.

Prendre à droite la **rue des Halles,** principale artère du vieux Tarascon. Arcades et couverts (15ᵉ s.) bordent cette rue, où se tenait autrefois le marché. Sur la petite place aménagée à droite de la rue Frédéric-Mistral, les galeries du **cloître des Cordeliers** méritent d'être découvertes à l'occasion d'une exposition. Par la rue Salaire (remarquez sur la gauche le portail de l'ancien mont-de-piété), vous rejoignez la rue Proudhon qui, à droite, vous ramène à la porte Saint-Jean.

> **SENTENCE**
> « Toutes blessent, la dernière tue » : telle est la devise inscrite sur un cadran solaire de la rue des Halles. Sans appel !

visiter

Musée Charles-Deméry* (Souleïado)

☎ 04 90 91 50 11 - mai-sept. : 10h-18h ; oct.-avr. : tlj sf dim. et lun. 10h-17h (dernière entrée 1h av. fermeture) - fermé 1ᵉʳ janv., 1ᵉʳ Mai, 1ᵉʳ et 11 nov., 25 déc. - 6,10 €.

L'ancien hôtel particulier a abrité dès 1806 la célèbre manufacture d'impression d'**indiennes** *(voir p. 55)*. Dédié à ces tissus imprimés de motifs colorés, le musée possède près de **40 000 planches d'impression**, dont les plus anciennes remontent au 18ᵉ s. En bois rehaussé de pointes de laiton, elles étaient appliquées à la main, puis frappées au maillet par des ouvriers qui imprimaient jusqu'à 30 m de toile de coton par jour.

Dans l'intérieur provençal du 19ᵉ s., des scènes de la vie provençale ont été reconstituées, ainsi que plusieurs ateliers d'époque, comme la **cuisine aux couleurs** où l'on confectionnait les teintes destinées aux étoffes. Sont également exposées de **rares pièces de tissus imprimés**, des costumes provençaux des 18ᵉ et 19ᵉ s. et une importante collection de poteries, faïences et tableaux.

Maison de Tartarin

55 bis bd Itam. ☎ 04 90 91 05 08 - juil.-août : tlj sf dim. et merc. 9h30-12h, 14h-19h ; avr.-juin et sept. : tlj sf w.-end et merc. 9h30-12h, 14h-19h ; oct. : tlj sf w.-end et merc. 9h-12h, 13h30-18h, possibilité de visite guidée (45mn) - fermé 1ᵉʳ janv., 1ᵉʳ et 8 Mai, 1ᵉʳ et 11 nov. et 25 déc. - 2 €.

Le célèbre personnage de Daudet a enfin trouvé un lieu pour se remettre de ses aventures. Dans cet intérieur reconstitué dans le goût des années 1870, mannequins costumés, meubles et documents restituent l'ambiance du roman de Daudet.

circuit

LA MONTAGNETTE

45 km – 4h. Quitter Tarascon à l'Est par la D 80 (direction Maillane) et continuer au-delà de la N 570 par la D 80ᴬ puis, sur la gauche, la D 32.

Maillane

Au cœur de « la Crau de St-Rémy », Maillane doit sa célébrité à **Frédéric Mistral**. Au cimetière, dans l'allée principale, à gauche, s'élève le mausolée que l'auteur de *Calendau* fit copier d'après le pavillon de la reine Jeanne, près des Baux.

Museon Mistral - ☎ 04 90 95 84 19 - *visite guidée (30mn à 1h) avr.-sept. : 9h30-11h30, 14h30-18h30 ; oct.-mars : 10h-11h30, 14h-16h30 - fermé lun. et j. fériés - 3,50 €, gratuit 25 mars, dim. proche du 8 sept., journée du patrimoine.*

Magnin G. /MICHELIN

Une visite à Tartarin de retour d'Afrique : prélude à l'ascension des Alpilles par la face Nord !

Installé dans la demeure que le poète habita depuis son mariage en 1876 jusqu'à sa mort en 1914 et conservée en l'état, ce lieu de pèlerinage pour tous les amoureux de la langue d'oc contient d'émouvants souvenirs, des tableaux et des livres.

Rejoindre Graveson par la D 5, puis, à gauche la D 28.

Graveson

L'ancienne cité fortifiée conserve un charme certain avec son cours principal alangui le long d'une petite roubine (un canal long d'une dizaine de mètres). L'église du village présente une abside romane et un clocher hérissé de sculptures qui a valu aux Gravesonnais le surnom de « nombrils de bois ».

Musée Auguste-Chabaud★ – ☎ 04 90 90 53 02 - www .museechabaud.com - juin-sept. : 10h-12h, 13h30-18h30 ; oct.-mai : 13h30-18h30, possibilité de visite guidée (1h15) - fermé 1ᵉʳ janv. et 25 déc. - 4 € (enf. 2 €).

Il est consacré au peintre sculpteur nîmois (1882-1955), qui, installé au Mas de Martin au pied de la Montagnette, a fait de celle-ci son principal sujet d'inspiration. D'abord postimpressioniste *(Maison au bord du canal*, 1902), puis apparenté au fauvisme, l'ermite de Graveson, par la force d'expression de ses tableaux aux couleurs vives cernées de noir, peut être situé dans un courant proche de l'expressionisme.

Magnin G. /MICHELIN

Ombragée de platanes, la roubine de Graveson : à comparer avec la toile d'Auguste Chabaud.

⧉ Pour prolonger cet hommage au peintre, suivez en sortant l'itinéraire Chabaud, mis en place dans les rues du bourg. Une dizaine de panneaux reproduisant ses œuvres ont été installés sur les lieux qu'il a peints *(livret en vente au musée, 5€)*.

Jardin des Quatre-Saisons – *Av. de Verdun. Avr.-sept. : 8h-20h ; oct.-mars : 8h-18h. Accès libre, plan gratuit à l'Office du tourisme de Graveson.* ☎ 04 90 95 88 44.

Ce jardin public, en lisière du village, se compose de quatre sections, chacune dédiée à une saison. Depuis le sommet de la butte centrale, vue sur les collines calcaires de la Montagnette.

Jardin aquatique « Aux fleurs de l'eau » – *Quartier Cassoulen, rte de St-Rémy.* ☎ 04 90 95 85 02 - de mi-juin à mi-sept. : 10h-12h, 14h30-19h ; de déb. mai à mi-juin : w.-end et vac. scol. 10h-12h, 14h30-19h - 4 € (-8 ans gratuit).

Une douzaine de bassins, trois cascades, 1 km de sentiers, 2 000 variétés de plantes des cinq continents, dont beaucoup sont aquatiques : voilà de quoi ravir les botanistes amateurs ou promeneurs en quête de fraîcheur. Les enfants observeront les grenouilles, libellules et carpes japonaises de cette jungle bien irriguée et ordonnée.

Musée des Arômes et du Parfum – *À quelques kilomètres au Sud par la D 80.* ☎ 04 90 95 81 55 - juil.-août : 10h-19h ; sept.-juin : 10h-12h, 14h-18h - 4 €.

Dans une ancienne cave à vins de l'abbaye de St-Michel-de-Frigolet, vous verrez alambics, flacons, essenciers... Vous arpenterez ensuite le jardin expérimental de plantes aromatiques en culture biologique. Les récoltes sont distillées en haute Provence puis traitées dans le laboratoire attenant au musée. Les partisans de l'aromathérapie trouveront leur bonheur dans la boutique.

Poursuivre jusqu'à la N 570 et prendre à droite vers Graveson, puis à gauche en direction de Tarascon. Immédiatement, tourner à gauche dans la D 81.

Après être passée au-dessus de la D 970, la route s'élève en lacets parmi pins, oliviers et cyprès dans un paysage propice à la promenade comme au pique-nique.

Abbaye de St-Michel-de-Frigolet
Possibilité de parking surveillé (et payant). Un chemin de croix précède l'arrivée à l'abbaye, annoncée par une enceinte néomédiévale qui, avec ses tours, courtines, créneaux et mâchicoulis, semble sortie de quelque dessin animé de Walt Disney.

On visite l'église abbatiale néogothique, construite autour de la **chapelle de N.-D.-du-Bon-Remède**, dont la structure romane est dissimulée sous une débauche de **boiseries★** dorées offertes par Anne d'Autriche, et de tableaux attribués à l'école de Nicolas Mignard. Dans la galerie Nord du **cloître** (début du 12e s., restauré au 17e s.), on peut admirer quelques vestiges romains : frises, chapiteaux, masques, ainsi que de beaux santons modernes en bois d'oliviers millénaires sculptés par Charles Toni, de Noves. Dans la **salle du chapitre** (17e s.), tableaux de Jean Guitton. Dans le hall d'entrée, remarquable tableau de Wenzel, *Le Siège de Frigolet* (1880). ☎ *04 90 95 70 07 - www.frigolet.com - visite guidée (1h) dim. 16h10 - fermé j. fériés - 4 € (gratuit - 11 ans).*

DE REMÈDES EN ÉLIXIR
Fondée par les moines défricheurs de Montmajour *(voir ce nom)* qui, souvent atteints de fièvres paludéennes, venaient s'y rétablir (d'où le nom de la chapelle de N.-D.-du-Bon-Remède), l'abbaye, après avoir vu se succéder des religieux de divers ordres, fut vendue comme bien national à la Révolution. Utilisée comme pensionnat (Mistral compta parmi ses élèves), elle retrouva sa vocation religieuse en 1856 avec une communauté de prémontrés, toujours présente, après avoir traversé une période de fortes turbulences au début de la IIIe République. Cependant, si les moines existent bel et bien, le plus célèbre d'entre eux est sans doute né de l'imagination d'Alphonse Daudet : c'est le fameux R.-P. Gaucher qui, tortillant son chapelet de noyaux d'olives, confiait au prieur le secret de l'élixir de la tante Bégon.
À noter : la distillerie Liqueur de St-Michel-de-Frigolet se trouve à Châteaurenard (voir « circuit » à Avignon).

Quant à l'**église Saint-Michel** (12e s.), elle saura vous charmer par sa simplicité. Elle a conservé un beau toit en dalles de pierre que termine une élégante crête ajourée.
Poursuivre la D 80, puis la D 35ᴱ.

Barbentane *(voir ce nom)*
Quitter Barbentane par la D 35 au Sud.

Boulbon
Adossé à la Montagnette, le bourg est dominé par les murailles d'un imposant **château fort** *(ne se visite pas)* : il faut le découvrir en fin de journée, lorsque les rayons rasants du soleil viennent illuminer la pierre de teintes chaudes.
Au cimetière, la **chapelle St-Marcellin** (11e-12e s.) contient de belles sculptures (gisant et pleureurs du 14e s.).
Reprendre la D 35 qui ramène à Tarascon.

BALADE
🚶 Un circuit balisé *(en jaune)* permet aux plus vaillants d'explorer la Montagnette depuis St-Michel-de-Frigolet en passant par Boulbon et le **San Salvador**, qui culmine à 161 m. *Noter que l'accès au massif est interdit de juillet à mi-septembre, et toute l'année lorsque le vent souffle à plus de 40 km/h.*

CALENDRIER
Procession des bouteilles – Le 1er juin à 19h se déroule une procession réservée aux hommes, chacun muni d'une bouteille de vin de l'année, jusqu'à la chapelle St-Marcellin. Après la messe, bénédiction des bouteilles.

La Tour-d'Aigues

Pour qui vient du rude Luberon, le pays d'Aigues, baigné par la Durance et largement ouvert sur Aix, apparaît comme une région bénie des dieux, avec ses paysages riants et ses riches terroirs portant vignobles, cerisiers et cultures maraîchères.

La situation

Carte Michelin Local 332 G11 – Schémas p. 253 et 382 – Vaucluse (84). À 27 km au Nord d'Aix-en-Provence *(voir ce nom)* et à 30 km au Sud d'Apt *(voir ce nom)*, entre la Durance et le Luberon, le bourg, dominé par son château, est la véritable capitale du pays d'Aigues. Vaste parking sur la place du château.

🄱 *Le Château, 84240 La Tour-D'aigues,* ☎ *04 90 07 50 29.*

Le nom

Une « tour » précéda le donjon actuel. Quant aux « Aigues », elles font référence au « Pays d'Aix » ou *Pagus aquensis*, qui s'étend entre Luberon et Durance.

carnet pratique

SE LOGER

🛌 **Chambre d'hôte Bastide de la Roquemalière** – *Rte de la Font-de-l'Orme - 84360 Mérindol -* ☎ *04 90 72 86 72 - roquemaliere@wanadoo.fr -* 🖬 *- 5 ch. 48/55 €* 🛏 *- repas 20 €.* Comme le soulignent les propriétaires, calme, tranquillité et nature sont bien les trois points forts de ces chambres d'hôte, situées dans une maison isolée, au pied des premiers contreforts du Luberon. Nous ajouterons aussi les prix, tout à fait raisonnables pour la région. Les chambres sont spacieuses et modernes (surtout au premier étage), la décoration particulièrement soignée. La maison dispose d'un grand jardin avec piscine et d'une terrasse sous les arbres. Que demander de plus ?

🛌🛌 **Chambre d'hôte Domaine de La Carraire** – *Chemin de la Carraire - 84360 Lauris -* ☎ *04 90 08 36 89 - www.lacarraire .com - fermé 15 nov.-1ᵉʳ avr. -* 🖬 *- 5 ch. 55/70 €* 🛏 *7 €.* On ne peut pas rêver plus provençal ! Imaginez : une superbe bastide, des vignes, une piscine et des vieux platanes ! Le tout à des prix encore abordables, même en haute saison. Une adresse rare.

SE RESTAURER

🍴 **Auberge de la Tour** – *R. Antoine-de-Tres -* ☎ *04 90 07 34 64 - fermé vac. de fév., vac. de Toussaint, sam. midi, dim. soir et lun. - 11/23 €.* L'ambiance est décontractée, ce qui donne à ce restaurant niché au cœur du village un petit air de bistrot. Côté cuisine, le terroir est à l'honneur : plats mitonnés fleurant bon la Provence.

🍴 **Stéfani** – *35 av. Gambetta - 84160 Cadenet -* ☎ *04 90 68 07 14 - stefani3 @libertysurf.fr - fermé dim. soir et lun. - 9,50/22 €.* Ce restaurant typiquement régional se trouve dans le village de Cadenet. Intérieur soigné et belle terrasse panoramique avec vue sur la Sainte-Victoire. Dos de sandre, gâteau de gigot d'agneau et barigoule de veau à la provençale figurent parmi les spécialités de la maison.

🍴🍴 **Le Patio du Vallon** – *Chemin du Vallon-Bernard - 84360 Mérindol -* ☎ *04 90 72 82 19 - fermé lun. et mar. - 16/23 €.* Dans le village de Mérindol, une adresse sympathique qui allie pizzas traditionnelles et cuisine provençale plus élaborée. Four à pizza dans la salle. Aux beaux jours, une petite terrasse-balcon accueille les clients. Halte agréable et service de qualité.

QUE RAPPORTER

Marché à Cadenet – *84160 Cadenet.* Marché traditionnel : lundi matin à Cadenet. Marché paysan : samedi matin au bouloudrome (de mai à octobre).

Marché à Pertuis – *84120 Pertuis.* Marché traditionnel vendredi matin ; marché paysan mercredi et samedi matin place Garcin.

Marché à Rognes – *13840 Rognes.* Sur la place du monument aux morts : marché traditionnel mercredi matin et marché paysan samedi matin (les agriculteurs locaux y vendent exclusivement leur propres productions).

Marché aux truffes à Rognes – *13840 Rognes - 10h-12h et 15h-19h sf dim. apr.-midi, lun. et j. fériés.* Un grand marché « truffe et gastronomie » se tient le dernier dimanche avant Noël.

Marché traditionnel à La Roque-d'Anthéron – *13640 La Roque d'Anthéron - 7h-12h.* Jeudi matin sur le cours Foch.

SPORTS & LOISIRS

Montgolfière Hot-Air Ballooning – *Le Mas Fourniguière - 84220 Joucas -* ☎ *04 90 05 79 21 - www.montgolfiere-provence-ballooning.com - 9h-22h - fermé 1ᵉʳ nov.-1ᵉʳ avr.* Pour survoler en silence le Luberon. Prévoir 3h (transfert sur site d'envol, préparation des montgolfières, vol). Les vols se déroulent généralement en début de matinée.

CALENDRIER

Festival du château de la Tour d'Aigues – De mi-juillet à mi-août. Musiques du monde, jazz, danse, théâtre. ☎ *04 90 07 50 33.*

Festival international de piano – Dernière semaine de juillet et 3 premières semaines d'août, à la Roque-d'Anthéron.
☎ *04 42 50 51 15. www.festival-piano.com*

Fête des Vins des Coteaux d'Aix – Fin mai à Rognes.

Fête des cerises – 1ᵉʳ w.-end de juin à la Roque-d'Anthéron. Marché aux cerises avec présentation de vieux métiers et défilé traditionnel.

Un portail monumental inspiré de l'antique pour entrer dans le château, qui abrite une collection de faïences locales.

G. Magnin / MICHELIN

Les gens
3 860 Tourains. **Victor Riquetti** (1715-1789), enfant du pays d'Aigues (il était né à Pertuis et portait le titre de comte de Mirabeau), fut un savant estimé. Mais s'il maîtrisait la science économique, il eut bien du souci avec son chenapan de fils, Gabriel Honoré. Quant à la postérité, c'est le garnement qu'elle devait retenir. À vous dégoûter d'être un *Ami des hommes*, titre de l'ouvrage de Monsieur père...

visiter

CHÂTEAU
☎ *04 90 07 50 33 - www.chateau-latourdaigues.com - de déb. juil. à mi-août : 10h-13h, 14h30-18h ; avr.-juin et de mi-août à fin oct. : 10h-13h, 14h30-18h, dim. et lun. 14h30-18h, mar. 10h-13h ; nov.-mars : 10h-12h, 14h-17h, dim. et lun. 14h 17h, mar. 10h-12h - fermé 1ᵉʳ janv., 24-26 et 31 déc. - 4,50 € (-8 ans gratuit).*

Il a encore fière allure, ce château, avec sa silhouette émouvante, aux fenêtres ouvrant sur le vide ! Édifié entre 1555 et 1575 dans le goût de la Renaissance par un architecte italien sur une vaste terrasse dominant l'Èze, il s'honore d'avoir reçu en 1579 Catherine de Médicis. Mais s'il brillait alors de mille feux, un incendie accidentel, en 1780, suivi du saccage par les révolutionnaires de 1792, l'ont ruiné. Le Conseil général du Vaucluse, propriétaire des lieux, a entrepris sa restauration en 1974.

Deux imposants pavillons encadrent le monumental portail d'entrée, inspiré des arcs de triomphe, abondamment décoré de colonnes et pilastres corinthiens avec une frise d'attributs guerriers.

Au cœur de l'enceinte se dresse le donjon, restitué dans son état du 16ᵉ s. Dans un angle subsiste la chapelle. Les caves accueillent des salles d'expositions et de conférences, ainsi que les collections de deux musées.

Musée des Faïences
C'est fortuitement qu'on a retrouvé, au cours de travaux réalisés dans les caves du château, une grande quantité de **céramiques vernissées**, base de cette collection. Pour l'essentiel, il s'agit de pièces, blanches ou polychromes, réalisées dans la fabrique de Jerôme Bruny à La Tour-d'Aigues, entre 1750 et 1785.

En contrepoint, des porcelaines européennes (Delft, Moustiers, Marseille) et asiatiques (Chine, Japon) du 18ᵉ s., des médaillons en marbre du 16ᵉ s. et des carreaux de pavement en terre cuite émaillée (17ᵉ-18ᵉ s.) viennent éclairer cette présentation.

► **ORANGE**
Le plat ovale représentant une scène de chasse au renard en camaïeu, d'après une gravure de J.-B. Oudry.

Musée de l'Habitat rural du pays d'Aigues
Une des salles du château est consacrée à l'histoire de l'occupation de la région et présente les différentes formes d'habitat.

circuit

FLÂNERIE AU FIL DE LA DURANCE
112 km – 1 journée environ.

Au pied du Luberon, cette rivière fantasque suit un cours souvent paresseux, parallèle à la Méditerranée jusqu'au Rhône qu'elle rejoint au Sud d'Avignon. Ce ne fut pas toujours le cas puisque, à l'époque des dernières grandes glaciations, elle formait un coude à peu près à hauteur de Lamanon et se jetait directement dans la mer en charriant une énorme masse de cailloux devenue aujourd'hui la Crau.

Un débit irrégulier et des crues aussi spectaculaires que dévastatrices ont marqué l'histoire de la Durance, qui ne s'est laissé apprivoiser que peu à peu. La retenue de Serre-Ponçon *(voir Le Guide Vert Alpes du Sud)* a permis de réguler son cours et de pouvoir irriguer les plaines de la basse Durance en saison sèche. De nombreux canaux, destinés à l'alimentation des villes, à l'irrigation (cas du plus ancien, le canal de Craponne, du 16ᵉ s.) ou utilisant son important potentiel hydro-électrique, ont été creusés dans la région comprise entre la Durance et la mer. Poissons, cormorans, hérons, castors ont aujourd'hui réinvesti les eaux de la rivière, qui ont retrouvé leur pureté.

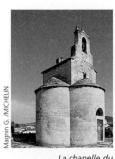

Le retour d'un indigène : le cormoran est revenu hanter les rives de la Durance ; les poissons n'ont qu'à bien se tenir !

Quitter La Tour-d'Aigues vers l'Est par la D 135 en direction de Mirabeau.

Sur la gauche après le village, la N 96 (en direction de Manosque) emprunte le **défilé de Mirabeau**, étroit couloir creusé dans la roche par lequel la Durance quitte la haute Provence pour entrer en Vaucluse.

Après avoir franchi la Durance sur le pont de Mirabeau, prendre à gauche au rond-point, en direction de St-Paul-lez-Durance, puis à droite dans la D 11.

Jouques

Étagé en bordure du Réal, ce village avec son mail ombragé de majestueux platanes, ses maisons aux façades de couleurs chaudes, ses ruelles pentues en escaliers parfois enjambées par des arcs et ses toits de tuiles romaines évoque irrésistiblement le village provençal tel qu'il est représenté dans les crèches. Une balade agréable vous conduira au sommet du village où, depuis l'église de **Notre-Dame-de-la-Roque**, la jolie vue sur un site harmonieux et verdoyant sera une belle récompense.

Prendre la D 561 en direction de Peyrolles.

Peyrolles-en-Provence

Le bourg a conservé de son enceinte médiévale un beffroi (campanile en fer forgé) et une tour ronde ruinée, près de l'église. Ancienne résidence du roi René largement remaniée au 17ᵉ s., le **château**, qui domine le village, abrite aujourd'hui la mairie. À l'intérieur, grand escalier « de vanité » et gypseries du 18ᵉ s. De la terrasse Est, ornée d'une « fontaine au gladiateur », vue sur la vallée. *Visite guidée (30h) sur demande auprès du Service tourisme - ☎ 04 42 57 89 82 - gratuit.*

Au pied du château a été découverte une grotte contenant d'étonnantes traces de **palmiers fossilisés** remontant à l'ère tertiaire, uniques en Europe. *Visite sur demande au Service tourisme, gratuit. ☎ 04 42 57 89 82.*

L'**église St-Pierre**, maintes fois remaniée a conservé une nef romane.

Sur un éperon rocheux, la **chapelle du St-Sépulcre**, édifiée au 12ᵉ s., présente un plan en forme de croix grecque. Sur les murs, des fresques : la création d'Adam et Ève (au-dessus de la porte) et une procession de saints auréolés.

La chapelle du Saint-Sépulcre à Peyrolles : un plan oriental abritant d'émouvants graffitis de voiliers, ex-voto sans doute tracés sur les murs au Moyen Âge.

Meyrargues

L'imposant château qui surplombe la cité est aujourd'hui un hôtel. En contrebas, une promenade conduit aux vestiges de l'aqueduc romain qui, passant à travers les gorges sauvages de l'Étroit, alimentait Aix-en-Provence.

À la sortie de Meyrargues, prendre à droite la D 561 en direction de la Roque-d'Anthéron, puis tourner à gauche dans la D 15 vers le Puy-Ste-Réparade.

Rognes

Rognes est renommé à double titre : pour sa pierre très utilisée en Provence dans la construction et la décoration *(carrières sur la route de Lambesc)*, et, depuis peu, pour la truffe.

L'**église**, du 17ᵉ s., possède un remarquable ensemble de dix **retables★** des 17ᵉ et 18ᵉ s. *Visite sur inscription préalable à l'Office de tourisme avec l'association Les Amis du Vieux Rognes, ☎ 04 42 50 13 36.*

UN BIEN POUR UN MAL

1 300 ha de terrains communaux, peuplés pour l'essentiel de pins, sont partis en fumée lors d'un incendie il y a une dizaine d'années. Les habitants, se souvenant alors qu'ils vivaient sur une terre à truffes, ont reboisé le terrain d'arbres truffiers (chênes, en particulier) afin de tenir les sous-bois propres. Et c'est ainsi que d'une catastrophe, Rognes a tiré une spécialité d'autant plus renommée que le terrain sableux et humide donne à la truffe locale un parfum très apprécié. Un pittoresque **marché « rabassier »** a lieu le dimanche qui précède Noël.

Par la D 66, revenir à la D 561 et prendre à gauche.

Après la **centrale de St-Estève-Janson**, où prend naissance le canal de Marseille qui, creusé au 19ᵉ s., a longtemps alimenté la cité en eau potable, on longe le **bassin de St-Christophe**, vaste réservoir de retenue situé au pied de la chaîne des Côtes, dans un site de rochers et de pins.

La route traverse puis longe le canal EDF.

Abbaye de Silvacane★★ *(voir ce nom)*

La Roque-d'Anthéron

Au cœur du bourg, le **château de Forbin**, vaste demeure du 17ᵉ s. aux tours d'angle roses, accueille chaque année un prestigieux festival international de piano.

Place Paul-Cézanne, le **Centre d'évocation vaudois** rappelle l'installation des Vaudois à La Roque entre 1514 et 1545 (évocation qui peut être complétée par l'exposition installée dans le temple). Le 1ᵉʳ étage est, quant à lui, occupé par le **musée de Géologie provençale**. *Fermé pour travaux. Se renseigner auprès de l'office de tourisme - ☎ 04 42 50 70 74.*

La D 561 puis, à droite, la D 23ᶜ conduisent à Mallemort. Franchir la Durance par la D 32 puis tourner à gauche sur la D 973. Faire 2 km avant de prendre à droite une petite route qui longe une carrière (fléchage) et conduit à un parking aménagé sous les oliviers.

Gorges du Régalon★

⏱ *1h15 AR. Attention : les jours d'orage, le mince filet d'eau devient torrent, ce qui rend l'excursion impossible. Prendre le chemin qui suit en contre-haut le lit du torrent. Bientôt, sur la gauche, s'étend une oliveraie que l'on traverse pour atteindre un passage étroit qui marque l'entrée des gorges.*

Une promenade idéale pour les jours de forte chaleur, car la température dans les gorges est toujours très fraîche. Marchant dans le lit du torrent, on passe sous un énorme bloc de rochers encastré entre les parois très rapprochées. Une petite escalade et nous voici à l'entrée

Magnin G. /MICHELIN

Les gorges du Régalon : un étroit couloir où la température est délicieusement fraîche !

carnet pratique

VISITE

Visite guidée de la ville – Uzès, qui porte le label Ville d'art, propose des visites-découvertes (2h) animées par des guides-conférenciers agréés par le ministère de la Culture et de la Communication. *Juin-sept. : lun. et vend. à 10h, merc. à 16h. Visites nocturnes en été, se renseigner pour la date. La visite de l'église St-Étienne (voir description dans "se promener") est comprise dans le circuit. Renseignements à l'Office de tourisme,* ☎ 04 66 22 68 88. *www.vpah.culture.fr*

SE LOGER

☺☺ **Le Mas de Caroubier** – *684 rte de Vallabrix - 30700 St-Quentin-la-Poterie - 5 km au NE d'Uzès par D 982 et D 5 -* ☎ 04 66 22 12 72 - *www.mas-caroubier.com - fermé déc. -* ⊠ *- 4 ch. 55/85 €* ⊡ Ce mas surgissant au bout d'un chemin de campagne est un havre de paix. Tout y incite à la sérénité : le délicieux accueil, le charme des chambres garnies de meubles chinés, la quiétude du jardin et du beau potager médiéval, la piscine... Stages de poterie, de peinture et de cuisine.

☺☺☺☺ **Château d'Arpaillargues** – *R. du Château - 30700 Arpaillargues-et-Aureillac -* ☎ 04 66 22 14 48 - *arpaillargues@leshotels particuliers.com -* ▣ *- 28 ch. 150/210 € -* ⊡ *12 € - restaurant 26/45 €.* Un joli château du 18e s. (où vécut la compagne de Franz Liszt) et une ancienne magnanerie abritent des chambres personnalisées avec vue sur le parc ou le village. Cuisine au goût du jour, cadre chaleureux et agréable terrasse au restaurant.

SE RESTAURER

☺☺ **Zaïka** – *Passage Marchand -* ☎ 04 66 03 27 37 - *fermé 15 déc.-31 janv., dim. soir, lun. et mar. - réserv. conseillée - 16/27,50 €.* En indien, Zaïka veut dire « goût ». On en saisit pleinement le sens dans ce petit restaurant où flotte une bonne odeur de parfums épicés. On y propose plusieurs menus - dont un végétalien et un végétarien - dans un décor exotique égayé de chaises colorées venant d'Inde.

☺☺ **L'Atelier Gourmand** – *8-10 bd Charles-Gide -* ☎ 04 66 22 20 78 - *fermé dim. soir et lun. - 22/55 €.* Dans une rue de la vieille ville, un restaurant de poche tout simple - sobres salles voûtées - qui joue la carte de la qualité avec une appétissante cuisine au goût du jour.

☺☺☺☺ **Les Trois Salons** – *18 r. du Dr-Blanchard -* ☎ 04 66 22 57 34 - *lestroissalons@yahoo.fr - fermé 10 janv.-10 fév., dim. soir, lun. et mar. - 50/70 €.* Enseigne-vérité pour cette maison bâtie en 1699 près du Duché : les tables sont installées dans trois jolis salons au décor épuré. Carte moderne mâtinée de saveurs régionales.

FAIRE UNE PAUSE

La Sorbetière – *Pl. Albert-1er -* ☎ 04 66 22 34 32 - *oct.-mai : 8h-20h, sam. 8h-23h ; juin-sept. : 8h-23h.* Laissez-vous tenter par le péché de gourmandise en ce salon de thé. Installé dans la salle voûtée, en terrasse

ou près d'une jolie fontaine, vous dégusterez salades, petits plats maison, crêpes, pâtisseries ou glaces. Très beau choix de thés. Expositions et concerts réguliers.

QUE RAPPORTER

Foires et marchés – Journée de la Truffe sur la place aux Herbes, le 3e dimanche de janvier. Au même endroit, foire à l'Ail (accompagnée des feux de la St-Jean) le 24 juin et un marché traditionnel samedi matin. Foire aux Vins, autour du 15 août, sur l'Esplanade. Marché des producteurs tous les mercredis matin.

Atelier Christophe Pichon – *6 r. St-Étienne - Zac Pont-des-Charrettes -* ☎ 04 66 22 11 86 - *christophe.pichon2 @free.fr - lun.-sam. 9h12h, 14h-18h - fermé 1er Mai, 14 juil. et Noël.* Atelier de fabrication de céramiques traditionnelles fondé en 1802 par un ancêtre de Christophe Pichon. De nouveaux styles égaient les collections, mais la passion familiale est toujours intacte. Côté couleurs, les noms font rêver : nuage, rose frais, sable, jonquille, ivoire ou céladon.

Les Truffières du Soleil – *Mas du Moulin de la Flesque -* ☎ 04 66 22 08 41 - *sur demande.* Pour tout savoir sur la truffe et sa culture. Visite des plantations et dégustation.

Huile d'olive – Deux moulins sont ouverts au public, à Collorgues et à Martignargues.

SPORTS & LOISIRS

Survol de l'Uzège en ballon – *Jean Donnet - 30700 La Capelle-et-Masmolène -* ☎ 04 66 37 11 33 ou 04 66 37 15 21.

Parc Aquatique de La Bouscarasse – *Rte d'Alès - 8 km au NO d'Uzès par D 981 - 30700 Serviers-et-Labaume -* ☎ 04 66 22 50 25 - *10h-19h, w.-end 10h-20h - fermé de 7 sept. à fin mai.* Besoin d'un peu de fraîcheur ? 2 500 m2 de bassins et de pataugeoires attendent les vacanciers et leurs enfants. Le grand parc ombragé et doté d'une végétation luxuriante comporte des aménagements pour les pique-niques, un théâtre à ciel ouvert et un petit snack.

Golf-Club d'Uzès – *Mas de la Place, Pont des Charrettes -* ☎ 04 66 22 40 03 - *http://perso.club-internet.fr/golfuzes - 8h-19h ; juin-août : 7h30-20h - fermé 25 déc. et 1er janv.* Parcours de 9 trous, compact 4 trous, practice et putting-green. Hôtel, restaurant et salle de séminaires sur place.

CALENDRIER

Biennale du Meuble Peint – W.-end de Pâques (années paires).

Festival Uzès danse – Il a lieu durant la 2e quinzaine de juin, dans la cour de l'Évêché et dans le jardin médiéval. ☎ 04 66 03 15 39. www.uzesdanse.fr

Nuits musicales – Elles rassemblent de prestigieux interprètes de musique Renaissance et baroque dans les édifices historiques d'Uzès et de l'Uzège durant la 2e quinzaine de juillet.

Festival Autres Rivages – De mi-juil. à mi-août qui permet de découvrir des musiques traditionnelles du monde dans plusieurs villages de l'Uzège.

Ardent que l'on peut voir à Aix ; son confrère **Xavier Sigalon** (1788-1837) ; et, bien sûr, **André Gide** (1869-1951) qui a évoqué ses vacances uzétiennes chez son oncle dans *Si le grain ne meurt*. Mais c'est **Jean Racine** (1639-1699) qui a le plus fait pour le renom de la cité.

se promener

LA VILLE ANCIENNE★★

Étrangement silencieuses parfois, les ruelles d'Uzès nous transportent hors du temps, lorsque d'une fenêtre s'égrènent quelques notes de piano. Soudain, on débouche sur une place à couverts où se tient un marché haut en couleur, ou bien on découvre en contrebas la garrigue qui, en février, s'illumine sous les fleurs d'un blanc éclatant des amandiers. Devant les vitrines des artisans, souvent de qualité, à l'écoute de l'animation toute méridionale des boulevards, quand le feuillage des platanes est pris d'un brusque frémissement... on éprouve la délicieuse sensation de pouvoir se perdre, l'espace d'un instant, dans cette cité dont le charme tient à un subtil équilibre entre présent et passé.

Depuis l'avenue de la Libération, prendre à droite le boulevard des Alliés.

Église St-Étienne

Visite guidée uniquement. ☎ 04 66 22 68 88.

Sa façade curviligne est caractéristique du style jésuite en vogue au 18ᵉ s. Elle a été édifiée sur l'emplacement d'une église du 13ᵉ s. détruite au cours des guerres de Religion et dont ne subsiste que le clocher rectangulaire. Sur la place, **maison natale de Charles Gide** (1847-1932), économiste défenseur du système coopératif, et oncle d'André.

Prendre la rue St-Étienne en direction de la place aux Herbes.

Au passage, remarquez (au nᵒ 1) une imposante porte Louis XIII à pointes de diamant et, plus loin, à gauche, dans une impasse, une belle façade Renaissance.

Place aux Herbes★

De plan asymétrique, entourée de couverts (les « arceaux ») sous lesquels se nichent d'agréables boutiques et quelques restaurants, plantée de platanes, elle est le véritable cœur de la cité qui s'anime les jours de marché. Parmi les demeures qui la bordent, dans un renfoncement, l'**hôtel de la Rochette** (du 17ᵉ s.) et, au Nord, une **maison d'angle** flanquée d'une tourelle sont les plus remarquables.

Une petite ruelle devant cette dernière conduit à l'étroite rue Pélisserie, que l'on prend à gauche. Sur la droite, prendre la rue Entre-les-Tours.

La silhouette de la tour Fenestrelle, aussi élégante que gracieuse, justifie amplement le fait qu'elle soit devenue le symbole de la cité.

Restaurée, la place aux Herbes, avec ses couverts, ses terrasses et ses boutiques, mais aussi ses marchés, est devenue un haut lieu de l'art de vivre uzétien.

Tour de l'Horloge

Cet ouvrage du 12e s. (campanile en fer forgé) était la tour de l'Évêque : elle s'opposait à la tour ducale et à la tour du Roi à l'époque où ces trois forces se disputaient le pouvoir sur la cité.

Revenir sur ses pas et poursuivre rue Pélisserie.

À l'angle de la rue et de la place Dampmartin, belle façade Renaissance de l'**hôtel Dampmartin**, que flanque une tour ronde.

Traverser la place et prendre la rue de la République.

Au n° 12, l'**hôtel de Joubert** déploie sa belle façade d'époque Henri II.

Poursuivre la rue, puis prendre à droite le boulevard Gambetta jusqu'à l'hôtel de ville.

Hôtel de ville

Depuis la façade (18e s., belle cour intérieure), perspectives sur la silhouette massive du Duché *(voir « visiter »)* et la toiture en tuiles vernissées de la chapelle.

Traverser la cour de l'hôtel de ville et prendre à gauche le passage du jardin des Jésuites, puis, dans le prolongement, la rue Boucairie, où l'on travaillait jadis le cuir.

À l'angle de la rue Raffin s'élève l'**hôtel des Monnaies**, rappelant que les évêques eurent le privilège de battre monnaie jusqu'au 13e s.

Plus loin, après l'arceau qui enjambe la rue, sur la place de l'Évêché, se dresse la façade, précédée d'une colonnade, de l'**hôtel du Baron de Castille**.

Au-delà de la rue St-Julien, l'**ancien palais épiscopal**, demeure fastueuse, abrite le musée municipal Georges-Borias *(voir « visiter »)*.

Cathédrale St-Théodorit

Elle a été élevée au 17e s. sur l'emplacement de l'ancienne cathédrale romane, détruite pendant les guerres de Religion. À l'intérieur, superbes **orgues★** Louis XIV encadrées de volets peints destinés à les masquer pendant le carême.

Tour Fenestrelle★★

Ce vestige roman de l'ancienne cathédrale est l'unique exemple en France de clocher rond. Les six étages de fenêtres géminées lui ont donné son nom.

Poursuivre sur la **promenade Jean-Racine** d'où l'on domine les garrigues et la vallée de l'Alzon : l'Eure y prend sa source, qui, captée par les Romains, était dirigée sur Nîmes par le pont du Gard. À gauche, en saillie, le **pavillon Racine**, surmonté d'un dôme, a été construit sur une tour des anciennes fortifications.

Traverser Le Portalet, partie du boulevard circulaire qui domine la garrigue, et prendre la rue St-Théodorit.

Étroite et pentue, la rue, dont le départ est marqué par une fontaine fermée par une grille, donne accès à un réseau de ruelles bordées par de nobles demeures, dont la plupart ont été remarquablement restaurées.

Prendre en face l'impasse Port-Royal.

Jardin médiéval

☎ 04 66 22 38 21 - *juil.-août : 10h30-12h30, 14h-18h ; avr.-juin et sept. : 14h-18h, w.-end et j. fériés 10h30-12h30, 14h-18h ; oct. : 14h-17h - 3 €.*

Au bout d'un passage voûté, vous découvrirez ce havre de verdure où l'on trouve plantes potagères, condimentaires, utilitaires, ornementales et médicinales. Reconstitué avec soin, ce jardin, conçu à la suite de recherches historiques, offre en outre une vue imprenable sur les tours du Roi et de l'Évêque, qui servent de cadre à des expositions.

Descendre la rue Port-Royal et par la rue Paul-Foussat, regagner le boulevard.

Sur Le Portalet, à gauche, au n° 19, **maison du Portalet** (bel hôtel Renaissance).

Revenir sur ses pas pour retrouver le boulevard Victor-Hugo.

À LA SOURCE

Vous pourrez rejoindre, à pied, la vallée de l'Alzon en empruntant le **chemin André-Gide**, en contrebas de la promenade Racine : lieu fort bucolique d'où vous découvrirez une très belle vue sur la ville... et quelques ouvrages d'art de l'aqueduc romain.

UZÈS

visiter

Duché★

☎ 01 42 88 36 64 - www.uzes.com - juil.-août . *visite libre de la tour, visite guidée des appartements (45mn) 10h-12h30, 14h-18h30 ; sept.-juin : 10h-12h, 14h-18h - fermé 25 déc. - 12 € (7-11 ans 4 €)*

Vu de l'extérieur, le Duché, dans son style féodal, présente un aspect massif et imposant.

Lorsqu'on entre dans la cour, les bâtiments témoignent de l'ascension de la prestigieuse dynastie des seigneurs d'Uzès : à gauche, la tour de la Vicomté, avec sa tourelle octogonale, date du 14ᵉ s ; la tour Bermonde est un donjon carré du 11ᵉ s. À droite, s'étend la **façade★** Renaissance édifiée vers 1550 par le premier duc sur les plans de Philibert Delorme. À l'extrémité de la façade s'élève une chapelle gothique, restaurée au 19ᵉ s.

On accède à la **tour Bermonde** par un escalier à vis de 135 marches. En récompense, **panorama★★** sur les vieux toits brûlés de soleil, le campanile de la tour de l'Horloge et la garrigue.

Un bel escalier d'honneur Renaissance voûté en caissons et à pointes de diamant mène aux **appartements meublés**. Grand salon bleu Louis XV orné de gypseries et de quatre cheminées d'angle en marbre de carrare ; bibliothèque, salle à manger décorée de meubles Renaissance et Louis XIII ; chapelle du 15ᵉ s. (remaniée au 19ᵉ s.). En sortant, sur la gauche, on aperçoit la **tour de la Vigie** (12ᵉ s.).

> **FEMME AU VOLANT**
> Cavalière accomplie, la duchesse Anne de Crussol fut la première femme en France à obtenir le permis de conduire.

Musée municipal Georges-Borias

Dans l'ancien palais épiscopal. ☎ 04 66 22 40 23 - *juil.-août : 10h-12h, 15h-18h ; mars-juin et sept.-oct. : 15h-18h ; nov.-déc. et fév. : 14h-17h - fermé lun., janv., 1ᵉʳ nov. et 25 déc. - 2 €.*
Collections très éclectiques : archéologie, documents, terres cuites de St-Quentin-la-Poterie, toiles de Sigalon et de Chabaud, souvenirs de la famille Gide.

> **ARMOIRE PEINTE D'UZÈS**
> Elle fait son apparition au début du 18ᵉ s. De petite taille, elle est décorée de motifs qui rehaussent la teinte sombre du meuble. Vous en verrez trois au musée et une au Duché.

alentours

Haras national d'Uzès

3,5 km. Quitter Uzès au Nord-Ouest par la route d'Alès. À 2 km, tourner à gauche dans le chemin du mas des Tailles (fléchage). ☎ 04 66 22 68 88 - ♿ - visite guidée (1h) de mi-juin à mi-sept. : 15h ; de mi-sept. à mi-juin : tlj sf dim. et j. fériés 14h-17h. 5 €.

Créé en 1974 autour d'une ancienne propriété, il s'est doté d'installations modernes, dont un manège, des carrières et un terrain planté d'obstacles pour l'entraînement de ses étalons, chevaux ou ânes de Provence.

Musée du Bonbon Haribo

Au Pont-des-Charrettes, à l'entrée d'Uzès, sur la D 981 (route de Remoulins). ☎ 04 66 22 74 39 - www.haribo.com - ♿ - juil.-sept. : 10h-19h (dernière entrée 45mn av. fermeture) ; oct.-juin : tlj sf lun. 10h-13h, 14h-18h - fermé les 3 premières sem. de janv. - 4,50 € (enf. 2,50 €).

👁 Tout sur l'histoire et la fabrication des bonbons, en particulier les gélifiés aux formes variées qui font le bonheur de nos chers petits. Espace arôme pour exercer son nez et dégustation. Adresses des dentistes à l'Office de tourisme !

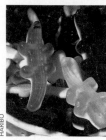

HARIBO

Gélifiés et colorés : pas grand-chose à craindre de ces crocos-là.

Moulin de Chalier

4 km. Quitter Uzès à l'Ouest par la D 982 en direction d'Anduze. Peu avant Arpaillargues, prendre à droite une petite route en descente. ☎ 04 66 57 25 13 - ♿ - juil.-août : 10h-13h, 14h-19h ; mars-juin : tlj sf lun. 10h-12h, 14h-19h ; sept.-oct. : tlj sf lun. 10h-12h, 14h-18h ; nov.-fév. : merc., sam.-dim., j. fériés et vac. scol. 10h-12h, 14h-18h - fermé janv. et 25 déc. - 5,50 € (enf. 4 €), billet donnant accès aux deux musées.

Dans une bâtisse en pierre du 18e s., le **musée 1900** regroupe véhicules, affiches et objets évoquant la vie quotidienne à la Belle Époque. Moyens de transport, du grand Bi de 1870 aux limousines des années 1950, lanternes magiques, cinéma des frères Lumière, postes à galène et évocation des activités agricoles de la région (moulin à huile du 18e s.).

👁 À 100 m, le **musée du Train et du Jouet** propose un réseau ferroviaire miniature datant de 1923 : 400 m de rails sillonnent des paysages cévenols et camarguais où ont été placés les sites les plus prestigieux de la région, tels que les arènes de Nîmes ou le pont du Gard.

Saint-Quentin-la-Poterie

5 km. Quitter Uzès au Nord-Est par la route de Bagnols. À 2 km, prendre à gauche la D 5, puis la D 23. L'argile locale d'excellente qualité a fait la fortune de St-Quentin : au 14e s., on y réalisa plus de 120 000 carreaux de faïence vernissée destinés à orner les salles du palais des Papes à Avignon *(voir ce nom)*. La production se maintint à un niveau important jusqu'au début du 20e s., en particulier avec les « toupins » au bel émail jaune, des pipes en terre et des briques, avant de s'éteindre en 1974, date de la fermeture de la dernière usine. Mais, depuis 1983, le village a retrouvé une nouvelle jeunesse avec l'arrivée de céramistes et de potiers produisant des pièces décoratives ou utilitaires.

Installé dans un ancien moulin à huile transformé en Maison de la terre *(r. de la Fontaine)*, l**e musée de la Poterie méditerranéenne** abrite une collection de 250 pièces, utilitaires ou festives, provenant d'Espagne, de Crète, du Maroc, de Tunisie et de St-Quentin, bien sûr. ☎ *04 66 03 65 86 - www.musee-poterie-mediterranee.com - juil.-sept. : 10h-13h, 15h-19h ; avr.-juin et oct.-déc. : tlj sf lun. et mar. 14h-18h - fermé lun. et mar., janv.-mars, 25 déc. - 3 € (gratuit -12 ans).*

À côté, la galerie **Terra Viva** présente des expositions de céramistes contemporains. ☎ *04 66 22 48 78 - mai-sept. : 10h-13h, 14h30-19h ; avr. et oct.-déc. : tlj sf lun. 10h-13h, 14h30-18h - fermé janv.-mars, de mi-nov. à fin nov., 1er janv. et 25 déc. - gratuit.*

circuit

LA GARDONNENQUE
45 km - compter 4h.

D'Uzès à Remoulins, l'itinéraire permet de suivre la vallée du Gardon. Roches mises à nu par les intempéries et le vent, cistes, genêts, chênes kermès, asphodèles, plantes aromatiques, parfois chênes verts ou pubescents (les *garrics*, à qui la garrigue doit son nom) composent le paysage de cette zone calcaire vallonnée et aride, profondément entaillée par le lit des rivières.

Quitter Uzès au Sud et prendre à droite la D 979, route de Nîmes, qui serpente dans la campagne en offrant des vues sur Uzès.

Pont St-Nicolas
Lancé sur le Gardon, dans un site très particulier (et apprécié en été), ce pont à neuf arches a été édifié au 13ᵉ s. par la confrérie des frères pontifes.

La route s'élève en corniche, offrant de belles vues sur le Gardon, en particulier dans un virage à droite (possibilité de se garer) où l'on découvre une belle **vue**★ sur l'enfilade des gorges.

Tourner à gauche dans la D 135 et, à l'entrée de Poulx, prendre à gauche la D 127, qui a conservé de rares traces de son revêtement d'antan (croisement impossible en dehors des parkings aménagés).

Site de la Baume★
☒ *1h AR. Laisser la voiture après le dernier lacet et emprunter le chemin qui conduit au fond des gorges.*

Après avoir traversé des vestiges de constructions, on atteint, en bordure du Gardon, un point pittoresque, très fréquenté en été par les baigneurs, naturistes ou non. Sur l'autre rive, on peut apercevoir dans la falaise l'entrée de la grotte de la Baume.

Aujourd'hui banlieue résidentielle de Nîmes, le village de **Poulx** abrite une jolie petite église romane.

Suivre la D 427, à travers une garrigue entrecoupée de vignes et de vergers, et, dans Cabrières, tourner à gauche dans la D 3 en direction de la vallée du Gardon.

Collias
Centre de tourisme nautique et équestre, point de passage du GR 63 qui permet de suivre les gorges du Gardon, Collias possède en outre d'abruptes falaises que les varappeurs n'hésitent pas à escalader.

Poursuivre sur la D 3 qui remonte la vallée de l'Alzon puis prendre à droite la D 981.

Château de Castille
Après une chapelle romane et un mausolée entouré de ▶ colonnes, l'allée bordée d'ifs mène au château *(ne se visite pas)*, remanié au 18ᵉ s. par le baron de Castille... qui ne lésinait pas sur les colonnes.
Suivre la D 981.

Pont du Gard★★★ *(voir ce nom)*
Prendre à gauche la D 228.

Castillon-du-Gard★
Village médiéval perché aux maisons de pierres rousses joliment restaurées. Il possède un privilège : c'est le seul village d'où l'on aperçoit le fameux pont du Gard, depuis un petit belvédère situé près du parking municipal, au pied du château d'eau.

Revenez sur la D 19 pour rejoindre **Remoulins**, qui a conservé quelques vestiges de ses remparts (église romane à clocher à peigne).

SUGGESTION

Certes, le terrain est vallonné... mais pourquoi ne pas découvrir le paysage entre Uzès et le pont du Gard à bicyclette, en suivant l'itinéraire départemental (boucle de 30 km) ? *Dépliant gratuit à l'Office du tourisme d'Uzès.*

▶ **L**es cinéphiles ne manqueront pas d'évoquer, pendant la descente, Charles Vanel et Yves Montand au volant de leur camion chargé de nitroglycérine. Une scène fameuse du *Salaire de la peur* fut en effet tournée sur cette route, la D 127.

MÉCÉNAT

Joseph de Froment d'Argilliers, baron de Castille, professait en cette fin de 18ᵉ s. un amour immodéré pour les colonnes. Si bien que lorsque maçons et tailleurs de pierre uzétiens étaient frappés par la crise, il leur ouvrait généreusement ses carrières... à seule condition qu'ils édifient des colonnes. Il revenait ensuite au baron la charge de les disposer où bon lui semblait, même en rase campagne s'il le fallait.

Vaison-la-Romaine★★

Vous en avez assez de la vie moderne trépidante, stressante et harassante ? Venez à Vaison : la ville convie les amoureux du passé à une longue promenade dans le temps avec son immense champ de ruines antiques, sa cathédrale romane, son vieux village et son château.

La situation

Carte Michelin Local 332 D8 – Schémas p. 290 et 405 – Vaucluse (84). Une ville haute, médiévale et une ville basse, romaine et moderne, établies de part et d'autre de l'Ouvèze : ainsi se présente Vaison. Arrivant d'Orange (28 km au Sud-Ouest) ou de Carpentras (27,5 km au Sud), on laissera sa voiture de préférence au parking de la place Burrus, afin d'explorer à pied les deux cités.
🅱 *Av. du-Chanoine-Sautel, 84110 Vaison-la-Romaine,* ☎ *04 90 36 02 11. www.vaison-la-romaine.com*

Le nom

C'est l'abbé Sautel qui l'affirme et on aurait mauvaise grâce de ne pas le croire : Vasio Vocontiorum, la ville des Voconces, provient du ligure *vas* (ou *vis*) signifiant « eau », celle d'une source sacrée, connue de nos jours sous le nom de Font Sainte.

Les gens

5 904 Vaisonnais. Ils eurent la chance d'avoir pour directeur de conscience le chanoine **Joseph Sautel**. C'est à lui que l'on doit la découverte et le dégagement de deux quartiers et du théâtre antiques : un véritable travail de romain, effectué entre 1907 et 1955.

comprendre

Au bon temps des Voconces – Capitale méridionale du peuple celtique des Voconces, Vaison est, après la conquête romaine de la fin du 2ᵉ s. avant J.-C., intégrée à la *Provincia* couvrant tout le Sud-Est de la Gaule. Cité fédérée (et non colonie), elle conserva une large autonomie. Fidèles à César pendant la guerre des Gaules (58 à 51 avant J.-C.), les Voconces se couleront aisément dans le moule romain et parmi eux s'illustreront des hommes comme l'historien Trogue Pompée et Burrus, le précepteur de Néron.

Mentionnée comme une des villes les plus prospères de la Narbonnaise sous l'Empire, Vasio s'étendait sur environ 70 ha, pour une population de moins de 10 000 habitants. Ce tissu urbain très lâche s'explique par la présence d'un habitat préexistant qui empêcha d'appliquer à la ville un plan d'urbanisme « à la romaine ». C'est sous les Flaviens seulement (après l'an 70) que l'on se décida à percer des rues rectilignes, remodelant ainsi les propriétés et décalant les façades des maisons, tandis que s'élevaient portiques et colonnades. La ville accumulait un habitat très hétéroclite où voisinaient luxueuses *domus*, petits palais, logements modestes, bicoques ou arrière-boutiques minuscules. Hors le théâtre et les thermes, les grands monuments publics ne nous sont pas connus.

De Vasio à Vaison – Partiellement détruite à la fin du 3ᵉ s., Vaison se relève au siècle suivant dans un cadre urbain réduit. Siège d'un évêché, elle occupe encore aux 5ᵉ et 6ᵉ s., malgré la domination barbare, un rang assez important pour que deux conciles s'y réunissent en 442 et 529.

Les siècles suivants sont marqués par un net déclin et l'insécurité pousse les habitants à abandonner la ville

---

À HUIS CLOS
Les *domus* de Vasio étaient bien plus vastes que celles de Pompéi, ce qui en dit long sur la prospérité de la cité. Selon C. Goudineau, elles formaient « un monde clos réservant à leurs habitants et à leurs visiteurs leur perfection architecturale ».

carnet pratique

VISITE

Visite guidée de la ville – Vaison, qui porte le label Ville d'art et d'histoire, propose des visites-découvertes de la ville antique et des monuments de la ville haute (1h30) animées par des guides-conférenciers agréés par le ministère de la Culture et de la Communication. *Gratuit, sur présentation du billet d'entrée à l'un des sites (vestiges gallo-romains, Musée archéologique ou cloître de la cathédrale N.-D.). De Pâques à la Toussaint et fin d'année. Renseignements au Service des guides (☎ 04 90 36 50 48). www.vpah.culture.fr ou www.vaison-la-romaine.com*

SE LOGER

○ **Chambre d'hôte Domaine Le Puy de Maupas** – *Rte de Nyons - 84110 Puyméras - 7 km au NE de Vaison par D 938 - ☎ 04 90 46 47 43 - www.puy-du-maupas.com - fermé nov.-mars - 5 ch. 48/53 € ⌑.* Maison au milieu des vignes (42 ha), adossée au chai du domaine viticole. Vous y entendrez le concert nocturne des grenouilles qui colonisent l'étang. Petit-déjeuner servi face au mont Ventoux. Table d'hôte certains soirs : l'occasion de goûter les vins de la propriété ! Piscine. Un gîte est également disponible.

○◗ **Chambre d'hôte L'Évêché** – *R. de l'Évêché - cité médiévale - ☎ 04 90 36 13 46 - eveche@aol.com - fermé 15 nov.-15 déc. - ⌷ - 3 ch. 65/80 € ⌑.* Dans la ville haute, plaisante maison du 16e s. qui faisait partie de l'ancien ensemble épiscopal. Chambres soignées, joliment meublées et agencées sur plusieurs niveaux ; deux suites récentes. Belle collection de gravures extraites d'un traité de serrurerie. De la terrasse, vue imprenable sur la ville basse.

○◗ **Chambre d'hôte La Calade** – *R. Calade - 84110 St-Romain-en-Viennois - 4 km au NE de Vaison par D 938 puis D 71 dir. Nyons - ☎ 04 90 46 51 79 - www.la-calade-vaison.com - fermé 15 oct.-15 avr. - ⌷ - 4 ch. 60/70 € ⌑.* Cette ancienne grange adossée aux fortifications du village accueille ses hôtes dans une ravissante cour bercée par le murmure d'une fontaine. Aux beaux jours, on y sert le petit-déjeuner. Ses chambres, d'une simplicité monacale, plairont aux hôtes du style « ascète ». La terrasse, au sommet de la tour, offre une belle vue.

○◗ **Chambre d'hôte Les Auzières** – *84110 Roaix - 6 km à l'O de Vaison par D 975 dir. Orange - ☎ 04 90 46 15 54 - www.auzieres.fr - fermé nov.-mars - réserv. conseillée - 5 ch. 69/77 € ⌑ - repas 25 €.* Difficile de trouver plus isolé que ça ! Cette immense maison entourée de vignes et d'oliviers vous reçoit dans ses belles chambres spacieuses et fraîches. Sur la grande table en bois de la salle à manger, vos hôtes sauront vous faire apprécier la cuisine locale. Piscine.

SE RESTAURER

○ **Auberge d'Anaïs** – *84340 Entrechaux - 5 km au SE de Vaison en direction de St-Marcelin par D 54 puis D 938 -* ☎ *04 90 36 20 06 - fermé 23 déc.-1er mars et lun. de mars à déc. - 10/28 € - 7 ch. 68/87 € ⌑.* Cette auberge entourée de vignes et d'oliviers est fréquentée par une clientèle d'habitués qui affectionne son appétissante cuisine, le vin de la propriété et le service tout en gentillesse. Le chef utilise les produits du terroir et propose un menu « truffe » en saison. Quelques chambres et une piscine.

○◗ **Le Brin d'Olivier** – *4 r. Ventoux - ☎ 04 90 28 74 79 - fermé 26 janv.-3 fév., 8-18 mars, 7-25 juin, 28 sept.-15 oct., 1er-9 déc., 22-29 déc., le midi de juin-sept., sam. midi, jeu. midi, mar. soir et merc. - 23/38 € - 5 ch. 61/84 € - ⌷ 10 €.* Point d'artifices dans les menus de cette sympathique adresse provençale : la liste est courte mais les produits bien choisis. La patronne soigne son gaspacho de tomates fraîches aux petites crevettes, son duo de brochettes à l'aïoli et sa crème brûlée à la cannelle. Bel olivier planté dans le patio.

○◗ **Le Girocèdre** – *Au village - 84110 Puyméras - 6 km au NE de Vaison dir. Nyons puis St-Romain par D 71 - ☎ 04 90 46 50 67 - fermé 3-31 mars, de déb. nov. au 15 déc., mar. hors sais. et lun. - 22 €.* En haut du village, maison perchée sur une butte de « safre » dont les cavités, initialement creusées pour l'élevage du ver à soie, servent aujourd'hui de caves à vins. Sa terrasse et son jardin, ombragés de cèdres, oliviers, figuiers et tamaris, sont très agréables. Les soirs d'été, grillades au barbecue.

QUE RAPPORTER

Marchés – Marché traditionnel mardi. Marché provençal dimanche matin durant la période estivale, dans la cité médiévale.

Moulin à huile Chauvet – *Porte Major - 26170 Mollans-sur-Ouvèze - ☎ 04 75 28 90 12 - avr.-juin : 10h-12h30, 14h30-19h (w.-end et j. fériés) ; juil.-sept. : 10h-12h30, 14h30-19h.* Ce moulin tricentenaire connaît une double activité. Durant l'hiver, il propose ses services aux producteurs d'olives de la région. À la belle saison, il ouvre ses portes aux visiteurs. Dégustations et belle sélection de produits dérivés de l'olive.

Cave de Rasteau – *Rte des Princes-d'Orange - 84110 Rasteau - ☎ 04 90 10 90 10 - www.rasteau.com - 8h-12h, 14h-18h ; juil.-août : 9h-19h - fermé 25 déc. et 1er janv.* Cette cave, qui existe depuis 1925, vend actuellement la production de 180 vignerons de la commune de Rasteau. Le domaine viticole (700 ha) produit des vins d'appellation d'origine contrôlée côtes-du-rhône, côtes-du-rhône villages, rasteau côtes-du-rhône villages et un vin doux naturel. Vente et dégustation au caveau.

SPORTS & LOISIRS

Randonnée pédestre – Plusieurs itinéraires permettent aux marcheurs de découvrir la campagne vaisonnaise. Renseignements à l'Office de tourisme.

Randonnée à vélo – Circuits VTT non balisés au départ de Vaison : 1 € la fiche en vente à l'Office de tourisme de Vaison.

CALENDRIER

Festival de Vaison – 2e quinzaine de juillet.
Spectacles de danse.

Choralies – C'est tous les trois ans que se
tiennent à Vaison les Choralies, où les
choristes venus de tous les horizons se
retrouvent pour un festival unique en son
genre. Prochaine édition en août 2007.
Renseignements auprès de l'association
À cœur joie ☎ 04 72 19 83 40.

Les journées gourmandes – Festival
gastronomique pendant les vacances de la
Toussaint.

Magnin G. /MICHELIN

*Le pont romain de Vaison :
il résista vaillamment à la
colère de l'Ouvèze, n'y
laissant que son parapet.*

QUAND L'OUVÈZE GRONDE

22 septembre 1992, 11h du matin : des trombes d'eau s'abattent
brusquement sur la ville. Quelques minutes de déluge suffisent pour
transformer la paisible Ouvèze en un torrent dévastateur qui déferle
sur la ville, semant la désolation sur son passage. Le bilan est lourd :
37 personnes ont perdu la vie, 150 maisons sont détruites et la zone
artisanale est complètement anéantie. Seul le pont romain, qui en a
vu d'autres, a résisté aux assauts de la rivière...

basse pour l'ancien oppidum, sur la rive gauche de
l'Ouvèze, où le comte de Toulouse fait édifier un château. La haute ville médiévale ne sera abandonnée à son
tour qu'aux 18e et 19e s., la ville moderne recouvrant
alors la cité gallo-romaine.

découvrir

LES RUINES ROMAINES★★

*Environ 2h. ☎ 04 90 36 02 11 - juin-sept. : 9h30-18h30 ;
mars : 10h-12h30, 14h-18h ; avr.-mai : Puymin 9h30-18h,
Villasse 10h-12h, 14h-18h ; oct.-fév. : 10h-12h, 14h-17h,
possibilité de visite guidée (1h30) - fermé de déb. janv. à déb
fév. et 25 déc., Villasse fermé mar. mat. - 7 € (enf. 2,50 €),
billet donnant accès à l'ensemble des monuments.*

L'émotion est grande à parcourir cet immense champ
de ruines qui s'étend sur 15 ha, comme si l'on pénétrait
par effraction dans le passé et dans la vie quotidienne
des habitants de l'antique Vasio. Les vestiges dégagés
sont ceux des quartiers périphériques de la cité gallo-
romaine, car son centre (forum et abords) est recouvert
par la ville moderne. Actuellement, les fouilles pro-
gressent en direction de la cathédrale dans le quartier
de la Villasse et autour de la colline de Puymin, où ont
été mis au jour un quartier de boutiques et une somptueuse *domus* (la **villa du Paon**) avec son décor de
mosaïques. À la limite Nord de la ville antique, les
fouilles des thermes (une vingtaine de salles – *non
ouvert au public*) ont montré que ces derniers ont été
utilisés jusqu'à la fin du 3e s.

Quartier de Puymin

Sauvignier S. /MICHELIN

*Plus pudique que
son impérial époux,
l'impératrice Sabine, toute
de majesté et de retenue.*

On découvre d'abord la **maison à l'Apollon lauré**, grande
demeure d'une riche famille vaisonnaise. Cette *domus* (en
partie enfouie sous la voirie moderne), avec son agencement intérieur très élaboré, constituait un cadre de vie
somptueux et confortable. À l'entrée, un vestibule puis un
couloir conduisent à l'*atrium* **(1)** autour duquel s'ordonnent différentes pièces, dont le *tablinum* (cabinet de travail, bibliothèque) du père de famille. L'atrium comportait
au centre un *impluvium*, bassin carré alimenté en eau de
pluie par un *compluvium*, ouverture ménagée dans le toit.
On remarquera la pièce **(2)** où fut trouvée la tête d'Apollon
laurée (qu'on pourra voir au musée), la grande salle de
réception ou *œcus* **(3)**, le péristyle avec son bassin et, dans
les annexes, la cuisine **(4)** avec ses foyers jumelés et le
bain privé **(5)** avec ses trois salles (chaude, tiède et froide).
Sur la droite, le **portique de Pompée** offrait une sorte de
promenade affectant la forme d'une enceinte de 64 m sur
52 m. Quatre galeries, couvertes à l'origine d'une toiture

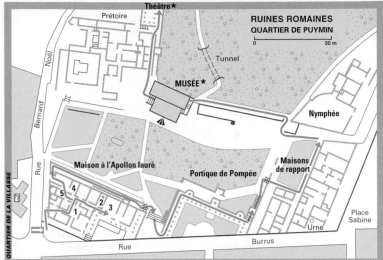

en appentis, entouraient un jardin et un bassin au centre duquel s'élevait un édicule carré. Dans la galerie Nord, des moulages des statues de Diadumène (l'original est à Londres, au British Museum), d'Hadrien et de son épouse Sabine ont été placés dans trois exèdres, grandes niches servant de reposoirs aux promeneurs. La galerie occidentale est presque entièrement dégagée, tandis que les deux autres s'enfoncent sous les constructions modernes.

On arrive ensuite aux **maisons de rapport**, lotissement pour citoyens modestes (remarquez le *dolium*, grande jarre à provisions). En face, on aperçoit diverses structures d'un château d'eau établi autour d'une source captée dans un bassin de forme allongée, le **nymphée**. C'est un peu plus loin, à l'Est, que s'élevaient le **quartier des boutiques** et la **villa du Paon** *(fermée au public)*.

Musée archéologique Théo-Desplans★

Dans le quartier de Puymin. ☎ *04 90 36 02 11 -* ♿ *- juin-sept. : 10h30-18h30 ; mars : 10h-12h30, 14h-18h ; avr.-mai : 10h30-18h ; oct.-fév. : 10h-12h, 14h-17h, possibilité de visite guidée (1h30) - fermé mar. mat., de déb. janv. à déb. fév. et 25 déc. - 7 € (enf. 2,50 €), billet donnant accès à l'ensemble des monuments.*

Il évoque de façon remarquable la vie quotidienne à l'époque gallo-romaine : religion, habitat, céramique, verrerie, armes, outils, parure, toilette. Mais on remarquera surtout les magnifiques **statues de marbre blanc** : Claude (en 43) est représenté la tête ceinte d'une couronne de chêne, Domitien est cuirassé, Hadrien, en 121, donne une image de majesté à la manière hellénistique en posant nu, tandis que Sabine, sa femme, plus conventionnelle, offre l'aspect d'une grande dame en vêtement d'apparat.

D'autres œuvres retiennent l'attention, comme la tête d'Apollon laurée, marbre du 2ᵉ s., le buste en argent d'un patricien (3ᵉ s.) et les **mosaïques** provenant de la villa du Paon.

En longeant le versant occidental du Puymin, où se trouve la maison dite « à la tonnelle », on gagne le **théâtre★** qui, édifié au 1ᵉʳ s. après J.-C., restauré au 3ᵉ s., a été démantelé au 5ᵉ s. Avec un diamètre de 95 m, une hauteur de 29 m et une capacité de 6 000 spectateurs, il est un peu plus petit que celui d'Orange qui, comme lui, s'adosse à la colline. Les gradins sont une reconstitution moderne effectuée par Jules Formigé. Sous les décombres de la scène, on a découvert les statues exposées au musée. On observera que la colonnade du portique du 1ᵉʳ étage subsiste ici en partie, alors qu'elle a disparu dans les autres théâtres antiques de Provence.

> **LEÇON DE MODESTIE**
> Statues acéphales représentant les personnages municipaux : n'existant que par leur charge, leurs têtes étaient... interchangeables.

Sauvignier S. /MICHELIN

Le théâtre romain de Vaison : si les gradins sont une reconstitution moderne, la colonnade qui soutenait les portiques, elle, est d'origine.

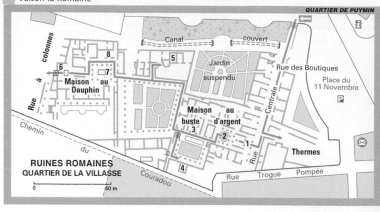

Quartier de la Villasse

On y pénètre par la **rue centrale**, grande artère dallée, sous laquelle court un égout qui descend vers les habitations modernes, en direction de l'Ouvèze. L'allée bordée de colonnades était réservée aux piétons et longeait des boutiques installées dans les dépendances des maisons. Sur la gauche apparaissent les restes des **thermes** du centre, ceinturés par de profondes canalisations. La grande salle a conservé une arcade à pilastres.

En face, dans la rue des Boutiques, s'ouvre l'entrée **(1)** de la **maison au Buste d'argent**, vaste *domus* : son opulent propriétaire s'était fait sculpter le buste d'argent que l'on a pu voir au musée. Cette maison, d'une surface d'environ 5 000 m² est complète : on y reconnaît le vestibule dallé, l'*atrium* **(2)**, le *tablinum* **(3)**, un premier péristyle, puis, plus grand, un second, lui aussi avec jardin et bassin. Une maison contiguë, au Sud, a livré plusieurs mosaïques **(4)** ainsi que des fresques autour d'un *atrium*. Au Nord du second péristyle se trouve le bain privé **(5)** précédé d'une cour. À côté, un grand jardin suspendu agrémentait l'ensemble.

La maison au Buste d'argent, un soir de printemps, si propice aux impressions romantiques.

Sauvignier S. /MICHELIN

Plus loin, la **maison au Dauphin** (40 avant J.-C.) occupait le Nord-Est d'un grand enclos, dans un cadre qui n'était pas encore urbain. Le logis principal de cette vaste maison, qui s'étend sur 2 700 m², s'ordonne autour d'un péristyle **(7)** garni d'un bassin en pierre de taille. Au Nord, un bâtiment séparé abritait le bain privé **(8)**, le plus ancien connu en Gaule, flanqué à l'Ouest par le *triclinium*, grande salle à manger d'apparat. L'atrium **(6)** donne sur la rue à colonnes : c'est l'une des deux entrées de la maison. Au Sud se trouve un autre péristyle, lieu d'agrément orné d'un grand bassin, décoré de placages de marbre blanc.

La **rue à colonnes**, incomplètement dégagée, borde la maison au Dauphin sur une longueur de 43 m. Comme la plupart des rues, elle n'était pas dallée mais simplement recouverte de gravillons.

se promener

L'exceptionnel site archéologique qui fait la renommée de Vaison ne doit pas faire pour autant oublier la ville médiévale, à partir de la cathédrale que l'on atteindra en longeant le quartier de la Villasse.

Ancienne cathédrale N.-D.-de-Nazareth

Ce bel édifice de style roman provençal conserve du 11ᵉ s. le chevet pris dans un massif rectangulaire et ses absidioles, ainsi que les murs, renforcés au 12ᵉ s., lorsqu'on a entrepris de couvrir la nef par une voûte en berceau. La décoration extérieure du chevet présente des corniches et des frises imitées de l'antique. À l'intérieur, deux travées voûtées en berceau brisé encadrent la nef que surmonte une coupole octogonale sur trompes décorées (symboles des évangélistes), éclairées par des fenêtres percées à la base de la voûte.

> **RÉCUPÉRATION**
> Découverts dans la cathédrale, des fragments d'architecture datant de la fin du 1ᵉʳ s. laissent à penser qu'elle fut construite sur les vestiges d'un bâtiment gallo-romain.

Cloître★

☎ 04 90 36 02 11 - juin-sept. : 10h-12h30, 14h-18h30 ; mars-mai : 10h-12h30, 14h-18h ; oct.-déc. et de déb. fév. à fin fév. : 10h-12h, 14h-17h, possibilité de visite guidée (1h30) - fermé de déb. janv. à déb. fév. et 25 déc. - 1,50 €.

Accolé à la cathédrale, il a conservé trois de ses galeries d'origine (12ᵉ et 13ᵉ s., celle du Sud-Est ayant été reconstituée au 19ᵉ s.). On remarquera les chapiteaux de la galerie Est, plus élaborés (feuilles d'acanthe, entrelacs et figurines).

Rejoindre l'avenue Jules-Ferry, puis, à droite, le quai Pasteur qui longe l'Ouvèze.

Pont romain

Avec son arche unique de 17,20 m d'ouverture, surplombant l'Ouvèze de 12 m, ce pont, vieux de 2 000 ans, nous est parvenu intact. Seul son parapet, qui avait été emporté par la dramatique crue de 1992, a été refait.

Traversant la rivière, on rejoint la ville médiévale.

Haute Ville★

On y accède, depuis la place du Poids, en franchissant une **porte fortifiée** dominée par le beffroi et son campanile de fer forgé. Les remparts qui enserrent ce bourg médiéval ont été en partie édifiés avec des pierres provenant de la ville romaine. En marchant au hasard des calades, des ruelles (rue de l'Église, rue de l'Évêché, rue des Fours...) et des placettes ornées comme celle du

Magnin G. /MICHELIN

Le charme d'une flânerie au hasard des calades et des placettes, dans le vieux bourg médiéval.

VAISON-LA-ROMAINE

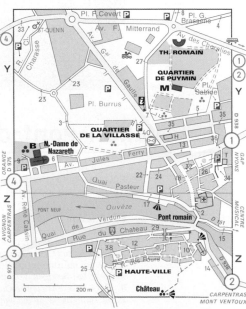

Vieux-Marché, vous découvrirez de jolies fontaines, d'anciennes demeures à la pierre chaleureuse et aux toitures colorées de vieilles tuiles rondes. Cette agréable promenade vous conduira à l'église : depuis le parvis, belle **vue** sur le Ventoux Pour ceux qui se sentiraient des fourmis dans les jambes, un sentier assez raide mène au pied du **château** élevé à la fin du 12e s. par les comtes de Toulouse, au sommet du rocher de la Haute Ville.

alentours

Rasteau
8 km à l'Ouest par la D 975. Une excursion réservée aux amateurs de côtes-du-rhône et de vins doux naturels qui ne manqueront pas de s'intéresser au **musée des Vignerons**, avec sa collection d'outils, et les bouteilles anciennes de sa vinothèque. ✆ *04 90 83 71 79 - &. - juil.-août : 10h-18h ; de Pâques à fin juin et sept. : 14h-18h, possibilité de visite guidée (30mn) - fermé dim. et mar., de déb. oct. à Pâques - 2 € (visite guidée 5 €).*

Brantes
28 km à l'Est par la D 938, puis à gauche la D 54 jusqu'à Entrechaux, la D 13 vers Mollans et enfin la D 40 à droite. Ce village fortifié, avec sa chapelle des Pénitents Blancs, aujourd'hui lieu d'exposition, les vestiges d'un manoir Renaissance (beau portail sculpté) et une église richement décorée mérite une visite, d'autant qu'il est placé dans un **site★** grandiose, au pied du Ventoux, sur le versant Nord, très abrupt, de la vallée du Toulourenc.

Mont Ventoux★★★
Circuit de 63 km au départ de Vaison. Voir ce nom.

Dentelles de Montmirail★
Circuit de 60 km au départ de Vaison. Voir ce nom.

Brantes est à deux pas du mont Ventoux... : c'est déjà la montagne !

Sauvignier S. /MICHELIN

Vallon-Pont-d'Arc

Station orientée vers les activités sportives et agréable lieu de séjour... envahi en haute saison car Vallon offre une base de départ idéale pour la découverte et la descente des gorges de l'Ardèche.

La situation
Carte Michelin Local 331 I7 – Ardèche (07). Sur la D 579 entre Barjac et Aubenas, Vallon, fameuse pour son pont sur l'Ardèche et, depuis peu, pour l'extraordinaire grotte Chauvet, est une petite cité animée en été, sur laquelle veillent les vestiges de son ancien château féodal.
🚩 *1 pl. de l'Ancienne-Gare, 07150 Vallon-Pont-d'Arc,* ✆ *04 75 88 04 01. www.vallon-pont-darc.com*

Le nom
Hélas, ce serait trop simple... Vallon ne désigne pas un vallon. Le mot vient du terme *aballo* qui, comme chacun sait, signifie en pur gaulois « pomme ».

Les gens
2 027 Vallonais. Honneur aux trois spéléologues, Eliette Brunel-Deschamps, Christian Hillaire et Jean-Marie Chauvet qui ont découvert la grotte portant désormais le nom de ce dernier.

visiter

Mairie
☎ 04 75 88 02 06 - www.vallon-pont-darc.com - ♿ - tlj sf w.-end et j. fériés 8h-11h30, 14h-16h30, possibilité de visite guidée (1h30) - 2,50 €.

Dans l'ancienne résidence des comtes de Vallon (17ᵉ s.), la salle des mariages, au rez-de-chaussée, abrite sept **tapisseries** d'Aubusson (18ᵉ s.), remarquables par la fraîcheur de leur coloris.

Exposition grotte Chauvet-Pont-d'Arc
1 r. de Miarou. ☎ 04 75 37 17 68 - ♿ - juin-août : 10h-13h, 15h-19h (dernière entrée 45mn av. fermeture) ; de mi-mars à fin mai et de déb. sept. à mi-nov. : 10h-12h, 14h-17h30, possibilité de visite guidée (1h30) - fermé lun. - 5 € (enf. 2,50 €).

Située sur le territoire de Vallon, la grotte Chauvet, découverte en 1994, a révélé un ensemble de dessins et peintures pariétales réalisé voici plus de 30 000 ans, un des plus anciens connus à ce jour. Le site fait actuellement l'objet de campagnes de recherche. En attendant la mise en place du fac-similé de la grotte (car elle ne sera jamais ouverte au public), on pourra se faire une idée des trésors qu'elle recèle en visitant cette exposition. Photographies, film et textes explicatifs présentent l'art rupestre des grottes ardéchoises et initient à la vie quotidienne des chasseurs nomades de cette lointaine époque.

alentours

Pont d'Arc★★
5 km au Sud-Est par la D 290. Voir Gorges de l'Ardèche.

BESTIAIRE RARE
400 animaux, comme le rhinocéros, le lion des cavernes ou le mammouth, des vestiges d'occupation humaine, de nombreuses empreintes de mains, sans doute liées à une pratique chamanique... et la grotte n'a pas encore livré tous ses secrets...

Valréas

Petite ville agricole et industrielle blottie dans la vallée de la Coronne, si Valréas possède un musée du Cartonnage, unique en France, elle offre également aux promeneurs une charmante vieille cité. Et comme Richerenches sa voisine, son marché propose aux gourmets d'exquises truffes noires.

La situation
Carte Michelin Local 332 C7 – Vaucluse (84). Bien qu'en pleine Drôme, Valréas (à 10 km à l'Est de Grignan par la D 941) est rattaché au département du Vaucluse. Autour de lui, Grillon, Richerenches et Visan ont subi le même sort.

🛈 Av. du Mar.-Leclerc, 84600 Valréas, ☎ 04 90 35 04 71.

Le nom
Vauriàs évoque-t-il ce petit val et sa rivière ? Toponymistes et philologues restent muets sur ce point.

Les gens
9 425 Valréassiens, dont saint Martin, protecteur de la cité. Aimait-il ses truffes, autant que saint Antoine, le patron des « rabassiers » (ramasseurs de truffes) ?

VOCATION D'ENCLAVE
Les papes d'Avignon convoitaient Valréas, voisine du Comtat venaissin. En 1317, Jean XXII l'acheta au dauphin Jean II, mais une bande de terrain séparait Valréas des États pontificaux... Elle aurait pu leur échoir si le roi Charles VII ne s'y était opposé. Valréas sera finalement rattachée à la France en 1791, après plébiscite... pour devenir un canton du Vaucluse enclavé dans la Drôme !

carnet pratique

VISITE

Visite guidée de la ville – Cette visite (2h) permet de découvrir le centre ancien et plusieurs monuments. 6 €. S'adresser à l'Office de tourisme, ☎ 04 90 35 04 71.

SE RESTAURER

😋🍴 **Au Délice de Provence** – 6 La Placette - ☎ 04 90 28 16 91 - fermé 28 juin-14 juil., mar. soir et merc. - 17/40 €. Cette maison en pierres de taille abrite deux charmantes salles à manger récemment rénovées où vous pourrez savourer des petits plats régionaux bien tournés élaborés à partir de produits frais : gigot de lotte, filet de canette, agneau à la provençale, rillettes de truite de mer, savarin aux pruneaux, etc.

QUE RAPPORTER

Marché – Marché traditionnel mercredi et samedi.

Marchés aux truffes – Richerenches est la capitale de la truffe et a reçu à ce titre l'appellation de « site remarquable du goût », au point qu'une messe rassemblant la Confrérie du « diamant noir » a lieu chaque 3e dimanche de janvier (Point-Tourisme, ☎ 04 90 28 05 34). L'obole des paroissiens ? Des truffes fraîches. Pour s'en procurer, plutôt que de piller les troncs, deux marchés : celui de Richerenches le samedi et celui de Valréas, le mercredi (nov.-mars).

CALENDRIER

Nuits musicales et théâtrales de l'Enclave des Papes – De mi-juillet à mi août.

Corso de la lavande – Défilé de chars 1er samedi et lundi d'août.

LE PETIT ST-JEAN

C'est une tradition vieille de cinq siècles : la nuit du 23 juin, un garçonnet de trois à cinq ans est couronné Petit St-Jean. Symbolisant saint Martin des Ormeaux, protecteur de la cité, vêtu d'une peau de mouton, il parcourt les rues de la ville sur une litière, à la lueur des torches, et bénit la foule sur son parcours. Un cortège de 400 personnages costumés le suit dans une ambiance colorée et enthousiaste. Pendant un an, Valréas est placée sous la sauvegarde de l'élu.

se promener

La **tour de Tivoli** est le dernier vestige des remparts, qui ont aujourd'hui cédé la place à une ceinture de boulevards ombragés de platanes. Au cœur des ruelles de la vieille cité s'abritent d'anciennes demeures comme l'**hôtel d'Aultane** *(36 Grande-Rue)*, avec sa porte surmontée d'armoiries, l'**hôtel d'Inguimbert** *(à l'angle de la rue de l'Échelle)*, avec ses fenêtres à meneaux.

Hôtel de ville

☎ 04 90 35 00 45 - juil.-août : dans le cadre du Salon de l'Enclave, tlj sf mar. 10h-12h, 15h-19h ; de mi-sept. à fin juin : tlj sf dim. et merc. 15h-17h - fermé j. fériés - gratuit.
La demeure du marquis de Simiane, époux de Pauline de Grignan, petite-fille de Mme de Sévigné, se distingue par une majestueuse façade (15e s.) donnant sur la place Aristide-Briand. Au 1er étage, dans la bibliothèque décorée de boiseries du 17e s., sont exposés bulles papales, parchemins, incunables. Dans la salle du 2e étage, remarquable charpente.

Le portail Sud de l'**église N.-D.-de-Nazareth** offre un bel exemple d'architecture romane provençale. *8h30-19h. Possibilité de visite guidée sur demande à l'Office de tourisme.*

Chapelle des Pénitents Blancs

Visite sur demande à l'Office de tourisme, ☎ 04 90 35 04 71.
Sur la place Pie, une belle grille en fer forgé s'ouvre sur l'allée menant à la chapelle des Pénitents Blancs, construite au 17e s. Dans le chœur, stalles sculptées et beau plafond à caissons. La tour du château Ripert ou **tour de l'Horloge** domine le jardin ; de la terrasse, belle vue sur le vieux Valréas et les collines du Tricastin.

VALRÉAS

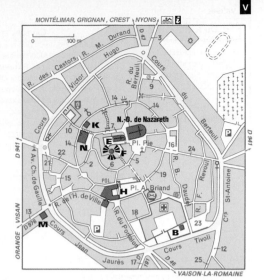

visiter

Musée du Cartonnage et de l'Imprimerie

☎ *04 90 35 58 75 - avr.-oct. : tlj sf mar. 10h-12h, 15h-18h, dim. 15h-18h - fermé j. fériés (sf 14 Juil. et 15 août) - 3,50 €.*
Nous avons tous eu entre les mains des boîtes en carton. Mais saviez-vous que sans Valréas nous en serions peut-être privés ? Voilà une excellente occasion de combler cette lacune en visitant ce musée consacré à l'industrie valréassienne par excellence.

circuit

DE TRUFFIÈRES EN TEMPLES

40 km - environ 2h. Quitter Valréas à l'Ouest par la D 941.

Grignan★ *(voir ce nom)*
Emprunter la D 541 et tourner à gauche dans la D 71.

Chamaret
Un beau **beffroi** perché sur un rocher domine toute la région environnante. Depuis les ruines, vue étendue sur le Tricastin.

Poursuivre sur la D 71.

Montségur-sur-Lauzon
Devant la mairie de Montségur-sur-Lauzon, emprunter la rue à gauche, tourner ensuite à droite, puis prendre un chemin en montée vers le sommet de la butte qui porte le vieux village. Un lacis de sentiers permet de parcourir le vieux village et de découvrir l'ancienne chapelle romane du château. Du chemin de ronde, beau **panorama** sur le Tricastin, les Baronnies et le Ventoux.

Prendre la D 71ᴮ à l'Est. Belles vues sur la montagne de la Lance et le pays de Nyons.

Richerenches
Fondée au 12ᵉ s., cette **commanderie de Templiers** a été bâtie sur un plan rectangulaire. Elle a conservé son enceinte flanquée de quatre tours d'angle rondes. On y pénètre par le beffroi *(départ du cheminement signalétique qui relate l'historique des lieux)*, tour rectangulaire à mâchicoulis et porte cloutée. À gauche de l'église, imposants vestiges du temple.

La D 20, au Sud-Est, traverse Visan et conduit à N.-D.-des-Vignes.

> ▶ **BUCOLIQUE**
> Telle est la D 71, bordée de champs de lavande, avec ses bosquets de chênes truffiers et ses rideaux de cyprès, tout tremblants de lumière.

CAVEURS ET RABASSIERS

Ce sont les noms qu'on donne à ces passionnés que l'on rencontre sous les chênes, les jours d'hiver, armés d'une binette et accompagnés d'un chien – qui a généralement supplanté la truie de jadis. Ils sont en quête de la fameuse « mélano », ou *tuber melanosporum*, autrement dit la truffe noire. Vous pourrez les voir rencontrer chefs et courtiers, sur les marchés rabassiers du Vaucluse, qui obéissent à un rituel précis et passablement mystérieux pour le profane : conciliabules à voix basse, pesée discrète effectuée sur une balance romaine, paiement en espèces... Vu de l'extérieur, le milieu très fermé des truffiers n'est pas loin d'évoquer une société secrète !

Chapelle N.-D.-des-Vignes

Mai-oct. : 10h-11h30, 15h-17h30. ☎ *04 90 41 90 50.*
Le chœur de cette chapelle du 13ᵉ s. abrite une statue de la Vierge en bois polychrome, vénérée le 8 septembre lors d'un pèlerinage. Boiseries du 15ᵉ s. dans la nef.
Par Visan et la D 976, regagner Valréas.

Venasque★

Ses maisons agrippées à la falaise, en aplomb de la vallée, offrent un spectacle saisissant. Mais Venasque ne se réduit pas à un site : avec ses petites places ornées de fontaines et ses demeures de charme, d'une remarquable unité architecturale, il mérite bien d'être classé parmi « les plus beaux villages de France ».

La situation

Carte Michelin Local 332 D10 – Vaucluse (84). L'étroite D 4 au Sud de Carpentras *(voir ce nom)* parcourt un paysage vallonné avant d'atteindre Venasque, posé sur le bord de son rocher dominant la vallée de la Nesque. Une petite route en lacet conduit à l'entrée du village.
🛈 *Grand'rue, 84210 Venasque,* ☎ *04 90 66 11 66.*

Le nom

Siège de l'évêché du Comtat venaissin, il semble que le nom de l'antique Vindasca provienne d'une racine *vin-* qui signifiait « hauteur » : il suffit d'un coup d'œil sur le village pour admettre cette étymologie...

Les gens

966 Venasquais. Parmi eux, un curé de campagne qui avait la bonne idée d'être le neveu du chanoine Sautel, l'inventeur de Vaison-la-Romaine. C'est précisément en rendant visite à son neveu, en 1932, que le chanoine, furetant dans l'église, repéra sous une épaisse couche de poussière et de toiles d'araignées le tableau de la *Crucifixion*.

carnet pratique

comprendre

Le Comtat venaissin – Entre Rhône, Durance et Ventoux, ce territoire, qui doit son nom à Venasque, dépendait des comtes de Toulouse et, comme l'ensemble de leurs possessions, il fut, à l'issue de la croisade contre les Albigeois, réuni à la France en 1229. En 1274, Philippe III le Hardi le cède au pape Grégoire X et il demeura sous l'autorité pontificale jusqu'en 1791. Il possédait alors son administration et ses tribunaux à Carpentras, qui supplanta Pernes-les-Fontaines comme capitale en 1320. Constitué par la riche plaine de Vaucluse, le Comtat venaissin occupe le bassin le plus large et le plus méridional de la vallée du Rhône. Son sol calcaire bien mis en valeur par l'irrigation a permis la création d'immenses jardins spécialisés dans la production de primeurs, exportées dans la France entière.

> **PRIMEURS**
> L'Ouvèze, la Sorgue et la Durance irriguent de vastes plaines aux riches alluvions. Des **villes-marchés** y ont prospéré, telles Orange, Avignon, Cavaillon et Carpentras. Bref, un territoire sans doute béni par les papes, mais plus encore par les dieux.

se promener

Un moment de calme et de sérénité ? Vous le trouverez sans peine en parcourant les rues du village, parmi les ateliers d'artistes et artisans (peintres, potiers, céramistes) et les maisons restaurées avec goût, souvent ornées d'une treille.

Chemin faisant, la **place des Comtes-de-Toulouse** rappelle que Venasque dut à ces derniers d'être érigée en évêché.

Depuis l'esplanade de la Planette et, plus encore depuis les **tours dites « sarrasines »**, vestiges des fortifications médiévales, en haut du village, belles vues sur le Ventoux et les dentelles de Montmirail.

Kaufmann B. /MICHELIN

Un baptistère mérovingien ? Quoi de plus naturel puisque c'est ici que fut baptisé le Comtat.

visiter

Baptistère★

Entrée à droite du presbytère. ☎ 04 90 66 62 01 - *de mi-avr. à mi-oct. : 9h-12h, 13h-18h30 ; de mi-oct. à mi-déc. et de mi-janv. à mi-avr. : 9h15-12h, 13h-17h, possibilité de visite guidée (15 à 20mn) - fermé du 3ᵉ dim. de déc. au 1ᵉʳ dim. de janv. - 3 €.*

Ce baptistère, qui communique avec l'église Notre-Dame par un long couloir, est l'un des plus anciens édifices religieux de France. Datant vraisemblablement de l'époque mérovingienne (6ᵉ s.) mais remanié au 11ᵉ s., il est conçu en forme de croix grecque. À l'intérieur, une salle carrée, voûtée d'arêtes ; sur chaque côté s'ouvre une absidiole voûtée en cul-de-four. Les arcatures reposent sur des colonnettes de marbre, surmontées de chapiteaux antiques ou mérovingiens. Au centre de la salle, dans le sol, emplacement de la cuve baptismale.

Église Notre-Dame

Très remaniée, elle possède un beau retable du 17ᵉ s. en bois sculpté et, surtout, la **Crucifixion★**, tableau de l'école d'Avignon, daté de 1498.

alentours

Route des gorges
10 km à l'Est par la D 4 en direction d'Apt. La route, sinueuse et pittoresque, parcourt la **forêt de Venasque**, constituée essentiellement de chênes verts, sur le plateau de Vaucluse en remontant les gorges. Après une ascension de quelque 400 m, elle atteint le **col de Murs** (alt. 627 m).
Au-delà du col, les premiers tournants de la descente sur Murs révèlent des vues étendues sur la plaine d'Apt et Roussillon.

Pernes-les-Fontaines
9,5 km à l'Ouest par la D 28. Voir ce nom.

Mont **Ventoux**★★★

Avec ses 1 912 m d'altitude, le Géant de Provence, classé par l'Unesco « réserve de biosphère », ne rivalise certes pas avec le mont Blanc. Quoique... sa situation solitaire et son profil de pyramide, au sommet blanchi de neige en hiver, dressent leur majestueux point de mire sur toute la Provence rhodanienne.

La situation
Carte Michelin Local 332 E8 – Vaucluse (84). Deux possibilités d'accès au sommet : par le versant Nord et la D 974, ouverte en 1933, ou bien par le versant Sud. À moins qu'on ne préfère monter à pied par un sentier... *Pour toutes précisions sur l'enneigement des routes du massif du Ventoux (risques d'obstruction, nov.-avr.), téléphoner au 0 826 022 022 (météo routière).*

Le nom
Il y vente, mais le vent a beau faire, il n'est pour rien dans le nom du Ventoux ! L'ancien Vinturi devait son nom à la racine ligure *ven-* qui signifie « montagne ».

Les gens
Après avoir rencontré, sur les pentes, la flore habituelle de la Provence, le botaniste amateur, parvenu au sommet, pourra s'extasier devant des échantillons de flore polaire, tels que la saxifrage du Spitzberg et le petit pavot du Groenland. C'est durant la première quinzaine de juillet que les fleurs du Ventoux prennent tout leur éclat. Les flancs de la montagne, dénudés à partir du 16ᵉ s. pour alimenter les constructions navales de Toulon, sont en cours de reboisement depuis 1860. Pins d'Alep, chênes verts et blancs, cèdres, hêtres, pins à crochets, sapins, mélèzes forment un manteau forestier qui, vers 1 600 m d'altitude, cède la place à un immense champ de cailloux d'une blancheur étincelante. À l'automne, l'ascension, au travers des frondaisons de toutes couleurs, est un enchantement.

Sauvignier S./MICHELIN

Familière et rassurante, la silhouette blanche (que la neige le recouvre ou non) du débonnaire Géant de Provence semble veiller sur la destinée de la région.

UNE RÉSERVE DE BIOSPHÈRE
Il s'agit de zones où l'on tente de concilier la protection des ressources naturelles avec le développement des activités humaines. La réserve se compose d'aires centrales où la priorité est donnée à la protection d'un écosystème original : ici, le sommet du Ventoux, le mont Serein, la cédraie de Bédoin, la Tête des Mines... ou les gorges de la Nesque ; dans les zones tampon, on tente de concilier activités économiques traditionnelles et « tourisme vert » ; dans la zone de transition sont conservées des activités humaines (papeterie, exploitation de sable ou d'ocre, agriculture) dans un souci de « développement durable ».

carnet pratique

MÉTÉO

Une petite laine est de rigueur, car le mistral souffle avec une furie sans pareille. Au sommet, la température est, en moyenne, de 11 °C plus basse qu'au pied et il pleut deux fois plus qu'en bas. Durant la saison froide, le thermomètre descend, à l'observatoire, jusqu'à – 27 °C !

En été, aux heures chaudes, le Ventoux est souvent entouré de brume. Pour profiter du panorama, mieux vaut partir de très bonne heure. Autre solution : rester sur la montagne jusqu'au coucher du soleil. En hiver, l'atmosphère est plus transparente, mais on ne peut gagner le sommet qu'en chaussant des skis.

SE LOGER

⊖⊜ **Hôtel Garance** – *Hameau de Ste-Colombe - 84410 Ste-Colombe - 4 km à l'E de Bédoin par rte du Mont-Ventoux -* ☎ *04 90 12 81 00 - info@lagarance.fr - fermé 15-30 nov. -* 🅿 *- 13 ch. 55/65 € -* 🍽 *7,50 €.* Vieille ferme restaurée au sein d'un hameau entouré de vignes et de vergers. Dans les chambres, mobilier actuel, couleurs du Midi et sols anciens. Préférez celles sur l'arrière : elles regardent le mont Ventoux. L'été, le petit-déjeuner se prend en terrasse. Piscine.

⊖⊜⊜ **Hostellerie de Crillon-le-Brave** – *Pl. de l'Église - 84410 Crillon-le-Brave -* ☎ *04 90 65 61 61 - crillonbrave@relais chateaux.com - fermé 2 janv.-10 mars -* 🅿 *- 24 ch. 200/450 € -* 🍽 *20 € - restaurant 74 €.* Cette bastide du 17ᵉ s. postée face au mont Ventoux évoque les toiles de Cézanne. Chambres provençales, ravissante salle à manger aménagée sous les voûtes de l'ancienne écurie, délicieuse terrasse ombragée et gracieux jardin à l'italienne. Sur la table, mets et vins honorent le Midi.

SE RESTAURER

⊖⊜ **Le Vieux Four** – *Au village - 84410 Crillon-le-Brave -* ☎ *04 90 12 81 39 - fermé 15 nov.-1ᵉʳ mars, lun. et à midi en sem. -* 🍽 *- 24 €.* C'est dans l'ancienne boulangerie du village qu'est venue s'établir cette jeune cuisinière dynamique. Elle vous accueille dans le fournil, dont elle a conservé le vieux four, ou sur la terrasse, installée sur les remparts.

De là, vous pourrez voir le mont Ventoux.

⊖⊜ **Des Pins** – *84410 Bédoin -* ☎ *04 90 65 92 92 - hoteldespins @wanadoo.fr - fermé 31 oct.-14 mars - 25/37 €.* Maison récente, de type mas provençal, au milieu d'une pinède. Les chambres sont rénovées par étapes ; celles en rez-de-jardin possèdent une petite terrasse. Salle à manger égayée de jolis tons ocre-rouge et terrasse ombragée agréablement fleurie.

⊖⊜⊜ **Le Mas des Vignes** – *Rte du Mont-Ventoux - 84410 Bédoin - 6 km à l'E de Bédoin -* ☎ *04 90 65 63 91 - fermé 1ᵉʳ nov.-31 mars, midi en juil.-août, mar. midi et lun. -* 🍽 *- 33/45 €.* De ce joli mas surplombant la vallée et le tracé de la fameuse course de côte du mont Ventoux, le panorama s'étend jusqu'aux dentelles de Montmirail et à la plaine du Comtat. En salle ou en terrasse, dégustez sa cuisine de produits frais, préparée et servie sans chichis.

QUE RAPPORTER

Marché à Bédoin – Marché provençal lundi matin.

SPORTS & LOISIRS

Ski – À chaque chose, malheur est bon : entre décembre et avril, le Ventoux est encapuchonné de neige au-dessus de 1 300-1 400 m d'altitude et fournit aux sports d'hiver d'excellents terrains. Sur le versant Nord, au mont Serein, ski sur neige et, aux beaux jours, sur herbe, remontées mécaniques et piste de raquettes. Sur le versant Sud, les pentes de Chalet-Reynard sont particulièrement propices à la pratique du ski.

Vélo – Un cycloguide, disponible gratuitement dans les offices de tourisme de la zone Ventoux, propose de découvrir le pays du Mont Ventoux par un choix de 18 circuits sélectionnés (route et VTT) pour tous niveaux, d'une longeur de 10 à 49 km ☎ 04 90 80 47 00.

Randonnée pédestre – Dans la forêt de Bédoin ou à l'assaut du Géant de Provence par le GR 91. Procurez-vous les topo-guides édités par la Fédération française de randonnée pédestre « Le Pays du Ventoux à pied » et « Tour du Luberon et du Ventoux ».

circuit

À L'ASSAUT DU GÉANT DE PROVENCE★★

Circuit de 63 km au départ de Vaison-la-Romaine – compter 1 journée. Quitter Vaison-la-Romaine par la D 938 au Sud-Est. Après 3,5 km, prendre à gauche la D 54.

Entrechaux

Ancienne possession des évêques de Vaison, le village est dominé par les ruines perchées de son château féodal.

Regagner la route de Malaucène par la D 13.

Malaucène

Ce gros bourg est entouré en grande partie d'un cours planté d'énormes platanes : pas de doute, nous sommes bien en Provence...

PRUDENCE

Par temps d'orage, la route peut être encombrée sur les trois derniers kilomètres par des éboulis qui n'empêchent généralement pas la circulation mais demandent un peu d'attention.

Son **église fortifiée** (bâtie au 14ᵉ s. à l'emplacement d'un édifice romain, elle faisait partie de l'enceinte de la ville) ne manque pas d'intérêt : nef de style roman provençal et belles boiseries ornées d'instruments de musique du buffet d'orgue (18ᵉ s.). La porte Soubeyran, à côté de l'église, donne accès à la **vieille ville** : maisons anciennes, fontaines, lavoirs, oratoires et, au centre, un vieux beffroi coiffé d'un campanile en fer forgé vous plongeront dans une atmosphère pleine de fraîcheur. À gauche de l'église, un chemin mène au calvaire : belle vue sur les montagnes de la Drôme et le Ventoux.

Prendre sur la gauche la D 974.

Chapelle Notre-Dame-du-Groseau

Cette chapelle est le seul vestige d'une abbaye bénédictine qui dépendait de St-Victor de Marseille. On y distingue un édifice carré *(ne se visite pas)*, ancien chœur de l'église abbatiale du 12ᵉ s., dont la nef a disparu.

Source vauclusienne du Groseau

Sur la gauche de la route, l'eau jaillit par plusieurs fissures au pied d'un escarpement de plus de 100 m, formant un petit lac aux eaux claires ombragé de beaux arbres. Les Romains avaient construit un aqueduc pour amener cette eau jusqu'à Vaison-la-Romaine.

La route, en lacet sur le versant Nord, s'élève sur la face Nord, la plus abrupte du mont Ventoux ; elle traverse pâturages et petits bois de sapins, près du chalet-refuge du mont Serein. Du belvédère aménagé après la maison forestière des Ramayettes, **vue★** sur les vallées de l'Ouvèze et du Groseau, le massif des Baronnies et le sommet de la Plate.

Mont Serein

🏠 ☎ *04 90 63 42 02. www.stationdumontserain.com*
Lieu de ralliement des sportifs en hiver comme en été.
🚶 Du chalet d'accueil part le **sentier botanique Jean-Henri Fabre** *(2 km et 5 km)*.

Le panorama, de plus en plus vaste, découvre les dentelles de Montmirail, les hauteurs de la rive droite du Rhône et les Alpes. Après deux grands lacets, la route atteint le sommet.

Sommet du mont Ventoux★★★

Le sommet du Ventoux est occupé par une station radar de l'armée de l'air et, au Nord, par une tour hertzienne. C'est du terre-plein aménagé au Sud que l'on découvre un vaste **panorama★★★** (table d'orientation) : du massif du Pelvoux aux Cévennes en passant par le Luberon, la montagne Ste-Victoire, les collines de l'Estaque, Marseille et l'étang de Berre, les Alpilles et la vallée du Rhône et même, par temps particulièrement clair, le Canigou.

La descente s'amorce sur le versant Sud. Tracée en corniche, à travers l'immense champ de cailloux, la route la plus ancienne, construite vers 1885, passe de 1 909 m à 310 m d'altitude à Bédoin, en 22 km seulement.

VUE DE NUIT
Un spectacle inoubliable : la plaine provençale, lorsque, dans la nuit, villes et villages scintillent dans l'obscurité. En juil. et août, tous les vend. soir, des ascensions pédestres nocturnes sont organisées par les Offices du tourisme de Malaucène et de Bédoin pour observer le lever du soleil au sommet du Ventoux.

Terreur des coureurs du Tour de France, le sommet du mont Ventoux est en hiver le territoire des skieurs, sûrs d'y trouver de la neige...

Isler Fr./MICHELIN

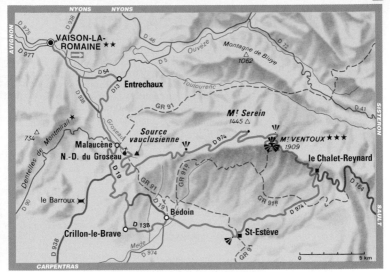

Le Chalet-Reynard

🅱 ☎ *04 90 61 84 55. www.chalet-reynard.com*
C'est le lieu de rendez-vous des skieurs d'Avignon ou de
Carpentras et de la région.

Dans la forêt, aux sapins succèdent les hêtres et les
chênes, puis une belle série de cèdres. Enfin la végétation provençale fait son apparition : vigne, plantations de
pêchers et de cerisiers, quelques oliveraies. Vue sur le
plateau de Vaucluse et au loin, la montagne du Luberon.

Saint-Estève

Du virage, naguère cauchemar des participants de la
course automobile du Ventoux (arrêtée en 1973), **vue★** à
droite sur les dentelles de Montmirail et le Comtat, à
gauche sur le plateau de Vaucluse.

Bédoin

Ce village, perché sur une colline, a conservé ses rues
pittoresques, qui montent vers son église de style jésuite.
Et si vous désirez déguster les côtes-du-ventoux et pour-
quoi pas ramener quelques bouteilles, rendez-vous à la
Cave des vignerons du mont Ventoux *(www.bedoin.com)*.
Prendre la D 138.

Crillon-le-Brave

Perché sur une avancée qui fait face au Ventoux, ce ▶
charmant village a gardé quelques traces de ses remparts. À côté de la mairie, une exposition permanente
donne une idée de l'intéressante collection du **Moulin
de la musique** situé à Mormoiron *(voir Carpentras)*.
Par les D 19 et D 938, regagner Vaison-la-Romaine.

> **BRAVE HOMME**
> Louis de Balbe de Crillon,
> seigneur du village,
> fut surnommé pour
> sa vaillance « le brave
> des braves ». Afin
> d'honorer leur grand
> homme, les villageois lui
> ont élevé une statue...
> et ajouté « le Brave »
> au nom du bourg.

Villeneuve-lès-Avignon★

Villeneuve est le complément essentiel de la visite d'Avignon. Depuis la « ville des cardinaux », la vue sur la « ville des papes » constitue un des paysages les plus célèbres de la vallée du Rhône, surtout en fin d'après-midi lorsque, aux feux du couchant, Avignon apparaît dans toute sa splendeur.

La situation

Carte Michelin Local 339 N5 – Gard (30). En terres gardoises, Villeneuve est depuis l'origine tournée vers Avignon, dont elle constitue une banlieue résidentielle. On l'atteint, depuis la cité des papes, en traversant le Rhône sur le pont Édouard-Daladier (D 900), avant de prendre à droite la D 980 et de passer au pied de la tour Philippe-le-Bel. Parkings au pied du fort, sur l'avenue Charles-de-Gaulle.

🅱 *1 pl. Charles-David, 30400 Villeneuve-lès-Avignon,* ☎ *04 90 25 61 55. www.villeneuvelesavignon.com*

Le nom

Une ville neuve édifiée à portée d'arquebuse d'Avignon : on ne peut pas faire plus simple.

Les gens

11 791 Villeneuvois. Voulue par les rois de France afin de mieux surveiller les terres hostiles de l'autre rive, Villeneuve fut la terre d'élection des cardinaux de la cour pontificale, qui lui assurèrent la prospérité et en firent une ville d'art.

comprendre

IMPÔTS À FLOTS
Le Rhône appartient au royaume de France, mais pas sa rive gauche. Le problème, c'est qu'on ne peut pas préciser où commence celle-ci lors des crues du Rhône. « Là où s'arrête l'eau », décrète l'autorité royale, qui en profite pour aller réclamer des impôts aux habitants des quartiers inondés d'Avignon...

◀ À l'issue de la croisade contre les Albigeois, le roi de France Philippe III le Hardi entre en possession, en 1271, du comté de Toulouse et son nouveau domaine atteint le Rhône. Sur l'autre rive, c'est la Provence, terre d'Empire. À la fin du 13ᵉ s., Philippe le Bel fonde, dans la plaine, une « ville neuve » et, vue l'importance militaire du lieu, il élève, à l'entrée du pont St-Bénezet, un ouvrage puissant. L'arrivée des papes en Avignon constitue une véritable aubaine pour la cité nouvelle : les cardinaux, ne trouvant pas dans la ville pontificale de demeures dignes d'eux, passent le pont et construisent ici quinze magnifiques résidences, les « livrées ». Ils comblent de bienfaits la ville et ses établissements religieux. De leur côté, les rois Jean le Bon et Charles V construisent le fort St-André afin de mieux surveiller la papauté voisine. La prospérité survivra au départ des papes : aux 17ᵉ et 18ᵉ s., la Grande-Rue se garnit de riches hôtels. Les couvents gardent une vie active et brillante, deviennent de véritables musées. Seule la Révolution mettra un terme à cette richesse aristocratique et ecclésiastique.

Villeneuve est posée sur la rive droite du Rhône.

carnet pratique

Transports

D'Avignon, vous pourrez rejoindre Villeneuve-lès-Avignon en bus (ligne 11, au départ de la gare routière) ou en bateau-bus (15 juin-15 sept.).

Visite

Visites guidées de la ville – Villeneuve, qui porte le label Ville d'art, propose des visites-découvertes (2h) animées par des guides-conférenciers agréés par le ministère de la Culture et de la Communication. *Renseignements à l'Office de tourisme ou au ☎ 04 90 25 61 33. www.villeneuvelez avignon.fr/tourisme*

Carte-Pass – Elle permet de visiter Avignon et Villeneuve-lès-Avignon avec d'intéressantes réductions de tarif pendant 15 jours (musées et monuments, visites guidées de la ville, promenades en bateau, excursions en autocar). Pour l'obtenir, s'adresser à l'Office de tourisme, aux monuments et aux musées. Renseignements aux Offices du tourisme d'Avignon et de Villeneuve-lès-Avignon.

Passeport pour l'Art – Ce forfait est proposé pour l'entrée aux monuments suivants : Chartreuse du Val-de-Bénédiction, Fort St-André, Cloître de la collégiale Notre-Dame, Tour Philippe-le-Bel et Musée Pierre-de-Luxembourg. *6,86 €, en vente sur les lieux de visite et à l'Office du tourisme de Villeneuve.*

Visite-chocolat à la chartreuse du Val de Bénédiction – La chartreuse organise régulièrement des visites guidées des bâtiments, suivies d'un chocolat chaud servi dans les anciens appartements du pape, au coin de la cheminée 18ᵉ s. en hiver, à l'ombre des jardins, en été. *10,10 € (gratuit -18 ans). Réservation au ☎ 04 90 15 24 24.*

Se loger

⊜⊜ **Hôtel de L'Atelier** – *5 r. de la Foire - ☎ 04 90 25 01 84 - hotel-latelier @liberty surf.fr - ⬛ 9 €. 62/85 € - ⬛ 9 €. 23 ch.* Maison du 16ᵉ s. ayant conservé son cachet : meubles anciens, poutres et pierres apparentes, chambres assez spacieuses et personnalisées. L'hiver, la grande cheminée réchauffe le salon, et, à la belle saison, le petit-déjeuner est servi sur la terrasse ombragée.

Se restaurer

⊜ **Le Saint-André** – *4 bis montée du Fort - ☎ 04 90 25 63 23 - restaurantstandre @free.fr - fermé de déb. à mi-fév., de déb. à mi-nov., mar. midi et lun. - 11/23,50 €.* Si vous devez reprendre des forces en montant vers le fort St-André, arrêtez-vous dans ce frais restaurant au décor provençal bordant la rue étroite qui y mène : une petite étape sympathique et reconstituante.

Sports & Loisirs

Randonnée – Suivez les « sentiers de l'abbaye » (8, 12 et 23 km) au bord du Rhône ou, si vous préférez vous promener dans les terres, l'itinéraire « la montagne de Villeneuve » (8 km). *Dépliants disponibles à l'Office de tourisme.*

Parc de loisirs Amazonia – *Rte d'Orange - Sortie A 7 Orange puis direction Nîmes, 15 km d'Avignon direction Bagnols - ☎ 04 66 82 53 92 - de Pâques à Toussaint : w.-end, j. fériés et vac. scol. 10h30-19h - 12 € pdt vac. scol. ; 13,50 € hors sais.* Aztèques et Mayas envahissent la forêt de Roquemaure ! Ce parc d'aventure pour la famille s'articule autour de nombreuses attractions : toboggan aquatique (Machu-Pichu), parcours 4x4 (Amazonia trophy), parcours rivière (Montée des Andes), petit train (Cuzco express), promenade en bateau (Rivière aux crocodiles), rocher d'escalade... Restauration et aires de pique-nique.

Calendrier

Rencontres de la Chartreuse – *☎ 04 90 15 24 24 - www.chartreuse.org.* En plein festival d'Avignon (juillet), le haut lieu des écritures contemporaines.

Fête de Saint-Marc – Dernier week-end d'avril. Un cep de vigne enrubanné est promené dans la ville. Marché des vignerons des côtes-du-rhône, messe en provençal... *☎ 04 90 25 26 02.*

se promener

De l'Office de tourisme, suivre la rue Fabrigoule, prendre à gauche la rue de la Foire, puis descendre vers la tour.

Tour Philippe-le-Bel

☎ 04 32 70 08 57 - avr.-sept. : tlj sf lun. 10h-12h, 14h-18h30 ; oct.-mars : tlj sf lun. 10h-12h, 14h-17h - fermé déc.-fév., 1ᵉʳ Mai, 1ᵉʳ et 11 Nov. - 1,80 €.
Construite sur un rocher en bordure du Rhône, c'était la pièce maîtresse d'un châtelet qui défendait, en terre royale, l'entrée du pont St-Bénezet. Depuis la terrasse supérieure *(176 marches)*, **vue★★** superbe sur Villeneuve et le fort St-André, le Rhône et le pont St-Bénezet, Avignon et le palais des Papes, la Montagnette et les Alpilles et, en majestueuse toile de fond, le Ventoux.
Remonter jusqu'à la place de l'Oratoire puis prendre la rue de l'Hôpital.

Église Notre-Dame

☎ 04 90 27 49 28 - ⅙ - avr.-sept. 10h-12h30, 14h-18h30 ; oct.-mars : 10h-12h, 14h-17h - gratuit.

Magnin G. /MICHELIN

Au débouché du pont St-Bénezet, la tour Philippe-le-Bel : un belvédère idéal pour surveiller le voisin papal.

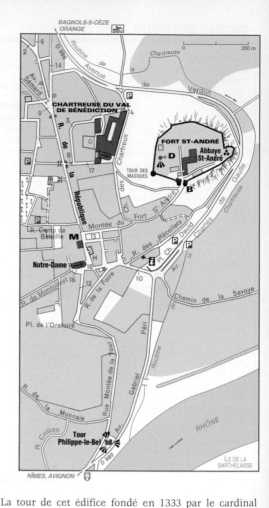

NÎMES, AVIGNON

La tour de cet édifice fondé en 1333 par le cardinal Arnaud de Via, neveu de Jean XXII, était à l'origine un beffroi dont le rez-de-chaussée, formé d'arcades, servait de passage public. Celui-ci fut bouché pour devenir le chœur de l'église, qu'on raccorda à la nef en édifiant une travée supplémentaire. L'église contient plusieurs œuvres d'art : le tombeau du cardinal Arnaud de Via, reconstitué avec son gisant originel du 14ᵉ s., une copie de la célèbre *Pietà* conservée au Louvre depuis 1904 (*3ᵉ chapelle de droite*), un *Saint Bruno* de Nicolas Mignard et un calvaire de Reynaud Levieux.

La **rue de la République**, quelques pas plus loin, est bordée par plusieurs de ces superbes « livrées » cardinalices que les cardinaux ont fait édifier à Villeneuve. Citons celle du cardinal Pierre de Luxembourg (ce jeune homme fort précoce mourut à l'âge de 19 ans, déjà revêtu de la pourpre cardinalice), qui abrite aujourd'hui le **Musée municipal** *(voir « visiter »)* ainsi que celles des nᵒˢ 3, 4 et 53. C'est au nᵒ 60 qu'un portail donne accès à la chartreuse du Val-de-Bénédiction.

PIETÀ EXILÉE

Ce chef-d'œuvre absolu de l'école d'Avignon, datant du 13ᵉ s., avait été exécuté pour la chartreuse de Villeneuve. « Monté » à Paris pour une exposition dont il fut l'un des « clous », il poursuit depuis son splendide exil au Louvre, au grand dam de certains Villeneuvois.

visiter

Musée municipal Pierre-de-Luxembourg★
☎ 04 90 27 49 66 - ♿ - *avr.-sept. : 10h-12h30, 14h-18h30 ; oct.-mars : 10h-12h, 14h-17h - fermé lun., fév., 1ᵉʳ janv., 1ᵉʳ Mai, 1ᵉʳ et 11 Nov., 25 déc. - 3 €, gratuit 1ᵉʳ dim. du mois (oct.-juin).*
Ce musée, installé dans l'hôtel Pierre-de-Luxembourg, propose quelques œuvres d'art exceptionnelles, en par-

ticulier une **Vierge★★** du 14ᵉ s. en ivoire polychrome : sculptée dans une même défense d'éléphant dont elle épouse la courbure, c'est une des plus belles œuvres du genre. Remarquez aussi la Vierge à double face de l'école de Nuremberg (14ᵉ s.), le masque de Jeanne de Laval par Laurana, la chasuble dite « d'Innocent VI » (18ᵉ s.) et le voile du saint sacrement du 17ᵉ s. orné de perles fines, ainsi que des peintures de Nicolas Mignard (*Jésus au Temple*, 1649), Philippe de Champaigne (*La Visitation*, vers 1644), Reynaud Levieux *(La Crucifixion)*, Simon de Châlons, ou encore Parrocel *(Saint Antoine et l'Enfant Jésus)*.

Chartreuse du Val-de-Bénédiction★

60 r. de la République. ☎ *04 90 15 24 24 - www.chartreuse.org - avr.-sept. : 9h-18h30 ; oct.-mars : 9h30-17h30, possibilité de visite guidée (1h15) - fermé 1ᵉʳ janv., 1ᵉʳ Mai, 1ᵉʳ et 11 Nov. et 25 déc. - 6,10 € (gratuit - 18 ans), gratuit 1ᵉʳ dim. du mois (oct.-mai).*

Véritable « ville dans la ville » (songez qu'elle occupe une surface double de celle du palais des Papes), son architecture justifie à elle seule une visite.

Après avoir franchi la **porte du cloître** qui sépare l'allée des Mûriers de la place des Chartreux, on se retournera pour en admirer l'ordonnance et l'ornementation, avant de gagner le bureau d'accueil, en haut de l'allée des Mûriers.

On pénètre dans la nef principale de l'**église** dont l'abside effondrée encadre une **vue★** superbe sur le fort St-André *(voir ci-dessous)*. À droite, l'abside de l'autre nef et une travée abritent le tombeau d'Innocent VI **(1)** dont le gisant de marbre blanc repose sur un socle en pierre de Pernes.

Sur la galerie Est du **petit cloître** donnent la **salle capitulaire (2)** et la **cour des Sacristains (3)**, avec son puits et son pittoresque escalier. Une jolie coupole du 18ᵉ s. couvre le **lavabo (8)**, petit édifice circulaire.

On gagne ensuite le **grand cloître du Cimetière**, large de 20 m et long de 80 m, à la chaude coloration provençale, que bordent les cellules des moines. La première **(4)**, avec son jardin des Simples, se visite. Les autres, restaurées, sont habitées par des écrivains en résidence. À l'extrémité Nord-Est du cloître, un couloir mène à la « bugade » **(5)**, ou buanderie, qui a conservé son puits et la cheminée du séchoir. De sa galerie Ouest, au niveau d'une petite chapelle des morts **(6)**, on rejoint la chapelle **(7)** qui faisait partie de la livrée d'Innocent VI. Remarquez les belles **fresques★** , attribuées à Matteo Giovanetti, l'un des décorateurs du palais des Papes (scènes de la vie de saint Jean-Baptiste et de la vie du Christ). Le **réfectoire**, ancien Tinel (salle des Festins du 18ᵉ s.), est aujourd'hui une salle de spectacles.

▶ **BEAU GESTE**
En 1352, le conclave avait élu pape le général de l'ordre des Chartreux qui, par humilité, refusa la tiare. Désigné à sa place, Innocent VI, pour commémorer le geste, fonda sur les lieux mêmes de sa « livrée » une chartreuse qui allait devenir la plus importante de France.

▶ **CONTES**
En différents endroits, des bornes permettent d'écouter des enregistrements de textes d'auteurs contemporains. Parmi eux, Michel Quint, dont vous pouvez lire *Et mon mal est délicieux* (éd. Joëlle Losfeld), roman qui, en partie, a pour cadre la chartreuse.

« *Couronnement de la Vierge* » *d'Enguerrand Quarton (1453, musée Pierre-de-Luxembourg). Originaire de Laon, ce peintre, fasciné par la lumière du Midi, emploie des couleurs éclatantes qui soulignent la grandeur de la scène. La Vierge au large manteau domine cette composition qui embrasse le ciel et la terre.*

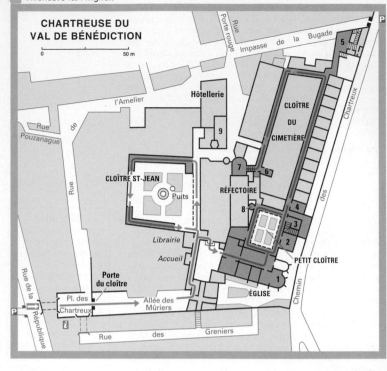

CHARTREUSE DU VAL DE BÉNÉDICTION

Si les galeries du **cloître St-Jean** ont disparu, des cellules de chartreux subsistent encore. Au centre, la monumentale fontaine St-Jean du 18ᵉ s. a conservé son puits et sa belle vasque ancienne. Enfin, jetez un œil à la boulangerie **(9)** avec sa tour hexagonale, et à l'**hôtellerie** qui, remaniée au 18ᵉ s., présente au Nord une belle façade.

Fort Saint-André★

Ce fort englobait une abbaye, la chapelle romane **N.-D.-de-Belvézet**, et un bourg dont ne subsistent que quelques pans de murs. Il fut élevé au 14ᵉ s. par Jean le Bon et Charles V, sur le mont Andaon, île que le dessèchement d'un bras du Rhône rattacha à la terre à la fin du 13ᵉ s.

Tours jumelles★ – ✆ *04 90 25 45 35 - avr.-sept. : 10h-13h, 14h-18h ; oct.-mars : 10h-13h, 14h-17h - fermé 1ᵉʳ janv., 1ᵉʳ Mai, 1ᵉʳ et 11 Nov., 25 déc. - 4,60 €.*

Ce magnifique bâtiment d'entrée est l'un des plus beaux exemples de fortification médiévale. L'accès à la tour Ouest permet de découvrir la salle de manœuvre des herses et la boulangerie (four à pain du 18ᵉ s).

> **E**n grimpant les 85 marches de la tour Ouest, vous serez récompensé par une **vue★★** somptueuse sur le mont Ventoux, le Rhône, Avignon et le palais des Papes, la plaine comtadine, le Luberon, les Alpilles et la tour Philippe-le-Bel.

Abbaye St-André – ✆ *04 90 25 61 33 - accès aux jardins ; avr.-sept. : 10h-12h30, 14h-18h ; oct.-mars : 10h-12h, 14h-17h - fermé lun. - 4 €.*

Fondée par les bénédictins au 10ᵉ s. et en partie détruite pendant la Révolution, elle a conservé son portail d'entrée, l'aile gauche et la terrasse que soutiennent des voûtes massives. Mais ce sont surtout ses **jardins★** à l'italienne qui méritent une promenade, avec leurs superbes **vues★** sur Avignon. Les rois de France en avaient fait leur poste d'observation, afin de mieux tenir à l'œil leurs inquiétants voisins pontificaux...

alentours

Parc d'Astronomie, du Soleil et du Cosmos

À la sortie Ouest de Villeneuve, en direction des Angles. ✆ 04 90 25 66 82 - www.parcducosmos.com - ♿ - visite guidée (1h30) du 3 janv. à mi-déc. : 14h30 (visite), 16h15 (planètarium) - fermé lun. et sam., 1ᵉʳ Mai, de mi-déc. au 2 janv. inclus - 6,50 € (enf. 4,50 €).

◎ Tracé au milieu des pins et des chênes verts, ce parc d'animation astronomique invite à un voyage imaginaire dans l'espace et dans le temps. L'architecture des bâtiments en terrasses superposées évoque celle des ziggourats de l'ancienne Mésopotamie, édifices symbolisant, croit-on, l'union de la terre et du ciel. Le parcours en labyrinthe parmi planètes, étoiles et autres astéroïdes résume de façon ludique l'évolution.

Rochefort-du-Gard

8 km à l'Ouest par la D 900 (direction Les Angles), puis un tout petit bout de la N 100 (direction Remoulins) et la D 111. Vous prendrez plaisir à flâner dans les ruelles pentues et les placettes ombragées de ce vieux village, dont la mairie occupe une ancienne chapelle. Un peu à l'écart, à l'Est, le *castellas* qui fut à l'origine du village n'est guère plus qu'un souvenir : il n'en subsiste que la silhouette blanche et massive de sa chapelle romane. Depuis la plate-forme, belle **vue**★ sur N.-D.-de-Grâce, l'étang asséché de Pujaut et l'arrière-plan montagneux.

Musée du Vélo et de la Moto★

14 km à l'Ouest par la D 900, puis la N 100. Après 9 km, tourner à gauche (direction Domazan). Au château de Bosc. ☏ *04 66 57 65 11 ou 04 66 57 04 27 - de mi-juin à fin sept. : 10h-12h, 14h30-18h30 ; de mi-mai à mi-juin : 14h-18h ; oct.-nov. et de mi-mars à mi-mai : dim., j. fériés et vac. scol. 14h-17h - fermé de déb. déc. à mi-mars et 25 déc. - 6 € (enf. 4 €).*
◎ Aujourd'hui installé dans un château du 19ᵉ s. niché au milieu des vignes et des oliviers dans un parc à la française, ce musée présente une exceptionnelle collection de cycles et de motos, des draisiennes aux vélos de course d'aujourd'hui en passant par les tricycles à moteur, de 1900 aux années 1960. Parmi les pièces étonnantes ou incongrues, un vélocipède ciselé (1869) ayant appartenu à Yves Montand, une bicyclette à guidon articulé, un ancêtre du scooter, l'autofauteuil, une moto spécialement conçue pour les ecclésiastiques (!), un vélo à hélice (conduite allongée) et un tricycle solaire de 1980 qui offre la particularité de ne fonctionner qu'en théorie.

Roquemaure

16 km au Nord par la D 980. Ce gros bourg viticole (qui a ouvert une Académie du Vin et du Goût, *voir p. 32*) a conservé quelques demeures anciennes, comme celle du cardinal Bertrand, dans le quartier de l'église. Cette dernière remonte au 13ᵉ s. et possède de belles orgues du 17ᵉ s. La tour des princes de Soubise est le plus important des vestiges du château où mourut le 20 avril 1314 Clément V, premier pape d'Avignon. En face, sur l'autre rive, avec sa tour à mâchicoulis, le château de l'Hers semble veiller sur le précieux vignoble.

▶ **UN VRAI FAUX**
Parmi tous ses trésors, le musée présente un (très rare) célérifère. Il s'agit d'une copie. Or l'original n'a jamais existé que dans l'imagination fertile d'un journaliste. Copie d'un objet imaginaire, cette pièce est donc, paradoxalement, un original !

LE PAYS DES AMOUREUX
Le week-end le plus proche du 14 février, Roquemaure célèbre la Saint-Valentin par la reconstitution historique de l'arrivée des reliques du saint dans le village en 1868. Celles-ci furent achetées à Rome par un viticulteur et offertes à la paroisse afin de protéger la vigne contre le fléau du phylloxéra qui était apparu à Roquemaure cinq ans plus tôt, pour la première fois en Europe.

Index

a. *Coteaux de Chiroubles (Beaujolais) ?*

b. *Vignoble des Riceys (Champagne) ?*

c. *Riquewihr et son vignoble (Alsace) ?*

**Vous ne savez pas
quelle case cocher ?**

**Alors plongez-vous dans
Le Guide Vert Michelin !**

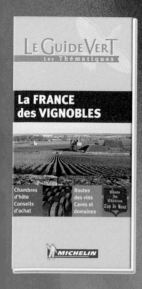

- tout ce qu'il faut voir et faire sur place
- les meilleurs itinéraires
- de nombreux conseils pratiques
- toutes les bonnes adresses

Le Guide Vert Michelin,
l'esprit de découverte

Manufacture française des pneumatiques Michelin
Société en commandite par actions au capital de 304 000 000 EUR
Place des Carmes-Déchaux – 63 Clermont-Ferrand (France)
R.C.S. Clermont-Fd B 855 200 507

Toute reproduction, même partielle et quel qu'en soit le support,
est interdite sans autorisation préalable de l'éditeur.

© Michelin et Cie, Propriétaires-éditeurs
Dépôt légal mars 2006 – ISSN 0293-9436
Printed in Singapore 11-05/6.1-1

Le Guide Vert propose 24 guides sur les régions françaises.
Ces guides sont mis à jour tous les ans.
Toutes les informations sont alors actualisées et vérifiées sur le terrain.

ÉCRIVEZ-NOUS ! TOUTES VOS REMARQUES NOUS AIDERONT À ENRICHIR NOS GUIDES !

Merci de renvoyer ce questionnaire à l'adresse suivante :
Michelin, Questionnaire Le Guide Vert, 46 avenue de Breteuil,
75324 Paris Cedex 07

En remerciement, les auteurs des 100 premiers questionnaires recevront en cadeau la carte Local Michelin de leur choix !

Titre acheté : ....

Date d'achat (mois et année) : ....

Lieu d'achat (librairie et ville) : ....

1) Aviez-vous déjà acheté un Guide Vert Michelin ?   oui ❑   non ❑

2) Quels sont les éléments qui ont motivé l'achat de ce guide ?

	Pas du tout important	Peu important	Important	Très important
Le besoin de renouveler votre ancien guide	❑	❑	❑	❑
L'attrait de la couverture	❑	❑	❑	❑
Le contenu du guide, les thèmes traités	❑	❑	❑	❑
Le fait qu'il s'agisse de la dernière parution (2004)	❑	❑	❑	❑
La recommandation de votre libraire	❑	❑	❑	❑
L'habitude d'acheter la collection Le Guide Vert	❑	❑	❑	❑

Autres : ....
....

Vos commentaires : ....
....
....

3) Avez vous apprécié ?

	Pas du tout	Peu	Beaucoup	Énormément
Les conseils du guide (sites et itinéraires conseillés)	❑	❑	❑	❑
La clarté des explications	❑	❑	❑	❑
Les adresses d'hôtels et de restaurants	❑	❑	❑	❑
La présentation du guide (clarté et plaisir de lecture)	❑	❑	❑	❑
es plans, les cartes	❑	❑	❑	❑
détail des informations tiques (transport, ires d'ouverture, prix....)	❑	❑	❑	❑

ommentaires : ....
....
....

Quelles parties avez-vous utilisées ?
Quels sites avez-vous visités ?

....
....
....
....
....

5) Renouvellerez-vous votre guide lors de sa prochaine édition ?

Oui ❏   Non ❏

Si non, pourquoi ? ....
....
....
....

6) Notez votre guide sur 20 :

7) Vos conseils, vos souhaits, vos suggestions d'amélioration :

....
....
....
....
....
....
....

8) Vous êtes :

Homme ❏   Femme ❏   Âge : .... ans

Nom et prénom : ....
Adresse : ....
....
Profession : ....

Quelle carte Local Michelin souhaiteriez-vous recevoir ?

(nous préciser le département de votre choix)

....

Offre proposée aux 100 premières personnes ayant renvoyé un questionnaire complet. Une seule carte offerte par foyer, dans la limite des stocks disponibles.

VOUS AVEZ AIMÉ CE GUIDE ?
DÉCOUVREZ ÉGALEMENT LE GUIDE VERT À l'ÉTRANGER ET LES NOUVEAUX GUIDES VERTS THÉMATIQUES

(Idées de promenades à Paris, Idées de week-ends en Provence, Idées de week-ends aux environs de Paris)